Canção de Susannah

STEPHEN KING

A TORRE NEGRA

Canção de Susannah

TRADUÇÃO
Mário Molina

SUMA

Grafia atualizada segundo o Acordo Ortográfico da Língua Portuguesa de 1990, que entrou em vigor no Brasil em 2009.

Título original
The Dark Tower VI: Song of Susannah

Capa
Estúdio Nono

Ilustração de capa
Weberson Santiago

Ilustração de orelha
Estúdio Nono baseado em foto de Shane Leonard

Preparação
Stella Carneiro

Revisão
Nestor Turano Jr.
Patricia Calheiros

Dados Internacionais de Catalogação na Publicação (CIP)
(Câmara Brasileira do Livro, SP, Brasil)

King, Stephen
Canção de Susannah / Stephen King ; tradução Mário Molina. — 2ª ed. — Rio de Janeiro : Suma, 2025.

Título original: The Dark Tower VI : Song of Susannah
ISBN 978-85-5651-270-3

1. Ficção de suspense 2. Ficção norte-americana. I. Título. II. Série.

25-291956 CDD-813

Índice para catálogo sistemático:
1. Ficção de suspense : Literatura norte-americana 813

Cibele Maria Dias – Bibliotecária – CRB-8/9427

EDITORA SCHWARCZ S.A.
Praça Floriano, 19, sala 3001 — Cinelândia
20031-050 — Rio de Janeiro — RJ
Telefone: (21) 3993-7510
www.companhiadasletras.com.br
www.blogdacompanhia.com.br
facebook.com/editorasuma
instagram.com/editorasuma

Para Tabby, que soube quando estava pronto

"Vá, então. Há outros mundos além destes."
John "Jake" Chambers

"Sou uma moça de aflição constante
Vi problemas todos os meus dias
De uma ponta à outra do mundo por onde estou destinada a vagar.
Não tenho amigos que me mostrem o caminho…"
Folclore

"Justo é qualquer coisa que Deus queira fazer."
Leif Enger, *Peace Like a River*

REPRODUÇÃO

19

Primeira estrofe
FEIXEMOTO

1

— Quanto tempo a magia vai durar?

A princípio ninguém respondeu à pergunta de Roland e por isso ele tornou a perguntar, desta vez encarando o outro lado da sala da casa paroquial para onde Henchick, do povo manni, estava sentado com Cantab, que desposara uma das numerosas netas de Henchick. Os dois homens estavam de mãos dadas, à maneira manni. O homem mais velho perdera uma neta naquele dia, mas se ele sentia a perda, a emoção não transparecia em seu rosto duro, sereno.

Sentado perto de Roland, sem segurar a mão de ninguém, silencioso e terrivelmente pálido, estava Eddie Dean. A seu lado, no chão, de pernas cruzadas, estava Jake Chambers. Colocara Oi no colo, uma coisa que Roland nunca vira antes e não teria achado que o malhado fosse deixar. Tanto Eddie quanto Jake estavam sujos de sangue. O da camisa de Jake pertencia a seu amigo, Benny Slightman. O de Eddie pertencia a Margaret Eisenhart, ex-Margaret do Caminho Vermelho, a neta falecida do velho patriarca. Eddie e Jake pareciam tão cansados quanto Roland se sentia, mas o pistoleiro tinha certeza absoluta de que não haveria descanso para eles naquela noite. Distante, vindo da cidadezinha, chegava o barulho de fogos de artifício, cantos e comemoração.

Ali, no entanto, não havia comemoração. Benny e Margaret estavam mortos e Susannah se fora.

— Henchick, me diga, eu lhe peço: quanto tempo a magia vai durar?

O velho homem alisou a barba com ar distraído.

— Pistoleiro... *Roland*... Não sei dizer. A magia da porta que há naquela gruta está além do meu poder. Como deves saber.

— Me dê a sua opinião. Com base no que você *realmente* sabe.

Eddie ergueu as mãos. Estavam sujas, com sangue sob as unhas, e tremiam.

— Diga, Henchick — disse ele, falando em um tom humilde, assustado, que Roland jamais ouvira. — Diga, eu lhe peço.

Rosalita, a faz-tudo de père Callahan, entrou com uma bandeja, sobre a qual havia xícaras e uma garrafa de café fumegante. Ela parecera ter encontrado tempo para tirar a camisa e a calça jeans empoeiradas, cheias de manchas de sangue, e pôr um vestido caseiro, mas o choque continuava em seus olhos. Eles espreitavam do seu rosto como pequenos animais espiando das tocas. Ela serviu o café e passou as xícaras sem falar. Rosalita não conseguira limpar todo o sangue, Roland notou ao pegar uma das xícaras. Havia uma mancha nas costas de sua mão direita. Sangue de Margaret ou Benny? Ele não sabia. Nem se importava muito. Os Lobos tinham sido derrotados. Se voltariam ou não algum dia a Calla Bryn Sturgis era uma questão para o ka. A deles era Susannah Dean, que tinha desaparecido logo a seguir, levando o Treze Preto.

— Você pergunta sobre o kaven? — disse Henchick.

— Sim, pai — Roland concordou. — A persistência da magia.

Padre Callahan pegou a xícara de café com um balanço de cabeça e um sorriso distraído, mas nenhuma palavra de agradecimento. Tinha dito pouco desde que saíram da gruta. Em seu colo havia um livro chamado *'Salem*, escrito por um homem de quem nunca ouvira falar. Supostamente era uma obra de ficção, mas ele, Donald Callahan, estava na história. Tinha morado na cidade onde era narrada, tinha tomado parte nos eventos descritos. Havia procurado na quarta capa e na orelha a foto do autor, estranhamente certo de que veria uma versão de seu próprio rosto a encará-lo (muito provavelmente com a aparência que tinha em 1975, quando aqueles eventos ocorreram), mas não havia foto, só uma nota sobre o autor, que dizia muito pouco. Morava no estado do Maine. Era casado. Já escrevera um livro antes, muito bem recebido pela crítica se as citações na quarta capa fossem verdadeiras.

— Quanto maior a magia, mais tempo ela persiste... — disse Cantab, olhando em seguida para Henchick com ar interrogador.

— Sim — disse Henchick. — Magia e fascínio, as duas coisas são uma coisa só, e se desdobram juntas. — Ele fez uma pausa. — Vêm do passado, vocês sabem.

— Esta porta se abriu para muitos lugares e muitas vezes no mundo de onde vêm meus amigos — disse Roland. — Eu gostaria de abri-la de novo, mas para voltar aos dois últimos lugares. Aos dois últimos. Isso pode ser feito?

Esperaram, enquanto Henchick e Cantab refletiam. Os mannis eram grandes viajantes. Se alguém sabia, se alguém podia fazer o que Roland desejava — o que todos desejavam —, seriam um dos mannis.

Cantab se inclinou respeitosamente para o velho, o dinh de Calla do Caminho Vermelho. Cochichou. Depois de ouvir com ar impassível, Henchick virou a cabeça de Cantab com a mão torta e velha e também cochichou.

Eddie mudou de posição e Roland sentiu que ele estava à beira de perder o controle, talvez de começar a gritar. Colocou a mão no ombro dele e Eddie se acalmou. Ao menos por algum tempo.

A conversa sussurrada durou cerca de uns cinco minutos, enquanto os outros esperavam. Roland achava difícil suportar os distantes sons de comemoração; só Deus sabia o efeito disso em Eddie.

Por fim Henchick deu um tapinha na bochecha de Cantab e se virou para Roland.

— Achamos que pode ser feito — disse ele.

— Graças a Deus — Eddie murmurou. E então mais alto: — Graças a *Deus*! Vamos subir. Podemos encontrar vocês na estrada do Leste...

Os dois homens barbudos estavam balançando a cabeça, Henchick com uma espécie de seriedade e pesar, Cantab com um olhar que beirava o horror.

— Não subiremos para a Gruta das Vozes na escuridão — disse Henchick.

— *Temos* de subir! — Eddie explodiu. — Vocês não entendem! Não é apenas uma questão de quanto tempo a magia vai durar ou não, é uma questão de tempo do outro lado! Ele anda mais rápido lá e depois que passar, acabou! Jesus, Susannah pode estar tendo aquele bebê agora mesmo, e se for uma espécie de canibal...

— Olhe para mim, meu jovem — disse Henchick —, e preste atenção, eu lhe peço: daqui a pouco não haverá mais luz alguma.

Era verdade. Nunca na experiência de Roland um dia escorrera tão depressa por entre seus dedos. A batalha com os Lobos fora de manhã cedo, logo após o alvorecer, depois tiveram, na estrada, a comemoração pela vitória e o momento de chorar as perdas (que tinham sido impressionantemente pequenas, afinal). Então veio a revelação do sumiço de Susannah, a jornada até a gruta, as descobertas ali. Quando voltaram ao campo de batalha na estrada do Leste, já passava do meio-dia. A maioria dos habitantes da cidade tinha ido embora, levando para casa, em triunfo, os filhos salvos. Com bastante boa vontade, Henchick concordara em fazer parte daquela confabulação, mas quando voltaram à casa paroquial, o sol já estava no lado errado do céu.

Afinal vamos descansar uma noite, Roland pensou, e não sabia se ficava contente ou desapontado. O sono cairia bem; disso ele sabia.

— Ouço e escuto — disse Eddie, e Roland, mantendo a mão no ombro dele, podia sentir o seu tremor.

— Mesmo que estivéssemos dispostos a ir, não poderíamos persuadir um número suficiente de pessoas a nos acompanhar — disse Henchick.

— Você é o dinh...

— Sim, você está dizendo e acho mesmo que sou, embora não seja essa a palavra que usamos, você sabe. Na maioria das coisas eles me seguiriam, e sabem o débito que têm para com o ka-tet devido aos acontecimentos de hoje. Vão procurar fazer tudo para demonstrar sua gratidão. Mas não subiriam aquela trilha para entrar naquele lugar assombrado após o escurecer. — Henchick estava balançando a cabeça devagar e com determinação. — Não... isso eles não fariam.

"Escute, jovem. Eu e Cantab chegaremos ao Kra-ten do Caminho Vermelho ainda antes do escurecer. Ali reuniremos os homens no Tempa, que é para nós o que o Salão da Assembleia é para o povo esquecido. — Olhou rapidamente para Callahan. — Me perdoe, père, se o termo o ofende."

Callahan assentiu distraidamente sem tirar os olhos do livro, que virava e revirava em suas mãos. Estava coberto com um plástico protetor, como primeiras edições valiosas muitas vezes estão. O preço anotado a lápis no canto do plástico era $950. Era o segundo romance de algum jovem. Ele se perguntava o que, de fato, o tornava tão valioso. Se esbarrassem com o dono do livro, um homem chamado Calvin Tower, certamente ia perguntar. Que seria apenas a primeira de uma série de outras perguntas.

— Explicaremos o que você quer e pediremos por voluntários. Dos sessenta e oito homens do Kra-ten do Caminho Vermelho, acho que só uns quatro ou cinco não concordarão em ajudar... em unir suas forças. Será um poderoso khef. Não é assim que chamam? Khef? Uma partilha?

— Sim — disse Roland. — A partilha da água, é como dizemos.

— Esse número de homens não entra na boca daquela gruta — disse Jake. — Nem se metade deles se sentassem nos ombros da outra metade.

— Não vai ser preciso — disse Henchick. — Colocaremos os de maior força lá dentro... os que chamamos de mensageiros. Os outros ficarão alinhados ao longo da trilha, unidos mão a mão e ombro a ombro. Estarão lá amanhã de manhã, antes que o sol alcance o topo dos telhados. Sei e garanto o que estou dizendo.

— De qualquer modo, esta noite precisamos reunir nossos ímãs e pêndulos — disse Cantab. Estava olhando para Eddie com um ar de quem pede desculpas, além de parecer estar um pouco assustado. O rapaz estava em terrível aflição, isso era nítido. E era um pistoleiro. Um pistoleiro podia se descontrolar e, quando isso acontecia, o golpe nunca era sem alvo.

— Pode ser tarde demais — disse Eddie, em voz baixa. Os olhos cor de avelã, agora injetados, escuros de cansaço, se viraram para Roland. — Amanhã pode ser tarde demais mesmo se a magia *não* tiver se dissipado.

Roland abriu a boca e Eddie ergueu um dedo.

— Não fale no ka, Roland. Se você falar mais uma vez no ka, juro que minha cabeça vai explodir.

Roland fechou a boca.

Eddie voltou a se virar para os dois homens barbudos com suas capas pretas de fiéis da seita quacre.

— E vocês não podem ter a certeza de que a magia vai continuar funcionando, não é? O que pode estar aberto esta noite pode estar, amanhã, fechado para sempre. E nem todos os ímãs e pêndulos de criação manni conseguirão abrir.

— Sim — disse Henchick. — Mas sua esposa levou a bola mágica com ela e, a despeito do que você possa pensar, o Mundo Médio e as Fronteiras estão muito melhor sem a presença daquela coisa.

— Eu venderia minha alma para ter a bola de volta, e em minhas mãos — disse Eddie claramente.

Todos ficaram chocados, mesmo Jake, e Roland sentiu uma intensa vontade de mandar que Eddie retirasse o que disse. Havia forças poderosas trabalhando contra a jornada pela Torre, forças sombrias, e o Treze Preto era seu mais nítido sigul. O que podia ser usado também podia ser mal usado e as curvas do arco-íris tinham seu próprio encanto maléfico, principalmente a Décima Terceira. Que era, talvez, a soma de todas. Mesmo se a possuíssem, Roland lutaria para mantê-la longe das mãos de Eddie Dean. No atual estado de dor e distração de Eddie, a bola o destruiria ou escravizaria em questão de minutos.

— Uma pedra não pode beber, porque não tem boca — disse Rosa secamente, sobressaltando a todos. — Coloque de lado as questões de magia, Eddie, e pense na trilha que vai até a gruta. Depois pense nas cinco dúzias de homens, muitos quase tão velhos quanto Henchick, um ou dois cegos como morcegos, tentando subir após o anoitecer.

— O pedregulho — disse Jake. — Lembra o pedregulho onde você tem que passar apertado e os pés ficam pendurados sobre o precipício?

Eddie aquiesceu com relutância. Roland viu que ele estava tentando aceitar o que não podia mudar. Lutando pela sanidade.

— Susannah Dean é também uma pistoleira — disse Roland. — Talvez possa passar um tempinho cuidando de si mesma.

— Acho que Susannah não está mais no controle — respondeu Eddie —, e você acha o mesmo. O bebê, afinal, é de Mia e é Mia quem vai dando as ordens até o bebê... o carinha... nascer.

Roland teve então uma intuição e, como tantas que tivera na vida, ela se mostrou verdadeira.

— Mia podia estar à frente quando as duas partiram, mas talvez não tenha sido capaz de continuar à frente.

Callahan falou por fim, tirando os olhos do livro que tanto o espantara:

— Por que não?

— Porque não é o mundo de Mia — disse Roland. — É o de Susannah. Se não conseguirem achar um meio de trabalhar juntas, podem morrer juntas.

2

Henchick e Cantab voltaram ao Caminho do Vermelho manni, primeiro para reunir os anciãos (todos homens) e falar sobre os acontecimentos do dia, depois para lembrar qual era o pagamento necessário. Roland foi com Rosa para a cabana dela. Ficava no alto da colina, perto de onde até recentemente havia uma bem-arrumada casinha sanitária, agora quase toda em ruínas. Dentro dessa casinha, como inútil sentinela, se achava o que restara de Andy, o Robô Mensageiro (e muitas outras funções). Rosalita tirou devagar a roupa de Roland. Quando ele ficou nu como veio ao mundo, ela se estendeu a seu lado na cama e lhe fez uma massagem com óleos especiais: gordura de gato para as dores e um mais cremoso, levemente perfumado, para as partes mais sensíveis. Fizeram amor. Gozaram juntos (o tipo de acidente físico que os tolos pensam ser o destino), ouvindo o crepitar dos fogos na rua Alta de Calla e os tempestuosos gritos do povo de Calla, a maioria deles agora bem embriagados, a julgar pelo som.

— Durma — disse ela. — Amanhã não o verei mais. Nem eu, nem Eisenhart ou Overholser, nem ninguém em Calla.

— Você tem a visão, então? — Roland perguntou. Parecia relaxado, até satisfeito, mas mesmo durante a penetração, quando estava em pleno ardor, o remoer por Susannah não deixara sua mente: uma pessoa do seu ka-tet, e perdida. Só isso já era suficiente para impedir que tivesse um verdadeiro repouso ou relaxamento.

— Não — disse ela —, mas de vez em quando tenho pressentimentos, como qualquer outra mulher, especialmente quando seu homem está prestes a ir embora.

— É o que sou para você? Seu homem?

O olhar era tímido e firme à mesma medida.

— Apesar do pouco tempo que está aqui, sim, gosto de pensar que sim. Acha que estou errada, Roland?

Ele balançou a cabeça, e de imediato. Era bom ser de novo o homem de uma mulher, mesmo que só por um curto período.

Rosalita viu que ele estava sendo sincero, e suas feições relaxaram. Ela acariciou o rosto magro dele.

— Tivemos um encontro fortuito, Roland, não foi? Um encontro fortuito em Calla.

— Sim, minha dama.

Ela tocou os restos da mão direita dele, depois o quadril direito.

— E como estão suas dores?

Roland não mentiria para ela.

— Péssimas.

Rosalita assentiu, depois pegou a mão esquerda dele, a mão que ele conseguira manter longe das lagostrosidades.

— E esta?

— Está melhor — disse ele, mas sentindo uma dor latente. À espreita. Esperando uma oportunidade para vir à tona. A dor que Rosalita chamava de torção seca.

— Roland! — disse ela.

— Sim?

Os olhos de Rosalita o contemplavam calmamente. Ela ainda segurava sua mão esquerda, acariciava-a, colhendo seus segredos.

— Acabe o que tem a fazer o mais rápido que conseguir.

— É este seu conselho?

— Sim, coração. Antes que o que tem a fazer acabe com você.

3

Eddie estava sentado na varanda dos fundos da casa paroquial quando a meia-noite chegou e aquilo que as pessoas dali passariam a chamar de "Dia da Batalha da Estrada do Leste" entrou para a história (depois viraria um mito... sempre presumindo que o mundo se mantivesse inteiro pelo tempo suficiente para que isto acontecesse). Na cidade, os ruídos da comemoração tinham se tornado cada vez mais altos e febris, até Eddie começar seriamente a temer que colocassem em chamas toda a rua Alta. E ele se importaria? Nem um pouco. Estamos conversados, obrigado. Enquanto Roland, Susannah, Jake, Eddie e três mulheres — que se autodenominavam Irmãs de Oriza — enfrentavam os Lobos, o resto do povo de Calla tinha se escondido, amedrontados, na cidade ou no arrozal junto à margem do rio. Mas daqui a dez anos — talvez não mais de cinco! — estariam contando uns aos outros que, em um dia de outono, tinham chegado aos limites da bravura, ficando ombro a ombro com os pistoleiros.

Não era justo e parte dele sabia disso, mas nunca na sua vida Eddie se sentira tão indefeso, tão perdido, e por consequência tão mesquinho. Dizia a si mesmo para parar um pouco de pensar em Susannah, de se perguntar onde ela poderia estar ou se a criança-demônio já teria vindo à luz. Mas só se via pensando nela. Fora para Nova York, até aí ele tinha certeza. Mas em que quando? Estariam as pessoas andando em cabriolés sob a luz de lampiões ou rodando a jato em táxis antigravitacionais dirigidos por robôs da North Central Positronics?

Será que ela sequer está viva?

Se pudesse, teria repelido este pensamento, mas a mente sabia ser cruel. Continuava vendo Susannah na sarjeta, em algum lugar de Nova York, com uma suástica gravada na testa e uma placa pendurada no pescoço dizendo SAUDAÇÕES DE SEUS AMIGOS NA CIDADE DE OXFORD.

Atrás dele a porta da cozinha da casa paroquial se abriu. Houve o barulho suave, macio, de pés descalços (seus ouvidos agora estavam afiados, treinados como o resto da sua estirpe de matador) e o estalar de unhas de patas. Jake e Oi.

O garoto sentou-se ao lado de Eddie na cadeira de balanço de Callahan. Estava todo vestido e usava seu cinturão. Nele, a Ruger que Jake tinha roubado do pai no dia em que fugira de casa. Hoje a arma havia derramado... bem, sangue não. Ainda não. Óleo? Eddie sorriu um pouco. Mas não havia humor no sorriso.

— Não consegue dormir, Jake?

— Ake — Oi completou e desabou nos pés de Jake, o focinho descansando nas tábuas entre suas garras.

— Não — disse Jake. — Continuo pensando em Susannah. — Ele fez uma pausa, depois acrescentou: — E em Benny.

Eddie sabia que era normal, o garoto tinha visto o amigo explodir diante dos próprios olhos, é *claro* que estaria pensando nele, mas Eddie ainda sentia uma pontada amarga de ciúmes, como se toda a preocupação de Jake devesse ter sido guardada para a esposa de Eddie Dean.

— Aquele garoto Tavery — disse Jake. — Foi culpa dele. Entrou em pânico. Saiu correndo. Quebrou o tornozelo. Se não fosse por causa dele, Benny ainda estaria vivo. — E muito suavemente (teria aterrorizado o garoto em questão, se ele tivesse ouvido isso, Eddie não tinha dúvida), Jake acrescentou: — A porra do... Frank... Tavery.

Eddie estendeu uma mão que preferia não precisar consolar e se forçou a tocar a cabeça do garoto. O cabelo dele estava comprido. Precisava de uma lavada. Mais, precisava de um corte. Precisava de uma mãe para garantir que o garoto debaixo daquele cabelo o cuidasse. Mas já não havia nenhuma mãe, não para Jake. E um pequeno milagre: dar consolo fez Eddie se sentir melhor. Não muito, mas um pouco.

— Esquece — disse ele. — O que está feito está feito.

— Ka — disse Jake amargamente.

— Ki-ié, ka — disse Oi sem levantar o focinho.

— Amém — disse Jake, agora rindo. Foi uma risada fria e perturbadora. Jake tirou a Ruger do coldre improvisado e contemplou-a. — Esta arma atravessará, porque veio do outro lado. É o que Roland diz. As outras também devem atravessar, porque não entraremos em todash. Se não passarem, Henchick as esconderá na gruta e talvez possamos voltar para pegá-los.

— Se chegarmos em Nova York — disse Eddie —, haverá muitas armas. E nós as encontraremos.

— Não revólveres como os de Roland. Torço muito para que possam atravessar. Não sobrou nenhum revólver como o dele em nenhum mundo. É o que eu acho.

Era o que Eddie também achava, mas ele não se deu ao trabalho de dizer isso. Da cidade veio um estrépito de fogos de artifício, depois o silêncio. A coisa estava se acalmando. Finalmente se acalmando. O dia seguinte seria sem dúvida um dia inteiro de festa nas ruas, uma continuação da comemoração, só que um pouco menos embriagada e um pouco mais coerente. Seria esperado que Roland e seu ka-tet participassem como convidados de honra, mas se os deuses da criação fossem bons e a porta se abrisse, eles não estariam mais ali... Correndo atrás de Susannah. Encontrando-a. Esquece isso de correr atrás. *Encontrando-a.*

— Ela ainda está viva — disse Jake como se lesse os pensamentos de Eddie (e ele podia fazer isso, era forte no toque).

— Como pode ter certeza?

— Nós teríamos sentido se tivesse morrido.

— Pode tocá-la, Jake?

— Não, mas...

Antes que ele pudesse concluir, um profundo ronco veio da terra. A varanda começou de repente a subir e a descer, como um barco em um mar agitado. Podiam ouvir as tábuas rangendo. Da cozinha veio o barulho de porcelana quebrando, como dentes batendo. Oi levantou a cabeça e ganiu. Com as orelhas puxadas para trás, seu pequeno focinho de raposa tinha um ar comicamente assustado. Na sala de estar de Callahan, alguma coisa caiu e se estraçalhou.

O primeiro pensamento de Eddie, irracional mas forte, foi que Jake tinha matado Suze simplesmente por declará-la ainda viva.

E por um momento o tremor se intensificou. O vidro de uma janela se partiu quando a moldura saiu do encaixe. Veio um rangido da escuridão. Eddie presumiu — corretamente — que era a casinha sanitária arruinada, agora desabando por completo. Ele ficou de pé sem dar-se conta disso. Jake parou ao lado dele, agarrando seu pulso. Eddie havia sacado o revólver de Roland e agora os dois pareciam prontos para começar a atirar.

Veio um último ronco do fundo da terra e a varanda tornou a se fixar em suas bases. Em certos pontos-chave ao longo do Feixe, as pessoas estavam acordando e olhando ao redor, atordoadas. Nas ruas de um quando de Nova York, alguns alarmes de carros dispararam. Os jornais do dia seguinte relatariam um terremoto em pequena escala: janelas quebradas, nenhuma morte. Só um pequeno tremor em uma camada de rocha essencialmente sólida.

Jake estava olhando para Eddie, olhos arregalados. E astutos.

A porta se abriu atrás deles e Callahan saiu para a varanda. Além da fina cueca branca que chegava aos joelhos, usava um crucifixo de ouro no pescoço.

— Foi um terremoto, não foi? — perguntou. — Já passei por um no norte da Califórnia, mas não vi nada disso depois que cheguei a Calla.

— Foi muito mais do que um terremoto — disse Eddie, apontando. A porta de tela da varanda, dando para o leste, mostrava o horizonte iluminado por uma artilharia de silenciosas explosões de luz verde. Embaixo da casa paroquial, a porta da cabana de Rosalita se abriu e depois bateu. Ela e Roland avançaram juntos pela colina, Rosalita em um camisolão e o pistoleiro de calça jeans, ambos descalços no orvalho.

Eddie, Jake e Callahan desceram ao encontro deles. Roland olhava fixamente para os clarões de relâmpago, já diminuindo. Tudo no leste. Onde a terra do Trovão esperava por eles, assim como a corte do Rei Rubro e, no fim do Fim do Mundo, a própria Torre Negra.

Se, Eddie pensou. *Se ela ainda estiver de pé.*

— Jake estava dizendo agora mesmo que, se Susannah morresse, nós saberíamos — Eddie comentou com Roland. — Que haveria o que você chama um sigul, um sinal. Então aconteceu isto. — Apontou para o gramado do père, onde uma nova crista tinha se elevado, cerca de uns três metros do solo revirado, deixando à mostra as enrugadas entranhas marrons da terra. Um coro de cachorros latia na cidade, mas nenhum barulho vinha do povo da cidade, pelo menos ainda não; Eddie supôs que um número considerável deles estava dormindo durante o tremor. O sonho embriagado da vitória.

— Mas isso não teve nada a ver com Suze. Teve?

— Não diretamente, não.

— E não foi o nosso — Jake acrescentou —, senão o prejuízo teria sido muito pior. Não acha?

Roland assentiu, mas Rosa olhou para Jake com um misto de perplexidade e pavor.

— Não foi o nosso o *que*, garoto? — perguntou ela. — Do que está falando? Não foi um terremoto, claro!

— Não — disse Roland. — Foi um *Feixe*moto. Um dos Feixes sustentando a Torre... que sustenta tudo... se desfez. Simplesmente se rompeu.

Mesmo na fraca luminosidade dos quatro lampiões que piscavam na varanda, Eddie viu o rosto de Rosalita Munoz perder a cor. Ela se benzeu.

— Um *Feixe*? Um dos *Feixes*? Não diga uma coisa dessas! Diga que não é verdade!

Eddie se viu pensando em um escândalo de beisebol, já bastante antigo, onde um menininho implorava: *Diga que não foi isso, Joe.*

— Não posso — Roland disse a ela —, porque é.

— Quantos desses Feixes existem? — perguntou Callahan.

Roland olhou para Jake e assentiu levemente: *Diga sua lição, Jake de Nova York... Fale e seja fiel.*

— Seis Feixes conectando doze portais — disse Jake. — Os doze portais estão nas doze pontas da terra. Roland, Eddie e Susannah começaram sua jornada a partir do Portal do Urso e me pegaram entre lá e Lud.

— Shardik — disse Eddie, observando os últimos clarões dos relâmpagos no leste. — Era esse o nome do urso.

— Sim, Shardik — concordou Jake. — Portanto, estamos no Feixe do Urso. Todos os Feixes se juntam na Torre Negra. E nosso Feixe, do outro lado da Torre...? — Olhou para Roland em busca de ajuda. Este, por sua vez, olhou para Eddie Dean. Mesmo agora, ao que parecia, Roland ainda continuava a ensiná-los sobre o Caminho do Eld.

Ou Eddie não viu o olhar ou preferiu ignorá-lo, mas Roland não se desconcertou.

— Eddie? — ele insistiu.

— Estamos na Trilha do Urso, Caminho da Tartaruga — disse Eddie em um tom distraído. — Não sei por que isso teria importância, já que o nosso caminho vai somente até a Torre, mas no outro lado é a Trilha da Tartaruga, Caminho do Urso.

E ele recitou:

Veja a TARTARUGA *de enorme dimensão!*
Em seu casco, sustenta a terra,
Seu pensamento é lento mas sempre generoso:
Sustenta a todos nós em sua mente.

Neste ponto, Rosalita entrou no poema:

Em suas costas carrega a verdade,
Onde o amor é casado com dever.
Ama a terra e ama o mar,
Ama até uma criança como eu.

— Não exatamente como ouvi no berço e ensinei aos meus amigos — disse Roland —, mas muito próximo, pela ideia e pelas palavras.

— O nome da Grande Tartaruga é Maturin — disse Jake dando de ombros. — Se faz diferença.

— Você sabe como dizer qual dos Feixes quebrou? — perguntou Callahan estudando Roland com atenção.

Roland balançou a cabeça.

— Só o que sei é que Jake tem razão... não foi o nosso. Se tivesse sido, nada em um raio de mais de cento e cinquenta quilômetros em torno de Calla Bryn Sturgis ficaria de pé. — Ou talvez em um raio de mil e quinhentos quilômetros, quem poderia dizer? — Até os pássaros teriam caído em chamas do céu.

— Você fala do Armagedon — disse Callahan em um tom baixo, transtornado.

Roland balançou a cabeça, mas não em desacordo.

— Não conheço a palavra, père, mas estou falando de grande morte e grande destruição, com certeza. Em algum lugar... talvez ao longo do Feixe conectando Peixe e Rato... isso acabou de acontecer.

— Está convencido de que isso é verdade? — perguntou Rosa em voz baixa.

Roland assentiu. Já tinha passado uma vez por aquilo quando Gilead caiu e a civilização, como ele então a compreendia, terminou. Na época em que o mandaram para longe para vagar com Cuthbert, Alain e Jamie e os poucos outros de seu ka-tet. Um dos seis Feixes tinha então se rompido e quase certamente não fora o primeiro.

— Quantos Feixes restam para sustentar a Torre? — perguntou Callahan.

Pela primeira vez, Eddie pareceu interessado em alguma outra coisa além do destino da esposa perdida. Estava olhando para Roland com o que quase poderia ser considerado atenção. E por que não? Aquela, afinal, era a questão crucial. *Todas as coisas servem ao Feixe*, diziam, e embora a verdade fosse que todas as coisas servem à Torre, eram os Feixes que sustentavam a Torre. Se partissem...

— Dois — disse Roland. — Tem de haver pelo menos dois, eu diria. O que corre pela Calla Bryn Sturgis e outro. Mas só Deus sabe quanto tempo vão aguentar. Mesmo sem os Quebradores trabalhando neles, duvido que se mantenham por muito tempo. Temos de agir rápido.

Eddie endireitara o corpo.

— Se está sugerindo que continuemos sem Suze...

Roland balançou impaciente a cabeça, como se estivesse mandando Eddie deixar de ser tolo.

— Não podemos alcançar a Torre sem ela. Pelo que sei, podemos até precisar do carinha de Mia para alcançá-lo. Está nas mãos do ka, e na minha terra havia um ditado que dizia o seguinte: "O ka não tem coração nem mente".

— Com isso eu posso concordar — disse Eddie.

— Talvez tenhamos outro problema — disse Jake.

Eddie franziu a testa.

— Não *precisamos* de outro problema.

— Eu sei, mas... E se o tremor bloqueou a entrada da gruta? Ou... — Jake hesitou, depois relutantemente mencionou aquilo de que estava realmente com medo. — Ou se a derrubou de vez?

Eddie estendeu a mão, segurou a camisa de Jake e enrolou o tecido na mão.

— Não diga isso. Nem *pense* uma coisa dessas!

Agora ouviam vozes da cidade. O povo de Calla estaria novamente se reunindo na assembleia, achava Roland. Também achava que este dia — e agora esta noite — seriam lembrados por mil anos em Calla Bryn Sturgis. Se a Torre ficasse de pé, é claro.

Eddie soltou a camisa de Jake e passou a mão no lugar onde a tinha agarrado, como se quisesse alisar as dobras. Tentou dar um sorriso que o fez parecer fraco e velho.

Roland se virou para Callahan.

— Será que os mannis virão mesmo amanhã? Você os conhece melhor do que eu.

Callahan deu de ombros.

— Henchick é um homem de palavra. Mas se conseguirá fazer com que outros o sigam depois do que aconteceu... isso, Roland, eu não sei.

— É melhor que consiga — disse Eddie sombriamente. — É melhor mesmo que consiga.

— Quem quer uma partida de Olho Vivo? — sugeriu Roland de Gilead.

Eddie olhou-o sem acreditar.

— Vamos ficar acordados até de manhã — disse o pistoleiro. — Podemos então fazer alguma coisa para passar o tempo.

Então jogaram Olho Vivo e Rosalita venceu uma partida atrás da outra. Ela ia marcando os pontos em um pedaço de lousa, mas sem qualquer sorriso de triunfo — na realidade sem qualquer expressão que Jake pudesse perceber. Pelo menos não a princípio. Ele cogitou tentar o toque, mas estava certo de que seu uso só era justificado por razões muito fortes. Empregar o toque para tentar ver através da expressão impassível de Rosa seria como vê-la tirando a roupa. Ou vê-la fazendo amor com Roland.

Contudo, à medida que o jogo prosseguia e o céu nordeste começava a clarear, Jake achou que descobrira afinal o que ela estava pensando. Pois era o mesmo que *ele* estava pensando. Em certo nível da mente deles, todos estariam pensando naqueles últimos dois Feixes, de agora até o fim.

Esperando que um deles, ou os dois, fossem se romper. Quer fosse o ka-tet seguindo o rastro de Susannah, quer fosse Rosa fazendo o jantar ou até mesmo Ben Slightman lamentando a morte do filho no rancho de Vaughn Eisenhart, todos estariam pensando na mesma coisa: só sobravam dois Feixes e os Quebradores trabalhavam dia e noite contra eles, se alimentando deles, *aniquilando-os*.

Quanto tempo faltava para que tudo terminasse? E *como* terminaria? Ouviriam o vasto ronco daquelas enormes e coloridas pedras de ardósia caindo? O céu se rasgaria como uma frágil peça de tecido, esparramando as monstruosidades que viviam na escuridão todash? Haveria tempo para gritar? Haveria uma vida após a morte ou até mesmo o céu e o inferno seriam eliminados pela queda da Torre Negra?

Jake olhou para Roland e enviou um pensamento, o mais claramente que pôde: *Roland, nos ajude*.

E um pensamento voltou, enchendo sua mente com um frio consolo (ah, mas um pouco de consolo, por mais frio que fosse, era melhor que absolutamente nenhum consolo): *Se eu puder*.

— Olho Vivo — disse Rosalita colocando as cartas na mesa. Ela havia feito Varinhas, a maior sequência e a carta de cima era a Dama da Morte.

LINHA: Commala-venha-venha
Há um jovem com revólver.
Que perdeu sua querida
Quando ela o pegou na corrida.

RESPOSTA: *Commala-venha-uma!*
Ela o pegou na corrida!
Deixou o seu bebê sozinho mas
O bebê dela ainda não terminou.

Segunda estrofe

A PERSISTÊNCIA DA MAGIA

1

Eles não precisavam ter se preocupado sobre se os manni viriam ou não. Henchick, severo como sempre, apareceu na assembleia da cidade, o ponto designado para o encontro, com quarenta homens. Ele assegurou a Roland que aquele número seria suficiente para abrir a Porta Desconhecida — se ela, é claro, ainda pudesse ser aberta, agora que aquilo que ele chamava de "vidro escuro" tinha desaparecido. O velho não proferiu nenhuma palavra de desculpas por comparecer com menos homens do que prometera, mas por repetidas vezes ficou puxando a barba. Às vezes com as duas mãos.

— Por que ele faz isso, père, você sabe? — perguntou Jake a Callahan enquanto as tropas de Henchick rolavam para leste em uma dúzia de carros de boi. Atrás desses, puxados por uma parelha de asnos albinos com orelhas extravagantemente compridas e abrasadores olhos rosados, ia um cabriolé de duas rodas, completamente coberto por uma lona branca. Para Jake parecia um grande baú de víveres sobre rodas. Henchick ia sozinho naquela engenhoca, agora puxando com ar abatido a ponta das suíças.

— Acho que significa que ele está constrangido — disse Callahan.

— Não entendo por quê. Acho incrível que tantos tenham vindo depois do Feixemoto.

— Mesmo assim, quando o solo tremeu, Henchick dever ter percebido que alguns de seus homens ficaram com mais medo do Feixemoto do que dele. E no que diz respeito a Henchick, isso constitui uma promessa quebrada. E não uma promessa *qualquer* quebrada, mas uma que fez a seu dinh. Ele perdeu prestígio. — E sem mudar absolutamente o tom de voz, induzindo o garoto a uma resposta que, de outra forma, ele não teria dado, Callahan perguntou: — Então ela ainda está viva, sua amiga?

— Sim, mas apav... — Jake começou, mas logo tampou a boca. Olhou para Callahan com ar acusatório. À frente deles, no banco do cabriolé de duas rodas, Henchick olhou para o lado, sobressaltado, como se eles tivessem levantado as vozes e começado a discutir. Callahan se perguntou se todos naquela maldita história tinham o toque, menos ele.

Não é uma história. Não é uma história, é a minha vida!

Mas era difícil acreditar nisso, não era? Com Callahan vendo seu próprio nome em caixa alta como um dos personagens principais de um livro onde a palavra FICÇÃO vinha escrita na página de créditos. Edição da Doubleday and Company, 1975. Um livro sobre vampiros, sim, que todo mundo *sabe* que não são reais. Só que já tinham sido reais. E em alguns mundos adjacentes ainda eram reais.

— Não me trate assim — disse Jake. — Não me *engane* assim. Não se estamos todos do mesmo lado, père. Certo?

— Desculpe — disse Callahan. E de novo: — Peço perdão.

Jake deu um sorriso amarelo e passou a mão em Oi, que viajava no bolso da frente do poncho.

— Ela está…

O garoto balançou a cabeça.

— Não quero falar sobre ela agora, père. É melhor nem pensarmos nela. Tenho a sensação… não sei se verdadeira ou não, mas é forte… de que alguma coisa está procurando por ela. Se assim for, é melhor que não nos ouça. E seria capaz de ouvir.

— Alguma coisa…?

Jake estendeu a mão e tocou o lenço que Callahan usava no pescoço, estilo caubói. Era vermelho. Depois encostou brevemente a mão no olho esquerdo. Por um momento Callahan não compreendeu, mas depois sim. O olho vermelho. O Olho do Rei.

Recostou-se no banco da carroça e não falou mais nada. Atrás deles, também calados, Roland e Eddie iam a cavalo, lado a lado. Ambos carregavam suas mochilas e revólveres. Jake tinha a sua em uma carroça que vinha a reboque. Se voltassem a Calla Bryn Sturgis após hoje, não seria por muito tempo.

Apavorada era o que ele ia dizer, mas era pior do que isso. Absurdamente fraco, absurdamente distante, mas ainda claro, Jake podia ouvir o grito de Susannah. Só esperava que Eddie não escutasse.

2

Assim se afastaram de uma cidade quase toda adormecida, emocionalmente esgotada após a comemoração, apesar do tremor que a sacudira. Como o dia estava bastante frio, podiam ver o vapor de suas respirações no ar. Uma camada de gelo, fina, cobria as espigas de milho secas. Uma névoa pendia sobre o Devar-tete Whye, como se o próprio rio estivesse soltando seu fôlego. Roland pensou: *Estamos na entrada do inverno.*

A cavalgada de uma hora levou-os para a região dos arroios. O único ruído era o retinir dos cabrestos, o ranger das rodas, a batida dos cascos dos cavalos, um ocasional urro sardônico de um dos asnos albinos que puxavam o cabriolé; em segundo plano, o chamado dos rusties, voando. Rumando para o sul, talvez, se ainda conseguissem encontrá-lo.

Dez ou quinze minutos após o terreno começar a se elevar à direita deles, enchendo-se de montes, rochedos e mesetas, voltaram ao lugar onde, apenas vinte e quatro horas antes, tinham vindo com as crianças de Calla e travado sua batalha. Ali havia uma trilha que se afastava da estrada do Leste e avançava mais ou menos para noroeste. Na vala do outro lado da estrada havia uma rústica trincheira de terra — o esconderijo onde Roland, seu ka-tet e as damas dos pratos tinham esperado pelos Lobos.

E por falar dos Lobos, onde eles estavam? Quando deixaram aquele lugar de emboscada, ele ficara forrado de corpos. Mais de sessenta criaturas em forma de homem que tinham vindo a cavalo do oeste usando calças cinzentas, capas verdes e máscaras de lobo com dentes arreganhados.

Roland desmontou e se encaminhou até Henchick, que estava descendo do cabriolé de duas rodas com a rigidez característica da idade avançada. Roland não fez qualquer menção de ajudá-lo. Henchick não esperaria que ele o fizesse e poderia inclusive ofendê-lo.

O pistoleiro esperou que ele desse uma última sacudida na capa escura e começou a fazer sua pergunta. Logo, no entanto, percebeu que não precisava fazê-la. Quarenta ou cinquenta metros à frente, do lado direito da estrada, surgira, do dia para a noite, um grande morrote com espigas de milho à flor da terra. Era um monte funerário, Roland percebeu, construído sem qualquer tipo de respeito. Roland não perdera tempo nem se preocupara em descobrir como o povo de Calla passara a tarde anterior (antes da festa de que, sem a menor dúvida, ainda estavam se recuperando), mas agora via a obra deles na sua frente. Tiveram medo de que os Lobos pudessem voltar à vida?, ele se perguntou, sabendo que, de alguma forma, era exatamente o que temeram. E por isso haviam arrastado os corpos pesados, inertes (cavalos cinzentos e Lobos vestidos de cinzento), para o milharal, empilhando-os da forma mais compacta possível e cobrindo-os depois com espigas de milho. Hoje converteriam aquele esquife em uma pira funerária. E se viessem os ventos seminom? Roland achou que, de qualquer modo iriam acender a pira, correndo o risco de um possível incêndio na terra fértil entre estrada e rio. Por que não? A estação de cultivo estava encerrada naquele ano e nada era melhor que o fogo para fertilizar o solo, pelo menos era o que dizia o pessoal mais velho. Sem dúvida o povo de Calla só ia descansar de verdade quando aquele monte estivesse queimado. E mesmo depois, pouca gente iria gostar de vir até aqui.

— Roland, olhe — disse Eddie em uma voz que oscilava entre o pesar e a raiva. — Ah, maldição, *olhe*!

Perto do fim da trilha, onde Jake, Benny Slightman e os gêmeos Tavery tinham esperado antes daquela última investida para atravessar a estrada a procura de segurança, havia uma cadeira de rodas amassada e arranhada, os cromados brilhando no sol, o assento com poeira e marcas de sangue. A roda esquerda se curvara e saíra da calota.

— Por que está com raiva? — perguntou Henchick. A ele tinham se juntado Cantab e meia dúzia de anciãos do grupo a que Eddie às vezes se referia como o Pessoal da Capa. Dois desses anciãos pareciam muito mais velhos que o próprio Henchick, e Roland pensou no que Rosalita dissera na noite anterior: *Muitos quase tão velhos quanto Henchick, tentando subir após o anoitecer.* Bem, não estava escuro, mas Roland se perguntava se todos conseguiriam chegar até a parte íngreme da trilha que levava à Gruta da Porta, para não falar no resto do caminho até o topo.

— Trouxeram a cadeira que roda de sua esposa até aqui — continuou Henchick. — Para honrá-la. E para honrar você. Então por que está falando com raiva?

— Porque ela não deveria estar toda arrebentada e minha esposa deveria estar sentada nela — disse Eddie ao velho. — Não entende isso, Henchick?

— A raiva é a mais inútil das emoções — Henchick entoou —, destrutiva para a mente e prejudicial ao coração.

Os lábios de Eddie se afinaram até virarem uma linha fina branca embaixo do nariz, mas ele conseguiu conter uma resposta. Caminhou até a cadeira amassada de Susannah (já rodara centenas e centenas de quilômetros antes de eles a encontrarem em Topeka, mas seus dias de rodar estavam encerrados) e, com um ar mal-humorado, baixou os olhos para ela. Quando Callahan se aproximou, Eddie fez um gesto para afastar o père.

Jake estava olhando para o lugar na estrada onde Benny fora atingido e morto. O corpo do garoto já não estava lá, é claro, e alguém cobrira o sangue derramado com uma camada fresca de tema, mas Jake percebeu que, mesmo assim, as manchas escuras continuavam visíveis. E se lembrou do braço cortado de Benny, jazendo de palma para cima. Jake se lembrou de como o pai de seu amigo tinha cambaleado para fora do milharal e visto o filho caído ali. Por cerca de cinco segundos, não fora capaz de emitir qualquer som, e Jake supôs que aqueles cinco segundos teriam bastado para o pai ouvir alguém comentando como as baixas tinham sido pequenas: um garoto morto, uma esposa de rancheiro morta, outro garoto com um tornozelo quebrado. Muito pouca coisa, sem dúvida. Mas ninguém havia feito tal comentário, e então o Slightman mais velho começara a gritar. Jake achou que jamais esqueceria o som daquele grito, assim como sempre veria Benny jogado ali, na terra escura e ensanguentada, com o braço decepado.

Ao lado do lugar onde Benny tinha caído havia mais alguma coisa coberta com terra. Jake só conseguia ver um pequeno brilho de metal. Ele pôs um joelho no chão e escavou uma das bolas mortais dos Lobos, chamadas pomos dourados. Modelo Harry Potter, segundo o que estava escrito nelas. Na véspera pegara algumas na mão, sentindo-as vibrar. Tinham um zumbido fraco, malévolo. Aquela estava morta como pedra. Jake se levantou e atirou-a no monte coberto de espigas e de Lobos mortos. Um arremesso forte o bastante para fazer seu braço doer. Provavelmente o braço reclamaria de dor no dia seguinte, mas ele não se importava. Também não dava grande importância ao baixo conceito que Henchick tinha da raiva. Eddie queria a esposa de volta; Jake queria o amigo. E embora Eddie pudesse conseguir ter o desejo *dele* realizado em algum momento do futuro, Jake Chambers nunca conseguiria o seu. Como diamantes, a morte era para sempre.

Ele queria continuar avançando, queria ver pelas costas aquele trecho da estrada do Leste. Também não queria mais precisar olhar para a cadeira de rodas surrada e vazia de Susannah. Porém os mannis formaram um círculo em volta do ponto onde a batalha ocorrera e a oração de Henchick, em uma voz alta e rápida, feria os ouvidos de Jake: lembrava bastante o guincho de um porco assustado. Henchick falava com alguma coisa chamada o Além, pedindo passagem segura para a gruta, uma incursão bem-sucedida, sem que ninguém perdesse a vida ou a sanidade mental (Jake considerou aquele trecho da prece de Henchick especialmente perturbador, talvez por nunca ter pensado em sanidade mental como algo que precisasse de uma oração). O veterano também pediu ao Além que recarregasse a energia de seus ímãs e pêndulos. E finalmente pediu pela kaven, a persistência da magia, um termo que parecia ter poder especial para aquelas pessoas. Quando ele acabou, todos entoaram em uníssono: "Além-sam, Além-kra, Além-can-tah", e deixaram cair suas mãos unidas. Alguns se ajoelharam para ter uma breve confabulação a mais com o verdadeiro mandachuva. Cantab, enquanto isso, conduzia quatro ou cinco dos homens mais jovens para o cabriolé. Dobraram para trás a capota branca como a neve, revelando várias grandes caixas de madeira. Jake deduziu que estavam cheias de pêndulos e ímãs, sem dúvida bem maiores que aqueles que usavam em volta do pescoço. Trouxeram de tudo para a pequena aventura. As caixas estavam cobertas com desenhos — estrelas, luas e estranhas formas geométricas — que pareciam mais cabalísticas que cristãs. Jake, no entanto, percebeu que não tinha motivo para acreditar que os mannis fossem cristãos. Podiam *lembrar* quacres ou o povo amish com suas capas, barbas e chapéus pretos de aba redonda, podiam eventualmente introduzir um *tu* ou *contigo* na conversa, mas, pelo que Jake sabia, nem quacres nem amish jamais tiveram como hobby viajar para outros mundos.

Longas varas envernizadas foram tiradas de outra carroça e empurradas através de alças de metal que havia nos lados das caixas de madeira trabalhada. As caixas se chamavam caixotões, Jake ficou sabendo. Os mannis as carregavam como se fossem artefatos religiosos desfilando pelas ruas de uma cidade medieval. Jake pensou que, de certa forma, *eram* artefatos religiosos.

Subiam a trilha, que continuava cheia de fitas de cabelo, pedaços de tecidos e alguns brinquedos pequenos. Coisas que tinham servido de isca para os Lobos, iscas que foram mordidas.

Quando alcançaram o lugar onde Frank Tavery havia prendido o pé, Jake ouviu a voz da bonita irmã daquele garoto inútil: *Ajude-o, por favor, sai, eu imploro*. Ele tinha ajudado, que Deus o perdoasse. E Benny tinha morrido.

Jake desviou o olhar, fazendo uma careta, então pensou: *Agora você é um pistoleiro, tem de reagir melhor.* E se forçou a olhar de novo.

A mão de père Callahan caiu em seu ombro.

— Filho, tudo bem com você? Está muito pálido.

— Estou bem — disse Jake. Um nó havia crescido em sua garganta, bastante grande, mas ele se forçou a engolir e repetiu o que acabara de dizer, contando a mentira mais para si mesmo do que para o père: — É, estou bem.

Callahan assentiu e deslocou sua bolsa (feita apenas pela metade, a bagagem de um homem da cidade que, no fundo, não acredita estar indo para lugar algum) do ombro esquerdo para o direito.

E o que vai acontecer quando chegarmos àquela gruta? *Se* chegarmos àquela gruta?

Jake balançou a cabeça. Ele não sabia.

3

A trilha estava boa. Uma quantidade considerável de rocha solta tinha rolado e o avanço era difícil para os homens que carregavam os caixotões, mas sob um aspecto o caminho estava mais fácil que antes. O tremor deslocara a pedra gigantesca que antes bloqueava quase inteiramente o trecho perto do topo. Eddie deu uma olhada e viu-a bem lá embaixo, partida em dois pedaços. Havia uma espécie de coisa luminosa cintilando no meio dela, algo que pareceu a Eddie o maior ovo cozido do mundo.

A gruta continuava lá, embora uma grande pilha de tálus se achasse agora na frente da entrada. Eddie juntou alguns dos mannis mais jovens para ajudar na remoção, atirando punhados de xisto (com granadas que, em certos pontos, brilhavam como gotas de sangue) para o lado. Ver a boca da gruta aliviou o peso no coração de Eddie, mas ele não gostou do silêncio. Em sua visita anterior, havia uma tremenda tagarelice vindo da gruta. De algum lugar no fundo vinha o lamento rangente de uma corrente de ar, mas só isso. Onde estava Henry, seu irmão? Henry deveria ter estado reclamando que os cavalheiros de Balazar o assassinaram e que era tudo culpa de Eddie. Onde estava sua mãe, que deveria estar concordando com Henry (em tons idênticos de lamúria)? Onde estava Margaret Eisenhart, se lamentando a Henchick, seu avô, sobre como fora rotulada de esquecida e depois abandonada? Aquela fora a Gruta das Vozes muito antes de ser a Gruta da Porta, mas as vozes tinham se silenciado. E a porta parecia… *estúpida* — foi a primeira palavra que ocorreu à mente de Eddie. A segunda foi *sem importância*. A gruta fora um dia formada e reconhecida pelas vozes em seu fundo; e a porta se tornara terrível, misteriosa e poderosa graças à bola de cristal — o Treze Preto — que chegara em Calla através dela.

Mas agora saiu do mesmo jeito, e isto é apenas uma porta velha que não…

Eddie tentou reprimir a ideia e não pôde.

… que não levava a parte alguma.

Virou-se para Henchick, detestando o súbito brotar de lágrimas em seus olhos, mas incapaz de contê-las.

— Aqui não sobrou nenhuma magia — disse. Tinha a voz impregnada de desespero. — Não há nada atrás da porra daquela porta além de ar estagnado e detritos. Você é um tolo e eu sou outro.

Arquejos chocados se seguiram a isso, mas Henchick olhou para Eddie com olhos que pareciam quase alegres.

— Lewis, Thonnie! — disse ele, quase jovialmente. — Tragam-me o caixotão Branni.

Dois rapazes parrudos, com barbas curtas e cabeleiras puxadas para trás em longas tranças, deram um passo à frente. Traziam um caixotão de pau-ferro com mais de um metro de comprimento e bastante pesado, a julgar pelo modo como seguravam as varas. Pousaram-no diante de Henchick.

— Abra, Eddie de Nova York.

Thonnie e Lewis olharam para ele, curiosos e um pouco assustados. Os mannis mais velhos, Eddie percebeu, o observavam com uma espécie de ávido interesse. Ele apostou que as pessoas demoravam alguns anos para chegar ao patamar pleno do estilo manni de esquisitice e extravagância; com o tempo, Lewis e Thonnie chegariam lá, mas eles ainda não ultrapassavam a categoria do peculiar.

Henchick assentiu a cabeça com uma certa impaciência. Eddie se curvou e abriu a caixa. Foi fácil, não havia fechadura. No interior havia um pano de seda. Henchick removeu-o com um floreio de mágico, revelando um pêndulo em uma corrente. Lembrava a Eddie um antiquado pião de criança e estava longe de ser tão grande quanto ele esperava que fosse. Talvez meio metro do alto até o ponto mais largo da peça de prumo, feita de uma madeira amarelada, de aspecto gorduroso. A corrente de prata fora amarrada ao redor de uma cunha de cristal, posta no alto do caixotão.

— Tire da cunha — disse Henchick e, quando Eddie olhou para Roland, o pelo sobre a boca do velho se abriu e uma fileira de dentes perfeitamente brancos se mostrou em um sorriso de estarrecedor cinismo. — Por que olhas para teu dinh, jovenzinho hipócrita? A magia saiu deste lugar, tu mesmo o disseste! E hesitas? Ora, deves ter no máximo... não sei... vinte e cinco?

Risadinhas dos mannis que estavam perto o suficiente para ouvir a troça, vários deles com menos de vinte e cinco anos.

Furioso com o velho desgraçado (e também consigo mesmo), Eddie estendeu a mão para a caixa. Henchick deteve sua mão.

— Não encoste no pêndulo. Não se queres segurar a porra por um lado e a merda pelo outro. Pegue perto da corrente, estás entendendo?

Mesmo assim Eddie quase encostou no pêndulo (já fizera papel de bobo na frente daquelas pessoas; sem dúvida não havia razão para não completar o feitio), mas viu os olhos cinzas e sérios de Jake e mudou de ideia. O vento estava soprando forte ali em cima, gelando o suor da subida em sua pele, fazendo-o estremecer. Eddie tornou a estender a mão, pegou a corrente e cautelosamente desenrolou-a da cunha.

— Puxe-a — disse Henchick.

— O que vai acontecer?

Henchick assentiu, como se finalmente Eddie tivesse falado algo que fazia sentido.

— É o que vamos ver. Puxe.

Eddie obedeceu. Dado o óbvio esforço com que os dois jovens tinham carregado a caixa, ele ficou espantado com a leveza do pêndulo. Erguê-lo foi como erguer uma pena atada a uma corrente fina de um metro de comprimento. Ele enrolou a corrente nas costas dos dedos e pôs as mãos na frente dos olhos. Ficou meio parecido com um homem prestes a fazer uma marionete dançar.

Eddie ia novamente perguntar a Henchick o que o velho esperava que fosse acontecer, mas antes que o fizesse, o pêndulo começou a balançar de um lado para o outro em pequenos arcos.

— Não estou fazendo isso — disse Eddie. — Pelo menos acho que não. Deve ser o vento.

— Não acho que seja — disse Callahan. — Não há rajadas que...

— Silêncio! — disse Cantab, com um olhar tão autoritário que Callahan realmente se calou.

Eddie permanecia na frente da gruta, com toda a região dos arroios e a maior parte de Calla Bryn Sturgis estendidas abaixo dele. Muito distante, etereamente azul-acinzentada, ficava a floresta que tinham atravessado para chegar aqui — o último vestígio do Mundo Médio, para onde jamais iriam voltar. O vento soprava, agitando seu cabelo para longe da testa e, de repente, Eddie ouviu um som murmurante.

Só que não ouviu. O murmúrio estava dentro da mão que mantinha na frente dos olhos, a mão com a corrente pairando nos dedos estendidos. O murmúrio estava em seu braço. E acima de tudo, em sua cabeça.

Na extremidade da corrente, aproximadamente na altura do joelho direito de Eddie, o balanço do pêndulo ficou mais pronunciado, ampliando consideravelmente o arco. Eddie percebeu uma coisa estranha: cada vez que o pêndulo atingia a ponta de seu vaivém, ficava mais pesado. Era como se estivesse preso em alguma coisa que estava sendo puxada por uma extraordinária força centrífuga.

O arco ficou ainda mais longo, o pêndulo balançou mais rápido, o puxão na ponta de cada balanço ficou mais forte. E então...

— Eddie! — Jake gritou, parecendo ao mesmo tempo preocupado e animado. — Está vendo?

É claro que estava. Agora o pêndulo ia ficando *embaçado* no final de cada movimento. A pressão para baixo em seu braço... o peso do pêndulo... foi rapidamente ficando mais forte enquanto isto acontecia. Ele teve de apoiar o braço direito com a mão esquerda de modo a não soltar a corrente e agora também seus quadris balançavam com o vaivém. Eddie se lembrou de repente de onde estava... cerca de uns duzentos metros acima do solo. Aquela coisinha, se não parasse, em breve o faria cair de lá de cima. E se ele não conseguisse desenroscar a corrente da mão?

O pêndulo balançou para a direita, desenhando no ar a forma de um sorriso invisível, ganhando peso enquanto subia para o final de seu arco. De repente, a pequena peça de madeira que ele havia puxado da caixa com tanta facilidade pareceu pesar trinta, quarenta, cinquenta quilos. E quando o pêndulo parou no final do arco, momentaneamente equilibrado entre movimento e gravidade, ele percebeu que podia ver a estrada do Leste além dele, não apenas claramente mas de forma *ampliada*. Então o pêndulo Branni voltou a recuar no arco, afundando, perdendo peso. Mas quando tornou a subir, agora para a esquerda...

— Tudo bem, entendi! — Eddie gritou. — Mas tire isso de mim, Henchick. Pelo menos faça parar!

Henchick proferiu uma única palavra, um som tão rouco que pareceu ter sido puxado de uma poça de lama. O pêndulo não foi diminuindo de velocidade através de uma série de arcos decrescentes. Simplesmente parou, pendendo outra vez ao lado do joelho de Eddie, a ponta virada para seu pé. Por um momento o murmúrio continuou no braço e na cabeça de Eddie. Então, também parou. Quando isso aconteceu, a desagradável sensação de peso do pêndulo cessou. A maldita coisa tornara a ficar leve como uma pena.

— Tem algo para me dizer, Eddie de Nova York? — perguntou Henchick.

— Sim, lhe peço perdão.

Os dentes de Henchick, outra vez fazendo uma aparição, cintilaram brevemente na aridez da barba e de novo sumiram.

— Não és inteiramente lento, és?

— Espero que não — disse Eddie sem poder reprimir um pequeno suspiro de alívio quando Henchick, do povo manni, puxou a fina corrente de prata de sua mão.

4

Henchick insistiu em um teste. Eddie entendia por que, mas detestava toda aquela necessidade de esperar. O tempo, agora, parecia ser uma coisa quase física, como uma áspera peça de roupa escorregando na palma da mão. Porém ele não falou nada. Já tinha irritado Henchick uma vez, e fora o suficiente.

O velho levou seis de seus amigos (para Eddie cinco deles pareciam ser mais velhos do que Deus) para a gruta. Deu pêndulos a três deles e ímãs em forma de concha para os outros três. O pêndulo Branni, quase certamente o mais forte do conjunto, ele reservou para si mesmo.

Os sete formaram um círculo na boca da gruta.

— Não em volta da porta? — Roland perguntou.

— Não até precisarmos — disse Henchick.

Os anciãos deram-se as mãos, cada qual segurando um pêndulo ou um ímã no ponto onde as mãos se encontravam. Assim que o círculo ficou completo, Eddie tornou a ouvir aquele murmúrio. Alto como se estivesse saindo de um autofalante. Ele viu Jake erguer as mãos para tapar os ouvidos e o rosto de Roland se contrair em uma breve careta.

Eddie olhou para a porta e viu que ela perdera o ar empoeirado e banal. Os hieróglifos mais uma vez se destacavam com nitidez, palavras esquecidas que significavam DESCONHECIDA. A maçaneta de cristal brilhava, fazendo cintilar em linhas brancas de luz a rosa ali gravada.

Será que eu conseguiria abrir agora?, pensou Eddie. *Abrir e atravessar?* Ele achava que não. Pelo menos ainda não. Mas estava muitíssimo mais esperançoso do que cinco minutos atrás.

De repente as vozes do fundo da gruta vieram à tona, mas o fizeram em uma confusão só. Eddie conseguiu distinguir Benny Slightman, o filho, gritando a palavra *Dogan*, ouviu sua mãe dizendo-lhe que agora, para coroar uma carreira de coisas perdidas, ele perdera a *esposa*, ouviu algum homem (provavelmente Elmer Chambers) dizendo a Jake que o garoto tinha ficado louco, estava *fou*, era *Monsieur Lunatique*. Mais vozes juntaram-se a essa, e mais e mais.

Henchick assentiu energicamente a cabeça para os colegas. As mãos se soltaram. Nesse momento, as vozes vindas de baixo interromperam a tagarelice. E Eddie não se espantou ao ver a porta recuperar imediatamente seu aspecto de insípido anonimato — era uma porta qualquer, pela qual se podia passar na rua sem olhar duas vezes.

— O que em nome de Deus foi *isso*? — perguntou Callahan, fazendo um gesto para a escuridão mais profunda, onde o terreno começava a descer. — Não era desse jeito antes.

— Acho que o tremor ou a perda da bola mágica fez com que a gruta enlouquecesse — disse Henchick calmamente. — De qualquer modo, isso não tem importância para o que viemos fazer aqui. Nosso negócio é com a porta. — Olhou para a mochila de Callahan. — Você já foi um errante.

— Sim, eu era.

Os dentes de Henchick tiveram outra breve participação especial. Eddie concluiu que, em algum nível, o velho desgraçado estava gostando daquilo.

— Pelo aspecto de sua bolsa, sai Callahan, você perdeu o jeito.

— Imagino que eu ache difícil de acreditar que estamos de fato indo para algum lugar — disse Callahan, abrindo um sorriso. Comparado com o de Henchick, era um sorriso frágil. — E estou mais velho agora.

Henchick deixou escapar um resmungo grosseiro ao ouvir isso... *fah!*, foi como soou.

— Henchick — disse Roland —, você sabe o que fez a terra tremer hoje de manhã cedo?

Os olhos azuis do velho estavam embaçados, mas ainda atentos. Ele assentiu. Diante da boca da gruta, em uma fila que descia a trilha, quase três dúzias de homens mannis esperavam pacientemente.

— Um feixe se soltou, é o que achamos.

— É o que eu penso também — disse Roland. — Nossa jornada se torna cada vez mais aflitiva. Acho que não devemos ficar jogando conversa fora. Vamos confabular até onde precisarmos e depois seguir em frente.

Henchick olhou para Roland com a mesma frieza que olhara para Eddie, mas os olhos de Roland não vacilaram. A testa de Henchick ficou franzida, depois se suavizou.

— Bem — disse ele. — Como queira, Roland. Tu nos prestaste um grande serviço, tanto aos mannis quanto ao povo esquecido, e agora o retribuiremos o melhor que pudermos. A magia continua aqui, e forte. Só precisa de uma faísca. Nós podemos proporcionar essa faísca, sim, tão fácil quanto a commala. Podes obter o que queres. Por outro lado, todos nós podemos acabar na clareira do fim do caminho. Ou na escuridão. Entendes isto?

Roland assentiu.

— Vais em frente?

Roland ficou um instante de cabeça baixa, a mão na coronha do revólver. Quando ergueu os olhos, estava sorrindo. Um sorriso bonito, cansado, desesperado e perigoso. Deu dois giros no ar com a mão esquerda: *Vamos.*

5

Os caixotões foram colocados no chão — cuidadosamente, porque o caminho subindo para o que os mannis chamavam Kra Kammen era estreito —, e os conteúdos foram removidos. Dedos de unhas compridas (os mannis só podiam cortar as unhas uma vez por ano) batiam de leve nos ímãs, produzindo um zumbido estridente que pareceu cortar a cabeça de Jake como uma faca. O zumbido trouxe à memória dele os sinos todash, o que não lhe pareceu surpreendente; aqueles sinos *eram* o kammen.

— O que significa Kra Kammen? — ele perguntou a Cantab. — Casa dos Sinos?

— Casa dos Fantasmas — Cantab respondeu sem tirar os olhos da corrente que estava desenrolando. — Me deixe em paz, Jake, isto é um trabalho delicado.

Jake não entendeu o porquê da necessidade de delicadeza, mas fez o que lhe pediam. Roland, Eddie e Callahan estavam dentro da entrada da gruta.

Jake juntou-se a eles. Henchick, enquanto isso, colocara os membros mais velhos de seu grupo em semicírculo dando volta pelos fundos da porta. O lado da frente, com sua inscrição de hieróglifos e maçaneta de cristal, estava sem ninguém próximo, pelo menos por enquanto.

O velho foi até a boca da gruta, falou brevemente com Cantab, depois fez menção para que a fileira de mannis que esperavam na trilha começassem a subir. Assim que o primeiro homem da fileira penetrou na gruta, Henchick parou novamente a fila, se virou para Roland e ficou de cócoras, convidando com um gesto o pistoleiro a fazer o mesmo.

O chão da gruta estava coberto de pó. Uma parte vinha das rochas, mas o volume maior era resíduo dos ossos dos animaizinhos que tinham tido a falta de sensatez de entrar ali. Usando uma unha, Henchick desenhou um retângulo com uma abertura embaixo e depois um semicírculo em volta dele.

— A porta — disse Henchick. — E os homens do meu kra. Estás entendendo?

Roland assentiu a cabeça e comentou:

— Você e seus amigos completarão o círculo — disse, desenhando a forma. — O garoto é forte no toque — continuou Henchick, olhando tão repentinamente para Jake que ele teve um sobressalto.

— Sim — disse Roland.

— Vamos colocá-lo, então, diretamente na frente da porta, mas a uma certa distância para que, se a porta abrir bruscamente… e isso pode acontecer… não vá decapitá-lo. Vai ficar lá, garoto?

— Sim, até que você ou Roland me mandem sair — respondeu Jake.

— Vai sentir alguma coisa na cabeça… como um sorvo. Não será agradável. — Henchick fez uma pausa e se virou para Roland: — Você vai abrir a porta duas vezes.

— Sim — disse Roland. — Twim.

Eddie sabia que a segunda abertura da porta tinha a ver com Calvin Tower, mas ele perdera qualquer interesse que pudesse ter tido no proprietário da livraria. O homem não era inteiramente sem coragem, Eddie supôs, mas era também ganancioso, obstinado e egoísta: em outras palavras, o exemplo perfeito de um cidadão de Nova York no século XX. Mas a pessoa que mais recentemente usara a porta fora Suze e, no segundo em que a porta se abrisse, Eddie pretendia cruzá-la de imediato. Se ela abrisse uma segunda vez na pequena cidade do Maine onde Calvin Tower e o amigo dele, Aaron Deepneau, tinham ido se entocar, que ótimo. Se o resto das pessoas acabasse lá, tentando proteger Tower, assim como assegurar a propriedade de um certo terreno baldio e conquistar uma certa rosa selvagem, também ótimo. Mas a prioridade de Eddie era Susannah. Diante dela, tudo o mais era secundário.

Até mesmo a torre.

6

— Quem você vai querer mandar da primeira vez que a porta se abrir? — disse Henchick.

Roland pensou um pouco, passando distraidamente a mão por cima da estante que Calvin Tower insistira em fazer atravessar. A estante continha o livro que tanto transtornara o père. Ele preferia não mandar Eddie, um homem que, além de ser impulsivo, agora se encontrava incapaz de enxergar nada exceto a preocupação pela esposa. Mas será que Eddie obedeceria se Roland o quisesse mandar para seguir Tower e Deepneau? Roland achava que não. O que significava...

— E então, pistoleiro? — Henchick incitou.

— A primeira vez que a porta se abrir, vou entrar com Eddie — disse Roland. — A porta se fechará sozinha?

— Sem dúvida — disse Henchick. — Terão de ser rápidos como a mordida do diabo ou provavelmente serão cortados em duas partes. A metade ficará no chão desta gruta e o resto viajará para onde quer que tenha ido a mulher de pele marrom.

— Vamos ser os mais rápidos que pudermos, é claro — disse Roland.

— Sim, é melhor — disse Henchick, pondo mais uma vez os dentes à mostra. Isto era um sorriso

(*o que ele não está dizendo? alguma coisa que sabe ou imagina que sabe?*)

de que Roland se lembraria em não muito tempo.

— Eu deixaria os revólveres aqui — disse Henchick. — Se tentarem passar com eles, poderão perdê-los.

— Vou conservar o meu e arriscar — disse Jake. — Meu revólver veio do outro lado então talvez não haja problema. Se perdê-lo, consigo outro. Dou um jeito.

— Também acredito que os meus consigam fazer a viagem — disse Roland. Ele pensara cuidadosamente no assunto e decidira conservar os grandes revólveres. Henchick deu de ombros, como a dizer *como quiserem*.

— E quanto a Oi, Jake? — Eddie perguntou.

Os olhos de Jake se arregalaram e o queixo caiu. Roland percebeu que até aquele momento o garoto não pensara no amigo malhado. O pistoleiro ponderou (não pela primeira vez) como era fácil esquecer a verdade mais básica sobre John "Jake" Chambers: ele era apenas um garoto.

— Quando fomos todash, Oi... — começou Jake.

— Isto não é aquilo, docinho — disse Eddie e, ao ouvir o afetuoso "docinho" de Susannah saindo de sua boca, sentiu um aperto triste no coração. Pela primeira vez admitiu para si mesmo que talvez nunca mais voltasse a encontrá-la, assim como Jake talvez nunca mais visse Oi depois que deixassem aquela gruta fedorenta.

— Mas... — Jake começou e então Oi deu um pequeno latido de reprovação. Jake o estava apertando demais.

— Vamos cuidar dele para você, Jake — disse Cantab em um tom suave. — Cuidar muito bem, tenha certeza. Haverá gente esperando aqui até você voltar para pegar seu amigo e o resto de seus bens. — *Se você voltar* foi a parte que Cantab se mostrou gentil demais para declarar. Roland, contudo, leu-a nos olhos dele.

— Roland, tem certeza que não posso... que ele não pode... não... Entendo. Desta vez não é todash. Tá bem. Não.

Jake estendeu a mão para o bolso da frente do poncho, pegou Oi, colocou-o no chão poeirento da gruta. Depois se curvou, plantando as mãos logo acima dos joelhos. Oi ergueu os olhos, esticando o pescoço de modo que as faces dos dois quase se tocaram. E Roland agora viu uma coisa extraordinária: não as lágrimas nos olhos de Jake, mas as lágrimas que tinham começado a inundar os olhos de Oi. Um billy-malhado chorando. Era o tipo de história que poderia se ouvir em um saloon, tarde da noite e embriagado — o fiel malhado que chorava pela partida do dono. Você não acreditava nessas histórias, só não dizia isso para evitar brigas (talvez até tiros). Contudo, lá estava, Roland estava vendo, o que também o deixava com uma certa vontade de chorar. Seria outra imitação do malhado ou será que Oi realmente compreendia o que estava acontecendo? Roland torcia, de todo o coração, pela primeira hipótese.

— Oi, você vai ter de ficar um pouco com Cantab. Você vai ficar bem. Ele é um amigo.

— Tab! — o malhado repetiu. Lágrimas caíram de seu focinho e, no ponto onde ele estava, o solo poeirento ficou escurecido por gotas do tamanho de moedas. Roland achou as lágrimas da criatura singularmente terríveis, de certa forma ainda piores que as lágrimas de uma criança. — Eique! *Eique!*

— Não, eu tenho que ralar — disse Jake, passando as costas das mãos no rosto e deixando listras de sujeira como marcas de guerreiro que subiam até as têmporas, como pintura de guerra.

— Não! Eique!

— Preciso. Você fica com Cantab. Eu volto para pegá-lo, Oi... Vou voltar, a não ser que morra. — Abraçou Oi, depois se levantou. — Fique com o Cantab. É esse aqui. — Jake apontou. — Escute o que estou dizendo, vá agora.

— Eique! Tab! — Era impossível negar a angústia naquela voz. Por um momento, Oi ficou onde estava. Então, ainda chorando... ou imitando as lágrimas de Jake, Roland ainda torcia para que fosse isso... o malhado se virou, trotou para Cantab e sentou-se entre o couro macio das botas empoeiradas do rapaz.

Eddie tentou pôr um braço em volta de Jake, mas o garoto se afastou do abraço e deu um passo atrás. Eddie pareceu perplexo. Roland manteve a expressão impassível; por dentro, no entanto, estava sombriamente satisfeito. Ainda nem fizera treze anos, mas a têmpera já estava ali.

Estava na hora.

— Henchick?

— Sim. Não quer fazer uns dois dedos de prece, Roland? Para algum deus a que te creias?

— Não creio em nenhum deus — disse Roland. — Creio na Torre e não vou rezar para ela.

Vários dos companheiros de Henchick pareceram chocados, mas o velho Henchick só anuiu, como se não esperasse mais que isso. Olhou para Callahan.

— Père?

— Deus — disse Callahan —, Tua mão, Tua vontade. — Ele esboçou uma cruz no ar e assentiu a cabeça para Henchick. — Se vamos, vamos agora.

Henchick deu um passo à frente, tocou a maçaneta de cristal da Porta Desconhecida, depois olhou para Roland. Seus olhos brilhavam.

— Me escute esta última vez, Roland de Gilead.

— Estou ouvindo muito bem.

— Sou Henchick dos mannis do Kra do Caminho Vermelho-a-Sturgis. Somos gente que vê longe e viaja até longe. Somos marinheiros no vento do ka. Queres viajar neste vento? Tu e teus amigos?

— Sim, para onde quer que ele sopre.

Henchick passou a corrente do pêndulo Branni pelas costas da mão e Roland sentiu de imediato um poder adentrando o lugar. Ainda uma coisa pequena, mas que crescia. Que florescia como uma rosa.

— Quantas passagens você pretende fazer?

Roland ergueu os dedos restantes da mão direita.

— Duas. O que é o mesmo que dizer *twim* na linguagem do Eld.

— Dois ou twim é a mesma coisa — disse Henchick. — Commala-vem-dois. — Ergueu a voz. — Venha, manni! Venha commala, junte sua força à minha força! Venha e cumpra sua promessa! Venha e pague nosso débito para com esses pistoleiros! Ajude-me a colocá-los a caminho! *Agora!*

7

Antes que qualquer um deles pudesse ter consciência do fato de que o ka tinha mudado de planos, o ka já exercera sua vontade neles. Mas a princípio parecia que absolutamente nada ia acontecer.

Os mannis que Henchick escolhera como mensageiros — seis anciãos, além de Cantab — formaram um semicírculo atrás da porta e em volta pelos lados. Eddie pegou a mão de Cantab e entrelaçou os dedos com o do manni. Um dos ímãs em forma de concha impedia que as palmas se tocassem. Eddie podia senti-lo vibrar como uma coisa viva. Imaginou que fosse mesmo. Callahan pegou sua outra mão e agarrou-a firmemente.

Do outro lado da porta, Roland pegou a mão de Henchick, entrelaçando a corrente do pêndulo Branni entre seus dedos. Agora o círculo estava completo, salvo por um lugar diretamente na frente da porta. Jake respirou fundo, olhou em volta, viu Oi sentado contra a parede da gruta, cerca de três metros atrás de Cantab, e assentiu.

Oi, fique, eu vou voltar, disse Jake em pensamento, ocupando em seguida o lugar que sobrava. Ele pegou a mão direita de Callahan e, depois de hesitar um instante, segurou a mão esquerda de Roland.

O zumbido retornou de imediato. O pêndulo Branni começou a se mover, desta vez não em arcos mas em um círculo pequeno, apertado. A porta se iluminou e tornou-se mais *presente* — Jake viu isto com seus próprios olhos. As linhas e círculos dos hieróglifos que diziam DESCONHECIA ficaram mais claros. A rosa gravada na maçaneta começou a brilhar.

A porta, contudo, permaneceu fechada.

(*Concentre-se, garoto!*)

Era a voz de Henchick, soando tão forte em sua cabeça que Jake teve a impressão de que lhe comprimia o cérebro. Ele baixou a cabeça e olhou para a maçaneta. Viu a rosa. Viu-a muito bem. Imaginou-a girando como a maçaneta sobre a qual fora moldada. Um dia, não muito tempo atrás, ficara obcecado por portas e pelo outro mundo

(*Mundo Médio*)

que sabia existir atrás de uma delas. A sensação agora foi de voltar àquilo. Imaginou todas as portas que conhecera em sua vida — portas de quarto portas de banheiro portas de cozinha portas de armário portas de um boliche no beco portas de vestiário portas de cinema portas de restaurante portas com os dizeres ENTRADA PROIBIDA portas com os dizeres APENAS FUNCIONÁRIOS portas de geladeira, sim até mesmo essas — e então viu todas elas se abrirem de uma só vez.

Abra!, ele pensou na porta, sentindo-se absurdamente como um príncipe árabe em alguma história antiga. *Abre-te sésamo! Abra-te, digo eu!*

Bem lá de baixo, do fundo da gruta, as vozes começaram mais uma vez a murmurar. Houve um forte barulho de sopro, de sorver e o pesado baque de algo caindo. O chão da gruta tremeu sob seus pés, como se sob o efeito de outro Feixemoto. Jake não deu importância. A sensação de força viva naquela câmara era agora muito forte — podia senti-la pinçando sua pele, vibrando em seus olhos e seu nariz, puxando os cabelos de seu couro cabeludo —, mas a porta permanecia fechada. Ele fez mais pressão sobre a mão de Roland e do père, concentrando-se em portas do corpo de bombeiros, portas de delegacias, a porta para o gabinete do diretor na Piper, até mesmo em um livro de ficção científica chamado *The Door Into Summer*. O cheiro da gruta — relva penetrante, ossos antigos, distantes correntes de ar — de repente pareceu muito forte. Ele sentiu aquele nítido, exuberante surto de certeza... *Agora, vai acontecer agora, sei que vai...* A porta, no entanto, continuou fechada. E então ele pôde sentir mais alguma coisa. Não algo da gruta, mas o aroma levemente metálico de seu próprio suor escorrendo pelo rosto.

— Henchick, não está dando certo. Não acho que eu...

— Não, ainda não... E nunca ache que precisa fazer tudo sozinho, rapaz. Procure alguma coisa entre você e a porta... algo como um gancho... ou um espinho... — Enquanto falava, Henchick fez sinal para o manni que encabeçava a fileira de reforços. — Hedron, adiante-se. Thonnie, segure o ombro de Hedron. Lewis, segure o de Thonnie. E os de trás continuem o esquema! Vamos!

A fileira arrastou os pés para a frente. Oi latiu em um tom inseguro.

— Sinta, garoto! Procure sentir esse gancho! Está entre você e a porta! Sinta!

E enquanto Jake procurava expandir a mente, sua imaginação floresceu repentinamente com uma poderosa e assustadora nitidez que superava mesmo os sonhos mais nítidos. Ele viu a Quinta Avenida entre a Quarenta e Oito e a Sessenta ("as doze quadras onde meu bônus de Natal desaparece a cada janeiro", o pai gostava de resmungar). Viu cada porta, dos dois lados da rua, se escancararem de repente: Fendi! Tiffany! Bergdorf Goodman! Cartier! Doubleday Books! O hotel Sherry Netherland! Viu um corredor interminável com linóleo marrom e sabia que ficava no Pentágono. Viu portas, pelo menos mil portas, todas se escancarando, gerando rajadas de furacão.

Contudo, a porta na sua frente, a única que importava, permanecia fechada.

É, mas...

A porta estava trepidando na moldura. Ele a ouvia.

— Vai, garoto! — disse Eddie. As palavras vinham por entre dentes fortemente cerrados. — Se não pode abri-la, derrube essa porra!

— Me ajudem! — Jake gritou. — Me *ajudem*, maldição! *Todos vocês!*

A força na gruta pareceu dobrar. O zumbido parecia estar fazendo vibrar os próprios ossos no crânio de Jake. Seus dentes batiam. O suor entrava nos olhos, borrando a visão. Via dois Henchicks fazendo sinal para alguém atrás dele: Hedron. E atrás de Hedron, Thonnie. E atrás de Thonnie, todos os outros, serpenteando para fora da gruta e descendo dez metros de trilha.

— Se prepare, rapaz — disse Henchick.

A mão de Hedron deslizou sob a camisa de Jake e agarrou a cintura de sua calça. Jake sentiu-se empurrado em vez de puxado. Algo em sua cabeça se atirou para a frente e, por um momento, ele viu todas as portas de milhares, milhares de mundos se escancarando, gerando um vendaval tão grande que parecia quase capaz de apagar o sol.

E então seu avanço foi interrompido. Havia alguma coisa... Alguma coisa bem na frente da porta...

O gancho! É o gancho!

Jake passou em cima da coisa como se sua mente e força vital fossem uma espécie de arco. Ao mesmo tempo sentiu Hedron e os outros puxando-o para trás. A dor foi imediata, enorme, parecendo despedaçá-lo. Então a sensação de ser drenado começou. Era medonha, como ter alguém puxando suas tripas, dobra por dobra. E sempre aquele zumbido insano nos ouvidos e no fundo do cérebro.

Tentou suplicar — *Não, parem, soltem, é demais!* — e não conseguiu. Tentou gritar e ouviu o grito, mas apenas dentro da própria cabeça. Deus, estava preso. Preso pelo gancho e sendo rasgado em dois.

Uma criatura *chegou* a ouvir seu grito. Latindo furioso, Oi se lançou para a frente. E nesse momento, a Porta Desconhecida se escancarou, se agitando no silvo de um arco bem na frente do nariz de Jake.

— *Olhem!* — Henchick gritou em uma voz ao mesmo tempo terrível e exaltada. — *Olhem, a porta se abre! Over-sam kammen! Can-tah, can-kavar kammen! Over-can-tah!*

Os outros responderam, mas Jake Chambers já se soltara da mão de Roland à sua direita. Já estava voando, mas não sozinho.

Père Callahan voava com ele.

8

Houve tempo o suficiente apenas para Eddie ouvir Nova York, *cheirar* Nova York e perceber o que estava acontecendo. De certa forma, isso era o que tornava a coisa tão terrível — ele foi capaz de registrar que tudo estava indo diabolicamente contra o que tinha esperado, mas não era capaz de fazer nada a respeito disso.

Viu Jake sendo arrancado do círculo e sentiu a mão de Callahan ser separada da sua; viu-os voar em direção à porta, um ao lado do outro, desenhando anéis, como a porra de uma dupla de acrobatas. Alguma coisa peluda e latindo pra caralho passou em disparada pelo lado de sua cabeça. Oi, fazendo voos rasantes, as orelhas para trás e os olhos apavorados, parecendo saltar da cabeça.

E mais. Eddie estava consciente de soltar a mão de Cantab e investir em direção à porta — à *sua* porta, à *sua* cidade e, no meio disso, à *sua* esposa grávida e perdida. Estava consciente (terrivelmente consciente) da mão invisível que o *empurrava para trás*, e de uma voz que falava, mas não em palavras. O que Eddie ouviu era muito mais terrível que quaisquer palavras poderiam ter sido. Com palavras era possível discutir. Isto era apenas uma negação articulada e, até onde sabia, estava vindo da própria Torre Negra.

Jake e Callahan foram disparados como balas de um revólver: atirados em uma escuridão cheia dos exóticos sons de buzinas tocando e tráfego roncando. À distância, como vozes saídas de um sonho, mas clara, Eddie ouviu uma voz rápida, arrebatadora, ribombando em êxtase sua mensagem pela rua:

— Diga Jesusss, bróder, isso aí, diga Jesusss na Segunda Avenida, diga Jesusss na Avenida B, diga Jesusss no Bronx, eu digo Jesusss, eu digo Jesusss-tremendo, eu digo Jesusss! — A voz de um autêntico maluco de Nova York, e Eddie sabia muito bem reconhecer um maluco de Nova York, e isso acabou com ele. Viu Oi passar rapidamente pela porta como um pedaço de jornal sugado rua acima na esteira de um carro em velocidade. Então a porta bateu, golpeando com tanta força e rapidez que ele teve de fechar os olhos para se proteger do vento lançado contra seu rosto, um vento coalhado da poeira de ossos que forrava esta gruta podre.

Antes que Eddie pudesse dar um grito de raiva, a porta tornou a abrir. E desta vez ele ficou fascinado pela enevoada luz do sol que chegava com trinados de passarinhos. Sentiu o cheiro de pinheiros e ouviu o estrondo distante do que parecia ser um grande caminhão. Então foi sugado para aquele sol, incapaz de gritar que aquilo era foda, uma porra de…

Alguma coisa colidiu com o lado da cabeça de Eddie. Por um breve momento ele ficou luminosamente consciente de sua passagem entre os mundos. Depois foi o tiroteio. Depois a morte.

LINHA: *Commala-venha-vento*
O sopro vai levá-la pelo ar.
Fazê-la chegar aonde soprá-la o vento do ka
Pois não há mais nada a fazer.

RESPOSTA: *Commala-venha-dois!*
Mais nada a fazer!
Chegar aonde soprá-la o vento do ka
Pois não há mais nada a fazer.

Terceira estrofe

TRUDY E MIA

1

Até primeiro de junho de 1999, Trudy Damascus era o tipo de mulher prática que diria a você que a maioria dos óvnis eram balões meteorológicos (e os que não eram provavelmente não passavam de invenção de gente que queria aparecer na televisão), o Sudário de Turim era um truque de algum trapaceiro do século XIV e fantasmas — inclusive o de Jacob Marley — eram percepções de pessoas com problemas mentais ou visões causadas por indigestão. Ela era prática, se *orgulhava* de ser prática e não tinha nada sequer levemente espiritual na cabeça ao descer a Segunda Avenida rumo à empresa (uma empresa de contabilidade chamada Guttenberg, Furth e Patel) com sua sacola de lona e a bolsa penduradas a tiracolo. Um dos clientes da GF&P era uma cadeia de lojas de brinquedos chamada KidzPlay e a KidzPlay devia à GF&P uma considerável soma de dinheiro. O fato de estarem também sobrevivendo à beira da inadimplência não tinha importância nenhuma para Trudy. Ela queria aqueles 69 211,19 dólares e passara a maior parte da hora do almoço (em uma mesa dos fundos do Dennis's Waffles and Pancakes, que até 1994 se chamava Chew Chew Mama's) matutando sobre os meios de conquistá-los. Durante os últimos dois anos dera vários passos no sentido de transformar a Guttenberg, Furth e Patel em Guttenberg, Furth, Patel e Damascus; forçar a KidzPlay a soltar a grana seria outro passo — e um importante — naquela direção.

E assim, quando atravessou a rua Quarenta e Seis na direção do grande arranha-céu de vidro escuro que existia agora na esquina da Segunda Avenida com a Quarenta e Seis (a esquina de cima, onde havia antigamente um certo Déli Artesanal e depois um certo terreno baldio), Trudy não estava pensando em deuses, fantasmas ou visitas do mundo espiritual. Estava pensando em Richard Goldman, a porra do CEO de uma determinada empresa de brinquedos, e como...

Mas foi então que a vida de Trudy mudou. Para ser exato, às 13h19, Horário do leste. Ela acabara de alcançar o meio-fio no lado da rua na direção do centro. Estava, de fato, pisando na calçada. E de repente apareceu uma mulher na sua frente. Uma mulher negra de olhos arregalados. Havia muitas mulheres negras na cidade de Nova York e provavelmente um percentual razoável delas deveriam ter olhos arregalados, mas Trudy nunca vira nenhuma brotando do ar na sua frente, que fora exatamente o que esta fizera. E havia algo mais, algo ainda mais inacreditável. Dez segundos antes, Trudy Damascus teria rido e dito que *nada* podia ser mais inacreditável do que uma mulher passar de repente a existir na frente dela em uma calçada do Centro, mas acontecera. Sem a menor dúvida acontecera.

E agora ela sabia como todas aquelas pessoas que narravam visões de discos voadores (para não mencionar fantasmas em correntes que rangiam) deviam se sentir, como deviam se sentir frustradas pela incredulidade obstinada de gente como... bem, de gente como Trudy Damascus era às 13h18 daquele dia de junho, a Trudy que deixou de existir para sempre no lado downtown da rua Quarenta e Seis. Você podia dizer às pessoas: *Você não está entendendo, isto REALMENTE ACONTECEU!*, e vê-las reagir como pedras de gelo. Elas diziam coisas do tipo: Bem, a mulher deve ter saído de trás do ponto de ônibus e você simplesmente não se deu conta ou ela deve ter saído de uma das lojinhas e você simplesmente não se deu conta. Você podia dizer a eles que não havia ponto de ônibus no lado downtown da Segunda com a Quarenta e Seis (como também não havia no lado uptown) e não adiantava. Você podia dizer a eles que não *havia* lojinhas naquela área, não depois que construíram o prédio na Hammarskjöld Plaza 2, e que portanto esse argumento também não funcionava. Trudy logo descobriria essas coisas por si mesma e elas a deixariam próxima da insanidade. Não estava acostumada a ter suas percepções descartadas como se não passassem de um pouco de mostarda ou um pedaço de batata mal cozida.

Nada de ponto de ônibus. Nada de lojinhas. Havia a escadaria subindo para a Hammarskjöld Plaza, onde uns poucos atrasados do almoço ainda estavam sentados com suas embalagens marrons, mas a mulher-fantasma também não viera de lá. O fato era este: quando Trudy Damascus pôs o pé esquerdo, calçado com tênis, no meio-fio, a calçada diretamente na sua frente estava completamente vazia. Quando ela deslocou seu peso se preparando para tirar o pé direito da rua, uma mulher apareceu.

Por um momento, Trudy pôde ver a Segunda Avenida através dela, e alguma outra coisa também, algo que lembrava a entrada de uma gruta. Então aquilo passou e a mulher foi se solidificando. Deve ter levado apenas um segundo ou dois, foi esse o cálculo de Trudy; mais tarde ela pensaria na expressão "perdeu por um piscar de olhos" e lamentou não ter piscado. Porque não foi apenas a materialização.

As pernas da mulher negra cresceram bem ali, na frente de Trudy Damascus.

Foi isso mesmo; as pernas cresceram.

Não havia nada de errado com os poderes de observação de Trudy e ela contaria mais tarde às pessoas (ao número cada vez menor de pessoas que se prestavam a ouvir) que cada detalhe do breve encontro ficou gravado na sua memória como uma tatuagem. A aparição tinha menos de um metro e meio de altura. O que era um pouco atarracado para uma mulher comum, Trudy supôs, mas provavelmente não para alguém cujas pernas paravam nos joelhos.

A aparição estava usando uma camisa branca, salpicada do que era uma tinta cor de vinho ou sangue coagulado, e calça jeans. A calça estava cheia e arredondada nas coxas, onde *havia* pernas, mas abaixo dos joelhos o tecido arrastava na calçada como a pele solta de estranhas cobras azuis. Então, de repente, elas inflaram. *Inflaram*, a própria palavra parecia insana, mas Trudy viu acontecer. No mesmo instante, a mulher passou de seu nada-abaixo-do-joelho-menos-de-um-metro-e-meio para sua estatura de talvez um e setenta, um e setenta e cinco. Foi como assistir a algum extraordinário truque de câmera em um filme, mas aquilo não era um filme, era a *vida* de Trudy.

Sobre o ombro esquerdo a aparição usava uma bolsa com forro de pano que parecia ter sido feita de caniços. Parecia ter pratos lá dentro. Na mão direita ela segurava uma sacola vermelha desbotada, fechada por cordões, onde alguma coisa de fundo quadrado balançava de um lado para o outro. Trudy não conseguia ler tudo que estava escrito na sacola, mas achou que parte da inscrição era PISTAS DO CENTRO DA CIDADE.

Então a mulher agarrou Trudy pelo braço.

— O que você tem nessa bolsa? — ela perguntou. — Tem sapatos?

Isso fez Trudy olhar para os pés da mulher e ver outra coisa impressionante: os pés da mulher negra eram *brancos*. Tão brancos quanto os seus.

Trudy já tinha ouvido falar de gente que perdia a fala em determinados momentos; agora isso acontecia com ela. A língua estava grudada no céu da boca e não descia por nada. Contudo, não havia nada de errado com seus olhos. Eles viam tudo. Os pés brancos. Mais respingos no rosto da mulher negra, quase certamente sangue coagulado. Cheiro de suor, como se a materialização na Segunda Avenida só tivesse ocorrido depois de um tremendo esforço.

— Se tem sapatos, senhora, é melhor me dar. Não quero matá-la mas tenho de encontrar gente que me ajude com meu carinha e não posso fazer isso descalça.

Ninguém naquele pequeno trecho da Segunda Avenida. Pessoas — pelo menos algumas — sentadas na escada do Hammarskjöld Plaza 2, e algumas olhavam diretamente para Trudy e a mulher negra (a mulher *quase* toda negra), mas não com espanto ou sequer interesse, que diabo havia de *errado* com eles, eram cegos?

Bem, para começar não são eles que ela está agarrando. Como também não é a eles que está ameaçando mat...

A sacola de lona da Borders com os sapatos que usava no escritório (sapatos confortáveis de meio salto, um couro cor de borgonha) foi puxada de seu ombro. A mulher espreitou lá dentro e tornou a erguer os olhos para Trudy.

— Qual é o número?

A língua de Trudy finalmente se descolou do céu da boca, mas isso não ajudou; a língua caiu sem vida.

— Deixa pra lá, Susannah diz que você parece usar 36. Esses vão s...

O rosto da aparição de repente pareceu cintilar. Ela ergueu uma das mãos (que desenhou um arco frouxo, com um punho igualmente frouxo, que a certa altura se imobilizou no ar, como se a mulher não o controlasse muito bem) e bateu na testa, bem entre os olhos. E de repente seu rosto estava diferente. Trudy tinha acesso ao canal Comedy Central como parte do seu pacote de televisão a cabo e vira comediantes especializados em simular alterações no rosto com aquele tipo de mímica.

Quando a mulher tornou a falar, sua voz também tinha se alterado. Era agora o tom de uma mulher refinada. E (Trudy seria capaz de jurar) de uma mulher assustada.

— Me ajude — disse ela. — Meu nome é Susannah Dean e eu... eu... meu Deus... ah, *Cristo...*

Desta vez era dor o que distorcia o rosto da mulher e ela agarrou a barriga. Olhou para baixo. Quando voltou a levantar a cabeça, a mulher anterior reapareceu, a que falara em matar por um par de sapatos. Os pés descalços recuaram um passo. Ela ainda segurava a sacola com os belos Ferragamo de salto baixo de Trudy e o *New York Times* dentro dela.

— Ai, Cristo — disse ela. — Ah, como isso dói! *Mama!* Você precisa fazer isso parar. Não pode ser agora, não aqui no meio da rua, precisa fazer com que espere um pouco.

Trudy tentou erguer a voz e gritar por um policial. Nada saiu além de um sussurro.

A aparição apontou para ela.

— É melhor você se mandar agora daqui — disse ela. — E se berrar chamando algum oficial da lei ou uma patrulha, vou te procurar e te cortar esses peitos. — Ela tirou um dos pratos da bolsa de caniços. Trudy observou que a beirada do prato era de metal, afiada como faca de açougueiro. De repente ela teve de lutar para não molhar as calças.

Te procuro e te corto esses peitos, e uma beirada como a que ela estava encarando provavelmente daria conta do recado. Zip-zup, mastectomia instantânea, meu bom Deus!

— Bom-dia para a senhora, madame — Trudy ouviu sua boca dizer. Parecia alguém tentando falar alguma coisa com o dentista antes do efeito da anestesia acabar. — Aproveite bem os sapatos, pode usar sem problemas.

Não que a aparição parecesse estar particularmente saudável. Nem mesmo com as pernas no lugar e os belos dentes brancos.

Trudy saiu andando. Desceu a Segunda Avenida. Tentava dizer a si mesma (sem absolutamente qualquer resultado) que *não* vira uma mulher brotar do ar na frente do Hammarskjöld 2, o prédio que o pessoal que trabalhava nele brincavam chamando de Torre Preta. Tentava dizer a si mesma (também sem nenhum resultado) que aquilo era consequência de ter almoçado rosbife com batatas fritas. Devia ter se mantido fiel ao habitual waffle com ovos. Afinal as pessoas iam ao Dennis para waffles, não para rosbife com batatas, e se você não acredita em uma coisa dessas, veja o que acabou de acontecer a ela. Vendo aparições de pessoas negras e...

E sua sacola! A bolsa Borders de lona! Devia tê-la deixado cair!

Não fora bem assim. Passara todo o tempo com medo de que a mulher viesse atrás dela gritando como uma caçadora de cabeças das selvas mais cerradas e escuras de Papua. Havia um lugar de dormigamento em suas costas (queria dizer um lugar de formigamento dormente, mas *dormigamento* era como realmente estava se sentindo, uma sensação de sonolência aérea, fria, distante), onde sabia que o prato a rasgaria, bebendo seu sangue e em seguida comendo um de seus rins antes de chegar, ainda trepidando, no cerne de sua espinha. Ela ia ouvir o prato avançando, sabendo de algum modo que viria com um som sibilante, como o sorver de um pião de criança, ia sentir o sangue quente borrifando suas nádegas e a barriga de suas pernas...

Não conseguiu evitar. A bexiga fraquejou, a urina esguichou e a frente da calça esporte, parte de um conjunto Norma Kamali *très* dispendioso, ganhou uma deprimente mancha escura. A essa altura ela estava quase na esquina da Segunda Avenida com a rua Quarenta e Cinco. Trudy — que jamais voltaria a ser a mulher prática que até então se considerava — foi finalmente capaz de parar e se virar para trás. Já estava sentindo um dormigamento menor. Só restava a quentura no meio das pernas.

E a mulher, a aparição insana, se fora.

2

Trudy conservava alguma roupas de treino de softball — camisetas e dois velhos pares de calças jeans — dentro do armário no escritório. Quando chegou de volta na Guttenberg, Furth e Patel, a primeira coisa que fez foi trocar de roupa. Depois, ligou para a polícia. O policial que registrou sua queixa foi o agente Paul Antassi.

— Meu nome é Trudy Damascus — disse ela —, e acabei de ser assaltada na Segunda Avenida.

O agente Antassi foi extremamente solidário ao telefone e Trudy se pegou imaginando estar falando com um George Clooney italiano. Não uma coisa de todo absurda, considerando o nome Antassi e os cabelos e olhos escuros de Clooney. Pessoalmente, Antassi não era nada parecido com Clooney, mas, ora, quem podia esperar por milagres e astros de cinema vivendo no mundo real. Apesar de que... considerando o que lhe acontecera na esquina da Segunda Avenida com a rua Quarenta e Seis às 13h19, horário do leste...

O agente Antassi chegou por volta das três e meia e ela detalhou a ele exatamente o que acontecera, tudo, até mesmo a parte sobre a sensação de dormigamento em vez de formigamento dormente e sua estranha certeza de que a mulher estava se preparando para atirar nela aquele prato...

— Quer dizer que o prato tinha uma beirada afiada? — Antassi perguntou fazendo uma anotação no bloco. Quando ela confirmou, ele assentiu com um ar simpático. Alguma coisa no gesto lhe parecera familiar, mas naquele momento estava ocupada demais em contar o que acontecera para fazer qualquer tipo de associação. Mais tarde, é claro, se perguntaria como podia ter sido tão tola. Era exatamente o aceno de cabeça simpático que já vira em um daqueles filmes sobre garotas em surto como *Garota, interrompida* com Winona Ryder e, muito tempo antes, *A cova da serpente*, com Olivia de Havilland.

Mas naquele momento estava absorvida demais. Ocupada demais explicando ao simpático agente Antassi como a calça jeans da aparição se arrastava na calçada dos joelhos para baixo. E quando concluiu a história ouviu pela primeira vez a sugestão de que provavelmente a mulher negra saíra de trás de um ponto de ônibus. E também a ideia (imagina uma coisa dessas) de que a mulher negra provavelmente saíra de uma lojinha, havia bilhões delas naquele trecho. Quanto a Trudy, ela iniciou sua contestação de que *não* havia pontos de ônibus naquela esquina, nem em todo o lado downtown da Quarenta e Seis, assim como nem do lado uptown também. Iniciou também a contestação de que todas as lojinhas tinham desaparecido daquela área desde que o Hammarskjöld 2 fora erguido. Estes argumentos acabariam se transformando em um de seus monólogos mais populares, tão populares que talvez um dia ela subisse no palco da porra do Radio City.

Pela primeira vez ouviu a pergunta sobre o que comera no almoço pouco antes de ver a mulher, e percebeu, pela primeira vez, que almoçara uma versão século XX do que Ebenezer Scrooge comera pouco antes de ver seu antigo (e há muito falecido) sócio: batatas e rosbife. Para não mencionar *várias* passadas de mostarda.

Ela deixou inteiramente de lado a ideia de perguntar se o agente Antassi gostaria de sair para jantar com ela.

Na verdade, colocou-o para fora de sua sala.

Mitch Guttenberg enfiou pouco depois a cabeça pela porta.

— Acham que vão conseguir recuperar sua bolsa, Tru...

— Caia fora — disse Trudy sem olhar para ele. — Já!

Guttenberg notou a palidez do rosto dela e a tensão da mandíbula. E se retirou sem dizer mais nada.

3

Trudy deixou o trabalho às 16h45, o que para ela era cedo. Voltou para a esquina da Segunda com a Quarenta e Seis, e, embora a sensação de dormigamento começasse de novo a subir pelas suas pernas em direção à boca do estômago enquanto ela se aproximava da Hammarskjöld Plaza, Trudy não hesitou. Parou na esquina, ignorando tanto o branco SIGA quanto o vermelho PARE. Depois se virou em um círculo pequeno, quase como uma bailarina, sempre ignorando seus companheiros da Segunda Avenida e sendo ignorada por eles.

— Foi bem aqui — disse. — Aconteceu bem aqui. Sei que foi. Ela me perguntou que número eu calçava e antes que eu pudesse responder... eu *teria* respondido, eu teria dito a ela qual era a cor da minha calcinha se ela perguntasse, eu estava em choque... antes que eu pudesse responder, ela disse...

Deixe pra lá, Susannah diz que você parece usar 36. Estes vão servir.

Bem, não, ela não terminara concluindo assim a frase, mas Trudy tinha certeza de que era o que a mulher tinha pretendido dizer. Só que então o seu rosto se alterara. Como um comediante se preparando para imitar Bill Clinton ou Michael Jackson ou talvez o próprio George Clooney. E ela pedira por ajuda. Pediu por ajuda e disse que seu nome era... qual?

— Susannah Dean — disse Trudy. — Foi esse o nome. Isso eu não contei ao agente Antassi.

Bem, mas à merda com o agente Antassi. O agente Antassi, com seus pontos de ônibus e lojinhas, podia ir pra puta que pariu.

Aquela mulher — Susannah Dean, Whoopi Goldberg, Coretta Scott King, quem quer que fosse — achava que estava grávida. Achava que estava em trabalho de parto. *Tenho quase certeza disso. Achou que ela parecia estar grávida, Trudes?*

— Não — respondeu ela.

No lado uptown da rua Quarenta e Seis, o branco SIGA novamente se transformou no vermelho PARE. Trudy sentiu que estava se acalmando. Alguma coisa relacionada com o fato de estar simplesmente ali, com o Dag Hammarskjöld Plaza 2 à sua direita, parecia acalmá-la. Como a mão fresca de alguém em uma testa quente ou palavras suaves garantindo que não havia nada, absolutamente *nada* que justificasse uma sensação de dormigamento.

Percebeu que podia ouvir um murmúrio. Um leve som sussurrante.

— Não é um murmúrio — disse ela quando o vermelho PARE retrocedeu mais uma vez ao branco SIGA (ela se lembrou de um encontro que tivera na faculdade uma vez em que o cara comentara que o pior desastre cármico que ele podia imaginar seria voltar como sinal de tráfego). — Não é um murmúrio, é um *canto.*

E então, bem ao seu lado — assustando-a, mas sem lhe dar medo —, falou uma voz masculina.

— É isso mesmo — disse ele. Trudy se virou e viu um senhor que parecia ter quarenta e poucos anos. — Passo a toda hora por aqui, só para ouvi-lo. E te digo uma coisa, já que a gente nunca mais vai se ver... quando eu era jovem, eu tinha o pior problema de acne do mundo. Acho que vir até aqui de alguma forma me curou.

— Acha que ficar parado na esquina da Segunda com a Quarenta e Seis curou a sua acne? — perguntou ela.

O sorriso dele, um sorriso discreto mas gentil, vacilou, mas muito pouco.

— Sei que parece loucura...

— Vi uma mulher aparecer em pleno ar bem aqui — disse Trudy. — Foi o que vi três horas e meia atrás. Quando ela apareceu, não tinha pernas dos joelhos para baixo. E então o que faltava das pernas brotou do nada. Quem acha que é o maluco aqui, meu amigo?

O homem ficou olhando para ela de olhos arregalados, provavelmente um subalterno anônimo de terno e gravata arriada no final do dia de trabalho. E sim, ela conseguia ver as marcas e sombras da antiga acne nas bochechas e na testa.

— Isso é verdade? — perguntou ele.

Trudy levantou a mão direita.

— Que eu morra se estiver mentindo. A escrota roubou meus sapatos. — Ela hesitou. — Não, não era uma escrota. Não creio que fosse uma escrota. Estava assustada, descalça e achava que tinha entrado em trabalho de parto. Eu só queria ter tido o tempo de dar a ela os tênis que eu trazia nos pés, não os sapatos ótimos que eu levava na bolsa.

O homem dispensou-lhe um olhar cauteloso e, de repente, Trudy Damascus se sentiu cansada. Chegou à conclusão de que ia ter de se acostumar a olhares como aquele. O sinal disse novamente SIGA e o homem que tinha falado com ela começou a atravessar a rua, balançando a pasta.

— Senhor!

Ele não parou de andar, mas deu uma olhada pelo ombro.

— O que costumava ter aqui? Quando o senhor parava nesta esquina para o tratamento da acne?

— Nada — disse ele. — Era só um terreno baldio atrás de uma cerca. Achei que ia parar... aquele som incrível... quando começaram a construir, mas nunca parou.

Ele atingiu o meio-fio da outra calçada. E começou a subir a Segunda Avenida. Trudy ficou onde estava, perdida em pensamentos. *Achei que ia parar, mas nunca parou.*

— Por que seria? — perguntou-se ela, virando-se para encarar o Hammarskjöld Plaza 2. A Torre Preta. O murmúrio ficou mais forte quando Trudy se concentrou nele. E mais doce. Não era apenas uma voz, mas muitas. Era como um coro. Então parou. Desapareceu tão de repente quanto a mulher negra surgira na calçada.

Não desapareceu, Trudy pensou. *Eu apenas perdi a capacidade de ouvi-lo, só isso. Se eu ficasse aqui tempo suficiente, aposto que ele voltaria. Nossa, isso é loucura.* Eu *estou louca.*

Ela acreditava nisso? A verdade era que não. De uma hora para outra o mundo parecia ter ficado muito rarefeito, antes uma ideia que algo real, como se não estivesse realmente ali. Nunca em sua vida se sentira menos prática. Experimentava uma fraqueza nos joelhos, um aperto no estômago e a sensação de estar à beira de um desmaio.

4

Havia um pequeno parque do outro lado da Segunda Avenida. Nele, uma fonte; perto da fonte, a escultura de metal de uma tartaruga, o casco molhado brilhando sob o jato da fonte. Ela não dava a mínima para fontes ou esculturas, mas havia também um banco.

O sinal SIGA tinha aparecido de novo. Trudy atravessou meio trôpega a Segunda Avenida, como uma mulher de oitenta e três e não de trinta e oito anos, e sentou-se. Começou a respirar fundo, devagar, e uns três minutos depois já se sentia um pouco melhor.

Ao lado do banco havia um recipiente de lixo com MANTENHA A CIDADE LIMPA gravado. Logo embaixo, em tinta spray rosa, uma estranha e pequena pichação: *Veja a* TARTARUGA *de enorme casco*. Trudy viu a tartaruga, mas não achou que ela fosse assim tão grande; a escultura era bem modesta. Também viu mais alguma coisa; um exemplar do *New York Times*, enrolado como ela sempre enrolava o seu quando queria conservá-lo um pouco mais e tinha uma bolsa para guardá-lo. Sem dúvida haveria provavelmente pelo menos um milhão de cópias do *Times* daquele dia flutuando por Manhattan, mas aquele exemplar era o seu. Soube antes mesmo de tirá-lo do recipiente de lixo e confirmar o que já sabia abrindo as palavras cruzadas (ela as completara quase inteiramente durante o almoço com a caneta de cor lilás que sempre usava).

Devolveu o jornal à cesta de lixo e correu os olhos pela Segunda Avenida até o lugar onde sua ideia de como as coisas funcionavam fora alterada. Talvez para sempre.

Pegou meus sapatos. Atravessou a rua, sentou-se ao lado da tartaruga e calçou-os. Guardou minha bolsa mas jogou fora o Times. *Por que ia querer minha bolsa? Não tinha nenhum sapato dela mesma para guardar nela.*

Trudy achou que sabia. A mulher tinha posto seus pratos nela. Um policial que desse uma olhada naquelas beiradas afiadas poderia ter curiosidade de saber o que a pessoa servia em pratos que podiam decepar os dedos se fossem pegos de mau jeito.

Certo, mas ela foi para onde depois?

Havia um hotel na esquina da Primeira Avenida com a rua Quarenta e Seis. Antigamente fora o U.N. Plaza. Trudy não sabia como se chamava agora e não se importava. Nem queria ir até lá para perguntar se uma mulher negra de calça jeans e uma camisa branca manchada não teria passado por ali há algumas horas. Tinha uma forte intuição de que sua versão do fantasma de Jacob Marley fizera exatamente isso, mas era uma intuição na qual não queria descobrir ser verídica. Melhor deixar de lado. A cidade estava cheia de sapatos, mas quanto à *sanidade*, à própria *sanidade*...

Melhor ir para casa, tomar um banho e simplesmente... deixar de lado. Só que...

— Há alguma coisa errada — disse, e um homem passando na calçada olhou para ela. Trudy revidou o olhar com um ar de desafio. — Em algum lugar há alguma coisa muito errada. Está…

Tombando foi a palavra que lhe veio à cabeça, mas ela não a disse em voz alta. Como se pronunciá-la pudesse fazer tombar se transformar em um ruir de vez.

Foi um verão de sonhos ruins para Trudy Damascus. Alguns sobre a mulher que primeiro apareceu e depois *cresceu*. Esses eram ruins, mas não eram os piores. Nos piores ela estava no escuro, sinos terríveis soavam e ela sentia algo tombando mais e mais, até ser tarde demais.

LINHA: *Commala-venha-tom*
Pode me dizer o que vê?
São fantasmas ou apenas o espelho
Que a fazem querer fugir?

RESPOSTA: *Commala-venha-três!*
Imploro, eu lhe peço!
São fantasmas ou apenas seu eu mais sombrio
Que a fazem querer fugir?

Quarta estrofe
A DOGAN DE SUSANNAH

1

A memória de Susannah se tornara terrivelmente irregular e não confiável, como a transmissão desgastada de um carro velho. Lembrava-se da batalha contra os Lobos e de Mia esperando pacientemente o seu término...

Não, não foi bem assim. Não era isso. Mia fizera muito mais do que esperar pacientemente. Tinha torcido por Susannah (e pelos outros) com seu próprio coração de guerreira. Tinha mantido o trabalho de parto em estado latente enquanto a mãe substituta do carinha distribuía a morte com seus pratos. Então acabaram descobrindo que os Lobos eram robôs, de modo que se podia realmente dizer...

Sim. Sim, você pode dizer muita coisa. Porque eles eram mais que robôs, muito mais, e nós os matamos. Fomos lá e acabamos com a raça deles.

Mas não importava porque estava acabado. E assim que acabara, Susannah sentiu o trabalho de parto voltando, e com força. Ia ter a criança na margem da maldita estrada se não se cuidasse; e ali morreria, porque estava faminto, o carinha de Mia estava *fominha* e...

Você tem de me ajudar!

Mia. Impossível não responder a esse apelo. Mesmo sentindo Mia empurrando-a para um lado (como Roland pusera um dia Detta Walker de lado), era impossível não responder àquele selvagem grito de mãe. Em parte, Susannah supôs, porque era o corpo *dela* que compartilhavam, e o corpo se declarara pelo interesse do bebê. Provavelmente não poderia agir de outra forma. E por isso ela havia ajudado. Fizera o que a própria Mia não mais podia fazer, tinha suspendido o trabalho de parto por um pouco mais de tempo. Embora isso fosse perigoso para o carinha (engraçado como essa palavra se insinuava em seus pensamentos, tornara-se sua palavra tanto quanto a palavra de Mia), se acabasse se prolongando demais. Ela se lembrava de uma história contada por uma garota durante uma festinha só de mulheres, tarde da noite, no alojamento da Universidade Columbia (eram meia dúzia de garotas fazendo uma roda, de pijama, fumando e fazendo circular uma garrafa de uísque Wild Irish Rose — absolutamente proibida e portanto duas vezes mais gostosa). A história fora sobre uma garota da idade delas em uma longa viagem de carro. A garota ficara envergonhada de dizer aos amigos que precisava de uma parada para fazer xixi. Segundo a história, ela sofreu uma ruptura da bexiga e morreu. Era o tipo de coisa que você considera ao mesmo tempo pura invencionice e acredita piamente. E esta coisa com o carinha... o *bebê*...

Mas fosse qual fosse o perigo, ela fora capaz de deter o trabalho de parto. Porque existiam interruptores que podiam fazer isso. Em algum lugar

(*na Dogan*)

Só que o maquinário da Dogan não fora projetado para fazer o que ela... elas...

(*nós*)

estavam forçando que fizesse. Acabaria tendo uma sobrecarga e

(*ruptura*)

todas as máquinas entrariam em combustão, queimariam. Com alarmes disparando. Painéis de controle e telas de monitores se apagando. Quanto tempo antes que isso acontecesse? Susannah não sabia.

Tinha a vaga lembrança de tirar sua cadeira de rodas de uma carroça enquanto todos estavam distraídos, comemorando a vitória e chorando os mortos. Subir e escalar, não era fácil para alguém sem pernas do joelho para baixo, mas também não era tão difícil quanto algumas pessoas poderiam acreditar. Certamente ela estava acostumada a um cotidiano de obstáculos — de entrar e sair do banheiro a tirar livros de uma prateleira antigamente tão acessível (houvera um banquinho para auxiliá-la nessas tarefas em cada cômodo de seu apartamento em Nova York). De qualquer modo, Mia insistira — na realidade a *impelira*, como um caubói poderia impelir um bezerro desgarrado. E assim Susannah se suspendera sozinha para a carroça. Abaixara a cadeira de rodas e sentara cuidadosamente nela. Não tão fácil quanto rolar de um tronco de madeira, mas de modo algum a tarefa mais difícil desde que perdera seus últimos quarenta centímetros.

A cadeira a conduzira por um último quilômetro, talvez um pouco mais (nenhuma perna para Mia, filha de ninguém, não em Calla). Por fim ela bateu em uma saliência de granito, que a derrubou no chão. Felizmente, fora capaz de amortecer a queda com os braços, poupando a turbulenta e infeliz barriga.

Ela se lembrava de ter se levantado (correção, ela se lembrava de Mia levantando o corpo sequestrado de Susannah Dean) e de ter continuado a subir a trilha. Tinha apenas outra lembrança nítida de Calla: a tentativa de impedir que Mia tirasse o cordão de couro que Susannah usava no pescoço. Um anel pendia dele, um belo e leve anel feito por Eddie. Quando Eddie viu que o anel era grande demais (querendo que fosse uma surpresa, ele não medira o dedo de Susannah), ficou desapontado e disse a Susannah que lhe faria outro.

Se quiser, vá e faça o que está dizendo, disse ela, *mas sempre vou usar este.*

Ela o pendurara no pescoço, gostava do modo como ele caía entre os seios e agora aqui estava esta mulher desconhecida, esta *escrota*, tentando tirá-lo.

Detta tinha vindo para a frente, lutando com Mia. Detta fora malsucedida ao tentar reassumir controle sobre Roland, mas Mia não era Roland de Gilead. As mãos de Mia soltaram o cordão. Seu controle oscilou. Quando isso aconteceu, Susannah sentiu outra daquelas contrações varrerem seu corpo, fazendo-a se curvar e gemer.

O cordão precisa sair!, Mia gritou. *De outra forma, eles terão o rastro* dele *assim como o seu! Do seu marido! Não é isso que você quer, acredite!*

Quem?, Susannah perguntara. *De quem você está falando?*

Não importa... não há tempo. Mas se ele vier atrás de você... e sei que você acha que ele vai tentar... não podem ter o cheiro dele! Vou deixar isso aqui, onde ele o encontrará. Mais tarde, se for a vontade do ka, você poderá usá-lo de novo.

Susannah pensara em dizer a Mia que elas podiam lavar o anel, lavá-lo para tirar o cheiro de Eddie, mas sabia que não era de um simples cheiro que Mia estava falando. Era um anel de amor e este cheiro sempre permaneceria.

Mas rastro para quem?

Para os Lobos, ela supunha. Os *verdadeiros* Lobos. Aqueles de Nova York. Os vampiros de quem Callahan tinha falado e os homens nefastos. Ou havia alguma outra coisa? Algo ainda pior?

Me ajude!, Mia gritou e de novo Susannah achou impossível resistir. O bebê podia ou não ser de Mia, podia ou não ser um monstro, mas o seu corpo queria tê-lo. Os olhos queriam vê-lo, fosse lá como ele fosse, e seus ouvidos queriam ouvi-lo chorar, mesmo se o choro fosse realmente feito de rosnados.

Ela tirara o anel, dera um beijo nele e o jogara no fim da trilha, onde Eddie certamente o veria. Pois ele a seguiria pelo menos até aqui, isso ela sabia.

E depois? Não sabia. Lembrava-se de estar em cima de alguma coisa na maior parte da subida por uma trilha íngreme, certamente a trilha que levava à Gruta da Porta.

Depois a escuridão.

(*não escuridão*)

Não, não escuridão *total*. Havia luzes piscando. O leve clarão das telas de televisão que estavam, pela primeira vez, projetando não imagens mas apenas uma suave luminosidade cinza. Havia o ronco fraco de motores; o clique de relés. Aquilo era

(*a Dogan a Dogan de Jake*)

uma espécie de sala de controle. Talvez um lugar que ela própria tivesse construído, talvez a versão de sua imaginação da cabana de metal e teto redondo que Jake encontrara no margem oeste do rio Whye.

A coisa seguinte de que ela se lembrava com clareza foi estar de volta a Nova York. Seus olhos eram janelas através das quais viu Mia roubar os sapatos de uma pobre mulher aterrorizada.

Susannah tomou de novo a frente, pedindo ajuda. Ela queria continuar, dizer à mulher que precisava ir para o hospital, precisava de um médico, ia ter um bebê e havia alguma coisa errada com ele. Porém, antes que pudesse expressar isso, outra contração tomou conta dela, esta monstruosa, mais profunda que qualquer dor que já tivesse sentido na vida, pior até que a dor que sentira após ter perdido a parte de baixo das pernas. Esta dor... esta...

— Ai, Cristo — disse ela, mas Mia voltou a assumir antes que pudesse dizer mais alguma coisa. Mia disse a Susannah que ela tinha de fazer aquilo parar e disse à mulher que se ela assobiasse chamando algum oficial da lei, ia perder um par de coisas muito mais valiosas do que sapatos.

Mia, preste atenção, Susannah lhe disse. *Posso parar isso de novo...* Acho *que posso... mas você precisa ajudar. Precisa se sentar. Se não se acalmar um pouco, nem o Próprio Deus será capaz de impedir que o trabalho de parto siga seu curso. Está entendendo? Está me ouvindo?*

Mia ouvia. Ficou onde estava por um momento, observando a mulher de quem tinha roubado os sapatos. Então, quase timidamente, fez uma pergunta: *Aonde devo ir?*

Susannah sentiu que sua sequestradora estava, pela primeira vez, tomando consciência da enorme cidade em que se encontrava. Finalmente prestava atenção às sucessões de pedestres, às ondas de carruagens de metal (uma em cada três, ao que parecia, pintada de um amarelo tão brilhante que quase gritava) e torres tão altas que, em um dia nublado, os cumes ficariam fora de vista.

Duas mulheres olhavam para uma cidade estranha através de um par de olhos. Susannah sabia que era a *sua* cidade, mas sob muitos aspectos, não era mais. Ela deixara Nova York em 1964. Quantos anos tinham se passado? Vinte? Trinta? Não importa, deixe de lado. Não estava na hora desse tipo de preocupação.

O olhar combinado das duas fixou-se no pequeno parque do outro lado da rua. As dores do parto tinham cessado naquele momento e, quando o sinal mais adiante indicou SIGA, a mulher negra de Trudy Damascus (que não parecia particularmente grávida) atravessou a rua, caminhando devagar, mas com firmeza.

No lado oposto havia um banco ao lado de uma fonte e uma escultura de metal. Ver a tartaruga tranquilizou um pouco Susannah; era como se Roland tivesse lhe deixado aquele sinal, algo que o pistoleiro teria chamado sigul.

Ele também virá atrás de mim, ela disse a Mia. *E você devia tomar cuidado com ele, mulher. Você devia tomar muito cuidado com ele.*

Vou fazer o que preciso fazer, Mia respondeu. *Você quer ver o jornal da mulher. Por quê?*

Quero saber em que época estou. O jornal vai dizer.

As mãos escuras tiraram o jornal enrolado da bolsa de lona. Abriram o jornal e o ergueram para olhos azuis que tinham começado este dia escuros como as mãos. Susannah viu a data — 1º de junho de 1999 — e ficou espantada. Não vinte e cinco anos ou mesmo trinta, mas trinta e cinco. Até aquele momento ela não percebera como subestimara as chances do mundo para sobreviver tanto tempo. Os contemporâneos que conhecera em sua antiga vida — colegas estudantes, defensores dos direitos civis, companheiros de copo e fãs de folk-music — estariam agora se aproximando do fim da meia-idade. Alguns, sem a menor dúvida, já teriam morrido.

Já chega, disse Mia, atirando o jornal no recipiente de lixo, onde ele reassumiu a antiga forma enrolada. Ela tirou o máximo possível de pó das solas dos pés descalços (devido à sujeira, Susannah não reparou que eles tinham mudado de cor) e depois calçou os sapatos roubados. Eram um pouco pequenos e ela achou que, como estava sem meias, lhe deixariam com bolhas se tivesse de andar muito, mas...

O que lhe importa, não é?, disse Susannah. *Não são seus pés.* E logo que disse isto (pois aquilo *era* uma forma de conversar; o que Roland chamava de confabular), ela percebeu que podia estar errada. Certamente seus próprios pés, aqueles que tinham marchado pela vida debaixo do corpo de Odetta Holmes (e às vezes Detta Walker), estavam há muito desaparecidos, apodrecendo ou, mais provavelmente, já queimados em algum incinerador municipal.

Mas ela não reparou na mudança de cor. Só mais tarde iria pensar: *Você reparou, sim. Reparou e bloqueou a imagem. Porque algumas coisas são demais.*

Antes que ela pudesse refletir mais a respeito, uma questão tão filosófica quanto física de saber de quem eram os pés que estava usando, outra contração a atingiu. Comprimiu seu estômago e o transformou em pedra, enquanto as coxas iam se afrouxando. Sentiu pela primeira vez a terrível, amedrontadora necessidade de *empurrar*.

Precisar parar isto!, Mia gritou. *Mulher, você precisa pará-la! Pelo carinha e também por nós!*

Sim, tudo bem, mas como?

Feche os olhos, disse Susannah a ela.

O quê? Você não me ouviu? Você precisa…

Eu ouvi, respondeu Susannah. *Feche os olhos.*

O parque desapareceu. O mundo ficou escuro. Ela era uma mulher negra, ainda jovem e sem a menor dúvida bela, sentada em um banco de jardim ao lado de uma fonte e uma tartaruga de metal — a tartaruga tinha um casco úmido e brilhante. Poderia ser uma mulher meditando nesta tarde quente de final de primavera, no ano de 1999.

Agora vou me afastar por alguns momentos, disse Susannah. *Voltarei. Enquanto isso, fique sentada onde está. Quieta. Não se mexa. A dor deve recuar de novo, mas mesmo que isso não ocorra logo, fique quieta. Ficar se mexendo só vai piorá-la. Está me entendendo?*

Mia podia estar assustada e estava certamente determinada a impor sua vontade, mas não era boba. Limitou-se a fazer uma única pergunta.

Aonde você está indo?

De volta a Dogan, respondeu Susannah. *A minha* Dogan. *A que está aqui dentro.*

2

O prédio que Jake tinha encontrado na outra margem do rio Whye era uma espécie de antigo posto de comunicações e vigilância. O garoto tinha entrado em detalhes sobre a aparência do prédio, mas talvez não reconhecesse a forma como Susannah o imaginava, baseada em uma tecnologia que, apenas treze anos mais tarde, quando Jake trocasse Nova York pelo Mundo Médio, estaria completamente superada. No quando de Susannah, Lyndon Johnson era presidente e televisão a cores ainda era uma novidade. Computadores eram coisas enormes que enchiam prédios inteiros. Mas Susannah visitara a cidade de Lud e vira algumas das maravilhas que havia lá, e assim Jake *talvez* reconhecesse pelo menos certos traços semelhantes ao lugar onde ele tinha se escondido de Ben Slightman e Andy, o Robô Mensageiro.

Certamente ia reconhecer o empoeirado chão de linóleo, com aquele padrão xadrez de quadrados vermelhos e pretos, e as cadeiras com rodas ao longo de consoles cheios de luzes piscando e mostradores brilhantes. E teria reconhecido o esqueleto no canto, sorrindo por cima do colarinho puído da camisa de seu antigo uniforme.

Susannah cruzou a sala e sentou-se em uma das cadeiras. Acima telas de televisão em preto e branco mostravam dezenas de imagens. Algumas eram de

Calla Bryn Sturgis (a assembleia da cidade, a igreja de Callahan, o armazém geral, a estrada saindo da cidade para leste). Outras eram fotos que pareciam fotografias tirada em um estúdio: uma de Roland, outra de Jake sorridente segurando Oi nos braços e uma terceira — Susannah quase não suportava olhar para ela — de Eddie com o chapéu inclinado para trás, estilo caubói, e a faca de entalhe em uma das mãos.

Outro monitor mostrava a mulher negra esbelta sentada no banco ao lado da tartaruga, joelhos juntos, mãos dobradas no colo, olhos fechados, um par de sapatos roubados nos pés. Ela agora carregava três bolsas: a que roubara da mulher na Segunda Avenida, a sacola de caniços com os afiados pratos Orizas e uma sacola de boliche. A sacola de boliche era de um vermelho desbotado e dentro dela havia alguma coisa com cantos quadrados. Uma caixa. Ver aquilo na tela da televisão fez Susannah sentir raiva, traída, mas ela não sabia explicar por quê.

A sacola era rosa lá do outro lado, ela pensou. *Mudou de cor quando atravessamos, mas só um pouco.*

O rosto da mulher na tela em preto e branco acima do painel de controle fez uma careta. Susannah sentiu um eco da dor que Mia estava sofrendo, mas fraco e distante.

Faça parar. E rápido.

A pergunta ainda era: como?

Do jeito que você fez do outro lado. Quando ela levava sua carga para aquela gruta, o mais rápido que pôde.

Mas aquilo parecia ter acontecido há muito tempo, em outra vida. E por que não? *Fora* outra vida, outro mundo e, se ela tinha qualquer esperança de um dia voltar para lá, era preciso agora encontrar uma maneira de ajudar Mia. Mas então o que ela fizera?

Você usou aquele negócio, foi o que fez. Um negócio que só existe em sua cabeça… O que o professor Overmeyer chamou de "uma técnica de visualização" na matéria de introdução a psicologia. Feche os olhos.

Susannah obedeceu. Agora os dois pares de olhos estavam fechados, os físicos que Mia controlava em Nova York e aqueles em sua mente.

Visualize.

Ela obedeceu. Ou tentou.

Abra.

Ela abriu os olhos. Agora, no painel à sua frente, havia dois grandes mostradores e um interruptor onde antes existiam reostatos e luzes piscando. Os comandos pareciam feitos de baquelita, como os reguladores circulares do fogão da mãe dela, na casa onde cresceu. Susannah não chegou a se surpreender com isso; tudo o que se imagina, por mais louco que seja, não passa de uma versão disfarçada daquilo que a gente já conhece.

O regulador à sua esquerda estava rotulado TEMPERATURA EMOCIONAL. As marcações iam de 32 a 212 (32 em azul; 212 em vermelho vivo). Naquele momento estava parado em 160. O botão que havia no meio tinha a inscrição TRABALHO DE PARTO. Os números ao redor do regulador iam de 0 a 10 e, naquele momento, estavam em 9. O rótulo sob o interruptor dizia apenas CARINHA e só havia duas posições: ACORDADO e ADORMECIDO. Naquele momento estava em ACORDADO.

Susannah olhou para cima e viu que um dos monitores estava agora mostrando um bebê no útero. Era um menino. Um *belo* menino. O pênis minúsculo flutuava como fio de alga marinha sob a preguiçosa curva do cordão umbilical. Os olhos estavam abertos e, embora o resto da imagem fosse em preto e branco, os olhos eram extremamente azuis. O olhar do carinha pareceu atravessar o dela.

São os olhos de Roland, ela pensou, sentindo uma onda de espanto. *Como pode isso?*

Não podia, é claro. Tudo era fruto de sua própria imaginação, uma técnica de visualização. Mas se assim fosse, por que imaginaria os olhos azuis de Roland? Por que não os cor de avelã de Eddie?

Não há tempo para pensar nisso agora. Faça o que tem a fazer.

Estendeu a mão para TEMPERATURA EMOCIONAL com o lábio inferior preso entre os dentes (no monitor que mostrava o banco do parque, Mia também começava a morder o lábio inferior). Ela hesitou, depois levou o regulador para 72, exatamente como se fosse um termostato. E não era?

A calma imediatamente tomou conta dela. Relaxou na cadeira e deixou o lábio escapar do aperto dos dentes. No monitor do parque, a mulher negra fez o mesmo. Tudo bem, até ali tudo bem.

Ela hesitou um instante com a mão quase tocando o botão do TRABALHO DE PARTO, porém mudou de direção e se deslocou para CARINHA, passando o interruptor de ACORDADO para ADORMECIDO. Os olhos do bebê se fecharam imediatamente. Para Susannah foi um certo alívio. Aqueles olhos azuis eram desconcertantes.

Tudo bem, de volta ao TRABALHO DE PARTO. Susannah achou que aquilo era a coisa importante, o que Eddie chamaria de o Grande Lance. Ela segurou o regulador antiquado, experimentou aplicar certa força e não ficou exatamente surpresa ao sentir a coisa tosca resistir bravamente no encaixe. Não queria girar.

Mas vai girar, Susannah pensou. *Porque precisamos que gire. Precisamos que gire.*

Agarrou o regulador com força e começou a girá-lo devagar no sentido anti-horário. Uma pontada de dor atravessou sua cabeça e ela fez uma careta. Outra pontada comprimiu por um instante sua garganta, como se ela tivesse uma espinha de peixe presa ali. Então as pontadas cessaram. À sua direita, um painel inteiro de luzes acendeu, a maioria das luzes cor de âmbar, algumas muito vermelhas.

— ADVERTÊNCIA — disse uma voz que tinha uma semelhança sinistra com a voz do Mono Blaine. — ESTA OPERAÇÃO PODE EXCEDER OS PARÂMETROS DE SEGURANÇA.

Grande novidade, porra, Susannah pensou. O regulador TRABALHO DE PARTO estava agora indo para o 6. Quando ela o forçou a recuar para o 5, outro painel de luzes cor de âmbar e vermelhas se acendeu, e três dos monitores que mostravam cenas de Calla entraram em curto com chiados e estalos. Outra pontada de dor agarrou sua cabeça como dedos invisíveis fazendo pressão. De algum lugar embaixo dela veio o rangido inicial de motores ou turbinas entrando em funcionamento. Coisa grande, a julgar pelo barulho. Os sentia vibrando em seus pés, que estavam descalços, é claro — Mia ficara com os sapatos. *Ah, bem*, ela pensou, *eu não tinha nem pé antes disto então meio que já saí ganhando.*

— ADVERTÊNCIA — disse a voz mecânica. — O QUE VOCÊ ESTÁ FAZENDO É PERIGOSO, SUSANNAH DE NOVA YORK. ME ESCUTE, EU SUPLICO. NÃO É BOM TENTAR ENGANAR A MÃE NATUREZA.

Uma das máximas de Roland lhe ocorreu: você faz o que *você* precisa fazer, eu faço o que *eu* preciso fazer e vamos ver quem ganha o ganso. Ela não tinha certeza do sentido, mas a coisa parecia se adequar à situação e Susannah a repetia em voz alta enquanto devagar, mas com firmeza, fazia o regulador de TRABALHO DE PARTO recuar do 4, para o 3... Pretendia fazer o botão voltar ao 1, mas a dor que dilacerou sua cabeça quando aquela coisa absurda passou do 2 foi tão imensa — tão *nauseante* — que largou o regulador.

Por um momento a dor continuou — inclusive se intensificou — e ela achou que isso a mataria. Mia cairia do banco onde estava sentada e ambas estariam mortas antes que o corpo que compartilhavam atingisse o cimento na frente da escultura da tartaruga. Amanhã ou depois, seus restos fariam uma rápida viagem para o cemitério. E o que sairia na certidão de óbito? Derrame? Ataque cardíaco? Quem sabe aquela fórmula antiga e vaga do médico apressado: morte por causas naturais...

Mas a dor cedeu e ela continuou viva. Sentada no console diante dos dois ridículos reguladores e do interruptor, respirou fundo várias vezes, limpando o suor dos lados do rosto com as mãos. Incrível, mas quando se tratava de técnica de visualização, ela era a craque do mundo.

Isto é mais do que visualização... sabe que sim, não é?

Achava que sim. Alguma coisa a modificara... modificara todos eles. Jake conquistara o toque, que era uma espécie de telepatia. Eddie tinha desenvolvido (ainda estava desenvolvendo) uma capacidade de criar poderosos objetos talismânicos — um deles já servira para abrir uma porta entre dois mundos. E ela?

Eu... vejo. Isso é tudo. E se vejo com força o suficiente, a coisa começa a ser real. Do modo como Detta Walker se tornou real.

Em todo lugar nesta versão da Dogan, brilhavam luzes cor de âmbar. Enquanto ela olhava, algumas ficavam vermelhas. Sob seus pés — ela os imaginava como pés convidados — o chão tremia e zumbia. Se isto continuasse, começariam a aparecer rachaduras no piso antigo. Rachaduras que iriam se alargar, ficar mais profundas. Senhoras e senhores, bem-vindos à Casa de Usher.

Susannah se levantou da cadeira e olhou em volta. Tinha que voltar. Havia alguma outra coisa que tivesse de fazer antes de voltar?

Algo lhe ocorreu.

3

Susannah fechou os olhos e imaginou um microfone de rádio. Quando os abriu o microfone estava lá, instalado no console à direita dos dois reguladores e do interruptor. Tinha imaginado a marca Zenith, com aquele Z prolongado como se fosse um relâmpago na base do microfone, mas o que estava estampado lá era NORTH CENTRAL POSITRONICS. Alguma coisa, então, estava interferindo em sua técnica de visualização, o que lhe pareceu extremamente assustador.

No painel de controle diretamente atrás do microfone havia um mostrador com três cores, semicircular, com as palavras **SUSANNAH-MIO** gravadas sob ele. Uma agulha estava saindo do verde e entrando no amarelo. Depois da faixa amarela o mostrador era vermelho e havia uma única palavra gravada em preto: **PERIGO**.

Susannah pegou o microfone, viu que faltava um jeito de usá-lo, tornou a fechar os olhos e imaginou um interruptor como aquele marcado com ACORDADO e ADORMECIDO, só que desta vez ao lado do microfone. Quando tornou a abrir os olhos, o interruptor estava lá. Ela o apertou.

— Eddie — chamou, sentindo-se um pouco tola, mas mesmo assim seguindo em frente. — Eddie, se está me ouvindo, saiba que estou bem, ao menos por enquanto. Estou com Mia em Nova York. É 1º de junho de 1999 e vou tentar ajudá-la a ter o bebê. Não vejo outra saída. No mínimo, preciso me livrar dele. Eddie, se cuide. Eu… — Seus olhos se encheram de lágrimas. — Amo você, docinho. Demais.

As lágrimas escorreram pelo seu rosto. Ela começou a enxugá-las e de repente parou. Será que não tinha o direito de chorar pelo seu homem? Como qualquer outra mulher?

Esperou por uma resposta, sabendo que poderia criar uma se quisesse, mas resistindo ao impulso. Não era uma situação em que falar consigo mesma com a voz de Eddie fosse ter algum efeito positivo.

De repente tudo ficou duplo na frente de seus olhos. Viu a Dogan como o fantasma irreal que ela de fato era. Além daquelas paredes não havia o deserto das terras devastadas na margem direita do Whye, mas a Segunda Avenida com seu tráfego barulhento.

Mia tinha aberto os olhos. Estava novamente se sentindo bem — *graças a mim, queridinha, graças a mim* — e pronta para seguir adiante.

Susannah voltou.

4

Uma mulher negra (que ainda se via como a crioula que fora nos anos 1960, antes de toda essa coisa de preta/negra) estava sentada em um banco na cidade de Nova York, na primavera de 1999. Uma mulher negra com suas bolsas de viagem — sua tralha — jogadas à sua volta. Uma delas era de um vermelho desbotado. NADA ALÉM DE STRIKES NAS PISTAS DO CENTRO DA CIDADE estava escrito nela. Fora cor-de-rosa do outro lado. A cor da rosa.

Mia se levantou. Susannah na mesma hora tomou a frente e a fez se sentar de novo.

Para que fez isso?, Mia perguntou, surpresa.

Não sei, não tenho ideia. Mas vamos confabular um pouco. Por que não começa me dizendo aonde quer ir?

Preciso de um telefung. Alguém vai ligar.

Telefone, disse Susannah. *E escuta, há sangue na sua blusa, docinho, sangue de Margaret Eisenhart e, mais cedo ou mais tarde, alguém vai identificar o que essa mancha é. Então o que vai fazer?*

A resposta foi o silêncio, uma onda de um desprezo entretido, o que deixou Susannah furiosa. Cinco minutos atrás — talvez quinze, era difícil conservar a noção do tempo quando você estava se divertindo tanto — esta escrota sequestradora estava berrando por socorro. E agora, ajuda obtida, o que sua salvadora recebia de volta era um sorrisinho interno de desprezo. O pior era que a escrota estava certa: provavelmente poderia perambular o dia inteiro pelo centro da cidade sem que ninguém perguntasse se o que tinha na camisa era sangue coagulado ou se ela apenas derramara a gemada com chocolate.

Tudo bem, disse Susannah, *mas mesmo que ninguém faça perguntas sobre o sangue, onde você vai guardar suas coisas?* Então outra pergunta lhe veio à cabeça, uma dúvida que devia ter chamado de imediato sua atenção.

Mia, como você sabe o que é um telefone? E não me diga que eles existem no lugar de onde veio.

Nenhuma resposta. Só uma espécie de silêncio atento. Mas Susannah conseguira tirar o sorriso da cara daquela escrota; pelo menos isso conseguira.

Você tem amigos, não? Ou pelo menos acha que são amigos. Pessoas com quem tem conversado pelas minhas costas. Gente que pode ajudá-la. Ou pelo menos é o que acha.

Você *vai me ajudar ou não?* De volta àquilo. E com raiva. Mas sob a raiva, o quê? Pavor? Provavelmente pavor seria forte demais, ao menos por enquanto. Mas certamente preocupação. *Quanto tempo eu — nós — temos antes que o trabalho de parto comece de novo?*

Susannah achava que ia demorar entre seis e dez horas — certamente antes que a meia-noite soasse em 2 de junho —, mas tentou manter isto para si mesma.

Não sei. Mas sem dúvida não muito tempo.

Então temos de agir logo. Preciso encontrar um telefung. Fone. *Em um algum lugar particular.*

Susannah achava que havia um hotel na Primeira Avenida, perto de uma esquina no fim da rua Quarenta e Seis, mas tentou guardar isto para si. Seus olhos voltaram para a sacola, uma vez rosa, agora vermelha, e de repente ela compreendeu. Não tudo, mas o suficiente para deixá-la aflita e com raiva.

Vou deixar isso aqui, Mia tinha dito, falando do anel que Eddie fizera para ela, *vou deixar isso aqui, onde ele o encontrará. Mais tarde, se for a vontade do ka, você poderá usá-lo de novo.*

Não exatamente uma promessa, pelo menos não uma promessa direta, mas Mia tinha certamente *sugerido...*

Uma raiva latente correu pela mente de Susannah. Não, Mia não prometera. Simplesmente a conduzira em certa direção, e ela própria fizera o resto.

Mia não me enganou; ela deixou que eu mesma me enganasse.

Mia tornou a se levantar e mais uma vez Susannah tomou a frente e a fez se sentar. Difícil, desta vez.

O quê? Susannah, você prometeu! O carinha...

Vou ajudá-la com o carinha, Susannah respondeu severamente. Curvando-se para frente, pegou a sacola vermelha. A sacola com a caixa. E dentro da caixa? Dentro daquela fantasmagórica caixa de madeira com DESCONHECIDA escrito em runas? Ela podia sentir uma pulsação maligna mesmo através da camada de madeira mágica e do tecido que o escondiam. O Treze Negro estava na sacola. Mia o levara pela porta. E se era preciso aquela bola de cristal para abrir a porta, então como Eddie poderia socorrê-la?

Fiz o que tinha de fazer, disse Mia nervosamente. *É meu bebê, meu carinha e cada mão está agora contra mim. Cada mão a não ser a sua, e você só está me ajudando porque é obrigada. Lembre o que eu disse... se for a vontade do ka, eu disse...*

Foi a voz de Detta Walker que respondeu. Era áspera, crua e não tolerava contestação.

— Tô cagando pra esse tal de ka e não perca tempo me falando disso. Tu tem pobrema, guria. Tem um macaquinho que você nem sabe o que é. Tem gente dizendo que vão te ajudar e tu nem sabe quem eles são. Porra, tu nem sabe o que é um telefone ou onde vai encontrar um. Agora tu vai ficar sentada aqui e vai me contar o que está por acontecer. Vamo confabular, moça, e se tu não me convencer, nóis vai ficar sentada aqui com esses sacos até a noite chegar e tu pode ter teu priciosu carinha nesse banco e lavar ele na porra daquele chafariz.

A mulher no banco mostrou os dentes no sorriso grotesco que era típico de Detta Walker.

— Tu tá preocupada com aquele carinha... e Susannah, ela tá um *pouco* preocupada com aquele carinha... mas eu fui praticamente despejada deste corpo e eu... tô... *cagando* pra isso.

Uma mulher empurrando um carrinho de bebê (e que parecia ser tão divinamente leve quanto a cadeira de rodas abandonada de Susannah) dirigiu à mulher no banco um olhar nervoso e voltou a empurrar o carrinho de bebê, agora tão rápido que parecia estar correndo.

— Então! — disse Detta animadamente. — Foi de boas por aqui, né? Tempo legal pra conversar. Tá me ouvindo, mamãe?

Nenhuma resposta de Mia, filha de ninguém e mãe de alguém. Detta não perdeu a calma; seu sorriso se ampliou.

— Tá me ouvindo, claro que tá; me ouviu do começo ao fim. Então vamo bater um pequeno papo. Vamo confabular.

LINHA: *Commala-venha-ko*
Qui tu tá fazendo no meu cantão?
Si tu não me contá já, minha amiga,
Vou te jogar no chão.

RESPOSTA: *Commala-tome a frente!*
Posso derrubá-la, vai ver!
As coisas que fiz a gente como você
Tu nem vai querer saber.

Quinta estrofe

A TARTARUGA

1

Mia disse:

Será mais fácil conversar... e conversar de forma mais rápida e clara... se fizermos isso cara a cara.

Como podemos?, Susannah perguntou.

Faremos nossa confabulação, Mia respondeu prontamente. *O Castelo sobre o Abismo. No salão de banquetes. Você se lembra do salão de banquetes?*

Susannah confirmou com um aceno de cabeça, mas de forma hesitante. Suas recordações do salão de banquetes só tinham sido recuperadas recentemente, e eram portanto vagas. Mas estava longe de se lamentar disso. A forma como Mia comera lá... bem, fora entusiástica, para dizer o mínimo. Comera de muitos pratos (geralmente com os dedos), bebera de muitos copos e falara a muitos fantasmas em muitas vozes emprestadas. Emprestadas? Diabo, vozes *roubadas*. Duas delas Susannah reconhecera muito bem. Uma fora a voz "social", nervosa (um tanto arrogante) de Odetta Holmes. Outra fora a voz rouca (estilo estou-cagando-pra-isso) de Detta. Mia aplicava sua roubalheira a cada aspecto da personalidade de Susannah, ao que parecia, e se Detta Walker estava de volta, com tudo e pronta para a briga, isso era em grande parte obra daquela estranha importuna.

O pistoleiro me viu lá, disse Mia. *O garoto também.*

Houve uma pausa. Então:

Eu já os conhecia.

Quem? Jake e Roland?

Sim, eles.

Onde? Quando? Como você conseg...

Não podemos falar aqui. Por favor. Vamos a algum lugar mais discreto.

Um lugar com telefone, não é o que pretende dizer? Para que seus amigos possam ligar.

Sei muito pouco, Susannah de Nova York, mas o pouco que sei acho que você gostaria de ouvir.

Susannah também achava que sim. E embora não estivesse exatamente interessada em que Mia percebesse isso, também estava ansiosa para sair da

Segunda Avenida. A coisa em sua blusa podia parecer gemada derramada ou café seco ao transeunte casual, mas Susannah estava terrivelmente consciente do que era: não apenas sangue, mas sangue de uma valente mulher que permanecera fiel na defesa das crianças de sua cidade.

E havia as sacolas jogadas a seus pés. Já vira muitas pessoas em Nova York que viviam rodeadas de sacolas na rua. Agora se sentia uma deles e não gostava da sensação. Fora criada para ser coisa melhor, como teria dito sua mãe. Cada vez que alguém, passando na calçada ou atravessando o pequeno parque, lhe dispensava um olhar, ela sentia vontade de gritar que não era louca, por mais que sua aparência sugerisse o contrário: blusa manchada, cara suja, cabelo comprido demais e despenteado, nenhuma bolsa, só aquelas três sacolas a seus pés. Uma sem-teto, sim (e será que alguém já fora mais sem-teto quanto ela, não apenas vivendo fora de uma casa, mas fora do próprio tempo), mas com a cabeça no lugar. Precisava confabular com Mia e chegar a uma compreensão do que tudo isto se tratava, com certeza. De imediato, o que ela *queria* era ainda mais simples: tomar um banho, vestir roupas limpas e passar ao menos algum tempo longe da rua.

Tão impossível quanto querer a lua, docinho, disse a si mesma... e a Mia, se Mia estivesse ouvindo. *Privacidade custa dinheiro. Você está em uma versão de Nova York onde um simples hambúrguer chega a custar um dólar, por mais loucura que isso possa parecer. E você não tem um tostão. Só mais ou menos uma dúzia de pratos afiados e uma bola de cristal preta. Então o que vai fazer?*

Antes que pudesse se aprofundar um pouco mais no pensamento, Nova York foi varrida e ela se viu outra vez na Gruta da Porta. Mal tomara consciência daquele ambiente em sua primeira visita (Mia estivera na dianteira, apressada para fazê-la atravessar a porta), mas agora ele era muito claro. Père Callahan estava aqui. Assim como Eddie. E de certo modo o irmão de Eddie. Susannah podia ouvir a voz de Henry Dean flutuando das profundezas da gruta, ao mesmo tempo zombeteira e decepcionada:

— Estou no inferno, maninho! Estou no inferno, não consigo uma dose e *é tudo culpa sua*!

A desorientação de Susannah não era nada em comparação com a fúria que ela sentiu ao som daquela voz prepotente e recriminadora:

— A maior parte do que acontecia com Eddie era *culpa sua*! — ela gritou. — Você teria feito um favor a todo mundo se morresse jovem, Henry!

Aqueles na gruta sequer se viraram para ela. O que era isso? Teria vindo todash de Nova York só para entrar naquele jogo? Se assim fosse, por que não ouvira os sinos?

Calma. Calma, amor. Era a voz de Eddie em sua mente, clara como o dia. *Só preste atenção.*

Está ouvindo Eddie?, ela perguntou a Mia. Está...

Sim! Agora cale a boca!

— Tem ideia de quanto tempo teremos de ficar aqui? — Eddie perguntou a Callahan.

— Receio que algum tempo — respondeu Callahan, e Susannah compreendeu que estava vendo algo que já tinha acontecido. Eddie e Callahan tinham ido até a Gruta da Porta para tentar localizar Calvin Tower e Deepneau, o amigo de Tower. Aquilo acontecera pouco antes do confronto com os Lobos. Fora Callahan quem atravessara a porta. O Treze Preto havia capturado Eddie enquanto o père estava ausente. E quase o matou. Callahan voltara na hora H para impedir que Eddie se atirasse do alto do penhasco no fundo do precipício.

Agora Eddie estava puxando a sacola (cor-de-rosa, sim, ela tinha razão a esse respeito, no lado de Calla fora rosa), tirando-a de baixo da estante de primeiras edições do complicado sai Tower. Precisavam da bola que ficava dentro da sacola pela mesma razão que Mia tinha necessidade dela: porque abria a Porta Desconhecida.

Eddie ergueu a sacola, começou a se virar e ficou imóvel. Estava franzindo a testa.

— Que foi? — perguntou Callahan.

— Tem uma coisa aqui dentro — Eddie respondeu.

— A caixa...

— Não, alguma coisa na sacola. Costurada no forro. Parece uma pedrinha ou algo do gênero. — De repente ele pareceu estar olhando diretamente para Susannah e ela teve consciência de estar sentada no banco do parque. O que ouvia não eram mais vozes vindas das profundezas da gruta, mas o chiar e a batida na bacia da água do chafariz. A gruta estava esvanecendo. Eddie e Callahan estavam esvanecendo. Ouviu as últimas palavras de Eddie chegarem de uma grande distância:

— Talvez seja um bolso secreto.

Então ele desapareceu de todo.

2

Então não fora todash em absoluto. A breve visita à Gruta da Porta fora uma espécie de visão. Mandada por Eddie? Se fosse este o caso, significava que Eddie recebera a mensagem que ela tentara lhe enviar da Dogan? Eram perguntas a que Susannah não podia responder. Se o visse de novo, ia lhe perguntar. Claro, depois de beijá-lo pelo menos mil vezes.

Mia pegou a sacola vermelha e passou vagarosamente as mãos pelos lados. Havia a forma da caixa lá dentro, sim. Mas a meio caminho do fundo havia mais alguma coisa, um pequeno volume. E Eddie tinha razão: parecia uma pedra.

Ela — ou talvez elas, isso não tinha mais importância — abriu a sacola, não gostando da pulsação latente da coisa escondida lá dentro, mas protegendo a mente contra ela. Ali estava, bem ali... alguma coisa que parecia uma costura.

Susannah olhou mais de perto e não viu uma costura, mas percebeu uma espécie de fecho. Não o reconheceu, como Jake também não teria, mas Eddie teria reconhecido Velcro quando o visse. Susannah *tinha* ouvido um certo tributo prestado à coisa em uma canção de Z.Z. Top, chamada "Velcro Fly". Ela pôs uma unha no fecho e puxou com a ponta do dedo. O fecho se soltou com um leve som de rasgar, revelando um pequeno bolso do lado de dentro da sacola.

O que é?, Mia perguntou, fascinada, mesmo contra a vontade.

Bem, então vamos descobrir.

Ela estendeu a mão e puxou não uma pedra mas uma pequena tartaruga entalhada e pintada. Feita de marfim, a julgar pela aparência. Cada detalhe do casco era minucioso, executado com precisão, embora estivesse danificado por um pequeno arranhão, que parecia quase um ponto de interrogação. Metade da cabeça da tartaruga estava de fora. Os olhos eram minúsculos pontos pretos de alguma espécie de alcatrão e pareciam incrivelmente vivos. Ela viu outra pequena imperfeição na boca da tartaruga — não um arranhão, mas uma lasca.

— É antiga — ela murmurou. — Muito antiga.

Sim, Mia concordou em um sussurro.

Segurar a tartaruga fez com que Susannah se sentisse incrivelmente bem. Como se estivesse... *segura*, de algum modo.

Veja a Tartaruga, ela pensou. *Veja a Tartaruga de enorme dimensão, em seu casco ela sustenta a Terra*. E era assim? Achou que era quase isso. E se tratava, é claro, do Feixe que estavam seguindo rumo à Torre. O Urso em uma ponta — Shardik. A Tartaruga na outra — Maturin.

Seu olhar passou do minúsculo totem que encontrara no forro da sacola para aquele ao lado do chafariz. Desconsiderada a diferença de materiais (a tartaruga ao lado do banco era feita de metal escuro com certa cintilação cor de cobre), eram exatamente iguais, incluindo o arranhão no casco e a pequena lasca em forma de cunha na boca. Por um momento sua respiração parou e o coração também pareceu fazer o mesmo. Passava de um instante para outro daquela aventura — às vezes de um dia para outro — sem pensar muito, se deixando simplesmente levar pelos acontecimentos, e pelo que Roland insistia ser o ka. Então surgia uma coisa como esta e, por um momento, ela conseguia vislumbrar um quadro muito mais amplo, um quadro que a imobilizava de admiração e temor. Sentia a presença de forças além de sua capacidade de compreensão. Algumas, como a bola na caixa de madeira de ébano, eram más. Mas esta... *esta*...

— Incrível — disse alguém. Quase um suspiro.

Susannah ergueu os olhos e viu um executivo (muito bem-sucedido a julgar pelo terno) parado ao lado do banco. Tinha atravessado o jardim, provavelmente a caminho de um lugar tão importante como ele, talvez o local de alguma reunião ou conferência, quem sabe a própria ONU, que ficava perto (a não ser que isso também tivesse mudado de lugar). Agora, no entanto, ele dava uma parada repentina. Uma dispendiosa maleta pendia de sua mão direita. Os olhos estavam arregalados, fixos na tartaruga na mão de Susannah-Mia. No rosto dele surgiu um sorriso largo e um tanto vidrado.

Guarde isso!, Mia gritou, alarmada. *Ele vai roubá-la!*

Gostaria de vê-lo tentar, respondeu Detta Walker. A voz tranquila e um tanto zombeteira. O sol brilhava e Susannah — todas as partes dela — de repente percebia que, ignorando as circunstâncias, era um dia bonito. E precioso. Esplêndido.

— Precioso, bonito e esplêndido — disse o executivo (ou talvez fosse um diplomata), que parecia ter esquecido tudo sobre suas próprias obrigações. Era do dia que ele estava falando ou do totem em forma de tartaruga?

De ambos, Susannah pensou. E de repente ela achou que entendia aquilo. Jake também teria entendido — ninguém melhor que ele! Susannah riu. Dentro dela, Detta e Mia também riram, Mia um pouco a contragosto. E o executivo ou diplomata também riu.

— É, de ambos! — disse o executivo. Com um leve sotaque escandinavo, *ambos* saía como *ampos*. — Que coisa linda você tem! — *Gue goisa lintta!*

Sim, *era* linda. Um lindo e pequeno tesouro. E um dia, não tanto tempo atrás, Jake Chambers tinha encontrado uma coisa estranhamente parecida. Na livraria de Calvin Tower. Jake tinha comprado um livro chamado *Charlie Chuu-Chuu*, de Beryl Evans. Por quê? Porque tinha chamado a sua atenção. Mais tarde — na realidade, pouco antes do ka-tet de Roland ter chegado a Calla Bryn Sturgis — o nome do autor mudara para Claudia y Inez Bachman, transformando-a em participante do Ka-Tet dos Dezenove, sempre em expansão. Jake tinha escondido uma chave naquele livro e Eddie talhara uma réplica dela no Mundo Médio. A versão da chave de Jake tinha ao mesmo tempo fascinado as pessoas que a viram e as tornado extremamente sugestionáveis. Como a chave de Jake, a tartaruga de marfim tinha a sua réplica; Susannah estava sentada ao lado dela. A questão era saber se a tartaruga era como a chave de Jake também sob outros aspectos.

A julgar pelo modo fascinado como o executivo escandinavo olhava para a tartaruga, Susannah tinha quase certeza absoluta de que a resposta seria sim. Ela pensou: *Dad-a-urga, dad-a-uga, fique tranquila, garota, você tem a tartaruga!* Era uma rima tão tola que ela quase riu em voz alta.

Me deixe cuidar disto, disse a Mia.

Cuidar de quê? Eu não entendo...

Sei que não. Então me deixe cuidar. Entendidas?

Não esperou pela resposta de Mia. Sorrindo efusivamente, virou-se para o executivo. Levantava a tartaruga para ele ver. De repente começou a balançá-la de um lado para o outro e notou como os olhos dele seguiam o movimento (ainda que a cabeça, com um impressionante cabelo branco, não se mexesse).

— Qual é o seu nome, sai? — perguntou Susannah.

— Mathiessen van Wyck — disse ele. Os olhos reviraram lentamente nas órbitas, contemplando a tartaruga. — Sou segundo-adjunto do embaixador sueco nas Nações Unidas. Minha esposa arranjou um amante. O que me deixa triste. Mas meus intestinos estão de novo funcionando regularmente. O chá que a massagista do hotel recomendou deu resultado, e isso me deixa feliz. — Uma pausa. E então: — Sua *sköldpadda* me deixa feliz.

Susannah estava fascinada. Se pedisse que o homem arriasse a calça e usasse o intestino recentemente regularizado para evacuar na calçada, ele faria isso? É claro quc faria.

Ela olhou rapidamente em volta e não viu ninguém nos arredores. Isso era bom, mas Susannah achou que seria ainda melhor se cuidasse o mais depressa possível do negócio que tinha a tratar ali. Jake acabara atraindo uma pequena multidão com sua chave. Ela não tinha nenhuma vontade de fazer o mesmo; era justamente o que queria evitar.

— Mathiessen — começou ela —, você mencionou...

— Mats — ele falou.

— Como disse?

— Me chame de Mats, se não se importa. Prefiro assim.

— Tudo bem, Mats, você mencionou uma...

— Fala sueco?

— Não — disse ela.

— Então vamos falar em inglês.

— Sim, seria melhor…

— Tenho uma posição bastante importante — disse Mats, os olhos jamais deixando a tartaruga. — Estou encontrando muita gente importante. Vou a coquetéis onde mulheres bonitas usam "aquele vestidinho preto".

— Deve ser realmente incrível. Mats, quero que você fique com a matraca fechada e só a abra quando eu fizer uma pergunta direta. Vai colaborar?

Mats fechou a boca. Chegou a fazer um gesto cômico de passar um zíper nos lábios, mas os olhos jamais deixaram a tartaruga.

— Você mencionou um hotel. Está em um hotel?

— Sim, estou hospedado no New York Plaza-Park Hyatt, na esquina da Primeira com a Quarenta e Seis. Em breve devo me mudar para um apartamento…

Mats pareceu perceber que estava de novo falando demais e fechou a boca.

Susannah pensava febrilmente, mantendo a tartaruga na frente dos seios, onde seu novo amigo podia vê-la muito bem.

— Mats, preste atenção no que vou dizer, certo?

— Prestarei atenção para ouvir bem, minha senhora-sai, e ouvirei bem para obedecer.

Isto fez com que ela tivesse um grande sobressalto, especialmente por ter sido pronunciado no engraçadinho sotaque escandinavo de Mats.

— Tem um cartão de crédito?

Mats sorriu orgulhosamente.

— Tenho muitos. Tenho American Express, MasterCard e Visa. Tenho o Euro-Gold Card. Tenho…

— Bom, já chega. Quero que vá até o… — Por um momento houve um branco em sua mente, mas logo a memória voltou. — Até o Plaza-Park Hotel e reserve um quarto. Reserve por uma semana. Se perguntarem, diga que é para uma amiga, uma amiga mulher. — Uma desagradável possibilidade lhe ocorreu. Isto era Nova York, na região *norte*, no ano de 1999, e era bom acreditar que as coisas tinham seguido na direção certa. Contudo, era melhor conferir. — Acha que haverá algum problema pelo fato de eu ser negra?

— Não, é claro que não. — Ele pareceu surpreso.

— Reserve o quarto em seu nome e diga ao recepcionista que uma mulher chamada Susannah Mia Dean vai ficar lá. Está entendendo?

— Estou, Susannah Mia Dean.

O que mais? Dinheiro, é claro. Susannah perguntou se ele tinha algum. Seu novo amigo pôs a mão no bolso e entregou-lhe a carteira. Com uma das mãos, ela continuou a segurar a tartaruga onde Mats pudesse ver, enquanto com a outra vasculhava a carteira, uma Lord Buxton de excelente qualidade. Havia um maço de cheques de viagem (que não serviam para ela, não com aquela assinatura insanamente rebuscada) e cerca de duzentos dólares em boa e velha grana americana. Ela pegou o dinheiro e deixou-o cair na sacola Borders, onde costumava ficar um par de sapatos. Ao erguer os olhos ficou perturbada quando viu que uma dupla de jovens bandeirantes, talvez de catorze anos, e ambas carregando mochilas, tinham se juntado ao executivo. Fitavam a tartaruga com olhos brilhantes e lábios úmidos. De repente Susannah se lembrou das moças da plateia na noite em que Elvis Presley se apresentara no *The Ed Sullivan Show*.

— Que *maneeeeeiro* — disse uma delas, quase em um suspiro.

— Realmente demais — disse a outra.

— Sigam em frente, garotas — disse Susannah.

Seus rostos se contraíram, assumindo idênticas expressões de pesar. Poderiam quase ter sido gêmeas de Calla.

— Temos mesmo de ir? — perguntou a primeira.

— *Sim!* — disse Susannah.

— Obrigada-sai, longos dias e belas noites — disse a segunda. Lágrimas tinham começado a escorrer pelo seu rosto. A amiga também estava chorando.

— Esqueçam que me viram! — gritou Susannah quando elas começaram a se afastar.

Ficou observando-as com nervosismo, até elas atingirem a Segunda Avenida e virarem à esquerda. Depois voltou a prestar atenção em Mats van Wyck.

— Também quero que você se apresse, Mats. Solte o cabresto até chegar àquele hotel e reserve o quarto. Diga que sua amiga Susannah logo vai chegar.

— O que é soltar o cabresto? Não estou entendendo...

— Ande rápido, é isso o que quer dizer! — Susannah lhe devolveu a carteira, sem o dinheiro, lamentando não ter mais tempo para dar uma olhada melhor em todos aqueles cartões de plástico, curiosa para saber por que alguém precisaria de tantos. — Assim que tiver reservado o quarto, vá para onde estava indo. E esqueça que me encontrou.

Agora, como as jovens em seus uniformes verdes, Mats começou a chorar.

— Também tenho de esquecer a *sköldpadda*?

— Sim. — Susannah lembrava um hipnotizador que vira uma vez em um show de variedades na televisão, talvez no próprio *Ed Sullivan*. — Esqueça a tartaruga. Mas vai se sentir bem o resto do dia, está me ouvindo? Vai se sentir como... — Um milhão de dólares talvez não tivesse muito significado para ele, e quem sabe, um milhão de kroner nem lhe pagaria um corte de cabelo. — Vai se sentir como o próprio embaixador sueco. E vai parar de se preocupar com o amante da sua esposa. Que ele vá para o inferno, certo?

— É, para o inferno com aquele cara! — Mats gritou e, embora ainda estivesse chorando, agora também sorria. Havia alguma coisa divinamente infantil naquele sorriso. Fez Susannah se sentir feliz e triste ao mesmo tempo. Ela teve vontade de poder fazer mais alguma coisa por Mats van Wyck, se possível.

— E seus intestinos?

— Sim?

— Vão funcionar como um relógio pelo resto da vida — disse Susannah segurando a tartaruga no ar. — Qual é sua hora habitual, Mats?

— Vou ao banheiro depois do café da manhã.

— Então é nessa hora que vai ser. Pelo resto da sua vida. A não ser que esteja apressado. Se estiver atrasado para uma reunião ou algo do gênero, diga... hum... *Maturin*, e a vontade passará até o dia seguinte.

— Maturin.

— Isso. Vá agora.

— Não posso levar a *sköldpadda*?

— Não, não pode. Vá agora.

Ele começou a se afastar. De repente fez uma pausa e tornou a olhar para Susannah. Embora seu rosto estivesse úmido, a expressão era brincalhona, um pouquinho maliciosa.

— Talvez eu devesse levá-la — disse. — Talvez seja minha por direito.

Gostaria de ver você tentar, branquelo, foi o pensamento de Detta, mas Susannah (que se sentia cada vez mais responsável pelo extravagante trio de mulheres, ao menos naquele momento) fez com que ela se calasse.

— Por que diria uma coisa dessas, meu amigo? Explique, eu lhe peço.

O ar malicioso se manteve. *Não tente passar a perna em um malandro*, a coisa dizia. Pelo menos era o que aquela expressão sugeria a Susannah.

— Mats, Maturin — disse ele. — Maturin, Mats. Não vê?

Susannah percebia. Ela ia começar a dizer que era apenas coincidência e então pensou: *Calla, Callahan.*

— Entendo — ela disse —, mas a *sköldpadda* não é sua. Nem é minha.

— Então de quem é? — Um tom queixoso. Soava como *da guem*?

E antes que a mente consciente de Susannah pudesse detê-la (ou pelo menos censurá-la), ela falou a verdade. A verdade que seu coração e sua alma sabiam:

— Pertence à Torre, sai. À Torre Negra. É a ela que vou entregar a tartaruga, se o ka permitir.

— Que os deuses estejam com você, minha senhora-sai.

— E com você, Mats. Longos dias e belas noites.

Ela ficou olhando o diplomata sueco se afastar, depois baixou os olhos para a tartaruga de marfim.

— Isso foi realmente incrível, Mats meu velho.

Mia não tinha o menor interesse na tartaruga; tinha um único objetivo. *Este hotel*, disse. *Terá um telefone?*

3

Susannah-Mia pôs a tartaruga no bolso do jeans e obrigou-se a esperar vinte minutos no banco do jardim. Passou boa parte deste tempo admirando suas novas pernas (não importa a quem pertencessem, eram muito bonitas) e agitando seus novos dedos dentro de seus novos

(*e roubados*)

sapatos. A certa altura fechou os olhos e convocou a sala de controle da Dogan. Mais fileiras de luzes de alerta se acendendo e as máquinas sob o piso pulsando mais alto que nunca, mas a agulha do mostrador com a inscrição **SUSANNAH-MIO** estava ainda chegando ao amarelo. Tinham começado a aparecer rachaduras no chão, como ela previra que ia acontecer, mas até o momento não pareciam graves. A situação não era das melhores, mas Susannah achou que por ora poderiam conviver com ela.

O que está esperando?, Mia perguntou. *Por que continuamos sentadas aqui?*

Estou dando ao sueco o tempo de fazer o que precisa para nós duas no hotel e ir embora, Susannah respondeu.

E quando ela achou que já tinha passado tempo suficiente para ele ter feito aquilo, pegou as sacolas, se levantou, atravessou a Segunda Avenida e começou a descer a rua Quarenta e Seis na direção do Plaza-Park Hotel.

4

O saguão estava cheio da agradável luz da tarde refletida por quinas de vidro verde. Susannah jamais vira um salão tão bonito (fora a nave da St. Patrick, é claro), mas também havia alguma coisa de estranho naquilo.

Porque é o futuro, ela pensou.

Nossa, quantos indícios havia disso. Os carros pareciam menores e inteiramente diferentes. Muitas das mulheres mais jovens circulavam com a parte de baixo da barriga exposta e as alças dos sutiãs aparecendo. Susannah precisou ver este último fenômeno quatro ou cinco vezes em seu trajeto pela rua Quarenta e Seis antes de conseguir se convencer completamente que aquilo era algum tipo de bizarra tendência da moda, não um equívoco. Em sua época, uma mulher com as alças do sutiã aparecendo (ou um centímetro de anágua, *nevando no sul*, como costumavam dizer) teria se metido no banheiro público mais próximo para prendê-lo com alfinete, e de imediato. Quanto à questão das barrigas aparecendo...

A não ser que estivesse em Coney Island, você ia presa, ela pensou. *Sem dúvida.*

Mas a coisa que deixou a maior impressão foi também a mais difícil de definir: a cidade simplesmente parecia *maior*. Bradava e roncava por todo lado. Vibrava. Cada sopro de ar era perfumado com um cheiro característico. As mulheres esperando táxis na frente do hotel (com ou sem as alças de sutiã aparecendo) só podiam ser mulheres de Nova York; os porteiros (não um mas dois) fazendo sinal para os táxis só podiam ser porteiros de Nova York; os taxistas (ela ficou impressionada ao reparar quantos tinham a pele negra e viu um que estava usando um *turbante*) só podiam ser taxistas de Nova York, mas todos eram também... diferentes. O mundo tinha seguido adiante. Era como se a sua Nova York, aquela de 1964, tivesse sido um clube de futebol de segunda divisão. Esta pertencia às ligas principais.

Ela parou um instante no meio do saguão, tirando do bolso a tartaruga de marfim e se orientando. À sua esquerda havia uma sala de estar. Duas mulheres estavam sentadas lá, conversando, e Susannah contemplou-as por um instante, mal acreditando no quanto suas pernas estavam à mostra sob as bainhas das saias (*que* saias, há-há?). E não eram adolescentes ou universitárias; eram mulheres na faixa dos trinta, pelo menos (se bem que talvez elas estivessem na faixa dos *sessenta*, quem poderia dizer que avanços científicos tinham ocorrido nos últimos trinta e cinco anos).

À direita havia uma pequena loja. Em algum lugar, nas sombras além da lojinha, um piano deixava escapar algo abençoadamente familiar — "Night and Day" —, e Susannah sentiu que, se caminhasse na direção do som, encontraria uma série de assentos de couro, uma amontoado de garrafas cintilantes e um cavalheiro de paletó branco que ficaria feliz em servi-la mesmo se *ainda* estivessem no meio da tarde. Tudo aquilo era decididamente um alívio.

Bem à sua frente ficava a recepção e, atrás do balcão estava a mulher mais diferente que Susannah já vira. Parecia ser branca, negra e chinesa, tudo misturado. Em 1964 tal mulher seria, sem a menor dúvida, vista como uma espécie de aparição, por mais bonita que fosse. Aqui fora enfiada em um tailleur extremamente elegante e colocada atrás do balcão de recepção de um grande hotel cinco estrelas. A Torre Negra podia estar cada vez mais instável, Susannah pensou, e o mundo podia ter seguido adiante, mas ela achava que a bela funcionária da recepção era prova (se alguma ainda fosse necessária) de que nem *tudo* estava desabando ou seguindo na direção errada. A moça conversava com um hóspede que se queixava da conta do filme no quarto, fosse lá o que isso pudesse ser.

Não importa, é o futuro, Susannah repetiu de novo para si mesma. *É ficção científica, como a Cidade de Lud. Melhor não procurar entender.*

Pouco me importa o que são as coisas ou de que quando são, disse Mia. *Quero estar perto de um telefone. Quero cuidar do meu carinha.*

Susannah passou por um cartaz em um tripé, depois voltou e deu uma olhada melhor.

A PARTIR DE 1º DE JULHO DE 1999, O NEW YORK PLAZA-PARK HYATT VAI SE TRANSFORMAR NO REGAL U.N. PLAZA HOTEL OUTRO GRANDE PROJETO *SOMBRA/NORTH CENTRAL*!!

Susannah pensou: *Sombra, como havia nos condomínios de luxo da Baía da Tartaruga, aqueles que jamais foram construídos, a julgar por aquele edifício preto ali na esquina. E North Central como na North Central Positronics. Interessante.*

Sentiu de repente uma pontada de dor na cabeça. Pontada? Diabo, uma faísca de dor. Encheu seus olhos de água. E ela sabia quem a mandara. Mia, que não tinha interesse na Corporação Sombra, na North Central Positronics ou na própria Torre Negra, estava ficando impaciente. Susannah sabia que precisaria mudar isso ou pelo menos tentar. Mia não estava interessada em nada além de seu carinha, mas se queria manter o carinha, talvez tivesse de ampliar um pouco seu campo de visão.

Ela vai lutar com você a cada maldito passo do caminho, disse Detta. A voz era astuta, dura, animada. *Tu também sabe disso, né?*

Susannah sabia.

Ela esperou até que o homem com o problema acabasse de explicar como tinha pedido sem querer um filme chamado *X-Rated*, que não se importava de pagar desde que não aparecesse em sua fatura, e então avançou um passo para o balcão. Seu coração martelava no peito.

— Acho que um amigo meu, Mathiessen van Wyck, reservou um quarto para mim — disse. Viu a funcionária da recepção contemplar sua blusa manchada com justificada desaprovação e riu nervosamente. — Realmente não vejo a hora de tomar um banho e trocar de roupa. Tive um pequeno acidente. No almoço.

— Sim, senhora. Só preciso verificar. — A mulher foi até o que parecia ser um pequeno monitor de televisão unido a um teclado de máquina de escrever. Bateu algumas teclas e olhou para a tela: — Susannah Mia Dean, correto?

Você diz a verdade, eu digo obrigado subiu aos seus lábios, mas ela o sufocou.

— Sim, correto.

— Posso ver alguma identificação, por favor?

Por um momento, Susannah ficou confusa. Então pôs a mão na bolsa de caniços e puxou um prato Oriza, tendo o cuidado de segurá-lo pela borda cega. De repente estava se lembrando de uma coisa que Roland dissera a Wayne Overholser, o grande fazendeiro de Calla: *Trabalhamos com chumbo*. As 'Rizas não eram balas, mas certamente eram o equivalente. Segurava o prato em uma das mãos e a pequena tartaruga entalhada na outra.

— Isto vai servir? — perguntou ela nem um tom simpático.

— O que… — começou a perguntar a bonita funcionária da recepção, caindo logo em silêncio enquanto os olhos passavam do prato para a tartaruga, olhos que iam ficando grandes e um tanto vidrados. Os lábios, cobertos por um interessante brilho cor-de-rosa (que Susannah achou mais parecido com doce do que com batom), se entreabriram. Um som suave saiu do meio deles: — *Ahhhh…*

— É minha carteira de motorista — disse Susannah. — Está vendo? — Por sorte não havia mais ninguém por perto, nem sequer um mensageiro de hotel. Os hóspedes de saída tardia estavam na calçada, lutando pelos táxis; o interior do saguão continuava na maior tranquilidade. Do bar além da lojinha de suvenires, "Night and Day" deu lugar a uma preguiçosa e introspectiva versão de "Stardust".

— Carteira de motorista — a funcionária concordou no mesmo tom de suspiro, atônito.

— Ótimo. Precisa fazer alguma anotação?

— Não… O quarto foi pago pelo sr. Van Wyck… Só preciso… dar uma olhada na… posso pegar a tartaruga, senhora?

— Não — disse Susannah, e a funcionária da recepção começou a chorar. Susannah observou este fenômeno com ar desconcertado. Não acreditava que tivesse feito tanta gente chorar desde seu desastroso recital de violino (o primeiro e o último) aos doze anos.

— Não, não posso pegar — disse a funcionária da recepção, chorando abertamente. — Não, não, não posso, não posso pegar, ah, Discórdia, não posso…

— Pare com essa choradeira — disse Susannah e a funcionária da recepção parou de imediato. — Me dê a chave do quarto, por favor.

Mas em vez de uma chave, a mulher eurasiana passou-lhe um cartão de plástico em um pedaço de cartolina dobrado. Escrito do lado de dentro da cartolina (para que os ladrões não pudessem ver com facilidade, ela supôs) havia o número 1919. O que não surpreendeu de modo algum Susannah. Mia, é claro, não poderia ter se importado menos.

Susannah quase perdeu o equilíbrio. Ela cambaleou ligeiramente. Precisou sacudir uma das mãos (a que segurava a "carteira de motorista") para se endireitar. Por um momento achou que ia desabar no chão, mas logo estava se sentindo novamente bem.

— Senhora? — perguntou a funcionária da recepção. Parecendo remota... *muito* remotamente... preocupada. — Tudo bem com a senhora?

— Sim — disse Susannah. — Só... perdi o equilíbrio por um ou dois segundos.

Mas ela se perguntava: *Que diabo tinha realmente acontecido?* Ah, mas sabia a resposta. Mia era a que tinha suas pernas, *Mia*. Susannah estava conduzindo o ônibus desde o encontro com o Senhor-Não-Posso-Pegar-a-*Sköldpadda* e este corpo estava começando a reverter para o estágio sem pernas-abaixo-do-joelho. Loucura mas verdade. O seu corpo estava voltando para Susannah.

Mia, suba aqui. Assuma.

Não posso. Ainda não. Assim que estivermos sozinhas eu assumo.

E por Cristo, Susannah reconhecia aquele tom de voz, o reconhecia muito bem. A escrota estava *tímida*.

— O que é esta coisa? — Susannah perguntou à funcionária da recepção. — É uma chave?

— Ora... Sim, sai. Vai usá-la tanto no elevador como para abrir a porta. Basta passar o cartão na abertura, na direção apontada pela flecha. Passe depressa. Quando a luz na porta ficar verde, poderá entrar. Tenho um pouco mais de oito mil dólares na gaveta do caixa. Dou-lhe tudo por esta bela coisa, sua tartaruga, sua *sköldpadda*, sua *tortuga*, sua *kavvit*, sua...

— Não — disse Susannah, tornando a cambalear e agarrando a ponta do balcão. Seu equilíbrio estava no fim. — Vou subir agora. — Ela pensara em visitar a lojinha de suvenires primeiro e gastar um pouco da grana de Mats em um vestido limpo, se houvesse algum à venda, mas isso teria de esperar. *Tudo* teria de esperar.

— Sim, sai. — Não mais *senhora*, não naquele momento. A tartaruga estava funcionando nela. Enfraquecendo a fenda entre os mundos.

— Vai simplesmente esquecer que me viu, está bem?

— Sim, sai. Quer que ponha um aviso de não perturbe no telefone?

Mia protestou. Susannah nem se deu ao trabalho de prestar atenção.

— Não, não faça isso. Estou esperando por uma ligação.

— Como quiser, sai. — Olhos na tartaruga. Sempre na tartaruga. — Desfrute o Plaza-Park. Quer um mensageiro para ajudá-la com a bagagem?

Pareço precisar de ajuda para a porra dessas três sacas que tenho?, Detta pensou, mas Susannah se limitou a balançar a cabeça.

— Muito bem.

Susannah começou a se virar, mas as palavras seguintes da funcionária do balcão a fizeram voltar depressa.

— Logo vem o Rei, ele e o Olho.

Susannah abriu a boca para a mulher, um espanto próximo do choque. Sentiu um arrepio correndo pelos braços. A bela face da funcionária do balcão, enquanto isso, permaneceu plácida. Olhos escuros na tartaruga de marfim. Os lábios se entreabriram, agora úmidos não só de brilho, mas de saliva. *Se eu ficar mais tempo aqui*, Susannah pensou, *ela vai começar a babar*.

Susannah queria muito escutar mais sobre o assunto do Rei e o Olho — era um assunto *dela* — e podia fazer isso, era ela que estava à frente, dirigindo o ônibus, mas cambaleou de novo e soube que não poderia esperar mais... a não ser, é claro, que quisesse ir rastejando até o elevador usando as mãos e os joelhos com a parte inferior das pernas do jeans se arrastando atrás de si. *Talvez mais tarde*, pensou, sabendo que era improvável; as coisas estavam agora indo depressa demais.

Começou a atravessar o saguão, caminhando com uma oscilação discreta. A recepcionista falou atrás dela em um tom que expressava um amável pesar, não mais que isso.

— Quando o Rei chegar e a Torre cair, sai, todas essas coisas belas, como a que você tem, serão quebradas. Então haverá escuridão e nada mais a não ser o uivo da Discórdia e o choro do can toi.

Susannah não deu resposta, embora o arrepio tivesse agora lhe atingido a nuca e ela pudesse sentir o couro cabeludo contraindo em seu próprio crânio. Suas pernas (pelo menos as pernas de *alguém*) iam rapidamente perdendo toda sensibilidade. Se ela fosse capaz de olhar sua pele nua, teria visto suas ótimas pernas novas ficando transparentes? Teria sido capaz de ver o sangue correndo pelas veias, descendo muito vermelho, depois mais escuro e fino ao subir de volta para o coração? Teria visto os entrelaçados filamentos de músculo?

Ela achava que sim.

Apertou o botão do elevador e guardou o prato Oriza na sacola, rezando para uma das três portas de elevadores se abrir antes que desabasse no chão. O pianista passara a tocar "Stormy Weather".

A porta do elevador do meio se abriu. Susannah-Mia entrou e apertou o 19. A porta se fechou, mas o carro continuou parado.

O cartão de plástico, ela se lembrou. *Tem de usar o cartão.*

Susannah viu a abertura e passou o cartão, tendo o cuidado de passar no sentido da seta. Desta vez, quando pressionou o 19, o número se iluminou. Um momento depois estava sendo rudemente empurrada para o lado enquanto Mia tomava a frente.

Susannah se recolheu aos fundos de sua própria mente com uma espécie de alívio e cansaço. Sim, que outra pessoa assumisse, por que não? Que outra pessoa dirigisse por algum tempo o ônibus. Podia sentir a força e substância voltando para as pernas, e por enquanto isso bastava.

5

Mia podia ser uma estranha em uma terra estranha, mas aprendia rápido. Localizou no 19º andar a seta sobre a numeração 1911-1923 e seguiu decidida pelo corredor para o 1919. O tapete, verde e grosso, mas deliciosamente macio, sussurrou sob os seus

(*os dela*)

sapatos roubados. Inseriu o cartão magnético, abriu a porta e entrou. Havia duas camas. Pôs as sacolas em uma delas, olhou em volta sem grande interesse e concentrou a atenção no telefone.

Susannah! Impaciente.

O quê?

Como faço para ele tocar?

Susannah riu com vontade. *Querida, você não é a primeira pessoa a fazer esta pergunta, tenha certeza. Nem a milionésima. Às vezes ele toca, às vezes não. Tem seu próprio tempo. Enquanto isso, por que não dá uma olhada em volta. Veja se pode achar um lugar para guardar seus apetrechos.*

Ela esperou uma discussão, mas não houve nenhuma. Mia rodou pelo quarto (não se dando ao trabalho de abrir as cortinas, embora Susannah tivesse muita vontade de ver a cidade daquela altura), deu uma espiada no banheiro (palaciano, com o que parecia ser uma bacia de mármore e espelhos por todo lado) e se aproximou do armário. Lá, em uma prateleira com alguns sacos plásticos para a roupa a ser lavada a seco, havia um cofre. Havia uma placa nele, mas Mia não conseguiu ler. Roland enfrentava problemas semelhantes de vez em quando, mas os dele eram causados pela diferença entre o alfabeto inglês e as "grandes letras" do Mundo Interior. Susannah teve a impressão de que os problemas de Mia eram muito mais básicos; embora sua sequestradora conhecesse os números, Susannah achava que a mãe do carinha simplesmente não sabia ler.

Susannah tomou a frente, mas não por completo. Por um momento ficou olhando através de dois pares de olhos para duas placas, uma sensação tão estranha que a deixou com náuseas. Então as imagens se uniram e ela conseguiu ler a mensagem.

ESTE COFRE É FORNECIDO PARA SEUS PERTENCES PESSOAIS
A GERÊNCIA DO PLAZA-PARK HYATT NÃO ASSUME
RESPONSABILIDADE PELOS ITENS DEIXADOS AQUI
JOIAS E DINHEIRO EM ESPÉCIE DEVEM SER DEPOSITADOS
NO COFRE NA RECEPÇÃO DO HOTEL
PARA GRAVAR UMA SENHA, DIGITE QUATRO NÚMEROS
SEGUIDOS DE ENTER
PARA ABRIR, DIGITE SUA SENHA DE
QUATRO NÚMEROS E APERTE ABRIR

Susannah se afastou e deixou Mia selecionar quatro números. Ela escolheu o número um seguido de três noves. Era o ano corrente e podia ser uma das primeiras combinações a ser tentada por um ladrão, mas pelo menos não era o número do próprio quarto. Além disso, eram os números *certos*. Números de poder. Um *sigul*. As duas sabiam disso.

Mia tentou abrir o cofre após gravar a senha, viu que continuava fechado e digitou os números para abri-lo. Veio um zumbido de algum lugar lá dentro e a porta se abriu com um estalo. Ela pôs ali a sacola vermelho-clara com os dizeres PISTAS DO CENTRO DA CIDADE — a caixa dentro da sacola coube por um triz — e depois a sacola com os pratos Oriza. Tornou a trancar a porta do cofre, testou a maçaneta, viu que estava bem fechada e assentiu. A sacola Borders continuava sobre a cama. Ela puxou o maço de dinheiro guardado lá dentro e enfiou-o no bolso da frente da perna direita do jeans, junto com a tartaruga.

Tem de conseguir uma blusa limpa, Susannah lembrou à sua incômoda hóspede.

Mia, filha de ninguém, não deu resposta. Ela não estava nem aí para blusas, limpas ou sujas. Mia estava olhando para o telefone. Naquele momento, com o trabalho de parto suspenso, o telefone era tudo com que se importava.

Agora confabularemos, disse Susannah. *Você prometeu e é uma promessa que vai cumprir. Mas não naquele salão de banquetes. Ela estremeceu. Em algum lugar lá fora, me escute, eu lhe peço. Quero ar fresco. Aquele salão de banquetes tinha cheiro de morte.*

Mia não discutiu. Susannah teve a vaga percepção da outra mulher vasculhando arquivos de memória — examinando, rejeitando, examinando, rejeitando — e por fim encontrando algo que ia servir.

Como chegamos lá?, Mia perguntou com indiferença.

A mulher negra que era agora (de novo) duas mulheres sentou-se em uma das camas e pousou as mãos dobradas no colo. *Como em um trenó*, disse a parte Susannah da mulher. *Eu empurro, você guia. E não esqueça, Susannah-Mio, se quiser minha cooperação, terá de me dar algumas respostas diretas.*

Darei, respondeu a outra. *Só não espere gostar delas. Ou mesmo compreendê-las.*

O que você...

Não importa! Deuses, nunca encontrei ninguém que fizesse tantas perguntas! O tempo é curto! Quando o telefone tocar, nossa confabulação acaba! Então, se quer mesmo confabular...

Susannah não se preocupou em dar a ela a chance de concluir. Fechou os olhos e se deixou cair para trás. Nenhuma cama deteve a queda; ela passou direto pela cama. Estava caindo mesmo, caindo através do espaço. Podia ouvir o tanger dos sinos todash, abafados, ao longe.

Aí vou de novo, ela pensou. E: *Eddie, eu te amo.*

LINHA: *Commala-dance-ligue*
Não é incrível estar vivo?
Para assistir à Discórdia
Quando a Lua do Demônio vier.

RESPOSTA: *Commala-venha-cinco!*
Mesmo quando a sombra se erguer!
Ver o mundo e andar o mundo
Deixa a gente feliz de viver.

Sexta estrofe

O TORREÃO DO CASTELO

1

De repente ela estava caindo de novo em direção ao seu corpo e a sensação provocou uma memória de um brilho ofuscante: Odetta Holmes aos dezesseis anos, sentada de combinação na cama sob uma brilhante faixa de sol e calçando uma meia de seda. Pelo tempo que aquela memória perdurou, sentiu o cheiro do Pond's Beauty Bar e do White Shoulders, o sabonete e o perfume emprestados da mãe, Odetta tão adulta que já tinha permissão para usar perfume. Ela pensou: *É o Baile da Primavera! Vou com Nathan Freeman!*

Então passou. O cheiro doce do sabonete Pond's foi substituído por uma limpa e fria (mas um tanto úmida) brisa noturna e tudo que restou foi a sensação, tão estranha e perfeita, de se estender para um novo corpo como se ela própria fosse uma meia que alguém estivesse puxando por uma panturrilha e um joelho.

Abriu os olhos. O vento soprava, jogando uma areia fina em seu rosto. Estreitou os olhos, fazendo uma careta e erguendo o braço, como se tivesse de se defender de um golpe.

— Aqui! — disse uma voz feminina. Não era a voz que Susannah teria esperado. Não era estridente, não era um grasnar triunfante. — Aqui, fora do vento!

Ela se virou e viu uma mulher atraente e alta acenando. A primeira visão que Susannah teve de Mia em carne e osso deixou-a atônita, porque a mãe do carinha era *branca*. Aparentemente, a antiga Odetta tinha agora um lado caucasiano em sua personalidade, o que sem dúvida devia ferir bastante a sensibilidade racial de Detta Walker!

Ela própria estava de novo sem pernas, sentada em uma espécie de carroça tosca. A carroça estava estacionada defronte a uma abertura em um parapeito baixo. Contemplou a mais terrível e ameaçadora paisagem que já vira na vida. Enormes formações rochosas projetadas para o céu, estendendo-se até o horizonte, brilhavam como esqueletos alienígenas sob o clarão de uma selvagem lua minguante. Longe do clarão daquele sorriso lunar, um bilhão de estrelas ardiam como gelo quente. Entre as rochas de pontas lascadas e fissuras abertas, uma trilha estreita serpenteava para a distância. Ao olhá-la, Susannah pensou que um grupo teria de viajar naquele caminho em fila indiana. *E teria de levar muitos suprimentos. Não há sequer cogumelos para colher no caminho; nem qualquer tipo de fruta.* Ao longe, uma escura luminosidade rubra (vaga e funesta, brotando de algum lugar além do horizonte) se espalhava num tom declinante. *Coração da rosa*, ela pensou, e então: *Não, isso não! A forja do Rei.* Contemplou a luz sombria e pulsante com um fascínio indefeso e horrorizado. Vergar... e afrouxar. Difundir... e fazer declinar. Uma infecção se anunciando aos céus.

— Venha até mim agora, já que tem de estar aqui, Susannah de Nova York — disse Mia. Vestia um poncho grosso e o que parecia uma bermuda de couro que parava logo abaixo do joelho. As canelas estavam arranhadas, tinham cascas de feridas. Usava *huaraches* de sola grossa nos pés. — Pois o Rei pode fascinar, mesmo à distância. Estamos do lado Discórdia do Castelo. Gostaria de acabar sua vida nas agulhas que existem na base deste muro? Se ele a enfeitiçar e mandar que pule, é justamente o que você fará. Seus amiguinhos pistoleiros cascas grossas não estão aqui para ajudá-la, não é? Não, não. Você está por sua própria conta e risco.

Susannah tentou afastar o olhar daquele clarão que não parava de pulsar e, a princípio, não conseguiu. O pânico brotou em sua mente

(*se ele a enfeitiçar e mandar que pule*)

mas ela o tratou como uma ferramenta, levando-o a um nível capaz de romper sua imobilidade causada pelo medo. Por um momento nada aconteceu, então ela se atirou para trás tão violentamente na tosca carrocinha que teve de agarrar-se às beiradas para não desabar nas pedras do chão. O vento tornou a soprar, jogando areia e cascalho contra seu rosto e cabelo, parecendo zombar dela.

Mas aquela atração... fascinação... *encanto*... o que quer que fosse desaparecera.

Olhou para o carrinho de bilha (assim o imaginava, fosse ou não o nome correto) e viu de imediato como ele funcionava. Era bastante simples, sem dúvida. Sem nenhum jumento para puxar, *ela* era o jumento. Estava a quilômetros da doce e leve cadeirinha que tinham encontrado em Topeka e a anos-luz de ser capaz de caminhar sobre as pernas fortes que a haviam transportado do pequeno parque ao hotel. Deus, como sentira saudade de ter pernas! Já sentia.

Mas a gente se vira com o que tem.

Agarrou as rodas de madeira da carroça, fez força, não houve movimento, fez mais força. Quando estava quase chegando à conclusão de que teria de saltar da carroça e rastejar de modo humilhante para onde Mia esperava, as rodas giraram com um gemido rangente, precisando de óleo. Elas andaram ruidosamente na direção de Mia, que estava parada atrás de uma atarracada coluna de pedra. Havia uma grande quantidade dessas colunas. Elas se estendiam em curva pela escuridão. Susannah supôs que antigamente (antes de o mundo seguir adiante), arqueiros teriam buscado proteção atrás delas enquanto o exército invasor atirava suas flechas, ou suas catapultas incandescentes, ou qualquer outra arma. Então iriam até o espaço entre as colunas e fariam seus próprios disparos. Quanto tempo atrás isso teria acontecido? Que mundo *era* este? E a que distância ficava da Torre Negra?

Susannah teve a sensação de que talvez estivesse muito perto.

Empurrou o carrinho tosco, desconjuntado, que empacava no vento e olhou para a mulher no poncho, envergonhada de estar tão sem fôlego após avançar menos que uma dúzia de metros, mas incapaz de disfarçar a respiração ofegante. Respirou fundo várias vezes no ar úmido e um tanto arenoso. As colunas — achou que se chamavam merlões, ou algo parecido — estavam à sua direita. À esquerda havia um lago de escuridão circular cercado por muros de pedra que tinham começado a desmoronar. No meio do caminho, duas torres se erguiam bem alto sobre a parede externa, mas uma fora estilhaçada, como se tivesse sido alvo de um relâmpago ou alguma explosão impactante.

— Aqui onde estamos é o torreão — disse Mia. — O muro-passarela do Castelo do Abismo, outrora conhecido como Castelo Discórdia. Você disse que queria ar fresco. Espero que este possa te servir, como dizem na Calla. Estamos bem longe de lá, Susannah. Entramos bastante na área do Fim do Mundo, chegamos perto do lugar onde sua jornada termina, para o bem ou para o mal. — Ela fez uma pausa e continuou: — Para o mal, quase certamente. Mas isso nada me importa, não, não eu. Sou Mia, filha de ninguém, mãe de alguém. Me importo com meu carinha e nada mais. O carinha me basta, sim! Quer confabular? Ótimo. Posso lhe dizer o que acho ser verdadeiro. Por que não? O que afinal significa para mim, de um modo ou de outro?

Susannah olhou em volta. Quando seu rosto ficou de frente para o centro do castelo — para o que imaginou ser o pátio interno — ela captou um cheiro antigo de podridão. Mia viu-a torcer o nariz e sorriu.

— Sim, eles já se foram há muito tempo e as máquinas que os últimos deixaram para trás estão quase todas paradas, mas o cheiro de sua morte permanece, não é? O cheiro da morte sempre se conserva. Pergunte ao seu amigo pistoleiro, ao *verdadeiro* pistoleiro. Ele sabe, pois tem sua parte nisso. Na realidade é responsável por muita coisa, Susannah de Nova York. A culpa de mundos pende em volta de seu pescoço como um cadáver em decomposição. Mas ele chegou bem longe com sua obstinada e febril determinação a ponto de finalmente chamar a atenção de quem é grande. Mas ele será destruído, sim, e todos que permanecerem a seu lado. Carrego sua destruição em minha própria barriga e não me importo. — O queixo se ergueu sob a luz das estrelas. Sob o poncho, o peito arfou... e Susannah viu a curva da barriga. Pelo menos naquele mundo a gravidez de Mia era muito evidente. Pronta para o parto, sem dúvida.

— Aproveite, faça suas perguntas — disse Mia. — Mas não esqueça. Existimos também no outro mundo, aquele onde estamos atadas. Estamos deitadas em uma cama na estalagem, aparentemente adormecidas... mas não estamos dormindo, não é, Susannah? Não. E quando o telefone tocar, quando meus amigos ligarem, deixaremos este lugar e voltaremos para lá. Se suas perguntas tiverem sido feitas e respondidas, ótimo. Caso contrário, ótimo também. Pergunte. Ou... bem, você é ou não é uma pistoleira? — Os lábios se curvaram em um sorriso de desdém. Susannah achou que ela estava insolente, sim, insolente. Sobretudo para quem não seria capaz de achar o caminho da rua Quarenta e Seis à Quarenta e Sete no mundo para onde tinha de voltar. — Pode *atirar*! Estou pronta.

Susannah olhou mais uma vez para o muro escuro, quebrado, junto ao qual ficava o centro do castelo, sua cidadela e principal arena de combate, seus barbacãs e fendas mortais, seu sabe-se lá Deus mais o quê. Ela cursara uma matéria de história medieval e se lembrava de alguns termos, mas fora há muito tempo atrás. Certamente havia um salão de banquetes em algum lugar lá dentro, um salão que ela própria tinha suprido de comida, ao menos por algum tempo. Mas seus dias de fornecedora de bufê estavam encerrados. Se Mia tentasse empurrá-la com força demais ou para longe demais, descobriria isso por si mesma.

De qualquer modo, pensou em começar com alguma coisa relativamente fácil.

— Se este é o Castelo do Abismo — disse —, onde está o Abismo? Não vejo nada parecido lá fora, só um campo muito rochoso... e aquele clarão vermelho no horizonte.

Mia, o cabelo preto que caía até os ombros flutuando (nem uma só onda naquele cabelo, como havia no de Susannah; o de Mia era como seda), apontou através do fosso interior abaixo delas para o muro oposto, onde as torres subiam e o torreão continuava sua curva.

— Estamos em uma fortaleza — disse ela. — Mais além fica a cidade de Fedic, agora abandonada, pois morreram todos da Morte Rubra há mais de mil anos. Além dela...

— A Morte Rubra? — Susannah perguntou, sobressaltada (e também assustada, mesmo a contragosto). — A Morte Rubra do conto de Poe? Como na história? — E por que não? Afinal já não tinha vagado (e conseguido sair) pela Oz de L. Frank Baum? O que viria depois? O Coelho Branco e a Rainha de Copas de *Alice no País das Maravilhas*?

— Não sei. Só o que posso dizer é que além da cidade deserta fica a verdadeira muralha externa e, além dessa muralha, há uma grande fenda na terra repleta de monstros que rastejam, saltam, se reproduzem e tramam para fugir. Antigamente o precipício era atravessado por uma ponte, mas há muito ela caiu. "Antes do início da contagem do tempo", como se costuma dizer. Ali há horrores capazes de levar um homem ou uma mulher comum à loucura após um simples olhar.

Mia dispensou a Susannah um de seus próprios olhares. Um dos decididamente satíricos.

— Mas não uma *pistoleira*. Certamente não uma pessoa como *tu*.

— Por que está zombando de mim? — perguntou Susannah em voz baixa.

Mia pareceu assustada, depois carrancuda.

— Foi minha a ideia de vir aqui? Vir para este frio miserável onde o Olho do Rei mancha o horizonte e corrompe a face da própria lua com sua luz imunda? Não, senhora! A ideia foi tua, portanto não me chicoteie com a tua língua!

Susannah poderia ter respondido que não tinha sido sua a ideia de ficar grávida do bebê de um demônio, mas seria uma hora terrível para entrar em um cabo de guerra sim-você-fez, não-eu-não-fiz.

— Eu não a estava censurando — disse Susannah —, apenas perguntando.

Mia fez um impaciente gesto de descartar o argumento com a mão, como se dissesse *e daí, se estivesse?*, e virou um pouco para o lado. A meia-voz ela disse:

— Não estudei em Morehouse* nem em *nenhuma* outra house. E seja como for, vou continuar carregando meu carinha, está ouvindo? Não importa o que aconteça. Vou carregá-lo e alimentá-lo!

De repente Susannah compreendeu muita coisa. Mia zombava porque estava assustada. A despeito de tudo que sabia, grande parte dela *era* Susannah.

Não estudei em Morehouse nem em nenhuma outra house, por exemplo, isso era de *O homem invisível*, de Ralph Ellison. Quando Mia se agarrou a Susannah, adquiriu pelo menos duas personalidades pelo preço de uma. Fora Mia, afinal, quem havia tirado Detta da aposentadoria (ou talvez de profunda

* Faculdade norte-americana fundada em 1867. Localizada em Atlanta, na Georgia, é historicamente voltada para negros e exclusivamente masculina.

hibernação) e era Detta quem gostava particularmente desta fala, que expressava tão bem o profundo desprezo e desconfiança de pessoas negras pelo que era às vezes chamado "a melhor educação de alguém negro no pós-guerra". Não para Morehouse nem para *nenhuma* house; eu sei o que sei, em outras palavras, sei de tudo, peguei de ouvido, querida, peguei no rádio-peão.

— Mia — ela disse agora. — O carinha é seu e de quem? Sabe qual demônio era o pai dele?

Mia sorriu. Não era um sorriso que caía bem para Susannah. Tinha muita coisa de Detta; riso demais e sabedoria amarga.

— Sim, senhora, eu sei. E a senhora tem razão. Foi um demônio que o colocou na senhora, e para falar a verdade um demônio realmente muito terrível! Um demônio humano! Não podia ser de outra maneira, pois como a senhora sabe os verdadeiros demônios, os que sobraram nos litorais desses mundos que ficaram girando ao redor da Torre quando o *Prim* retrocedeu, são estéreis. E por bons motivos.

— Então como...

— Seu dinh é o pai do meu carinha — disse Mia. — Roland de Gilead, sim, ele. Steven Deschain finalmente tem seu neto, embora já descanse podre no túmulo e não vá saber disso.

Susannah arregalava os olhos para ela, sem prestar atenção no vento frio que corria pela aridez da Discórdia.

— *Roland*...? Não pode ser! Ele estava do meu lado quando o demônio estava *dentro* de mim; estava tirando Jake da casa em Dutch Hill e sexo seria a *última* coisa que passaria pela sua cabeça... — Deixou a frase pela metade, pensando no bebê que vira na Dogan. Pensando naqueles olhos. Naqueles olhos azuis de atirador. *Não, não. Me recuso a acreditar nisso.*

— Ainda assim, Roland é o pai dele — Mia insistiu. — E quando o carinha chegar, vou chamá-lo por um nome tirado quase por completo de sua mente, Susannah de Nova York; da história que lhe contaram falando de merlões, pátios, catapultas e barbicãs. Por que não? É um bom nome, soa bem.

Ela está falando da aula do professor Murray, a matéria de Introdução à História Medieval.

— Vou chamá-lo de Mordred — Mia continuou. — Vai crescer depressa o meu menino querido, mais depressa que um humano, conforme sua natureza de demônio. Vai crescer forte. E será o avatar de cada pistoleiro que já existiu. E assim como o Mordred da história, ele vai matar o pai.

E com isso, Mia, filha de ninguém, ergueu os braços para o céu repleto de estrelas e gritou, embora Susannah não pudesse dizer se de pesar, terror ou alegria.

2

— Venha cá — disse Mia. — Tenho isto.

De baixo do poncho ela puxou um cacho de uvas e uma sacola de papel cheia de umas frutinhas que pareciam laranjas pequenas, inchadas como sua barriga. De onde, Susannah se perguntou, tinham vindo aquelas frutas? Será que o corpo que as duas compartilhavam sonambulava pelo Plaza-Park Hotel? Será que havia alguma cesta de frutas por lá em que não tinha reparado? Ou seriam todas elas frutos de sua imaginação?

Não que isso fizesse diferença. Qualquer apetite que Susannah pudesse ter tido se fora, dissipado pelo que ouvira de Mia. O fato de essa história ser impossível de certa forma só servia para tornar a ideia ainda mais monstruosa. Mas ela não conseguia parar de pensar no bebê que vira dentro de um útero em uma daquelas telas. Aqueles olhos azuis.

Não. Não pode ser, está ouvindo? Não pode ser.

O vento, atravessando as fendas entre os merlões, a congelava até os ossos. Ela se levantou do banco da carroça e se acomodou ao lado de Mia no parapeito do muro. Sob o gemido constante do vento, Susannah ergueu os olhos para as estrelas desconhecidas.

Mia estava enchendo a boca de uvas. O suco escorria de um dos cantos da boca enquanto ela cuspia sementes pelo outro canto com a rapidez de uma saraivada de balas de metralhadora. De repente engoliu, limpou o queixo e disse:

— Pode. Pode ser. E tem mais: é. Ainda acha que fez bem em ter vindo, Susannah de Nova York, ou já preferia não ter saciado a sua curiosidade?

— Se vou ter um bebê pelo qual não trepei com ninguém, vou querer saber tudo que puder sobre essa criança. Compreende isso?

Mia piscou ante a deliberada crueza, depois assentiu.

— Se assim desejar.

— Me diga então como pode ser de Roland. E se quiser que eu acredite em alguma outra coisa que venha a me dizer, é melhor começar por me fazer acreditar nisto.

Mia enfiou as unhas na casca de uma drupa descascou-a com um gesto rápido e comeu avidamente a fruta. Fez um gesto como se fosse abrir outra, mas apenas começou a fazê-la rolar entre as palmas das mãos (aquelas desconcertantes palmas brancas), aquecendo-a. Depois de algum tempo, Susannah sabia, a fruta saltaria naturalmente de dentro da casca. Então Mia começou.

3

— Quantos Feixes existem, Susannah de Nova York?

— Seis — disse Susannah. — Pelo menos havia seis. Acho que agora só há dois que...

Mia agitou a mão com impaciência, como se dissesse "não me faça perder tempo".

— Seis, sim — disse. — E quando os Feixes foram criados dessa Discórdia maior, o caldo da criação que alguns (incluindo os mannis) chamam de Além e outros chamam de *Prim*, quem os fez?

— Não sei — disse Susannah. — Acha que foi Deus?

— Talvez exista um Deus, mas os Feixes surgiram do *Prim* por efeitos de magia, Susannah, a verdadeira magia que há muito desapareceu. Foi Deus que fez a magia ou foi a magia que fez Deus? Não sei. É uma questão para filósofos e minha tarefa é ser mãe. Mas outrora tudo era Discórdia e dela, poderosos e se cruzando em um único ponto unificador, vieram os seis Feixes. Havia magia para conservá-los firmes por toda a eternidade, mas quando a magia desapareceu de tudo que existe menos da Torre Negra, que alguns chamaram Can Calyx, a Casa da Retomada, os homens se desesperaram. Quando a Era da Magia passou, a Era das Máquinas começou.

— North Central Positronics — murmurou Susannah. — Computadores dipolares. Motores de levitação. — Fez uma pausa. — O Mono Blaine. Mas não em nosso mundo...

— Não? Está dizendo que seu mundo é uma exceção? O que me diz da placa no saguão do hotel? — A drupa estourou. Mia acabou de descascar e engoliu a, respingando suco por um sorriso sabichão.

— Achei que não soubesse ler — disse Susannah. Aquilo fugia do assunto, mas foi tudo o que conseguiu pensar em dizer. Sua mente continuava voltando à imagem do bebê, àqueles brilhantes olhos azuis. Olhos de pistoleiro.

— Sim, mas conheço meus números e quando eles chegam à sua mente posso lê-los muito bem. Quer dizer que não se recorda da placa no saguão do hotel? Vai me dizer que não?

Claro que se lembrava. Segundo a placa, o Plaza-Park, dali a mais um mês, seria parte de uma organização chamada Sombra/North Central. E quando ela disse *não em nosso mundo* certamente estava pensando em 1964 — o mundo da televisão em preto e branco, dos computadores absurdamente volumosos que ocupavam salas inteiras, dos policiais do Alabama mais que dispostos a soltar os cachorros nas pessoas negras participantes de marchas pelos direitos de voto. As coisas tinham mudado muito naquele intervalo de trinta e cinco anos. Por exemplo, a combinação de televisão e máquina de escrever da recepcionista eurasiana — como Susannah poderia saber se não era um computador dipolar comandado por alguma forma de motor de levitação? Não podia.

— Continue — ela disse a Mia.

Mia deu de ombros.

— Vocês se condenam a si mesmos, Susannah. Parecem definitivamente fixos a fazerem isso e a raiz é sempre a mesma: a fé os abandona e vocês a substituem por pensamento racional. Mas não existe amor neste tipo de pensamento, nada que sobreviva nas deduções. Só há morte no racionalismo.

— O que isto tem a ver com seu carinha?

— Não sei. Há muita coisa que não sei. — Ergueu a mão, detendo Susannah antes que ela pudesse falar. — E não, *não* estou jogando conversa fora ou tentando desviá-la do que você gostaria de saber; estou falando obedecendo ao meu coração. Quer ouvir ou não?

Susannah assentiu. Ia ouvir... ao menos um pouco mais. Mas se o assunto não chegasse logo ao bebê, ela mesma se encarregaria de colocá-lo naquela direção.

— A magia foi embora. Maerlyn retirou-se para sua caverna em um certo mundo, a espada do Eld cedeu lugar às pistolas dos pistoleiros em outro mundo, e a magia foi embora. E através do arco dos anos, grandes alquimistas, grandes cientistas e grandes... o quê?... técnicos, é isso? Grandes homens de pensamento, sem dúvida, é o que estou querendo dizer, grandes homens de *dedução*... eles atuaram juntos e criaram as máquinas que sustentaram os Feixes. São máquinas incríveis, mas são máquinas *mortais*. Substituíram a magia pelas máquinas, está entendendo? E agora as máquinas estão vindo abaixo. Em certos mundos, grandes pragas dizimaram populações inteiras.

Susannah aquiesceu.

— Vimos uma dessas — disse ela em voz baixa. — Foi chamada de supergripe.

— Os Sapadores do Rei Rubro estão apenas acelerando um processo que já estava em curso. As máquinas estão enlouquecendo. Você viu isto com seus próprios olhos. Os homens acreditaram que haveria sempre mais homens como eles para fabricar mais máquinas. Nenhum deles previu o que ia acontecer. Esta... esta exaustão universal.

— O mundo seguiu adiante.

— Sim, minha senhora. Assim foi. E não deixou ninguém para substituir as máquinas que sustentam a última magia na criação, pois o *Prim* se retirou há muito tempo. A magia se foi e as máquinas estão fracassando. Logo a Torre

Negra cairá. Talvez haja tempo para um esplêndido momento de pensamento racional universal antes que a escuridão passe a governar para sempre. Isso não seria belo?

— Mas o Rei Rubro também não será destruído quando a Torre cair? Ele e toda a sua gente? Os caras com os buracos sangrando na testa?

— Ele recebeu a promessa de um reino, onde governará para sempre, desfrutando seus próprios prazeres especiais. — A aversão tinha tomado conta da voz de Mia. O medo também, talvez.

— Prometido? Prometido por quem? Quem é mais poderoso que ele?

— Não sei, minha senhora. Talvez seja apenas uma promessa que ele fez a si mesmo. — Mia deu de ombros. Seus olhos pareceram evitar encontrar os de Susannah.

— Nada pode impedir a queda da Torre?

— Nem mesmo seu amigo pistoleiro espera *impedir* — disse Mia —, só diminuir o ritmo da queda ao libertar os Sapadores e... talvez... assassinando o Rei Rubro. Salvá-la? *Salvá-la*? Ah, imagine! Ele algum dia falou a você que essa era a jornada dele?

Susannah pensou no assunto e balançou a cabeça. Se Roland alguma vez tivesse colocado a questão nestes termos, ela não se lembrava. E tinha certeza de que era algo que se lembraria.

— Não — Mia continuou —, pois ele não vai mentir para seu ka-tet a não ser que seja obrigado, é orgulhoso. O que ele quer da Torre é apenas *vê-la*. — Então ela acrescentou, um tanto de má vontade: — Ah, talvez adentrar ela e subir até o aposento no topo. Sua ambição pode chegar tão longe. Seu sonho pode ser se apoiar em seu torreão da mesma maneira como estamos apoiadas aqui e entoar os nomes dos camaradas perdidos e de todos os seus ascendentes até Arthur Eld. Mas *salvar* a Torre? Não, minha boa senhora! Só um retorno da magia poderia salvá-la e... como a senhora bem sabe... seu dinh só trabalha com chumbo.

Desde que começara a cruzar os mundos, Susannah nunca ouvira a ocupação de Roland definida sob uma luz tão infame. Isso a fez se sentir irritada e triste, mas ela escondeu suas sensações o melhor que pôde.

— Me diga como seu carinha pode ser filho de Roland. Eu gostaria de saber.

— Sim, é um bom truque, mas alguém do Povo Antigo em River Crossing poderia ter explicado a você, eu não tenho dúvida.

Susannah teve um sobressalto com isso.

— Como sabe *tanta* coisa a meu respeito? — perguntou.

— Porque você está possuída — disse Mia —, e sou eu quem a possui, claro. Posso ver qualquer uma de suas memórias que eu quiser. Posso ler o que seus olhos veem. Agora fique calada e escute o que quer saber, pois sinto que não teremos muito mais tempo.

4

Isto foi o que o demônio de Susannah lhe falou.

— Existem seis Feixes, como você mesma disse, mas existem doze Guardiões, um para cada ponta de cada Feixe. Este aqui... pois ainda estamos nele... é o Feixe de Shardik. Se você passasse para o outro lado da Torre ele se tornaria o Feixe de Maturin, a grande tartaruga em cujo casco o mundo repousa.

"Similarmente, há seis elementais, seis demônios, um para cada Feixe. Abaixo deles há todo o mundo invisível, aquelas criaturas deixadas para trás na praia da existência quando o *Prim* recuou. São demônios falantes, demônios de casas que alguns chamam de fantasmas, demônios funestos que alguns, fabricantes de máquinas e adoradores do grande e falso deus da racionalidade, como é o seu caso, chamam de enfermidade. Muitos demônios pequenos, mas apenas seis demônios elementais. Contudo, como há doze Guardiões para os seis Feixes, há doze *aspectos* demoníacos, pois cada demônio elemental é ao mesmo tempo macho e fêmea."

Susannah começou a pressentir aonde aquilo ia chegar e sentiu uma súbita aflição. Do descampado pedaço de rochas além da cidadela, no que Mia chamava de Discórdia, veio um seco e febril cacarejar de riso. A este humorista invisível se juntou um segundo, um terceiro, um quarto e um quinto. De repente pareceu que mundo inteiro estava rindo dela. E talvez com bom motivo, pois fora uma boa piada. Mas como ela poderia ter sabido?

Enquanto as hienas (ou fossem lá o que fossem) riam, ela comentou:

— Você está me dizendo que os demônios elementais são hermafroditas. Por isso eles são estéreis, porque são de ambos os sexos.

— Sim. No local onde havia o Oráculo, seu dinh teve relações sexuais com um desses demônios elementais para obter informação, o tipo de informação chamada de *profecia* na Língua Superior. Ele não tinha razão para pensar que o Oráculo fosse qualquer outra coisa além de um súcubo, como aqueles que às vezes existem nos lugares solitários...

— Certo — disse Susannah —, só um demônio tarado qualquer.

— Se preferir colocar assim — disse Mia e, desta vez, quando ela estendeu a mão com uma drupa, Susannah pegou e começou a rolar a frutinha entre as palmas das mãos, esquentando a casca. Ainda não estava com fome, mas tinha a boca seca. Muito seca.

— O demônio pegou o sêmen do pistoleiro como fêmea e passou-o a você como macho.

— Quando estávamos no círculo falante... — disse Susannah em um tom desolado. Estava se lembrando de como a chuva que caía tinha golpeado seu rosto virado para cima. Lembrou-se da sensação de mãos invisíveis pousando em seus ombros e então o abraço da coisa a envolveu de cima a baixo, parecendo ao mesmo tempo rasgá-la. A pior parte foi o frio do enorme pau dentro dela. Na hora, achou que era como ser fodida por um pingente de gelo.

E como conseguira sobreviver àquilo? Convocando Detta, é claro. Apelando para a maldita, vencedora de uma centena de imundos torneios sexuais passados nos estacionamentos de duas dúzias de motéis de beira de estrada e hoteizinhos de subúrbio. Detta, que o prendeu...

— Ele tentou escapar — disse ela a Mia. — Assim que percebeu que tinha seu pau preso em uma maldita algema de dedos, ele tentou escapar.

— Se ele quisesse realmente escapar — disse Mia em voz baixa —, teria conseguido.

— Por que se dar ao trabalho de me enganar? — perguntou Susannah, mas nem era necessário que Mia respondesse. Porque precisava dela, é claro. Precisava dela para carregar o bebê.

O bebê de *Roland*.

A destruição de Roland.

— Agora sabe de tudo que precisava saber sobre o carinha — disse Mia. — Não é?

Susannah achava que sim. Um demônio, sob a forma de fêmea, tinha recolhido o sêmen de Roland; conseguira estocá-lo e depois o passara a Susannah Dean sob a forma de macho. Mia tinha razão. Ela sabia o que precisava saber.

— Mantive minha promessa — disse Mia. — Vamos voltar. O frio não é bom para o carinha.

— Só um pouco mais — disse Susannah. Ela segurava a drupa. A fruta dourada agora se mostrava através de rupturas em sua casca cor de laranja. — Minha fruta acabou de estourar. Me deixe comer. Tenho outra pergunta.

— Coma, pergunte e faça as duas coisas depressa.

— Quem é *você*? Quem é você de verdade? É o tal demônio? E por falar nisso, ele tem um nome? Ele e ela, ambos têm um nome?

— Não — disse Mia. — Elementais não precisam de nomes; são o que são. Eu sou um demônio? É o que gostaria de saber? Bem, suponho que eu seja. Ou era. Tudo é vago agora, como um sonho.

— E você é uma pessoa distinta de mim... certo?

Mia não respondeu. E Susannah percebeu que ela provavelmente não sabia.

— Mia? — Baixo. Pensativa.

Mia estava encostada no merlão com o poncho enfiado entre os joelhos. Susannah podia ver que os tornozelos estavam inchados e, por um momento, teve pena da mulher. Então descartou o sentimento. Não era hora de pena e não havia verdade naquilo.

— Você não passa de uma babá, garota.

A reação foi exatamente a que ela esperava, e mais. O rosto de Mia registrou o choque, depois a raiva. Diabo, a *fúria*.

— Está *mentindo*! Sou a *mãe* deste carinha! E quando ele vier, Susannah, não haverá mais necessidade de ficar procurando por Sapadores no mundo, pois meu carinha será o maior de todos eles, capaz de quebrar sozinho os dois Feixes restantes! — A voz se enchera de um orgulho que parecia alarmantemente próximo da insanidade. — O meu Mordred! Está me ouvindo?

— Ah, sim — disse Susannah. — Estou ouvindo. E você vai mesmo direitinho para a mão daqueles determinados a derrubar a Torre, não vai? Eles ligam, você vai. — Fez uma pausa e concluiu com uma gentileza deliberada. — E quando chegar a hora, eles vão pegar o seu carinha, dizer muito obrigado e mandá-la de volta para o caldo de onde você veio.

— Não! Vou ficar encarregada da criação dele, foi o que me prometeram! — Mia cruzou os braços sobre a barriga em um gesto protetor. — Ele é meu, sou a mãe dele e sou eu quem vai criá-lo!

— Garota, por que não cai na *real*? Acha que vão manter a palavra? *Eles*? Como é capaz de enxergar tanta coisa e não conseguir ver isso?

Susannah sabia a resposta, é claro. Mia estava sendo iludida pela própria sensação da maternidade.

— Por que não me deixariam criá-lo? — Mia perguntou em um tom estridente. — Quem melhor que eu? Quem melhor que Mia, que foi feita unicamente para duas coisas: gerar um filho e criá-lo?

— Mas você não é só você — disse Susannah. — Você é como as crianças de Calla. Parecida com muitas outras criaturas que eu e meus amigos conhecemos ao longo do caminho. Você é uma *gêmea*, Mia! Eu sou sua outra metade, sua salva-vidas. Você vê o mundo através de meus olhos e respira pelos meus pulmões. Precisei carregar o carinha porque você não pode, certo? Você é tão estéril quanto os garotões que estão no comando. E assim que eles tiverem seu guri, seu Sapador nível bomba H, vão se livrar de você. Nem que seja pelo fato de só assim poderem se livrar de mim.

— Tenho a palavra deles — disse Mia. Estava de rosto baixo, rígido de obstinação.

— Tire isso da cabeça — disse Susannah. — Tire da cabeça, eu lhe peço. Se eu estivesse em seu lugar e você no meu, o que ia pensar se eu falasse de uma promessa dessas?

— Eu diria parar fechar essa matraca!

— Quem você realmente é? Em que diabo de lugar a pegaram? Será que você respondeu a algum classificado no jornal: Precisa-se de Mãe de Aluguel, Bons Honorários, Emprego de Caráter Temporário? Quem você realmente é?

— Cale a boca!

Susannah se inclinou na direção dela, agachada. Em geral, esta posição lhe era extraordinariamente desconfortável, mas ela esqueceu tanto o desconforto quanto a drupa meio comida que mantinha na mão.

— Vamos lá! — disse ela, a voz assumindo a aspereza dos tons de Detta Walker. — Vamos, tire essa venda dos olhos, querida. Você não me obrigou a tirar a minha? Diga a verdade e cuspa no olho do diabo! *Quem você realmente é, caralho?*

— *Eu não sei!* — Mia gritou e, abaixo delas, os chacais escondidos nas rochas gritaram de volta, só que seus gritos eram risadas. — *Não sei, não sei quem eu sou, está satisfeita?*

Não estava. Susannah estava prestes a insistir mais, e com mais força, quando Detta Walker ergueu a voz dentro dela.

5

Foi isso que disse o outro demônio de Susannah.

Bonequinha, tu precisa pensar um pouco nisso, é o que eu acho. Ela não pode, é burra como pedra, num sabe ler, não pode decifrar mais que um ou dois sinais, nunca esteve em Morehouse, nunca esteve em nenhuma house, mas você esteve, senhora Ah-Detta Holmes tão formada em Co-lum-bi-ya, modelo de discrição, Gema preciosa dos Oceanos, que finura nós temos, eu e você.

Pra começar, tu precisa pensar em como ela engravidou. Ela diz que fodeu Roland e roubou o sêmen dele, daí se tornou macho, um demônio do círculo, e lançou a porra dentro de você, e agora tu carrega a porra. Tu enfia na goela todas aquelas coisas nojentas que Mia te obrigou a comer, então qual é o papel dela nisso tudo, é o que Detta gostaria de saber. Como que é ela que está sentada aí, grávida debaixo daquele cobertor seboso que tá usando? É mais daquela... como que você chama... técnica de visualização?

Susannah não sabia. Só sabia que Mia olhava para ela com olhos subitamente estreitados. Sem dúvida estava captando alguma coisa daquele monólogo. Em que proporção? Não muita coisa, era no que Susannah apostava; talvez uma palavra aqui, outra ali, mas em geral só ouvia uma barulheira. E de qualquer modo, Mia certamente *agia* como mãe do bebê. Bebê Mordred! Era como um charge de Charles Addams.

Isso ela faz, Detta ponderava. *Se comporta como uma mamãe, abraçou esse papel dos pés à cabeça, sobre isso você tem razão.*

Mas talvez, Susannah pensou, fosse apenas a natureza dela. Talvez se você passasse além do instinto materno, não *houvesse* mais Mia.

Uma mão fria se estendeu e agarrou o pulso de Susannah.

— Quem é? É aquela nojenta? Se for, mande embora. Ela me assusta.

Para falar a verdade, Detta ainda conseguia assustar a própria Susannah, mas não como no início, quando ela precisou admitir que Detta era real. Não tinham se tornado amigas, e provavelmente jamais se tornariam, mas estava claro que Detta Walker podia ser uma poderosa aliada. Era mais que apenas má. Assim que a pessoa esquecia aquele sotaque idiota de Butterfly McQueen, ela era astuta.

Essa Mia pode ser ela mesma uma poderosa aliada se você souber colocá-la do seu lado. É difícil haver algo mais poderoso no mundo do que uma mamãe furiosa.

— Vamos voltar — disse Mia. — Respondi às suas perguntas, o frio não faz bem à criança e o coisa ruim está aqui. A confabulação está concluída.

Mas Susannah se livrou de seu aperto e recuou um pouco, saindo do alcance imediato de Mia. Na fenda entre os merlões o vento frio cortava como faca através da blusa leve, mas também pareceu clarear sua mente e refrescar suas ideias.

Parte dela sou eu, porque ela tem acesso às minhas memórias. O anel de Eddie, as pessoas de River Crossing, o Mono Blaine. Mas ela tem de ser mais que eu porque… porque…

Vamos lá, garota, você não está indo mal, mas tá lenta.

Porque ela também sabe de todas essas outras coisas. *Sabe sobre os demônios, tanto os pequenos quanto os elementais. Sabe mais ou menos como os Feixes passaram a existir e falou do caldo mágico da criação, o* Prim. *Eu sempre soube que prim, em inglês, é uma palavra que se usa para as garotas que estão sempre puxando as saias para cobrirem os joelhos, recatadas demais. Ela não arrumou este outro significado de mim.*

Ocorreu-lhe o que aquela conversa sugeria: pai e mãe falando sobre o novo bebê. O novo carinha. Ele tem o seu nariz, Sim mas tem os *seus* olhos, e Mas meu Deus, de *onde* ele tirou esse cabelo?

Detta disse: *E ela também tem amigos em Nova York, não se esqueça disso. Pelo menos quer* pensar *neles como amigos.*

Então ela é também alguma outra pessoa ou alguma outra coisa. Alguém do mundo invisível dos demônios caseiros e espíritos funestos. Mas quem? Será ela realmente um dos elementais?

Detta riu. Ela diz isso, mas tá mentindo, docinho! Sei que tá!

Então o que ela é? Quem ela era, *antes de ser Mia?*

De repente um telefone, o som amplificado até quase romper os tímpanos com sua estridência, começou a tocar. Estava tão fora de contexto naquela torre de castelo abandonado que, a princípio, Susannah não reconheceu o que era. As coisas ali na Discórdia — chacais, hienas, não importa o que fossem — tinham estado quietas, mas com o advento daquele som começaram de novo a cacarejar e gritar.

Mia, filha de ninguém, mãe de Mordred, identificou na mesma hora de onde saía o toque. Ela tomou a frente. Susannah sentiu de imediato aquele mundo oscilar e perder sua realidade. Ele pareceu se congelar, tornando-se uma espécie de pintura. E certamente não uma pintura das melhores.

— Não! — ela gritou e se atirou para Mia.

Mas Mia — grávida ou não, arranhada ou não, tornozelos inchados ou não — dominou-a com facilidade. Roland havia ensinado vários truques de autodefesa com as mãos (a parte Detta vibrara, deliciada com a perversidade deles), mas foram inúteis contra Mia; ela aparou cada um antes que Susannah pudesse fazer mais que o movimento inicial.

Mas é claro, ela conhece seus truques exatamente como sabe da tia Talitha em River Crossing e de Topsy, o Marujo, em Lud, porque ela tem acesso a suas memórias, porque ela é, pelo menos até certo ponto, você...

E aqui seus pensamentos terminaram, porque Mia tinha lhe torcido os braços atrás das costas e ah, bom Deus, a dor era enorme.

Mas que putinha mais inútil você é, disse Detta com uma espécie de desprezo nervoso, temperamental. Antes que Susannah pudesse responder, uma coisa incrível aconteceu: o mundo se rasgou como uma folha de papel frágil. O rasgão começava nas pedras sujas do piso do torreão, passava pelo merlão mais próximo e se prolongava para o céu. Corria pelo firmamento repleto de estrelas e rasgava em duas a lua crescente.

Susannah teve um momento para pensar que era isso, enfim acontecera. Um ou os dois últimos Feixes tinham se rompido e a Torre caíra. Então, através do rasgão, ela viu duas mulheres deitadas em uma das duas camas de solteiro do quarto 1919 do Plaza-Park Hotel. Estavam abraçadas e os olhos estavam fechados. Vestiam blusas e calças jeans idênticas e manchadas de sangue.

Seus traços eram os mesmos, mas uma delas tinha pernas abaixo do joelho, um cabelo sedoso muito liso e pele branca.

— Não mexa comigo! — Mia soprou em seu ouvido. Susannah sentiu um fino borrifo de saliva. — Não mexa comigo ou com o meu carinha. Porque sou mais forte, está ouvindo? Sou mais forte!

Não havia dúvida quanto a isso, Susannah pensou ao ser impelida para o buraco cada vez maior. Ao menos por ora.

Ela foi empurrada através do rasgão na realidade. Por um momento, sua pele pareceu estar ao mesmo tempo em chamas e coberta de gelo. Em algum lugar os sinos todash estavam tocando, e então...

6

... ela se sentou na cama. Uma mulher, não duas, mas pelo menos uma que agora tinha pernas. Susannah foi empurrada com toda a força para os fundos. Mia estava agora no leme. Mia estendeu a mão para o telefone, a princípio agarrando o fone ao contrário, depois virando-o.

— Alô? Alô!

— Alô, Mia. Meu nome é...

Ela não o deixou completar.

— Vai me deixar ficar com meu bebê? Esta puta dentro de mim diz que não!

Houve uma pausa, primeiro longa e depois ainda mais longa. Susannah sentiu o medo de Mia, primeiro um regato, depois uma enchente. *Não precisa se sentir assim, tentou lhe dizer. É você que tem o que eles querem, o que eles precisam, não entende isso?*

— Alô, você está aí? *Deuses, você está aí?* POR FAVOR ME DIGA QUE AINDA *ESTÁ AÍ!*

— Estou aqui — disse calmamente a voz do homem. — Podemos começar de novo, Mia, filha de ninguém? Ou devo desligar até você estar se sentindo... um pouco mais senhora de si?

— Não! Não, não faça isso, não faça isso, eu lhe peço!

— Não vai me interromper de novo? Porque não há razão para ser rude.

— Eu prometo!

— Meu nome é Richard P. Sayre. — Um nome que Susannah conhecia, mas de onde? — Você sabe aonde precisa ir, não sabe?

— Sim! — Ávida agora. Ávida para agradar. — O Dixie Pig, esquina da Sessenta e Um com a Lexingworth.

— Lexing*ton* — Sayre corrigiu. — Tenho certeza de que Odetta Holmes pode ajudá-la a encontrar.

Susannah teve vontade de gritar: *Esse não é o meu nome!* Mas continuou calada. Aquele Sayre gostaria que ela gritasse, não é? Gostaria que perdesse o controle.

— Você está aí, Odetta? — Um tom gentil, mas debochado, e então: — Está aí, sua puta intrometida?

Ela continuou calada.

— Está aqui — disse Mia. — Não sei por que não está respondendo, não a estou impedindo de falar agora.

— Ah, acho que *eu* sei por quê — disse Sayre em um tom indulgente. — Para começar, ela não gosta que a chamem por este nome. — Então, em uma referência que Susannah não pegou: — Não me chamem mais de Clay, Clay é meu nome de escravizado, me chamem Muhammad Ali! Não é mesmo, Susannah? Ou será que isso foi depois do seu tempo? Um pouco depois, eu acho. Desculpe. O tempo pode ser tão confuso, não é? Não importa. Tenho algo a lhe dizer. Só um minuto, querida. Não vai gostar muito, eu acho, mas sinto que deve saber.

Susannah continuou em silêncio. Com mais dificuldade.

— Quanto ao futuro imediato de seu carinha, Mia, fico espantado que ainda julgue necessário perguntar — Sayre lhe disse. Era, quem quer que ele fosse, um homem de fala macia, uma fala que não continha mais que a quantidade exata de injúria. — O Rei cumpre o que promete, ao contrário de alguém que eu conheço. E, questões de integridade de lado, pense nas coisas *práticas*! Quem mais deveria ficar com a guarda da que é, talvez, a mais importante criança que já nasceu até hoje... *incluindo* Cristo, *incluindo* Buda, *incluindo* o profeta Maomé? De quem mais poderia ser o seio, para falar cruamente, a quem confiaríamos sua nutrição?

Música para os ouvidos de Mia, Susannah pensou deprimida. *Tudo o que ela está sedenta para ouvir. E por quê? Porque ela é Mãe.*

— Vocês o confiariam a mim! — gritou Mia. — Só a mim, é claro! Obrigada! *Obrigada!*

Susannah falou por fim. Disse que *ela* não confiasse *nele*. E foi, é claro, redondamente ignorada.

— Eu mentiria a você tanto quanto quebraria uma promessa feita à minha própria mãe — disse a voz ao telefone. (*Será que um dia você sequer teve mãe, docinho?*, Detta teve vontade de saber.) — Embora a verdade às vezes doa, as mentiras costumam voltar para nos assombrar, não é? A verdade desta coisa é que você não ficará com seu carinha por muito tempo, Mia, pois infância dele não será como a de outras crianças, crianças normais...

— Eu sei! Ah, eu sei!

— ... mas ao menos por cinco anos você realmente o terá... talvez sete, o tempo pode chegar até a sete anos... Ele terá o melhor de tudo. De você, é claro, mas também de nós. Nossa interferência será mínima...

Detta Walker saltou à frente, rápida e desagradável como óleo queimando. Só conseguiu se apossar por um momento das cordas vocais de Susannah Dean, mas foi um momento *precioso.*

— Tá certo, tá certo — cacarejou ela —, ele não vai gozar na sua boca ou melar seu cabelo!

— *CALE a porra dessa puta!* — Sayre rebateu com violência e Susannah sentiu o tranco quando Mia empurrou Detta às cambalhotas (Detta ainda cacarejando) para os fundos da mente que compartilhavam. De novo para a cadeia.

Tive minha fala, isso sim!, Detta gritava. *Eu falei para aquele branquelo de merda!*

A voz de Sayre no telefone foi clara e fria.

— Mia, você está no controle ou não?

— Sim! Sim, estou!

— Então não deixe isso acontecer de novo.

— Não vou!

E em algum lugar — parecia acima dela, embora não existissem direções reais ali, nos fundos da mente compartilhada —, alguma coisa retiniu. Como um alçapão de ferro.

Estamos realmente na cadeia, ela disse a Detta, mas Detta apenas continuou rindo.

Susannah pensou: *Agora tenho quase certeza absoluta de que sei quem ela é. Além de mim, é claro.* A verdade parecia óbvia. A parte de Mia que não era nem Susannah nem alguma coisa retirada do vácuo universal para ser colocada a serviço do Rei Rubro... por certo essa terceira só podia ser o Oráculo, elemental ou não; a força feminina que a princípio tentara molestar Jake e depois optara por Roland; aquele espírito triste, desejoso. Finalmente ela tinha o corpo de que precisava. Um corpo capaz de carregar o carinha.

— Odetta? — A voz de Sayre, implicante e cruel. — Ou Susannah, se prefere assim. Prometi lhe dar uma notícia, não foi? Acho que é uma espécie de jogo de boa notícia e má notícia. Gostaria de ouvir?

Susannah se manteve em silêncio.

— A má notícia é que o carinha de Mia talvez não seja capaz de cumprir o destino que lhe foi reservado matando o pai, afinal de contas. A boa notícia é que Roland estará quase certamente morto daqui a poucos minutos. Quanto a Eddie, é uma certeza ainda maior. Ele não tem os reflexos nem a experiência de batalha do seu dinh. Muito em breve, minha querida, você ficará viúva. Essa é a má notícia.

Ela não pôde se calar por mais tempo, e Mia deixou-a falar.

— Está mentindo! Sobre *tudo*!

— De modo nenhum — Sayre disse calmamente, e Susannah percebeu de onde conhecia o nome: o final da história de Callahan. Detroit. Onde ele violara o mandamento mais sagrado de sua igreja e cometera suicídio para não cair nas mãos dos vampiros. Callahan pulara da janela de um arranha-céu para fugir daquele destino em particular. Caíra primeiro no Mundo Médio e viajara daí, via Porta Desconhecida, para as Fronteiras de Calla. E o que estivera pensando, como o père contara, fora: *Eles não vão conseguir vencer, não vão conseguir vencer.* E estivera certo a esse respeito, *certo*, maldição! Mas se Eddie morresse...

— Sabíamos aonde seria mais provável que seu dinh e seu marido fossem aportar, se passassem por uma certa porta — Sayre disse a ela. — E chamar certas pessoas, começando com um parceiro chamado Enrico Balazar... Eu lhe garanto, Susannah, foi coisa *fácil*.

Susannah percebeu a sinceridade na voz dele. Se estivesse escondendo alguma coisa, era sem dúvida o melhor mentiroso do mundo.

— Como pôde descobrir uma coisa dessas? — Susannah perguntou. Quando a resposta não veio, ela abriu a boca para repetir a pergunta. Antes que tivesse tempo de falar, foi de novo empurrada para trás. Independentemente do que pudesse já ter sido, Mia tinha ganhado uma incrível energia dentro de Susannah.

— Ela se foi? — Sayre estava perguntando.

— Sim, foi, para os fundos. — Servil. Ávida em agradar.

— Então venha até nós, Mia. Quanto mais cedo você vier, mais cedo poderá ver o rosto do seu carinha!

— Sim! — Mia gritou, delirando de alegria, e Susannah captou um repentino vislumbre de alguma coisa. Era como espreitar por baixo da lona de um circo e ver um incrível prodígio. Ou alguma coisa sombria.

O que viu foi tão simples quanto terrível: Père Callahan comprando um pedaço de salame de um comerciante. Um comerciante ianque, do norte, que tinha um certo armazém na cidade de East Stoneham, no Maine, no ano de 1977. Callahan contara toda a história a eles na casa paroquial... *e Mia estivera lá ouvindo.*

A compreensão veio como um sol vermelho se erguendo em um campo onde milhares de pessoas foram massacradas. Susannah correu de novo para tomar a frente, sem se importar com a força de Mia, gritando e gritando e gritando:

— *Sua puta! Sua puta traidora! Sua puta assassina! Você disse a eles para onde a Porta ia mandá-los! Para onde ia mandar Eddie e Roland! Ah, sua* PUTA*!*

7

Mia era forte, mas não estava preparada para aquele novo ataque. Um ataque particularmente feroz porque Detta juntara sua própria energia homicida à compreensão de Susannah. Por um momento, a intrusa foi empurrada para trás, de olhos arregalados. No quarto do hotel, o telefone caiu da mão de Mia. Ela cambaleou pelo tapete como se estivesse embriagada, quase tombou sobre uma das camas, depois rodopiou como uma dançarina sem equilíbrio. Susannah deu-lhe um tapa e marcas vermelhas apareceram em seu rosto como pontos de exclamação.

Esbofeteando a mim mesma, é só o que estou fazendo, Susannah pensou. *Surrando o próprio equipamento, que burrice é essa?* Mas não pôde evitar. A enormidade do que Mia fizera, a *enormidade* da traição...

Por dentro, em algum ringue de batalha que não era de todo físico (mas também não era de todo mental), Mia foi finalmente capaz de agarrar Susannah/Detta pela garganta e empurrá-las para trás. Os olhos de Mia continuavam arregalados, chocados com a ferocidade do ataque. E também de vergonha, talvez. Susannah esperava que ela fosse capaz de sentir vergonha, que ainda não tivesse estado além disso.

Fiz o que tinha de fazer, Mia repetiu enquanto forçava Susannah a voltar para a retaguarda. *É meu carinha, todas as mãos estão levantadas contra mim, fiz o que tinha de fazer.*

Você negociou Eddie e Roland pelo seu monstro, foi o que fez!, Susannah gritou. *Baseado no que você entreouviu e passou adiante, Sayre teve certeza de que usariam a Porta para ir atrás da Torre, não foi? E quantos ele colocou contra os dois?*

A única resposta foi aquela batida de alçapão de ferro. Só que desta vez foi seguida por uma segunda. E uma terceira. Mia sentira as mãos de sua anfitriã agarrando-lhe a garganta e consequentemente não queria correr mais riscos. Desta vez o trinco da porta do alçapão era triplo. Alçapão? Diabo, o lugar também podia ser chamado de Buraco Negro de Calcutá.

Quando eu sair daqui, vou voltar para a Dogan e desarmar todos os interruptores!, Susannah gritou. *Não acredito que tentei ajudá-la! Bem, pro caralho com isso! Tenha o bebê na rua, que eu pouco me importo!*

Você não *pode sair*, Mia respondeu, quase em um tom de desculpas. *Mais tarde, se eu puder, deixo você em paz...*

Que tipo de paz haverá para mim com Eddie morto? Não admira que você quisesse tirar a aliança dele. Como você poderia suportar senti-la na sua pele, sabendo o que tinha feito?

Mia pegou o telefone e se pôs a ouvir, mas Richard P. Sayre não estava mais lá. Provavelmente tinha outros lugares aonde ir e outras doenças para espalhar, Susannah pensou.

Mia depositou o fone no gancho, olhou ao redor do quarto vazio e estéril, do modo como fazem as pessoas quando não vão voltar para um lugar e querem ter certeza de que não esqueceram nada lá. Bateu em um dos bolsos da calça jeans e sentiu o pequeno volume de dinheiro. Encostou a mão no outro e sentiu o contorno da tartaruga, a *sköldpadda*.

Sinto muito, disse Mia. *Tenho de cuidar do meu carinha. Agora cada mão está levantada contra mim.*

Isso não é verdade, disse Susannah da sala trancada onde Mia a arremessara. Onde ficava de fato esta sala? Nos calabouços mais profundos, mais sombrios do Castelo do Abismo? Provavelmente. Mas isso importava? *Eu estava do seu lado. Eu a ajudei. Parei seu maldito trabalho de parto quando você precisou pará-lo. E olhe o que fez. Como pôde agir de modo tão baixo e covarde?*

Mia fez uma pausa com a mão na maçaneta da porta do quarto, o rosto ruborizando levemente. Sim, estava realmente envergonhada. Mas a vergonha não ia detê-la. Nada iria detê-la. Até, é claro, ela descobrir que fora traída por Sayre e seus amigos.

Saber que isto, sem a menor dúvida, ia acontecer não deu qualquer satisfação a Susannah.

Você está condenada, disse ela. *Sabe disso, não é?*

— Não me importo — disse Mia. — Estou disposta a pagar o preço de uma eternidade no inferno só para ver a cara do meu carinha. Ouça-me bem, eu lhe peço.

E então, carregando Susannah e Detta consigo, Mia abriu a porta do quarto do hotel, entrou no corredor e deu os primeiros passos do caminho para o Dixie Pig, onde terríveis cirurgiões esperavam para trazerem até ela o seu igualmente terrível carinha.

LINHA: *Commala-força-nada!*
Você não sabe onde meteu os dedos!
Cumprimentar um traidor de mão enluvada
É agarrar um feixe de gravetos!

RESPOSTA: *Commala-venha-seis!*
Nada além de espinho, gravetos!
Quando encontra sua mão na luva de um traidor
Você não sabe onde meteu os dedos.

Sétima estrofe

A EMBOSCADA

1

Roland Deschain foi justificadamente o último da última grande estirpe de guerreiros de Gilead. Com um temperamento estranhamente romântico aliado à falta de imaginação e mãos letais, nunca houvera ninguém melhor que ele. Agora fora invadido pela artrite, mas seus olhos e ouvidos continuavam tão afiados quanto sempre foram. Ouviu a batida da cabeça de Eddie contra a moldura da Porta Desconhecida quando o grupo foi sugado através dela (Roland se abaixara na última fração de segundo, escapando por um triz de ter a cabeça quebrada pelo batente). O pistoleiro ouviu o som de pássaros, a princípio estranho e distante, como passarinhos cantando em um sonho, mas depois muito próximo, banal, decididamente ali. Ele estava saindo da obscuridade da gruta e o sol que banhava seu rosto deveria tê-lo ofuscado por completo. Isso só não aconteceu porque havia semicerrado os olhos no momento em que vira aquela luz brilhante, agindo por instinto. Se não tivesse feito, certamente não teria visto o clarão circular vindo logo à direita, enquanto aterrissavam em uma terra dura e suja de óleo. Eddie teria morrido com certeza. Talvez os dois tivessem morrido. Até então, na experiência de Roland, só duas coisas tinham aquela perfeita circularidade brilhante: óculos e a mira longa de uma arma.

O pistoleiro agarrou Eddie pelo braço tão instintivamente quanto semicerrara os olhos contra o clarão do sol. Sentira a tensão nos músculos do homem mais novo ao deixarem o solo da Gruta da Porta, forrado de pedras e ossos. Depois, quando a cabeça de Eddie se conectou com o lado da Porta Desconhecida, sentiu afrouxar os músculos do amigo. Agora Eddie gemia, ainda tentando falar, sem dúvida ao menos parcialmente acordado.

— *Eddie, a mim!* — Roland gritou, se levantando. Uma forte dor explodiu em seu quadril direito e foi correndo até o joelho, mas nada transpareceu em sua expressão. Na realidade, ele mal registrara a dor. Levou Eddie para um prédio, pouco importava saber que prédio era, passando por bombas de óleo ou gasolina. Tinham a marca MOBIL em vez de CITGO ou SUNOCO, dois outros nomes com os quais o pistoleiro estava familiarizado.

Eddie continuava no máximo semi-inconsciente. A face esquerda estava molhada do sangue que vinha do ferimento no couro cabeludo. Mesmo assim, pôs suas pernas a funcionar como pôde e conseguiu escalar os três degraus de madeira do que Roland achou que fosse um armazém. Sem dúvida um pouco menor que o armazém de Took, mas sob outros aspectos não tão d...

Um som que zumbia e estalava veio de trás, ligeiramente à direita deles. O atirador estava suficientemente perto para Roland ter certeza que, se ele já ouvira o barulho do tiro, o homem com o rifle já tinha errado.

De repente algo passou a centímetros de sua orelha, produzindo um som perfeitamente claro: *Mizzzzzz*! Os estilhaços do vidro na porta da frente do pequeno armazém caíram para o lado de dentro. A tabuleta pendurada ali (**ESTAMOS ABERTOS, VENHA NOS VISITAR**) deu um salto e ficou torta.

— Rolan... — A voz de Eddie, fraca e distante, parecia estar passando por uma boca cheia de mingau. — Rolan... que... quem... *OUH*! — Este último som fora um grunhido de surpresa quando Roland atirou-o para dentro do armazém e caiu em cima dele.

Então veio outro daqueles sons estalantes; havia um atirador com um rifle extremamente poderoso por ali. Roland ouviu alguém gritar: "Ah, vá se foder, Jack!", e, pouco depois, uma arma de tiro rápido — que Eddie e Jake chamavam metralhadora — abriu fogo. As sujas vitrines de ambos os lados da porta viraram uma massa brilhante de cacos. Os papéis colados no vidro — do diário geral da cidade, Roland não tinha dúvidas, saíram voando. Duas mulheres e um senhor a caminho da velhice eram os únicos fregueses nos corredores do armazém. Os três estavam virados para a frente — para Roland e Eddie — e tinham no rosto o eterno olhar perplexo do civil desarmado. Roland às vezes o considerava um olhar de quem comia a erva do diabo, como se eles, e nisso ele incluía a maioria dos habitantes de Calla Bryn Sturgis, fossem ovelhas em vez de pessoas.

— *Abaixem-se!* — Roland gritou de cima de seu semiconsciente (e agora sem fôlego) parceiro. — Pelo amor de seus deuses, *ABAIXEM-SE*!

O senhor a caminho da velhice, que usava uma camisa xadrez de flanela a despeito do calor no armazém, soltou-se da lata que segurava (havia uma gravura de tomate nela) e jogou-se no chão. As duas mulheres não, e a segunda rajada da metralhadora matou as duas, escavando o peito de uma delas e explodindo o alto da cabeça da outra. A mulher atingida no peito caiu como um saco de feijão. A outra, que fora atingida na cabeça, deu dois passos cegos, trôpegos, na direção de Roland. O sangue escorria de onde seu cabelo tinha estado como lava de um vulcão em erupção. Do lado de fora do armazém, mais duas metralhadoras começaram a atirar, enchendo o dia de barulho, enchendo o ar de um mortal entrelaçar de balas. A mulher que perdera o topo da cabeça girara duas vezes em um último passo de dança, sacudindo os braços, e caíra. Roland estendeu a mão para o seu revólver e ficou aliviado ao descobrir que continuava no coldre: o tranquilizador cabo de sândalo estava lá. Pelo menos esse ponto estava em ordem. Apostara e dera certo. Ele e Eddie certamente não tinham entrado em todash e os atiradores tinham visto os dois, tinham visto muito bem os dois.

Além disso. Estavam *esperando* pelos dois.

— Andem! — alguém gritava. — Andem, andem, não deem a eles a chance de encontrar seus pintos. Andem, seus *catzarros*!

— Eddie! — Roland urrou. — Eddie, você precisa me ajudar agora!

— Hizz…? — Fraco. Atordoado. Eddie olhando-o com apenas um olho, o direito. O esquerdo estava temporariamente afogado no sangue que caía do machucado na cabeça.

Roland estendeu a mão e esbofeteou-o com força suficiente para fazer voar sangue do cabelo.

— *Capangas*! Estão vindo aqui para nos matar! Para matar a todos aqui!

O olho visível de Eddie clareou. Aconteceu depressa. Roland viu o esforço que custou… não para recuperar os sentidos mas para recuperá-los com tanta pressa, a despeito de uma cabeça que devia estar martelando de forma monstruosa… Roland só precisou de um momento para se sentir orgulhoso de Eddie. Ali estava de novo Cuthbert Allgood. Cuthbert voltando à vida.

— Que diabo é isto? — alguém perguntou em um tom esganiçado, nervoso. — Por todos os *diabos*, o *que* é isto?

— Abaixem-se! — disse Roland, sem olhar em volta. — Se querem viver, joguem-se no chão.

— Façam o que ele está dizendo, Chip — alguém respondeu… provavelmente, Roland pensou, o homem que estivera examinando a lata com a gravura do tomate.

Roland veio da porta rastejando por camadas de cacos de vidro, sentindo ferrões e pontadas de dor quando o vidro cortava os joelhos ou os nós dos dedos, mas ele não se importava. Uma bala passou zumbindo próximo à sua testa. Roland também a ignorou. Lá fora era um ensolarado dia de verão. Atrás de tudo havia duas bombas de gasolina como a inscrição MOBIL. Em um lado havia um carro velho, provavelmente de uma das mulheres que estavam fazendo compras (nenhuma delas precisaria mais do carro) ou do sr. Camisa de Flanela. Atrás das bombas e do pavimento cheio de óleo da área de estacionamento, havia uma estrada rural pavimentada e, além dela, um pequeno grupo de prédios pintados uniformemente de cinza. Em um deles havia a placa PREFEITURA, em outro STONEHAM SOCORRO DE INCÊNDIO. O terceiro e maior era a GARAGEM MUNICIPAL. A área de estacionamento na frente desses prédios era também pavimentada (*cascalhada* seria a palavra usada por Roland) e havia alguns veículos estacionados por lá, um deles do tamanho de uma carroça grande. De trás dos prédios saíram mais de meia dúzia de homens em debandada. Um vinha mais devagar e Roland o reconheceu: era Jack Andolini, o feio braço-direito de Enrico Balazar. O pistoleiro vira Andolini morrer baleado e depois ser comido vivo pelas carnívoras lagostrosidades que viviam nas águas rasas do mar Ocidental, mas lá estava o homem de novo. Porque infinitos mundos giravam no eixo que era a Torre Negra e este era outro deles. Apenas um mundo, no entanto, seria verdadeiro; apenas um, onde as coisas, quando terminadas, *continuavam* terminadas. Talvez fosse aquele; talvez não. Fosse como fosse, não era hora de se preocupar com isso.

Ajoelhado, mas de corpo erguido, Roland abriu fogo, apertando o gatilho do revólver com uma dura saliência da mão direita, mirando primeiro nos homens com as metralhadoras. Um deles caiu morto na branca linha central da estrada rural, o sangue jorrando pela garganta. O segundo foi jogado para trás com um buraco entre os olhos; indo parar na curva da estradinha.

E então Eddie estava ao seu lado, também de joelhos, apertando o gatilho do outro revólver de Roland. Errou pelo menos dois tiros, o que não era de se espantar, dada a sua condição. Três outros homens caíram na estrada, dois mortos, um gritando.

— *Me acertou! Ah, Jack, me ajude, me acertou na barriga!*

Alguém agarrou o ombro de Roland, sem saber como era perigoso fazer isso com um pistoleiro, especialmente durante um tiroteio.

— Senhor, que diabo...

Roland deu uma rápida olhada, viu um homem na casa dos quarenta usando uma gravata e um avental e teve tempo de pensar: *O dono do armazém, provavelmente o mesmo sujeito que indicou o caminho do correio ao père*. Ele empurrou violentamente o homem para trás. Uma fração de segundo mais tarde, o sangue jorrava do lado esquerdo da cabeça do homem. Machucado, o pistoleiro estimou, mas não seriamente ferido, pelo menos ainda não. Porém, se Roland não o tivesse empurrado...

Eddie estava recarregando. Roland fez o mesmo, demorando um pouco mais graças aos dedos perdidos da mão direita. Enquanto isso, dois dos capangas sobreviventes buscavam cobertura atrás de um dos carros velhos parados no lado da estrada onde ficava o armazém. Perto demais. Nada bom. E Roland também pôde ouvir o ronco de um motor se aproximando. Olhou para trás, para o freguês que fora suficientemente rápido para se abaixar quando ele gritou, escapando assim do destino das duas senhoras.

— Você! — disse Roland. — Tem um revólver?

O homem de camisa de flanela fez não com a cabeça. Os olhos eram de um azul brilhante. Assustado, mas não exatamente em pânico, avaliou Ronald. O dono do armazém estava sentado reto no chão, na frente de seu freguês. Com as pernas muito abertas, contemplava com espanto e náusea as gotinhas vermelhas que caíam e se espalhavam pelo avental branco.

— Tem um revólver, comerciante? — Roland perguntou.

Antes que o homem pudesse responder (se fosse capaz de responder), Eddie agarrou o ombro de Roland.

— Carga da Brigada Ligeira — disse ele. As palavras saíram arrastadas (*carrrga da brigggada liiigeiraaa*), mas Roland não teria compreendido a referência de qualquer maneira. A coisa importante era que Eddie vira outros seis homens correndo pela estrada. Desta vez estavam espalhados e ziguezagueavam de um lado para o outro.

— *Vão, vão, vão!* — Andolini berrava atrás deles, sacudindo as mãos no ar.

— Meu Deus, Roland, é Tricks Postino — disse Eddie. Para variar, Tricks comparecia com uma arma extremamente grande, embora Eddie não tivesse certeza se era aquela imensa M-16, chamada por ele de A Maravilhosa Máquina do Rambo. De qualquer modo, Postino teve ali tanta sorte quanto teve no tiroteio do Torre Inclinada. Eddie disparou e Tricks Postino caiu em cima de um dos sujeitos já estendidos na estrada, sem parar de atirar com sua arma de assalto. Provavelmente aquilo nada tinha de heroísmo, sendo apenas um espasmo de dedo ou os últimos sinais enviados por um cérebro agonizante. Roland e Eddie, no entanto, novamente tiveram que se jogar no chão, e os outros cinco capangas precisaram buscar cobertura atrás dos carros parados na margem da estrada. Pior ainda. Ajudados pelo escudo dos veículos (os veículos em que tinham vindo, Roland tinha certeza), logo seriam capazes de transformar, sem grande perigo para si mesmos, o pequeno armazém em um estande de tiro.

Tudo aquilo estava parecido demais com o que tinha acontecido na Colina de Jericó.

Estava na hora de bater em retirada.

Um som de veículo se aproximando continuou a aumentar — um grande motor, trabalhando sob uma carga pesada, sem dúvida. E ele apareceu na subida à esquerda do mercado. Era um gigantesco caminhão, cheio de enormes toras de madeira. Roland viu os olhos do motorista se arregalarem e a boca se abrir. Bem, por que não? Na frente daquele armazém de cidade pequena, onde ele já deveria ter parado várias vezes para tomar uma garrafa de cerveja ou um chope no fim de um dia longo e quente na floresta, havia meia dúzia de corpos ensanguentados. Estavam espalhados na estrada como soldados mortos em uma batalha. O que, Roland sabia, era exatamente isso que eles eram.

Os freios dianteiros do grande caminhão cantaram. Da traseira veio o irado sopro de fumaça dos freios a ar. Isso foi acompanhado por um guincho de enormes pneus de borracha. Primeiro parando, depois deixando enfumaçados rastros pretos na superfície de cascalho da estrada. As várias toneladas de carga do caminhão começaram a balançar para um lado. Roland viu lascas voando das toras para o céu azul enquanto os capangas continuavam a atirar impunemente da margem da estrada. Havia alguma coisa quase hipnótica naquilo tudo. Era como ver uma das Feras Perdidas do Eld brotar do céu com as asas em fogo.

A frente do caminhão atropelou um primeiro corpo, o de Postino. Tripas voaram em fileiras vermelhas, borrifando a terra do acostamento. Pernas e braços foram arrancados. Uma roda esmagou a cabeça de Tricks Postino e o barulho do crânio rebentando foi como o de uma castanha explodindo em fogo quente. A carga do caminhão se inclinou para o lado e começou a oscilar. Rodas tão altas que chegavam aos ombros de Roland derraparam, levantando nuvens de cascalho ensanguentado. O caminhão passava pelo armazém com majestosa falta de pressa. O motorista não era mais visível na cabine. Por um momento, o armazém e as pessoas em seu interior ficaram protegidos do enorme poder de fogo que vinha da margem da estrada. O comerciante (Chip) e o freguês sobrevivente (sr. Camisa de Flanela) contemplavam o caminhão desgovernado com idênticas expressões de impotência e espanto. E foi com este ar ausente que o dono do armazém limpou o sangue ao lado da cabeça e o sacudiu no chão como água. Seu machucado era pior que o de Eddie, Roland avaliou, mas o homem nem parecia ter consciência disso. Talvez fosse para o melhor.

— Para os fundos — o pistoleiro disse a Eddie. — Agora!

— Boa ideia.

Roland agarrou pelo braço o homem com a camisa de flanela. Os olhos do homem deixaram imediatamente o caminhão e foram para o pistoleiro. Roland fez sinal para ele recuar para os fundos e o cavalheiro quase idoso assentiu. Sua inquestionável rapidez foi uma dádiva inesperada.

Do lado de fora, a carga do caminhão finalmente virava, esmagando um dos carros estacionados (e talvez os capangas escondidos atrás dele, Roland torcia). O caminhão deixava cair primeiro as toras que iam em cima, depois todas elas. E houve um barulho horrível, interminável, de metal sendo arranhado. Chegou a fazer o barulho dos tiros parecer insignificante.

2

Eddie agarrou o dono do armazém exatamente como Roland tinha agarrado o outro homem, mas Chip nem chegou perto do discernimento ou do instinto de sobrevivência de seu freguês. Apenas continuou de olhos arregalados vendo tudo através do buraco rombudo onde antes ficavam suas vitrines, olhos cheios de choque e temor enquanto o caminhão de madeira lá fora entrava na fase final de seu balé autodestrutivo, a cabine do motorista desengatada da carreta carregada até o limite, contorcendo-se, descendo impetuosamente a lombada atrás do mercado e entrando na floresta. A carga foi virando pelo lado direito da estrada, criando uma enorme e veloz onda de sujeira e deixando para trás um sulco profundo, um Chevrolet amassado e dois capangas igualmente amassados.

Mas havia muitos outros no lugar de onde aqueles tinham vindo. Ou assim parecia. O tiroteio continuava.

— Vamos, Chip, hora de meter o pé — disse Eddie e, desta vez, quando ele empurrou o comerciante para os fundos da loja, Chip realmente se apressou, embora ainda olhando pelo ombro e limpando o sangue do lado do rosto.

À esquerda, nos fundos do armazém, havia um anexo com uma lanchonete. Tinha um balcão, alguns bancos altos, três ou quatro mesas e uma antiga armadilha para lagostas em cima de uma prateleira que tinha um monte de revistas femininas, ultrapassadas. Quando eles alcançaram esta parte do prédio, o tiroteio vindo lá de fora ficou mais intenso. E então sua natureza foi novamente alterada, desta vez por uma explosão. Era o tanque de combustível do caminhão de madeira, Eddie presumiu. Nesse momento, sentiu o zumbido de uma bala e viu um buraco redondo e preto aparecer no quadro pendurado na parede, pintado com um farol.

— Quem *são* esses caras? — Chip perguntou em um tom perfeitamente descontraído. — Quem é você? Estou ferido? Meu filho esteve no Vietnã, sabe? Viu aquele caminhão?

Eddie não respondeu a nenhuma das perguntas; apenas sorriu, assentiu cabeça e empurrou Chip na direção de Roland. Não fazia a menor ideia de onde estavam ou como iam sair daquela porra. A única coisa de que tinha certeza absoluta era que Calvin Tower não estava ali. O que provavelmente era bom. Tower podia ou não ter trazido do inferno esta fornada de fogo e enxofre, mas o fogo e enxofre tinham tudo *a ver* com o velho Cal, disso Eddie sabia. Se ao menos Cal tivesse…

De repente uma afiada pontada de calor foi rasgando seu braço e Eddie gritou de surpresa e de dor. Um momento depois outra pontada acertou-o na barriga da perna. A parte de baixo de sua perna direita explodiu em uma dor *intensa* e ele tornou a gritar.

— Eddie! — Roland arriscou um olhar para trás. — Você está...

— Sim, estou bem, vá, vá!

À frente deles agora havia uma divisória barata de compensado com três portas. Uma tinha a inscrição HOMENS, outra MULHERES e uma terceira APENAS FUNCIONÁRIOS.

— FUNCIONÁRIOS! — Eddie gritou. Ele baixou os olhos e viu, a uns sete centímetros abaixo do joelho direito, um buraco cercado de sangue na calça jeans. A bala não tinha explodido o joelho, o que era ótimo, mas minha nossa, aquilo doía como a coisa mais filha da puta de toda a criação.

No teto, um globo de luz explodiu. O vidro choveu sobre a cabeça e os ombros de Eddie.

— Tenho seguro, mas só Deus sabe se o seguro cobre uma coisa dessas — disse Chip naquele mesmo tom perfeitamente descontraído. Limpando mais sangue do rosto, sacudiu-o da ponta dos dedos para o chão e as gotas formaram uma mancha de tinta Rorschach. Balas zumbiam em volta deles. Eddie viu uma delas dar um piparote no colarinho de Chip. Em algum lugar atrás deles, Jack Andolini — o velho Duplo-Horror — gritava em italiano. Por alguma razão Eddie não achou que ele estivesse comandando uma retirada.

Roland e o freguês de camisa de flanela atravessaram a porta de APENAS FUNCIONÁRIOS. Eddie foi atrás, sustentado pela força da adrenalina e arrastando Chip. Era um depósito de tamanho bastante razoável. Eddie sentiu o cheiro de diferentes tipos de cereal, uma espécie de aroma de hortelã e, principalmente, de café.

Agora o sr. Camisa de Flanela tinha tomado a frente. Passando por plataformas de estocagem empilhadas de latas de conservas, Roland desceu rapidamente com ele o corredor central do depósito. Eddie capengou corajosamente ao longo do espaço, sempre rebocando o dono do armazém. Chip tinha perdido muito sangue por causa do ferimento na cabeça, e Eddie estava na expectativa de que ele fosse desmaiar a qualquer momento, mas Chip parecia até mais... bem, animado. E naquele momento perguntava a Eddie o que acontecera a Ruth Beemer e sua irmã. Se estava se referindo às duas mulheres que estavam no mercado (Eddie tinha quase certeza que estava), era melhor que Chip continuasse desmemoriado.

Havia outra porta nos fundos. O sr. Camisa de Flanela abriu-a e começou a sair. Roland puxou-o de volta pela camisa, depois ele mesmo saiu, abaixado. Eddie pôs Chip ao lado do sr. Camisa de Flanela e se colocou na frente dos dois. Atrás deles, balas perfuravam a porta APENAS FUNCIONÁRIOS, criando sobressaltados olhos brancos de luz do sol.

— Eddie! — Roland resmungou. — Comigo!

Eddie capengou até ele. Ali havia uma rampa de carregamento e, além dela, perto de meio hectare de terreno feio, mexido. Latas de lixo tinham sido empilhadas de forma desordenada à direita da rampa e havia duas caçambas de lixo à esquerda, mas parecia que ninguém se interessara em colocar lixo em nenhuma delas. Havia também várias pilhas de latas de cerveja, pilhas grandes o bastante para serem qualificadas como um sítio arqueológico futuro. *Nada como relaxar na varanda de trás após um dia difícil de trabalho*, Eddie pensou.

Roland estava apontando o revólver para outra bomba de gasolina, uma bomba mais enferrujada e mais velha que as da frente. Nela havia uma única palavra:

— Diesel — disse Roland. — Isso quer dizer combustível... É, não é?

— É — disse Eddie. — Chip, a bomba do diesel funciona?

— Claro, claro — disse Chip em um tom de voz desinteressado. — Muita gente abastece aqui.

— Posso botar para funcionar, senhor — disse o Camisa de Flanela. — É melhor que eu o faça, é complicado. Será que você e seu parceiro me dão cobertura?

— Sim — disse Roland. — Derrame aí. — E sacudiu um polegar para o depósito.

— Ei, não! — disse Chip, sobressaltado.

Quanto tempo demoram essas coisas? Eddie não poderia dizer, não tinha certeza. Só estava consciente de uma clareza que até então só conhecera uma vez: quando estava fazendo adivinhações com o Mono Blaine. Ele dominou tudo com seu brilho, mesmo a dor na parte de baixo de sua perna, onde a tíbia podia ter sido lascada por uma bala. Estava consciente do cheiro esquisito que havia ali (carne podre e produto mofado, o aroma de fermentação de mil barris de chope, os odores de um clima de preguiça) e do perfume divinamente suave de abeto, que vinha da floresta logo além do perímetro daquele armazém imundo de beira de estrada. Ouviu o barulho de um avião em algum quadrante distante do céu. Sabia que gostava do sr. Camisa de Flanela porque o sr. Camisa de Flanela estava *ali*, estava *com* eles, unido a eles dois, naqueles poucos minutos, pelo mais forte dos laços. Mas tempo? Não, ele não tinha nenhuma noção disso. Se bem que não deviam ter se passado muito mais que noventa segundos desde que Roland dera início à retirada deles ou certamente teriam sido vencidos, houvesse ou não aquele caminhão desgovernado.

Roland apontou para a esquerda, mas ele mesmo virou à direita. Ele e Eddie pararam, um de costas para o outro, na rampa de carregamento, a cerca de dois metros um do outro, revólveres erguidos ao lado dos rostos como homens prontos para começar um duelo. O sr. Camisa de Flanela pulou da ponta da rampa, ágil como um grilo, e agarrou a manopla cromada do lado da velha bomba diesel. Começou a girá-la rapidamente. Nas pequenas janelas os números rodaram para trás, mas em vez de retornar aos zeros, pararam em **0 0 1 9**. O sr. Camisa de Flanela rodou novamente a manopla. Quando os números se recusaram a descer, ele deu de ombros e puxou a mangueira de seu suporte enferrujado.

— John, não! — Chip gritou parado no umbral do depósito, levantando as mãos, uma limpa, a outra ensanguentada até o alto do braço.

— Saia do caminho, Chip, ou você vai...

Dois homens se arremessaram pelo lado de Eddie vindo da parte da frente do armazém de East Stoneham. Ambos usavam calças jeans e camisas de flanela, mas, ao contrário da camisa de Chip, suas roupas pareciam novas em folha, com as dobras ainda nas mangas. Compradas especialmente para a ocasião, Eddie não tinha dúvida. E Eddie reconheceu muito bem um dos capangas; vira-o pela última vez no Restaurante da Mente de Manhattan, a livraria de Calvin Tower. Eddie também já tinha matado uma vez aquele sujeito. Dez anos no futuro, se dava para acreditar. No Torre Inclinada, o esconderijo de Balazar, e com o mesmo revólver que ele agora levava na mão. O trecho de uma letra de Bob Dylan lhe ocorreu, algo sobre o preço que você tem de pagar para não ser obrigado a passar duas vezes pela mesma coisa.

— Ei, Narigão! — Eddie gritou, como fazia cada vez que encontrava aquela particular peça de escória. — Como vai, parceiro?

Na verdade, George Biondi não parecia estar indo nada bem. Nem mesmo sua mãe o devia ter considerado muito apresentável, mesmo em seu auge (aquele bico gigante) e agora seus traços estavam inchados e descoloridos por contusões que começavam a melhorar só agora. A pior delas ficava bem entre os olhos.

Fui eu que fiz essa, Eddie pensou. *Nos fundos da livraria do Tower*. Era verdade, mas parecia algo que tinha acontecido há mil anos.

— *Você!* — disse George Biondi. Ele parecia espantado demais até para erguer o revólver. — *Você. Aqui.*

— Eu aqui — Eddie concordou. — Quanto a você, devia ter ficado em Nova York. — E dito isso, ele explodiu a cara de George Biondi. A cara do amigo dele também.

O Camisa de Flanela apertou a manopla da mangueira da bomba e um diesel escuro esguichou do bico. Molhou Chip, que gritou indignado e cambaleou para a rampa de carregamento.

— *Arde!* — bradou ele. — *Nossa, como arde! Para, John!*

John não parou. Outros três homens saíram do mercado, se arremessaram pelo lado de Roland e, depois de dar uma olhada no rosto calmo e terrível do pistoleiro, tentaram retroceder. Estavam mortos antes que pudessem fazer mais do que tirar uma vez do chão os calços das botas novas de cano curto. Eddie pensou na meia dúzia de carros e no grande motor home Winnebago estacionados do outro lado da rua e ainda teve tempo de se perguntar exatamente quantos homens Balazar havia enviado naquela pequena expedição. Certamente não foram apenas seus próprios caras. Como teria pago pelos extras?

Não precisou pagar, Eddie pensou. *Alguém o encheu de grana e o mandou às compras. Quantos capangas de fora da cidade conseguisse chamar. E o convenceu de que os alvos mereciam esse tipo de gasto.*

Do interior do mercado veio um baque abafado, mas com um certo eco. Fuligem foi soprada pela chaminé, sumindo na nuvem mais escura e oleosa que se erguia da amassada carreta de madeira. Eddie achou que alguém havia jogado uma granada. A porta do depósito saltou das dobradiças, se projetou até o meio do corredor cercada por uma nuvem de fumaça e caiu com estrondo. Logo o sujeito que atirara a granada iria lançar outra e, com o chão do depósito agora coberto por uma camada de um centímetro de óleo diesel...

— Veja se consegue que ele vá mais devagar — disse Roland. — Ainda é preciso deixar um pouco mais molhado.

— Andolini ir mais devagar? — Eddie perguntou. — Como eu consigo isso?

— Com sua *boca* incansável! — Roland gritou, e Eddie viu uma coisa maravilhosa, confortadora: Roland estava sorrindo. Quase rindo. Eddie também olhou para o Camisa de Flanela (John) e fez um gesto circular com a mão direita: *continue bombeando*.

— Jack! — Eddie gritou. Não tinha ideia de onde Andolini poderia estar naquele momento, por isso berrou o mais alto que pôde. E como crescera perambulando pelas ruas menos palatáveis do Brooklyn, o seu alto era bastante alto.

Houve uma pausa. O tiroteio diminuiu, depois parou.

— Ei! — Jack Andolini respondeu. Parecia surpreso, mas de um modo bem-humorado. Eddie duvidou que estivesse realmente surpreso e teve a certeza de que o que Jack queria era vingança. Fora ferido na área de estocagem atrás da livraria de Tower, mas isso não era o pior. Fora também humilhado. —

Ei, Espertinho! Não foi você o cara que enfiou um cano no meu queixo e quis mandar meus miolos para o outro lado do rio? Cara, fiquei com uma marca!

Eddie podia vê-lo enquanto fazia este comentário em tom de lamúria. E sem parar de gesticular, pondo em posição os homens que haviam sobrado. Quantos eram? Oito? Dez, talvez? Deus sabia que já tinham dado cabo de uma boa quantidade deles. E onde estariam os sobreviventes? Dois do lado esquerdo do mercado. Mais dois à direita. O resto com Monsieur Granadas. E quando Jack estivesse pronto, todos iam disparar. Só que bem na superfície do novo e raso lago de diesel.

Ou pelo menos era o que Eddie torcia para que acontecesse.

— Tenho o mesmo revólver comigo hoje! — ele gritou para Jack. — Desta vez vou enfiar no seu cu, o que acha?

Jack riu. Um som tranquilo, relaxado. Encenação, mas das boas. Por dentro Jack devia estar a mil; coração batendo a mais de cento e trinta, pressão sanguínea superando os cento e sessenta. Era isso. Não apenas vingança de algum malandro que se atrevera a pegá-lo de surpresa, mas o maior serviço de sua maldita carreira como bandido, a Copa do Mundo.

Era Balazar quem estava dando as ordens, mas Jack Andolini era quem estava nos holofotes, o marechal de campo e, desta vez, a tarefa não era apenas surrar um dono de bar viciado em jogo e drogas que não pagou a conta ou convencer algum proprietário judeu de uma joalheria da Lenox Avenue de que ele precisava de proteção; aquilo era guerra. Jack era esperto — pelo menos em comparação com a maioria dos sujeitos que Eddie conhecera nas ruas enquanto usava drogas e andava com o irmão Henry —, mas Jack era também estúpido de algum modo fundamental, um modo que nada tinha a ver com índices de QI. O malandro que estava naquele momento zombando dele já o vencera uma vez, e com bastante destreza, mas Jack Andolini fizera questão de se esquecer aquilo.

O diesel escorria serenamente pela rampa de estocagem e avançava pelas tábuas velhas e empenadas do depósito do armazém. John, isto é, sai Camisa de Flanela Ianque dispensou a Roland um olhar indagador. Roland respondeu primeiro balançando a cabeça, depois tornando a girar a mão direita: mais.

— Onde está o cara da livraria, Espertinho? — A voz de Andolini. Agradável como antes, mas agora mais próxima. Então ele tinha cruzado a estrada. Eddie calculava que ele estava logo na entrada do armazém. Realmente uma pena o diesel não ser mais explosivo. — Cadê o Tower? Basta entregar o sujeito e deixamos você e o outro cara em paz até a próxima vez.

Ah, claro, Eddie pensou, e se lembrou de uma pergunta que Susannah às vezes fazia (em seu melhor rosnado pela boca de Detta Walker) para indicar que não acreditava em nada do que a pessoa dizia: *E não vou gozar na sua boca ou melar seu cabelo.*

Aquela emboscada fora montada especialmente para pistoleiros de passagem, Eddie tinha quase certeza. Os bandidos podiam saber ou não onde Tower estava (não confiava em absolutamente nada que saía da boca de Jack Andolini), mas alguém soubera exatamente onde e quando a Porta Desconhecida daria passagem a Eddie e Roland, e transmitira esta informação a Balazar: *Quer o moleque que envergonhou o* seu *moleque, sr. Balazar? O garoto que tirou Jack Andolini e George Biondi de cima do Tower antes que o Tower tivesse tempo de ceder e entregar o que você queria? Certo. É aqui que ele vai aparecer. Ele e mais um. E aliás, toma essa grana, dá pra comprar um exército de mercenários, todos de sapatos de duas cores. Talvez não seja o bastante, porque o garoto é duro e o parceiro dele é pior, mas talvez vocês tenham sorte. Mesmo se não der, mesmo se o sujeito chamado Roland escapar deixando um bando de cadáveres para atrás… bem, pegar o garoto já é um começo. E sempre tem mais mercenários, não é? Com certeza. O mundo está cheio deles. Os* mundos.

E quanto a Jake e Callahan? Também houvera uma festinha de recepção à espera deles, e fora vinte e dois anos depois deste quando? O pequeno poema na cerca ao redor do terreno baldio sugeria isso, se referindo à sua esposa como… SUSANNAH-MIO, MINHA MOÇA DIVIDIDA, FOI PARAR NO DIXIE PIG, NO ANO DE 1999. Mas se tivesse *mesmo* tido uma recepção à espera deles, era possível que ainda estivessem vivos?

Eddie se agarrou a uma ideia: se algum membro do ka-tet morresse — Susannah, Jake, Callahan ou mesmo Oi —, ele e Roland saberiam. Se estava se iludindo a esse respeito, sucumbindo a alguma fantasia romântica, então que fosse.

3

Roland olhou o homem de camisa de flanela e passou o lado da mão pelo pescoço, como se estivesse cortando a garganta. John assentiu e puxou ao máximo a manopla da bomba de gasolina. Chip, o dono do armazém, estava agora parado ao lado da rampa de carregamento, e seu rosto, onde não estava ensopado de sangue, tinha um ar decididamente pálido. Roland achou que logo ele ia perder os sentidos. Melhor assim.

— Jack! — o pistoleiro gritou. — Jack Andolini! — Sua pronúncia do nome italiano foi uma bela coisa de se ouvir, ao mesmo tempo precisa e retumbante.

— É o irmão mais velho do Espertinho? — perguntou Andolini. Parecia estar se divertindo. E parecia estar mais perto. Roland o situou na frente do armazém, talvez no ponto exato onde ele e Eddie tinham passado. Jack não esperaria muito tempo para fazer seu próximo movimento; estavam na zona rural, mas mesmo assim havia gente por perto. Alguém já estaria vendo a espiral de fumaça da carreta de madeira tombada se erguendo no ar. Logo chegariam as sirenes.

— Pode-se dizer que eu sou o capataz de Eddie — disse Roland.

Ele apontou para o revólver na mão de Eddie, depois apontou para o depósito, em seguida apontou para si mesmo: *Espere pelo meu sinal*. Eddie assentiu.

— Por que não o manda sair da toca, *mi amigo*? — disse Andolini. — Isso não precisa ser problema seu. Eu levo o Espertinho e deixo você livre. É com ele que quero bater um papo. Será um prazer conseguir as respostas de que preciso.

— Nunca vai nos pegar — disse Roland em um tom gentil. — Você esqueceu o rosto do seu pai. É um saco de merda com pernas. Seu verdadeiro ka-papai é um homem chamado Balazar, de quem você vive lambendo o cu. Os outros sabem disso e riem de você. "Olhem o Jack", eles dizem, "toda aquela puxação de saco só o deixa mais feio."

Houve uma breve pausa. Então:

— Tem uma boca bem suja, companheiro. — A voz de Andolini era firme, mas todo o falso bom humor sumira dela. E todo o riso. — Mas sabe o que dizem, falar é fácil.

Por fim uma sirene irrompeu à distância. Roland acenou com a cabeça primeiro para John (que o observava com atenção) e depois para Eddie. *Falta pouco*, dizia aquele aceno.

— Balazar continuará construindo suas torres de cartas muito tempo depois de você não passar de um punhado de ossos em uma cova rasa, Jack. Alguns sonhos são proféticos, mas não os seus. Os seus são apenas sonhos.

— Cale a boca!

— Ouve as sirenes? Seu tempo está quase...

— *Vão!* — Jack Andolini gritou. — Vão! *Peguem os dois! E quero a cabeça desse velho de merda, estão me ouvindo? Quero a cabeça dele*!

Um objeto preto e redondo desenhou um arco através do buraco onde existira a porta para APENAS FUNCIONÁRIOS. Outra granada. Roland estava à espera dela. Atirou uma vez, do quadril, e a granada explodiu em pleno ar, transformando a frágil parede entre o depósito e a cantina em uma tempestade de destroços perigosos, cortantes. Houve gritos de surpresa e agonia.

— *Agora, Eddie!* — Roland gritou e começou a atirar no diesel. Eddie juntou-se a ele. A princípio Roland achou que nada fosse acontecer, mas então uma fraca ondulação de chama azul apareceu no corredor central e avançou serpenteando para onde estivera a parede dos fundos. Não foi o bastante! Deuses, como queria que o combustível fosse do tipo que chamavam de gasolina!

Roland puxou o cilindro do revólver, deixou os cartuchos vazios caírem ao lado das botas e recarregou.

— À sua direita, senhor — disse John, quase em um tom de conversa, e Roland se jogou no chão. Uma bala passou pelo lugar onde ele estivera. A segunda deu um piparote nas pontas do cabelo comprido. Só tivera tempo de recarregar três das seis câmaras do revólver, mas isso era ter uma bala a mais do que precisava. Os dois capangas foram arremessados para trás com idênticos buracos no centro da testa, logo abaixo das linhas do cabelo.

Outro bandido avançou pelo canto do depósito para surpreender Eddie pelo lado e encontrou Eddie esperando por ele com um sorriso no rosto ensanguentado. O sujeito largou imediatamente o revólver e começou a erguer as mãos. Eddie pôs uma bala em seu peito antes que as mãos atingissem a altura dos ombros. *Ele está aprendendo*, Roland pensou. *Deus o ajude, mas está.*

— Esse fogo está um pouco lento para o meu gosto, rapazes — disse John, saltando para a rampa de estocagem. O interior do armazém mal era discernível atrás das espirais de fumaça da granada desviada, mas vieram voando balas através dela. John pareceu indiferente e Roland agradeceu ao ka por colocar um homem tão bom em seu caminho. Um homem tão durão.

John tirou do bolso da calça um objeto quadrado de prata, mexeu na ponta e produziu uma boa chama com o golpe do polegar sobre a pequena roda. Atirou agilmente o isqueiro chamejante no depósito. Chamas explodiram por todo lado com um ruído de *uummpããã*.

— *Qual é o problema de vocês?!* — Andolini gritou. — *Peguem-nos!*

— Vem aqui e faça você mesmo?! — Roland desafiou, puxando a perna da calça de John para longe do diesel. John pulou para trás na rampa de estocagem e perdeu o equilíbrio. Roland o segurou. Chip, o dono do armazém, escolheu aquele momento para desmaiar, se arremessando para o solo coberto de lixo com um gemido tão baixo que foi quase um suspiro.

— Ei, venha! — Eddie atiçou Andolini. — Venha *Espertinho*, qual é a sua, *Espertinho*, não mande um garoto fazer trabalho de homem, onde já se viu? Quantos caras você tem aí, duas dúzias? E continuamos vivos? Venha! Venha fazer você mesmo! Ou vai passar o resto da vida lambendo o cu de Enrico Balazar?

Mais balas atravessaram a fumaça e as chamas, mas os capangas que estavam no interior do armazém não mostraram interesse em tentar atacar através do fogo, que era cada vez mais forte. E mais ninguém apareceu pelos lados do prédio.

Roland apontou para a parte de baixo da perna direita de Eddie, onde havia um buraco. Eddie ergueu o polegar, mas a perna da calça jeans realmente estava ficando muito cheia abaixo do joelho — algo inchava lá dentro. Quando ele se moveu, a bota fez um ruído de algo encharcado. A dor atingira um firme e intenso limite que parecia latejar no ritmo da batida do coração. Contudo ele estava começando a acreditar que o osso ficara intacto. Talvez, Eddie admitiu, *porque eu quero acreditar nisso*.

À primeira sirene tinham se juntado mais duas ou três e elas estavam se aproximando.

— *Vão!* — gritou Jack, que agora parecia à beira da histeria. — *Vão, seus covardes de merda, vão pegá-los!*

Roland achou que os bandidos restantes podiam ter atacado dois minutos atrás — talvez até mesmo trinta segundos atrás —, se Andolini tivesse liderado pessoalmente o ataque. Mas agora a opção de ataque frontal já não existia e Andolini devia saber disso se estivesse com homens de ambos os lados do prédio. Roland e Eddie os pegariam como pássaros de barro em uma disputa de tiro em Dia de Feira. A única estratégia viável que restava seria um sítio ou um longo movimento de flanco através dos bosques, mas Jack Andolini não tinha tempo para um nem para o outro. Manter posição ali, contudo, traria seus próprios problemas. Por exemplo lidar com a polícia local, ou com o corpo de bombeiros, se eles chegassem primeiro.

Roland puxou John para perto de si e falou em voz baixa:

— Precisamos sair daqui agora. Pode nos ajudar?

— Ah, é, acho que sim.

O vento mudou de direção. Uma corrente de ar atravessou as vitrines quebradas na frente do armazém, passou pelo lugar onde tinha havido uma parede divisória e saiu pela porta dos fundos. A fumaça do diesel era preta e gordurosa. John tossiu e tentou sacudi-la com a mão.

— Venham comigo. Vamos depressa.

John atravessou correndo a feia extensão de solo devastado atrás do prédio. Passou por cima de um caixote quebrado e abriu caminho entre um incinerador enferrujado e uma pilha de peças de máquinas mais enferrujadas ainda. Na maior dessas peças, havia um nome que Roland já tinha visto em suas andanças: JOHN DEERE.

Roland e Eddie foram andando de costas, protegendo a retaguarda de John, dando breves olhares sobre os ombros para evitar tropeçarem. Roland não tinha perdido de todo a esperança de que Andolini fizesse um ataque derradeiro e ele pudesse matá-lo, como já acontecera uma vez. Fora na praia do mar Ocidental, e agora ali estava ele novamente, não apenas de volta, mas dez anos *mais novo*.

Enquanto eu, Roland pensou, *me sinto pelo menos mil anos mais velho*.

Mas no fundo isso não era verdade. Sim, ele estava agora sofrendo (finalmente) os males com que um homem velho podia esperar que a idade lhe trouxesse. Mas tinha de novo um ka-tet para protegê-lo, e não qualquer ka-tet, mas um formado de *pistoleiros*, um ka-tet que lhe dera uma nova motivação de viver, com uma força que ele não esperava. Tudo agora significava algo para ele, não apenas a Torre Negra, mas tudo. Então ele queria que Andolini viesse. E se matasse Andolini naquele mundo, tinha a impressão de que Andolini permaneceria morto. Porque aquele mundo era *diferente*. Tinha uma ressonância que faltava em todos os outros, mesmo no seu próprio. Sentia isso em cada osso e em cada nervo. Roland ergueu os olhos e viu exatamente o que esperava ver: uma fileira de nuvens. Nos fundos do solo árido, uma trilha entrava na floresta, seu início marcado por um par de rochas de granito de bom tamanho. E ali o pistoleiro viu um rendilhado padrão de sombras, sombras que se sobrepunham, mas apontavam todas para o mesmo lugar. Era preciso olhar com atenção, mas uma vez identificado, o padrão se tornava inconfundível. Como na versão de Nova York onde ele encontrara a sacola vazia no terreno baldio e Susannah vira os mortos errantes, este era o verdadeiro mundo, o mundo onde o tempo corria sempre em uma mesma direção. Talvez conseguissem pular para o futuro se encontrassem uma porta, como ele tinha certeza de que Jake e Callahan haviam feito (pois Roland também se lembrava do poema na cerca e agora compreendia pelo menos parte da coisa), mas nunca poderiam retornar ao passado. Este era o verdadeiro mundo, onde nenhum rolar de dados poderia jamais ser desfeito, o mundo que estava mais próximo da Torre Negra. E continuavam no Caminho do Feixe.

John levou-os para um caminho na mata que percorreram rapidamente, afastando-se das colunas de densa fumaça escura e da estridência cada vez mais próxima das sirenes.

4

Não tinham avançado sequer quatrocentos metros quando Eddie começou a ver lampejos azuis através das árvores. O caminho estava forrado de galhos de pinheiros e, quando chegaram à última encosta (a que levava a um lago comprido e estreito, de extasiante beleza), Eddie viu que alguém tinha construído um corrimão de bétulas. Atrás dele havia uma pequena doca penetrando na água. Amarrada na doca havia uma lancha.

— É minha — disse John. — Vim pegar algumas mercadorias e fazer um lanche. Não esperava tanta emoção.

— Bem, você a teve — disse Eddie.

— Pra dizer o mínimo. Cuidado aqui nesta última parte, se não querem ir de bunda. — John desceu lepidamente o final da encosta, segurando-se no cercado para manter o equilíbrio e deslizando mais do que andando. Nos seus pés havia um par de botas velhas e puídas, que não teriam ficado nada deslocadas no Mundo Médio, Eddie pensou.

Eddie deu um passo à frente, protegendo a perna machucada. Roland se colocou ao lado dele. De trás do grupo veio o barulho repentino de uma explosão, tão intensa e brusca quanto aqueles primeiros tiros de rifles de alta potência, mas muito mais alta.

— Deve ser o propano do Chip — disse John.

— Como disse? — Roland perguntou.

— Gás — Eddie explicou em voz baixa. — Está se referindo a gás.

— É, gás de fogão — John concordou. Entrando na lancha, ele agarrou a corda de arranco do Evinrude e deu um puxão. O motor, uma pequena mas robusta coisa de vinte cavalos com barulho de máquina de costura, pegou de primeira. — Entrem, rapazes, e vamos sair desta área — disse John num tom de resmungo.

Eddie pulou para dentro. Roland parou um instante para bater três vezes na garganta. Eddie já o vira executar aquele ritual no início de outra viagem por água aberta e lembrou a si mesmo de lhe perguntar a respeito disso. Nunca teve essa oportunidade; antes que a questão tornasse a lhe ocorrer, a morte se meteu entre os dois.

5

Com o máximo de graça e tranquilidade que uma coisa movida a motor poderia alcançar, o barco avançava sobre a água. Patinava em seu próprio reflexo, sob um céu do mais cristalino azul de verão. Atrás deles, a espiral de fumaça escura manchava esse azul, subindo cada vez mais alto e se espalhando. Nas margens do pequeno lago, dezenas de pessoas, a maioria de short ou trajes de banho, voltavam-se na direção da fumaça, mãos erguidas para se protegerem do sol. Nenhuma ou poucas notaram a tranquila (e nada espalhafatosa) passagem da lancha.

— É o lago Keywadin, se estiverem interessados em saber — disse John. Apontou para a frente, onde a língua cinza de outra doca se projetava sobre a água. Ao lado dela havia uma pequena e bem cuidada casa de barcos, branca com remate verde, a porta aberta para cima. Quando se aproximaram, Roland e Eddie viram uma canoa e um caiaque balançando lá dentro, amarrados. — A casa de barcos é minha — acrescentou o homem de camisa de flanela.

Barcos foi pronunciado de um modo impossível de reproduzir com simples letras (*burcus* seria provavelmente a ideia mais próxima), mas os dois pistoleiros conseguiram identificar a palavra. Era o modo como se falava em Calla.

— Parece bem-conservada — disse Eddie. Mais para dizer alguma coisa.

— Ah, sim — concordou John. — Cuido muito, estou sempre fazendo alguma carpintaria por aqui. Não é uma boa referência ter um abrigo de barcos em ruínas, certo?

Eddie sorriu.

— Imagino que não.

— Minha casa fica a uns oitocentos metros da água. Meu nome é John Cullum. — Ele estendeu a mão direita para Roland, enquanto a esquerda continuava mantendo a lancha em seu curso... um curso retilíneo para longe da coluna de fumaça e na direção da casa de barcos.

Roland pegou a mão, que era agradavelmente áspera.

— Sou Roland Deschain, de Gilead. Longos dias e belas noites, John.

Eddie também estendeu a mão.

— Eddie Dean, do Brooklyn. Um prazer conhecê-lo.

John apertou descontraidamente a mão de Roland, mas seus olhos observaram Eddie com atenção. Quando as mãos se separaram, ele disse:

— Meu jovem, alguma coisa acabou de acontecer? É verdade, não é?

— Não sei — disse Eddie, não sendo totalmente honesto.

— Há muito tempo que você não vai ao Brooklyn, não é, filho?

— Não vou para Morehouse nem para *nenhuma* outra house — disse Eddie Dean e logo, rapidamente, antes que a informação lhe escapasse: — Mia se apoderou de Susannah. Se apoderou dela no ano de 1999. Suze pode ir para a Dogan, mas de nada vai adiantar. Mia desativou os controles. Não há nada que Suze possa fazer. Ela está sequestrada. Ela... ela...

Eddie parou. Por um momento tudo estivera tão *claro*. Como um sonho no instante de acordar. Então, como tão frequentemente acontece com os sonhos, ficou tudo embaçado. Ele nem mesmo saberia dizer se fora uma mensagem genuína de Susannah ou pura imaginação.

Meu jovem, alguma coisa acabou de acontecer?

Então Cullum também sentira. Não fora imaginação. Parecia mais provável ter sido alguma forma do toque.

John esperou e, quando mais nada partiu de Eddie, ele se virou para Roland.

— Seu parceiro costuma viver assim, com a cabeça no ar?

— Nem sempre, sai... quero dizer, *senhor*. Sr. Cullum, agradeço por ter nos ajudado quando precisamos de ajuda. Agradeço muito-muito. Seria terrivelmente pouco gentil de nossa parte pedir mais alguma coisa, só que...

— Só que vocês precisam sair daqui. Sim, pesquei. — John fez uma repentina correção de curso em direção ao pequeno abrigo de barcos, com sua abertura quadrada. Roland estimou que estariam lá em cinco minutos. Para ele estava ótimo. Não fazia objeções a viajar naquele apertado barquinho a motor (que andava um tanto rebaixado com o peso de três homens lá dentro), mas o lago Keywadin era exposto demais para o seu gosto. Se Jack Andolini (ou seu sucessor, se ele fosse substituído) fizesse algumas perguntas àquela pessoa da região observando a fumaça, ia acabar descobrindo alguém que se lembraria da pequena lancha com os três homens. E também falariam do abrigo de barcos com o belo remate verde. *O abrigo de burcus de John Cullum, que lhe caia bem*, diriam essas testemunhas. Melhor estarem mais avançados no Caminho do Feixe antes de isso acontecer, e com John Cullum mandado para algum lugar seguro. Neste caso, Roland julgava "seguro" o sujeito estar a umas três miradas da linha do horizonte, ou cerca de cem rodas. Não tinha dúvidas de que Cullum, um completo estranho, tinha salvo a vida dos dois interferindo de forma decisiva no momento certo. A última coisa que Roland queria era que o homem perdesse a própria vida pela mesma razão.

— Bem, vou fazer o que puder por vocês, já me decidi. Mas quero perguntar uma coisa, enquanto tenho a chance.

Eddie e Roland trocaram um breve olhar.

— Vamos responder se pudermos — disse Roland. — O que significa dizer: Vamos responder, John de East Stoneham, se julgarmos que a resposta não lhe causará problemas.

John assentiu. Parecia estar se concentrando.

— Sei que não são fantasmas, porque todo mundo viu os dois lá dentro do armazém e acabei de trocar um aperto de mão com vocês. E também vejo as sombras lançadas pelos dois. — Apontou para o lado do barco onde os dois se achavam. — Parecem reais como são as coisas reais. Então minha pergunta é a seguinte: vocês são aparecidos?

— Aparecidos... — disse Eddie. Olhou para Roland, mas Roland manteve um ar impassível. Eddie tornou a olhar para John Cullum sentado na popa e rumando para a casa de barcos. — Desculpe, mas não...

— Nos últimos anos tem havido muitos deles por aqui — disse John. — Em Waterford, Stoneham, East Stoneham, Lovell, Sweden... até mesmo em Bridgton e Denmark. — Este último nome de município soou como *Denmaa--aaak*.

John viu que os dois continuavam confusos.

— Aparecidos são pessoas que simplesmente *aparecem* — disse ele. — Às vezes estão vestidas com roupas fora de moda, como se viessem de... *antes*, se poderia dizer. Um estava nu como um urubu, caminhando bem pelo meio da rota 5. Foi visto por Junior Angstrom. No final de novembro. Às vezes falam outras línguas. Um se aproximou da casa de Don Russert em Waterford. Ficou sentado bem ali na cozinha! Donnie é um professor de história aposentado do Vanderbilt College e gravou o sujeito. O cara tagarelou um pouco, depois entrou na lavanderia. Donnie imaginou que estivesse procurando o banheiro e foi atrás dele para mostrar o caminho, mas o sujeito evaporou. Não havia nenhuma porta por onde pudesse ter saído, mas ele sumira.

"Donnie passou a gravação para quase todo mundo no Departamento (*Depaaaaatamento*) de Línguas do Vandy. Ninguém reconheceu as palavras que o sujeito falou. Um disse que só podia ser uma língua completamente inventada, como o esperanto. Conhecem esperanto, rapazes?"

Roland balançou a cabeça.

— Já ouvi falar — Eddie respondeu, com cautela —, mas não sei o que realmente...

— E às vezes — disse John, baixando a voz enquanto resvalavam para as sombras da casa de barcos —, às vezes estão feridos. Ou desfigurados. Roont.

Roland reagiu tão bruscamente que a lancha deu uma balançada. Por um momento estiveram bem próximos de cair na água.

— O quê? O que você disse? Fale de novo, John, pois gostaria de ouvir bem essa palavra.

John parecia ter achado que era apenas uma questão de compreensão verbal, porque desta vez se esmerou em pronunciar a palavra mais cuidadosamente.

— *Arruinados*. Como pessoas que tivessem estado em uma guerra nuclear, em uma zona de testes ou coisa parecida.

— Vagos mutantes — disse Roland. — Acho que as pessoas podem estar falando sobre os vagos mutantes. Aqui nesta cidade.

Eddie assentiu, pensando nos grays e pubes de Lud. Pensando também nem na colmeia disforme e nos monstruosos insetos que nela rastejavam.

John desligou o pequeno Evinrude, mas durante algum tempo os três continuaram sentados, ouvindo a água bater de maneira abafada contra o casco de alumínio da embarcação.

— Vagos mutantes — disse o velho, parecendo quase saborear as palavras. — É, acho que seria um bom nome para eles. Mas não são os únicos. Existem animais, também, e pássaros que ninguém jamais tinha visto por aqui. Mas é principalmente com os aparecidos que as pessoas têm se preocupado e conversado entre si. Donnie Russert ligou para alguém que conhecia da Universidade Duke e esse sujeito, por sua vez, ligou para alguém do Departamento de Estudos Psíquicos... incrível terem uma coisa dessas em uma universidade de verdade, mas parece que têm mesmo... e a mulher dos Estudos Psíquicos disse que é assim que essa gente têm sido chamada: aparecidos. E depois, quando tornam a desaparecer... o que sempre acontece, com exceção de um sujeito em East Conway Village que morreu... são chamados *saídos*. A senhora disse que alguns cientistas que estudam essas coisas... acho que podem chamá-los cientistas, embora eu conheça muita gente que discordaria disso... acreditam que os aparecidos são alienígenas, vindos de outros planetas. Espaçonaves os deixam aqui e depois tornam a recolhê-los. A maioria, no entanto, acha que são viajantes do tempo, vindos de diferentes Terras que existem enfileiradas à nossa.

— Há quanto tempo isto vem acontecendo? — Eddie perguntou. — Há quanto tempo os aparecidos vêm chegando aqui?

— Ah, uns dois ou três anos. E a coisa tem piorado dia a dia. Eu mesmo já vi algumas dessas criaturas e um dia foi uma mulher de cabeça careca. Ela parecia ter um olho sangrando no meio da testa. Mas vi tudo isso de longe e vocês, caras, estão bem perto.

John se inclinou para eles sobre os joelhos ossudos, os olhos (azuis como os do próprio Roland) brilhando. A água batia no barco. Eddie sentiu um forte impulso de pegar novamente a mão de John Cullum para ver se alguma outra coisa aconteceria. Havia uma outra canção de Dylan chamada "Visions of Johanna". O que Eddie queria não era bem uma visão de Johanna, mas algo pelo menos próximo disso.

— Sim — John estava dizendo —, vocês, rapazes, estão bem perto e falando comigo. Então, vou fazer o que puder para ajudá-los a ir em frente, porque não sinto absolutamente nada de negativo vindo de vocês dois... Mas tenham absoluta certeza de que *jamais* vi um tiroteio do jeito que fizeram. Eu só quero saber: vocês são aparecidos ou não?

De novo Roland e Eddie trocaram olhares, e então Roland respondeu:

— Sim — disse ele. — Acho que somos.

— Nossa — John murmurou. Em seu temor, nem mesmo o rosto enrugado impediu que parecesse uma criança. — Aparecidos! E de onde é que vocês vêm, podem me dizer? — Olhou para Eddie, riu do modo como fazem as pessoas quando estão admitindo que você enganou bem elas, e disse: — Não do *Brooklyn*.

— Mas eu *sou* do Brooklyn — disse Eddie. A única coisa era que não se tratava do Brooklyn *daquele* mundo e agora ele sabia disso. No mundo de onde viera, um livro infantil chamado *Charlie Chuu-Chuu* fora escrito por uma mulher chamada Beryl Evans; no que estava naquele momento fora escrito por alguém chamado Claudia y Inez Bachman. Beryl Evans parecia real e Claudia y Inez Bachman parecia falsa como uma nota de três dólares, mas Eddie estava passando cada vez mais a acreditar que Bachman era o nome verdadeiro. E por quê? Porque veio como parte deste mundo.

— Eu *sou* do Brooklyn. Só que não... bem... não o mesmo.

John Cullum continuava olhando para eles, os olhos arregalados, a expressão infantil de assombro.

— E o que me diz daqueles outros sujeitos? Os que se emboscaram esperando vocês? Eles são...?

— Não — disse Roland. — Eles não. E não temos mais tempo para conversar, John... não agora. — Ficou cuidadosamente em pé, agarrou uma viga do barco e pulou para a doca com um pequeno estremecimento de dor. John foi depois e Eddie por último, que teve de ser ajudado pelos dois outros homens. O constante latejar na panturrilha direita cedera um pouco, mas a perna continuava dura e dormente, difícil de controlar.

— Vamos até a sua casa — disse Roland. — Precisamos encontrar um sujeito. Com a bênção, acho que você pode nos ajudar.

Talvez possa nos ajudar em muito mais que isso, Eddie pensou e foi com eles para a luz do sol, capengando com a perna dolorida e trincando os dentes.

Naquele momento, Eddie se achou capaz de matar um santo em troca de uma dúzia de comprimidos de aspirina.

LINHA: *Commala-pão-fermento!*
Vão para o inferno ou sobem ao céu!
Quando atiram armas e o fogo é quente,
Você tem de enfiá-las no forno.

RESPOSTA: *Commala-venha-sete!*
Gemido e sal pra fermento!
Aquecê-los, batê-los no vento
E enfiá-los no forno.

Oitava estrofe
PASSANDO A BOLA

1

No verão de 1984-5, quando o hábito de heroína de Eddie avançava silenciosamente pela fronteira da Terra das Drogas Recreativas em direção ao Reino dos Hábitos Realmente Maus, Henry Dean conheceu uma garota e, por algum tempo, ficou apaixonado por ela. Eddie achava que Sylvia Goldover era uma Mocreia tipo *El Supremo* (axilas cheirando mal e bafo de dragão brotando de um par de lábios tipo Mick Jagger), mas manteve a boca fechada porque Henry a achava bonita e Eddie não queria faltar com o respeito aos sentimentos de Henry. Naquele inverno os jovens amantes passaram um bom tempo andando em Coney Island, na praia varrida pelo vento, ou indo ao cinema em Times Square, onde sentavam na última fila e masturbavam um ao outro assim que a pipoca e a caixa tamanho gigante de chocolate com amendoim Goobers acabavam.

Eddie mantinha uma atitude filosófica sobre a nova pessoa na vida de Henry; se Henry conseguia superar aquele terrível mau hálito e realmente entrelaçar sua língua com a de Sylvia Goldover, parabéns para ele. O próprio Eddie passou boa parte daqueles três meses, quase inteiramente cinzentos, sozinho e chapado no apartamento onde morava com o irmão. Não se importava; até gostava de ficar sozinho. Se Henry estivesse ali, teria insistido em ligar a televisão e teria irritado incessantemente Eddie com suas fitas cassetes com histórias sobre o fantástico e o bizarro ("Ah, rapaz! Eddie vai 'scutar suas historinhas de *elfos*, *ogos* e *anões* engraçadinhos!"). Sempre chamando os ogros de ogos e sempre chamando os Ents de "*árvoles* ambulantes amedrontadores". Henry achava que qualquer coisa inventada era viadagem. Eddie tinha às vezes tentado dizer ao irmão que não havia nada mais falso do que o que passava nos programas vespertinos na televisão, mas Henry não dava a menor importância a isso. Das novelas, sabia tudo sobre as gêmeas más, do *General Hospital*, ou a madrasta igualmente má, em *The Guiding Light*.

Sob muitos aspectos, o grande caso de amor de Henry Dean — que acabou quando Sylvia Goldover roubou noventa dólares de sua carteira, deixando um bilhete dizendo *desculpe*, *Henry* no lugar do dinheiro e foi para sabe-se lá onde com o *antigo* namorado — foi um alívio para Eddie. Ele se sentava no sofá da sala, colocava as fitas de John Gielgud lendo a trilogia dos Anéis de Tolkien, se injetava heroína na parte interna do braço direito, e viajava para as Florestas de Mirkwood ou para as Minas de Moria com Frodo e Sam.

Ele amava os hobbits e achava que poderia passar tranquilamente o resto da vida em Hobbiton, onde o tabaco era a pior droga que rolava e os irmãos mais velhos não ficavam dias inteiros atormentando os caçulas. O pequeno chalé que John Cullum tinha no bosque o fez voltar, com surpreendente força, àqueles dias e àquele período sombrio da sua vida. Pois o chalé transmitia de alguma forma uma sensação de convívio hobbit. A mobília da sala era simples mas perfeita: um sofá e duas poltronas com aqueles paninhos brancos nos braços e encosto alto, onde se podia descansar a cabeça. A foto na parede, em preto e branco com moldura dourada, devia ser da família de Cullum e a foto na parede oposta só podia ser de seus avós. Havia um certificado emoldurado de Agradecimento do Departamento de Bombeiros Voluntários de East Stoneham. Havia uma gaiola com um periquito que piava amigavelmente e uma gata junto à lareira. A gata ergueu a cabeça quando eles entraram, olhando atenta, mas hospitaleiramente para os recém-chegados; logo voltou a dormir. Havia um cinzeiro de pé ao lado do que só podia ser a poltrona preferida de Cullum e nele havia dois cachimbos, um de espiga de milho e um briar. Havia também uma antiquada radiovitrola Emerson (o rádio com um mostrador de várias bandas e um grande e trabalhado botão para a sintonia), mas nenhuma televisão. A sala tinha um cheiro agradável de tabaco e folhagens. Por mais incrivelmente arrumada que fosse, bastava um simples olhar para revelar que o homem que morava ali não era casado. A sala de estar de John Cullum era uma modesta ode às alegrias da vida de solteiro.

— Como está sua perna? — John perguntou. — Parece que pelo menos parou de sangrar, mas você está mancando bastante.

Eddie riu.

— E uma dor filha da puta — disse —, mas consigo andar, então acho que posso me dar por satisfeito.

— O banheiro é ali, se quiser se lavar — disse Cullum apontando.

— Acho que pode ser uma boa ideia — disse Eddie.

Lavar doeu, mas também foi um alívio. A ferida na perna era profunda, mas o osso parecia estar totalmente intacto. O machucado no braço não chegava a preocupar; a bala cortara mas saíra, graças a Deus, e havia mertiolato no armário de remédios de Cullum. Eddie derramou-o no buraco, arreganhou os dentes com a dor e depois, antes que perdesse a coragem, aplicou o medicamento na perna e na laceração do couro cabeludo. Tentou se lembrar se

Frodo e Sam tiveram de enfrentar algo que se aproximasse dos horrores do mertiolato e não conseguiu se lembrar de nada. Bem, é claro que eles tinham elfos para curá-los, não tinham?

— Tenho uma coisa que pode ajudar — disse Cullum quando Eddie reapareceu. O velho foi para o cômodo ao lado e voltou com um vidro marrom de remédios. Lá dentro havia três comprimidos que ele depositou na palma da mão de Eddie dizendo: — Isto é de quando caí no gelo no inverno passado e quebrei a maldita clavícula. O nome do remédio é Percodan. Não sei se ainda estão na validade, mas...

Os olhos de Eddie brilharam.

— Percodan, hein? — disse ele, logo atirando os comprimidos na boca antes que John Cullum pudesse responder.

— Não quer um pouco d'água para tomar, filho?

— Negativo — disse Eddie, engolindo entusiasticamente. — Vai melhor no seco.

Em uma mesa ao lado da lareira, havia um estojo de vidro cheio de bolas de beisebol e Eddie se aproximou para dar uma olhada.

— Ah, meu Deus — ele exclamou —, você tem uma bola assinada por Mel Parnell! E outra por Lefty Grove! Caralho!

— Isso não é nada — disse Cullum pegando o cachimbo briar. — Dê uma olhada na prateleira de cima. — Tirando uma bolsa de tabaco Prince Albert da gaveta de um console, começou a encher o cachimbo. Roland parecia observá-lo com atenção. — Você fuma?

Roland assentiu com a cabeça e tirou um pedacinho de folha do bolso da camisa.

— Talvez eu possa enrolar um.

— Ah, posso fazer ainda melhor para você — disse Cullum, tornando a deixar o quarto. O cômodo que havia atrás era um escritório não muito maior que um armário. Embora a escrivaninha Dickens que havia nele fosse pequena, Cullum teve de contorná-la andando de lado.

— Santo Deus! — disse Eddie, vendo outra bola de beisebol. — Autografada pelo Babe!

— Isso mesmo — disse Cullum. — Antes dele se tornar um Yankee. Bolas autografadas pelos Yankees não valem nada. Essa foi assinada quando Ruth ainda usava a camisa dos Red Sox... — Ele mudou de assunto. — Aqui estão, eu sabia que tinha. Pode estar velho, mas a coisa fica muito mais velha quando não há nada, minha mãe costumava dizer. Pode pegar, senhor. Meu sobrinho os deixou. De qualquer modo, ele ainda mal tem idade para estar fumando.

Cullum passou ao pistoleiro um maço de cigarros, três quartos cheio. Roland virou-os pensativamente na mão, depois apontou para o nome da marca:

— Vejo a figura de um dromedário, mas não é isso que diz aqui, é?

Cullum sorriu para Roland com uma espécie de cauteloso espanto.

— Não — disse ele. — A palavra é *Camel*. Mas quer dizer quase a mesma coisa.

— Ah — disse Roland, tentando dar a impressão de que estava entendendo. Puxando um dos cigarros, examinou o filtro e pôs o início do cigarro na boca.

— Não, do outro lado — disse Cullum.

— É mesmo?

— Sim.

— Jesus, Roland! Ele tem um Bobby Doerr... duas bolas do Ted Williams... uma do Johnny Pesky... uma do Frank Malzone...

— Esses nomes não significam nada para você, não é? — John Cullum perguntou a Roland.

— Não — disse Roland. — Meu amigo... obrigado. — Ele riscou o fósforo que sai Cullum ofereceu. — Há muito tempo que meu amigo não tem vindo para estas bandas. Acho que sente falta.

— Nossa — disse Cullum. — Aparecidos! Aparecidos na minha casa! Nem posso acreditar!

— Onde está Dewey Evans? — Eddie perguntou. — Não tem uma bola do Dewey Evans.

— Perdão? — Cullum perguntou. Isto saiu como *paaa-aaadão*.

— Talvez ainda não o chamem desse jeito — disse Eddie, quase para si mesmo. — Dwight Evans? O ponta-direita?

— Ah. — Cullum assentiu. — Bem, nesse armário só tenho os melhores, percebe?

— Dewey é muito bom, acredite — disse Eddie. — Talvez ainda não esteja no momento de ir para o Hall da Fama de John Cullum, mas espere alguns anos. Espere até 1986. E aliás, John, como fã do mesmo jogo queria lhe dizer duas palavrinhas, está bem?

— Claro — disse Cullum. Saiu exatamente como a palavra era dita em Calla: *clau-ro*.

Roland, enquanto isso, dera uma tragada no Camel. Soprou a fumaça e olhou para o cigarro franzindo a testa.

— As palavras são Roger Clemens — disse Eddie. — Lembre esse nome.

— Clemens — disse John Cullum, mas em um tom de dúvida. À distância, da extremidade oposta do lago Keywadin, veio o barulho de mais sirenes. — Roger Clemens, sim, vou me lembrar. Quem é ele?

— Vai querer o nome dele em uma bola, tenha certeza — disse Eddie, batendo na estante. — Talvez para colocar na mesma prateleira do Babe.

Os olhos de Cullum brilharam.

— Filho, me diga uma coisa. Os Red Sox já conseguiram ser campeões? Eles...

— Isto não é fumo — disse Roland. — Não passa de ar sujo. — Concedeu a Cullum um olhar de reprovação que foi tão anti-Roland que fez Eddie sorrir: — Não tem absolutamente gosto de nada. As pessoas realmente *fumam* isso?

Cullum tirou o cigarro dos dedos de Roland, quebrou o filtro e devolveu-o.

— Tente agora — disse, voltando a dar atenção a Eddie. — Então? Dei a maior força a você do outro lado da água. Acho que está me devendo uma. Eles algum dia venceram a World Series? Pelo menos até sua época?

O sorriso de Eddie desapareceu e ele olhou seriamente para o velho.

— Digo se realmente quiser saber, John. Mas quer mesmo?

John refletiu, dando uma baforada no cachimbo.

— Acho que não — disse. — Saber estragaria.

— Só lhe digo uma coisa — Eddie continuou em um tom jovial. Os comprimidos que John lhe dera estavam fazendo efeito e ele já se *sentia* jovial. Pelo menos um pouco. — Procure não morrer antes de 1986. Esse ano vai ser de morrer.

— Vai?

— Digo toda a verdade. — Então Eddie se virou para o pistoleiro. — O que vamos fazer com nossas coisas, Roland?

Até aquele momento o assunto ainda nem passara pela cabeça de Roland. As poucas posses mundanas dos dois, das ótimas e novas facas de entalhe de Eddie, compradas no Armazém do Took, à antiga bolsa de Roland, que ele ganhara do pai do outro lado do horizonte do tempo, também tinham sido atiradas quando atravessaram a porta. Quando foram soprados através da porta. O pistoleiro achou que suas coisas tinham ficado jogadas no chão na frente do armazém de East Stoneham, embora não pudesse se lembrar com certeza. Estivera concentrado de modo demasiado febril em chegar com Eddie a um lugar seguro antes que algum sujeito de rifle com mira telescópica estourasse a cabeça deles. Doía pensar naquelas mochilas companheiras de longa viagem ardendo no fogo que agora, sem a menor dúvida, teria consumido o armazém. Doía ainda mais imaginá-las nas mãos de Jack Andolini. Roland teve uma breve mas nítida imagem de sua bolsa pendurada no cinto de Andolini como troféu de batalha, como se fosse o couro cabeludo de um inimigo, e estremeceu.

— Roland? E quanto ao nosso...

— Temos nossos revólveres e essa é toda a bagagem de que precisamos — disse Roland, mais asperamente do que pretendia. — Jake tem o livro do *Chuu-Chuu* e posso fazer outra bússola se precisarmos de uma. Quanto ao mais...

— Mas...

— Se está falando de suas posses, filho, posso fazer algumas perguntas sobre elas quando chegar a hora — disse Cullum. — Mas por enquanto, acho que seu amigo tem razão.

Eddie *sabia* que o amigo tinha razão. Seu amigo estava quase *sempre* certo, o que era uma das poucas coisas que Eddie ainda detestava nele. Queria suas coisas, maldição, e não apenas por causa de uma calça jeans limpa e duas camisas limpas! Nem pela munição extra ou a faca de entalhe, por melhor que ela fosse. Havia um cacho do cabelo de Susannah em sua carteira de couro e os fios ainda carregavam um ligeiro sopro do cheiro dela. Era *isso* que ele lamentava. Mas o que estava feito estava feito.

— John — ele perguntou —, que dia é hoje?

A arrepiada sobrancelha grisalha do homem se elevou.

— Não sabe mesmo? — E quando Eddie balançou a cabeça: — Nove de julho. Ano de nosso Senhor de 1977.

Eddie soltou um assobio silencioso por entre os lábios franzidos.

Roland, com o último toco do cigarro Dromedário fumegando entre os dedos, fora até a janela para dar uma olhada. Nada atrás da casa além de árvores e alguns sedutores reflexos azuis do que Cullum chamava "o Keywadin". Mas aquela coluna de fumaça escura ainda se elevava no céu, como se quisesse lembrá-lo de que qualquer sensação de paz que pudesse ter sentido naqueles arredores era apenas ilusão. Tinham de sair de lá. E por mais preocupados que estivessem com Susannah Dean, tratava-se agora de encontrar Calvin Tower e resolver as questões que tinham com ele. E precisavam fazer isso depressa. Porque...

Como se lesse sua mente e concluindo seu pensamento, Eddie disse:

— Roland? Está se acelerando. O tempo deste lado está se acelerando.

— Eu sei.

— Isto significa que qualquer coisa que façamos, temos de fazer direito logo da primeira vez, porque neste mundo não se pode voltar para o passado. Não há segunda chance.

Roland também sabia disso.

2

— O homem que estamos procurando é de Nova York — disse Eddie a John Cullum.

— Sim, como muitos daqueles que vem para cá no verão.

— Seu nome é Calvin Tower. Está com um amigo chamado Aaron Deepneau.

Cullum abriu a estante de vidro com as bolas de beisebol, tirou uma com *Carl Yastrzemski* escrito naquele ponto perfeito para a rebatida e com aquela caligrafia estranhamente perfeita de que só atletas profissionais parecem ser capazes (para Eddie, era a ortografia que muitas vezes trazia problemas a eles) e começou a jogá-la de uma mão para outra.

— Pessoas de fora realmente lotam isso aqui assim que entra junho... sabe disso, não sabe?

— Sei — disse Eddie, já perdendo as esperanças. Era possível que o velho Duplo-Horror já tivesse encontrado Calvin Tower. Talvez a emboscada no armazém devesse servir apenas de sobremesa para Jack. — Acho que você não pode...

— Se não posso, então é melhor eu me aposentar — disse Cullum com animação, atirando a bola Yaz para Eddie, que a agarrou com a mão direita e passou a ponta dos dedos da mão esquerda sobre as costuras vermelhas. A sensação fez subir um nó totalmente inesperado à sua garganta. Se uma bola de beisebol não diz que você está em casa, o que mais vai dizer? Só que aquele mundo não era mais a sua casa. John tinha razão, ele era um aparecido.

— Aonde está querendo chegar? — Roland perguntou, enquanto Eddie lhe atirava a bola. Roland nem precisou desviar os olhos de John Cullum para pegá-la.

— Não ligo para nomes — disse John —, mas conheço praticamente todo mundo que vem para esta cidade. Conheço pela cara. Acho que isso acontece com qualquer zelador e que seja bom no que faça. Vocês querem saber quem está na sua área, não é? — Roland assentiu, compreendendo perfeitamente o que ele dizia. — Me digam como é a aparência do sujeito.

— Tem cerca de um metro e oitenta e pesa... ah, eu diria um pouco mais de cem quilos.

— Mais pra pesado, então.

— Com certeza. Já está com boas entradas na testa. — Eddie levou as mãos à própria cabeça e empurrou o cabelo para trás, expondo as têmporas (uma delas ainda vertia sangue graças à sua quase-fatal passagem pela Porta Desconhecida). Ele estremeceu um pouco com a dor que isto provocou no alto do braço esquerdo, mas ali o sangramento já havia parado. Eddie estava mais preocupado com a bala que se alojara na perna. Naquele momento, o Percodan de Cullum estava lidando com a dor, mas se a bala continuava lá (e Eddie achava que talvez continuasse) em algum momento teria de ser retirada.

— Qual é a idade dele? — Cullum perguntou.

Eddie olhou para Roland, que apenas balançou a cabeça. Será que Roland chegara realmente a ver o Tower? Naquele momento particular, Eddie não podia lembrar. Achava que não.

— Acho que está na faixa dos cinquenta.

— É o colecionador de livros, não é? — Cullum perguntou e riu com a expressão de surpresa de Eddie. — Já disse: mantenho um olho atento em cima do pessoal do verão. Você nunca sabe quando alguém vai mostrar que é um safado. Talvez até ladrão mesmo. Oito ou nove anos atrás tivemos uma mulher de Nova Jersey que acabou se revelando incendiária. — Cullum balançou a cabeça. — Parecia uma bibliotecária de cidade pequena, o tipo de senhora que não enxotaria um ganso, e estava tocando fogo em celeiros por toda Stoneham, Lovell e Waterford.

— Como sabe que o homem trabalha com livros? — Roland perguntou e atirou a bola para Cullum, que imediatamente atirou-a para Eddie.

— Eu não sabia *disso* — disse John. — Só sei que os coleciona, porque foi o que ele contou a Jane Sargus. Jane tem uma lojinha bem no acesso para a Dimity Road, na rota 5. Fica a cerca de um quilômetro e meio ao sul daqui. A Dimity Road é onde o sujeito que vocês procuram está com seu amigo, se é que estamos falando das mesmas pessoas. E acho que estamos.

— O nome do amigo dele é Deepneau — disse Eddie, atirando a bola Yaz para Roland. O pistoleiro pegou-a, atirou-a para Cullum, depois foi até a lareira e jogou a guimba do cigarro na pequena pilha de troncos atrás da grade.

— Não ligo para nomes, como já disse, mas o amigo é magricela e parece ter uns setenta anos. Anda como se os quadris doessem um pouco. E usa óculos com armação de metal.

— É esse o cara, com certeza — disse Eddie.

— Janey tem um pequeno ponto chamado Country Collectibles. Tem alguma mobília em exposição, cômodas, armários e coisas assim, mas a especialização dela são louças, artigos de vidro e livros antigos. Tem uma placa na frente informando isso.

— Então Cal Tower... O quê? Entrou e começou a olhar as coisas? — Eddie não podia acreditar naquilo, mas ao mesmo tempo, podia. Tower relutara em deixar Nova York mesmo após Jack e George Biondi terem ameaçado queimar seus livros mais valiosos bem diante de seus olhos. E assim que chegara ali com Deepneau, o tolo se identificou nos correios, para poder receber correspondência... ou pelo menos Aaron se identificara, e no tocante aos bandidos, um era tão bom quanto o outro. Callahan deixara um bilhete para Calvin Tower mandando que parasse de divulgar sua presença em East Stoneham. *Como pode ser tão idiota???*, dizia o último bilhete do père a sai Tower e parece que a resposta foi ainda mais burra do que ele poderia esperar.

— Bem — disse Cullum —, ele fez muito mais do que apenas dar uma olhada na loja. — Seus olhos, azuis como os de Roland, estavam brilhando. — Comprou duzentos dólares em coisas para ler. Pagos com cheques de viagem. Depois pediu a Jane uma relação dos sebos na área. Até que tem alguns, contando o Notions em Norway, e o tal de Seu Lixo, Meu Tesouro, em Fryeburg. Depois ele a fez anotar os nomes de alguns habitantes locais que têm coleções de livros e às vezes os vendem em casa. Jane estava tremendamente entusiasmada. Contou a conversa dele pela cidade toda, foi o que fez.

Eddie pôs a mão na testa e gemeu. Era o homem que tinha conhecido, sem dúvida. Era Calvin Tower cuspido e escarrado. O que teria passado na cabeça dele? Que bastava se safar para o norte de Boston para ficar seguro?

— Sabe como podemos encontrá-lo? — Roland perguntou.

— Ah, posso fazer melhor do que isso. Posso levá-los ao lugar onde eles estão.

Roland estivera atirando a bola de uma mão para outra. Agora parava e balançava a cabeça.

— Não. Você vai para outro lugar.

— Onde?

— Qualquer lugar em que fique seguro — disse Roland. — Mais que isso, sai, não preciso saber. Nem eu nem ele.

— Bem, não estou entendendo muito bem o que se passa, mas essa história não está me agradando.

— Não importa. O tempo é curto. — Roland pensou, depois disse: — Tem um cartomóbile?

Cullum pareceu momentaneamente confuso, depois riu.

— Positivo, tenho um cartomóbile e um caminhão-móbile. Estou bem aparelhado. — A última palavra saiu como *aparlhado*.

— Então pode nos mostrar o lugar onde encontraremos Tower na Dimity Road... E quanto a Eddie... — Roland hesitou um instante. — Eddie, você ainda sabe dirigir?

— Roland, você está me magoando.

Roland, nunca um sujeito muito bem-humorado mesmo nos melhores dias, não sorriu. Voltou sua atenção para o dan-tete, pequeno salvador, que o ka pusera no caminho deles.

— Assim que encontrarmos Tower, você seguirá seu trajeto, John. Seu caminho é diferente do nosso. Tire umas férias curtas, se lhe couber. Dois dias devem bastar; depois poderá voltar a seus negócios.

Roland torcia para que o assunto com Tower ali em East Stoneham estivesse resolvido até o pôr do sol, mas não quis se amaldiçoar, dizendo isso.

— Acho que ainda não percebeu que estou em uma fase de muito trabalho — disse Cullum estendendo as mãos para Roland lhe atirar a bola. — Tenho uma casa de barcos para pintar... Tenho um celeiro que precisa de uma mexida no telh...

— Se ficar conosco — disse Roland — provavelmente jamais consertará outro celeiro.

Cullum olhou-o com uma sobrancelha levantada, sem dúvida tentando avaliar a seriedade de Roland e não gostando muito do resultado.

Enquanto isso se passava, Eddie retornava à questão: Roland tinha ou não visto Tower com seus próprios olhos. E agora percebia que sua primeira resposta a essa questão fora errada: Roland *tinha* sim visto Tower.

Claro que tinha. Fora Roland quem puxou aquela estante cheia das primeiras edições de Tower para dentro da Gruta da Porta. Roland olhava diretamente para ele. O que viu foi provavelmente distorcido, mas...

Essa linha de pensamento avançou e, pelo aparentemente inevitável processo de associação, a mente de Eddie voltou aos preciosos livros de Tower, raridades como *A Dogan*, de Benjamin Slightman, Jr., e *'Salem*, de Stephen King.

— Vou só pegar minhas chaves e podemos ir — disse Cullum, mas antes que ele pudesse se virar, Eddie chamou:

— Espere.

Cullum olhou-o de maneira questionadora.

— Acho que ainda temos mais coisas para conversar. — E estendeu as mãos para a bola de beisebol.

— Eddie, nosso tempo é curto — disse Roland.

— Sei disso. — *Provavelmente melhor do que você, já que é em cima da minha esposa que o relógio corre mais.* — Se eu pudesse deixaria esse bosta do Tower para Jack e me concentrava em voltar para Susannah. Mas o ka não me deixará fazer isso. Esse seu maldito e velho ka.

— Precisamos...

— Cale a boca. — Eddie nunca falara assim com Roland, mas naquele momento as palavras saíram por conta própria e ele não sentiu nenhum impulso para retirá-las. Em sua mente, ouvia um fantasmagórico canto da Calla: *Commala-vem-vem, a confabulação não terminou.*

— O está pensando? — Cullum perguntou a Eddie.

— Um homem chamado Stephen King. Conhece esse nome?

E viu, pela expressão de Cullum, que ele conhecia.

3

— Eddie — disse Roland em um modo estranhamente hesitante que o homem mais novo jamais ouvira. *Está tão perdido quanto eu.* Não era uma ideia confortadora. — Andolini ainda pode estar atrás de nós. Pior, pode estar procurando Tower, agora que escapamos por entre seus dedos... E como sai Cullum deixou perfeitamente claro, Tower se colocou em uma posição de presa fácil.

— Escute — respondeu Eddie. — Estou dando um palpite aqui, mas desconfio que seja *bem* mais que um palpite. Encontramos um homem, Ben Slightman, que escreveu um livro em outro mundo. O mundo de *Tower*. *Este* mundo. E conhecemos outro, Donald Callahan, que era um *personagem* em um livro de um outro mundo. De novo, *este* mundo. — Cullum tinha atirado a bola e Eddie agora a rebatia com a mão por baixo, com força, a Roland. O pistoleiro pegou-a facilmente.

— Pode não parecer uma grande coisa, mas afinal temos sido atormentados por livros, não é? *A Dogan. O Mágico de Oz. Charlie Chuu-Chuu.* Até mesmo a redação final de Jake. E agora *'Salem*. Acho que se esse Stephen King é real...

— Ah, ele é real, pode crer — disse Cullum, olhando de relance pela janela e vendo o lago Keywadin, prestando atenção no som das sirenes na outra margem. E vendo a coluna de fumaça que se espalhava pelo céu azul com seu feio borrão. Ele estendeu as mãos para a bola de beisebol e Roland atirou-a em um pequeno arco cujo apogeu quase arranhou o teto. — E li esse livro que te deixou tão agitado. Comprei-o na cidade, na Bookland. Também achei excelente.

— Uma história de vampiros.

— Sim, ouvi o autor falando disso no rádio. Disse que tirou a ideia de *Drácula*.

— Você ouviu o escritor no rádio... — disse Eddie. Estava com uma sensação tipo através-dos-olhos-do-espelho, junto-ao-buraco-do-coelho, ao-largo-de-um-cometa... Procurou atribuí-la ao Percodan, mas não deu certo. De repente sentiu-se estranhamente irreal, uma espécie de sombra através da qual se podia quase enxergar, sombra fina como... bem, fina como uma página de livro. Percebia que aquele mundo, com o feixe do tempo no verão de 1977, parecia real de um modo como os demais ondes e quandos (incluindo aquele de onde vinha) não pareciam. E essa percepção era totalmente subjetiva, não era? Na verdade, parando para pensar, como alguém poderia saber de verdade que não passava de um personagem na história de algum escritor, ou um pensamento efêmero na cabeça de alguém, ou um cisco momentâneo no olho de Deus? Pensar naquilo tipo de coisa era absurdo e ficar refletindo sobre isso poderia realmente *induzir* à loucura.

E no entanto...

Dad-a-chum, dad-a-chee, não se preocupe, você tem a chave.

Chaves, minha especialidade, Eddie pensou. E então: *King é uma chave, não é? Calla, Callahan. O Rei Rubro, Stephen King, Rei. Será Stephen King o Rei Rubro deste mundo?*

Roland tinha se acalmado. Eddie tinha certeza de que não fora fácil para ele, mas o difícil sempre fora a especialidade de Roland.

— Se tem perguntas a fazer, pode fazer. — E o pistoleiro fez o gesto circular com a mão direita.

— Mal sei por onde começar, Roland. As ideias que tenho são tão grandes... tão... não sei, tão fundamentais e assustadoras pra caralho...

— Melhor ficar na simplicidade, então. — Roland pegou a bola quando Eddie a atirou, mas já parecia consideravelmente impaciente com aquele passar de bola. — Nós realmente precisamos começar a nos mexer.

Como Eddie sabia muito bem. Teria feito as perguntas enquanto estivessem já a caminho, se pudessem ter ido todos juntos no mesmo veículo. Mas não podiam e Roland jamais guiara um veículo a motor, o que tornava impossível que Eddie e Cullum fossem no mesmo carro.

— Tudo bem — disse Eddie. — Quem é ele? Vamos começar com isso. Quem é Stephen King?

— Um escritor — disse Cullum, dispensando a Eddie um olhar que dizia: *Está maluco, filho?* — Mora em Bridgton com a família. Pelo que ouvi falar, é um sujeito simpático.

— A que distância está Bridgton?

— Ah... A trinta, quarenta quilômetros.

— Que idade ele tem? — Eddie estava tateando, tremendamente consciente de que as perguntas certas podiam estar ali, só que não tinha ideia clara de que perguntas poderiam ser essas.

John Cullum fechou um olho e pareceu calcular.

— Não é muito velho, eu diria. Se entrou nos trinta, acabou de chegar lá.

— Este livro... *'Salem*... foi um best-seller?

— Não sei — disse Cullum. — Muita gente por aqui leu, isso eu posso dizer. Porque se passa no Maine. E por causa dos anúncios que rodaram na televisão, sabem. Fizeram também um filme do primeiro livro, mas nunca fui assistir. Parecia que é sangrento demais.

— Como se chamava?

Cullum pensou, depois balançou a cabeça.

— Não consigo me lembrar — disse. — Era apenas uma palavra e estou bem certo que era um nome de uma garota, mas é o máximo que posso lembrar. Talvez ainda me ocorra.

— Ele não é um aparecido, é?

Cullum riu.

— Nascido e criado bem aqui no estado do Maine. Acho que isso o torna um *criado*.

Roland estava olhando para Eddie com impaciência crescente e Eddie achou melhor desistir. Aquilo estava pior que um programa de perguntas e respostas. Mas, maldição, père Callahan era real e também estava em um livro de ficção escrito por aquele tal de King, e King morava em uma área que era um ímã para o que Cullum chamava de aparecidos. A descrição de um desses aparecidos lembrara muito a Eddie uma serva do Rei Rubro. Uma mulher de cabeça calva que parecia ter um olho sangrando no centro da testa, John dissera.

Hora de deixar aquilo de lado e se preocupar com Tower. Por mais irritante que pudesse ser, Calvin Tower possuía um certo terreno vazio onde a mais preciosa das rosas do universo florescia em estado selvagem. Além disso, ele conhecia todo tipo de coisa sobre livros raros e as pessoas que os tinham escrito. Era bem provável que soubesse mais sobre o autor de *'Salem* do que sai Cullum. O tempo ia dizer. Mas...

— Tudo bem — disse Eddie, atirando a bola de volta para o Cullum. — Tranque essa coisa e vamos para a Dimity Road. Se não se importa, só mais duas perguntas.

Cullum deu de ombros e devolveu a bola Yaz à estante.

— É a sua prioridade.

— Eu sei — disse Eddie... e, de repente, pela segunda vez desde que cruzara aquela porta, Susannah pareceu estranhamente próxima. Ele a viu sentada em uma sala cheia de equipamentos de pesquisa e vigilância, todos de aparência antiquada. Era a Dogan de Jake, sem dúvida... mas imaginada por Susannah. Ele a viu falando a um microfone e, embora não pudesse ouvi-la, reparou na barriga inchada, no rosto assustado. Agora Susannah parecia *muito* grávida, onde quer que estivesse. Grávida e pronta para entrar em trabalho de parto. Eddie sabia muito bem o que ela estava dizendo: *Venha, Eddie, me salve, Eddie, salve a nós dois, faça isso antes que seja tarde demais.*

— Eddie? — Roland chamou. — Você ficou pálido. Algum problema com a perna?

— É — disse Eddie, embora naquele momento a perna não estivesse doendo em absoluto. Pensou de novo em entalhar uma chave. A terrível responsabilidade de saber que precisava ser feita do jeito totalmente certo. Porque lá estava ele de novo, exatamente na mesma situação. Tinha algo perto de si, sabia que sim… mas o quê? — É, minha perna.

Passou o braço na testa para limpar o suor.

— John, em relação ao nome do livro, *'Salem*. Na verdade é Jerusalem's Lot, certo?

— Isso.

— É o nome da cidade do livro.

— Isso.

— O segundo livro de Stephen King.

— Isso.

— Seu segundo romance.

— Eddie — disse Roland —, acho mesmo que já chega.

Eddie enxotou-o com a mão e fez uma careta por causa da dor no braço. Sua atenção estava fixada em John Cullum.

— Não *há* nenhuma Jerusalem's Lot por aqui, certo?

Cullum olhou para Eddie como se ele tivesse perdido o juízo.

— Claro que não. É uma história inventada, sobre pessoas inventadas, em uma cidade inventada. É sobre *vampiros*.

Sim, Eddie pensou, *e se eu dissesse a você que tenho razões para acreditar que vampiros são coisas reais, para não mencionar demônios invisíveis, bolas de cristal e bruxas, você teria certeza absoluta de que eu perdi o juízo, não é?*

— Por acaso sabe se Stephen King morou a vida inteira nesta tal de Bridgton?

— Não, não morou. Mudou-se com a família para lá há uns dois, talvez três anos atrás. Acho que moraram primeiro em Windham quando vieram da parte norte do estado. Ou talvez em Raymond. Seja como for, em uma das cidades sobre o lago Big Sebago.

— Seria correto dizer que esses aparecidos que você mencionou têm chegado desde que o sujeito se mudou para a região?

As espessas sobrancelhas de Cullum se elevaram, depois se juntaram. Um apito alto e ritmado começou a chegar até eles vindo da água. Parecia uma buzina de cerração.

— Bem — disse Cullum —, pode haver alguma coisa aí, filho. Pode ser apenas coincidência, mas talvez não.

Eddie assentiu. Sentia-se emocionalmente exausto, como um advogado no fim de um longo e difícil interrogatório.

— Vamos embora — ele disse a Roland.

— Pode ser uma boa ideia — disse Cullum inclinando a cabeça na direção dos toques ritmados da buzina. — É o barco de Teddy Wilson. Ele é o chefe de polícia do condado. É também o guarda-florestal. — Desta vez John atirou para Eddie um molho de chaves de carro em vez de uma bola de beisebol. — Estou dando a você o automático. Para o caso de estar mesmo um pouco enferrujado. O caminhão tem câmbio manual. Venha atrás de mim e, se tiver algum problema, toque a buzina.

— Vou sim, acredite — disse Eddie.

Quando saíam com John Cullum, Roland perguntou:

— Foi de novo Susannah? Foi por isso que a cor sumiu do seu rosto?

Eddie assentiu a cabeça.

— Vamos tentar ajudá-la — disse Roland —, mas este pode ser nosso único caminho até ela.

Eddie sabia disso. Também sabia que, quando conseguissem alcançá-la, talvez fosse tarde demais.

LINHA: *Commala-ka-tino*
Estás nas mãos do destino.
Não importa se és ou não realidade,
Já é cada vez mais tarde.

RESPOSTA: *Commala-venha-oito!*
Já é cada vez mais tarde!
Não importa a sombra que jogues
Estás nas mãos do destino.

Nona estrofe

EDDIE MORDE A LÍNGUA

1

Père Callahan tinha feito uma breve visita ao correio de East Stoneham quase duas semanas antes da batalha no armazém de Chip McAvoy. No correio, o antigo padre da paróquia de Jerusalem's Lot escrevera uma nota apressada. Embora endereçado tanto a Aaron Deepneau quanto a Calvin Tower, o bilhete no interior do envelope fora dirigido ao segundo, e seu tom não era particularmente amigável:

27/6/77

Tower

Sou amigo do cara que o ajudou naquela história do Andolini. Não importa onde esteja, precisa sair daí. Procure um celeiro, um acampamento abandonado, até mesmo um velho galpão se for preciso chegar a tanto. Provavelmente não terá conforto, mas não esqueça que a alternativa é ser morto. <u>E cada palavra que estou dizendo é séria!</u> Deixe algumas luzes acesas onde está agora e coloque o carro na garagem ou diante da casa. Esconda um bilhete com indicações do lugar para onde for debaixo do tapete do banco do motorista ou embaixo de um degrau da varanda dos fundos. Entraremos em contato. Não esqueça que somos os únicos que podem aliviá-lo do fardo que você carrega. Mas se vamos ajudá-lo, você também tem de nos ajudar.

Callahan, do Eld

E que esta ida à agência do correio tenha sido a sua ÚLTIMA! Como pode ser tão idiota???

Callahan tinha arriscado a vida para deixar este bilhete e Eddie, sob o encanto do Treze Preto, quase perdera a dele. E o resultado efetivo desses riscos e bilhetes urgentes? Ora, Calvin Tower tinha iniciado uma alegre excursão pela área rural do oeste do Maine, visitando sebos atrás de livros raros e esgotados.

Seguindo John Cullum pela rota 5, com Roland sentado silenciosamente do seu lado, depois virando atrás de Cullum na Dimity Road, Eddie sentia seu humor se aproximar perigosamente da zona vermelha.

Vou precisar colocar as mãos nos bolsos e morder a língua, pensou, mas neste caso não sabia sequer se isso seria o suficiente.

2

A cerca de três quilômetros da rota 5, o Ford F-150 de Cullum dobrou à direita, saindo da Dimity Road. A entrada tinha duas placas em um poste enferrujado. A de cima dizia ROCKET ROAD. Embaixo havia outra (mais enferrujada ainda) que prometia CHALÉS NA BEIRA DO LAGO PARA FINAIS DE SEMANA OU TEMPORADA. A Rocket Road era pouco mais que uma trilha serpenteando por entre as árvores e Eddie seguia a uma boa distância de Cullum para se esquivar do forte rastro de poeira que o velho caminhão do novo amigo deles ia atirando para trás. O "cartomóbile" era outro Ford, algum modelo anônimo de duas portas que Eddie não teria sabido identificar sem dar uma olhada no cromo da traseira ou no manual do proprietário. Mas era uma experiência quase religiosa poder estar novamente dirigindo, sem nenhum cavalo em suas pernas mas sim com várias centenas deles prontos para disparar ao menor movimento de seu pé direito. Também era bom ouvir o som das sirenes ficando para trás, cada vez mais longe.

As sombras das árvores debruçadas sobre a estrada os engoliam. O cheiro dos pinheiros e abetos era simultaneamente doce e ácido.

— Belo lugar — disse o pistoleiro. — Um homem podia passar o resto da vida aqui. — Foi seu único comentário.

O caminhão de Cullum começou a cruzar entradas numeradas de casas. Embaixo de cada número, uma pequena inscrição dizia JAFFORDS — LOCAÇÕES. Eddie pensou em lembrar a Roland que tinham conhecido um Jaffords em Calla, que o tinham conhecido muito bem, mas resolveu ficar calado. Teria sido bater na tecla do óbvio.

Passaram o 15, o 16 e o 17. Cullum parou brevemente para observar o número 18, depois estendeu o braço pela janela e fez sinal para seguirem. Eddie já estava pronto para seguir antes mesmo do gesto, sabendo perfeitamente bem que o chalé 18 não era o que eles queriam.

Cullum virou no próximo acesso de garagem. Eddie foi atrás, os pneus do sedã agora sussurrando em uma grossa camada de folhas caídas de pinheiro. Pedacinhos de céu azul começaram mais uma vez a aparecer entre as árvores, mas quando finalmente atingiram o chalé 19 e tiveram uma vista da água, Eddie percebeu que aquele, ao contrário do Keywadin, era um lago de verdade. Ainda assim, provavelmente não muito mais largo que um campo de futebol. O chalé parecia ter dois quartos. Havia uma varanda fechada com tela de frente para a água e duas cadeiras de balanço meio gastas, mas que pareciam confortáveis. Uma chaminé de metal saía do teto. Não havia garagem nem carro estacionado na frente, embora Eddie achasse que conseguia discernir o lugar onde um carro tinha estado. Só que, com a cobertura das folhas, era difícil dizer com certeza.

Cullum desligou o motor do caminhão. Eddie fez o mesmo com o carro. Agora havia apenas o marulhar da água contra as pedras, o sopro da brisa através dos pinheiros e o som suave do canto dos passarinhos. Quando Eddie olhou para a direita, viu o pistoleiro sentado com as mãos habilidosas, de longos dedos, dobradas pacificamente no colo.

— O que está achando da coisa? — perguntou Eddie.

— Tranquila. — A palavra foi dita à maneira de Calla: *Tranquii-lá.*

— Alguém aqui?

— Acho que sim, tem.

— Perigo?

— Tem. Do meu lado.

Eddie olhou para ele, franzindo a testa.

— Você, Eddie... Você quer matá-lo, não é?

Após um momento, Eddie admitiu que sim. Esta parte descoberta de sua natureza, simples e selvagem, às vezes o deixava pouco à vontade, mas ele não podia negar a sua presença. Mas quem, afinal, a fizera aflorar e a afiara até o máximo possível?

Roland assentiu a cabeça.

— Entrou na minha vida, depois de anos vagando no deserto, tão solitário quanto qualquer eremita, um jovem melancólico e introspectivo cuja única ambição era continuar tomando uma droga que fez pouco mais do que fazê-lo fungar e ficar com sono. Este era um irresponsável egoísta, um falastrão com pouca coisa boa...

— Mas de boa — disse Eddie. — Não se esqueça disso. Um gato que era uma verdadeira máquina do sexo.

Roland olhou-o sem sorrir.

— Se eu consegui naquela época resistir à tentação de matá-lo, Eddie de Nova York, você pode conseguir resistir à tentação de matar Calvin Tower agora. — E com isso Roland abriu a porta de seu lado do carro e saltou.

— Bem, se *você* diz — Eddie falou para o interior do carro de Cullum e depois também saltou.

3

Cullum ainda estava atrás do volante do caminhão quando primeiro Roland e depois Eddie se aproximaram.

— O lugar me parece vazio — disse —, mas estou vendo uma luz na cozinha.

— Hum-hum — disse Eddie. — John, eu tenho...

— Não me diga, você tem outra pergunta. A única pessoa que conheço que tem mais perguntas é meu sobrinho-neto Aidan. Ele acabou de completar três anos. Vamos lá, pergunte.

— Você pode apontar com precisão o centro da atividade dos aparecidos nesta área nos últimos anos? — Eddie não fazia ideia do motivo que o levava a fazer tal pergunta, mas de repente ela lhe parecera vitalmente importante. Cullum pensou e respondeu:

— A Via do Casco da Tartaruga, em Lovell.

— Você parece ter certeza.

— Sim. Se lembra quando mencionei meu amigo Donnie Russert, o professor de história de Vandy?

Eddie assentiu.

— Bem, após encontrar uma dessas criaturas em pessoa, ele se interessou pelo fenômeno. Escreveu vários artigos sobre o assunto, embora nenhuma revista respeitável o publicasse, por mais bem documentados que estivessem os fatos que abordava. Ele disse que escrever sobre os aparecidos no oeste do Maine ensinou-lhe algo que jamais esperara aprender em uma idade tão avançada: que há coisas em que as pessoas simplesmente não acreditam, mesmo quando você consegue provar a sua existência. Donnie costumava citar o verso de um poeta grego. "A coluna da verdade tem um buraco no meio."

"De qualquer modo — Cullum continuou —, ele tinha um mapa da área das sete cidades pendurado em uma parede do estúdio: Stoneham, East Stoneham, Waterford, Lovell, Sweden, Fryeburg e East Fryeburg. Com tachinhas espetadas para cada aparecido reportado, entende?"

— Entendo muito bem, com certeza — disse Eddie.

— E vou acrescentar... sim, a Via do Casco da Tartaruga é o coração da área. Ora, há seis ou oito tachinhas espetadas ali e a maldita estrada não pode ter mais de três quilômetros de uma ponta à outra; é apenas um anel que sai da rota 7, corre pela costa do lago Kezar e volta à 7.

Roland estava olhando para a casa. Agora se virou para a esquerda, parou e estendeu a mão esquerda para o cabo de madeira de sândalo de seu revólver.

— John — disse ele —, foi bom nos encontrarmos, mas está na hora de você ir embora daqui.

— É? Tem certeza?

Roland assentiu.

— Os homens que vieram para cá são tolos — disse. — A casa ainda tem o cheiro dos tolos, que é em parte como eu sei que eles não saíram daqui. Você não é da espécie deles.

John Cullum sorriu levemente.

— Espero que não — disse ele —, mas eu gostaria de agradecer pelo elogio. — Então ele fez uma pausa e coçou a cabeça grisalha. — Se é que foi um elogio.

— Não comece a achar que eu não estava falando sério quando você chegar à rodovia. Ou pior, não comece a achar que não estivemos absolutamente aqui, que você sonhou tudo isso. Não volte para sua casa, nem mesmo para apanhar uma camisa. Já não é mais segura. Vá para outro lugar. A pelo menos três miradas na direção do horizonte.

Cullum fechou um olho e pareceu calcular.

— Nos anos 1950, passei dez anos miseráveis como guarda na Prisão Federal do Maine — disse ele —, mas conheci um homem incrivelmente gentil chamado...

Roland balançou a cabeça e levou aos lábios os dois dedos restantes da mão direita. Cullum assentiu.

— Bem, esqueci o nome dele, mas ele mora lá em Vermont e tenho certeza de que vou me lembrar... talvez até do endereço... quando estiver atravessando a divisa de New Hampshire.

Algo do que ele disse pareceu a Eddie um tanto falso, mas Eddie não conseguiu enxergar o que lhe fez ter essa sensação e acabou achando que era apenas paranoia. John Cullum não escondia nada nas mangas... certo?

— Espero que fique bem — disse, agarrando a mão do velho. — Longos dias e belas noites.

— O mesmo para vocês, rapazes — respondeu Cullum, trocando um aperto de mão com Roland. Ficou um momento segurando os três dedos da mão direita do pistoleiro. — Acha que foi Deus que salvou minha vida lá atrás? Quando as balas começaram a voar?

— Sim — disse o pistoleiro. — Se preferir assim. E que agora ele vá com você.

— E quanto àquele meu velho Ford...

— Vamos deixar aqui ou em algum lugar por perto — disse Eddie.

— Você vai encontrá-lo ou alguém vai. Não se preocupe.

Cullum sorriu.

— Era exatamente o que eu ia pedir que fizessem.

— *Vaya con Dios* — disse Eddie.

Cullum sorriu.

— Desejo o mesmo para você, filho. E tome cuidado com esses aparecidos. — Ele fez uma pausa. — Alguns não são lá muito simpáticos. Segundo dizem.

Cullum engrenou o caminhão e partiu. Roland ficou a observá-lo se afastar e disse:

— Dan-tete.

Eddie concordou. Dan-tete. O pequeno salvador. Era tão útil para descrever John Cullum — agora que ele saíra da vida deles como os velhos habitantes de River Crossing — quanto qualquer outro rótulo. E ele se fora, certo? Embora houvesse algo estranho no modo como falara do amigo em Vermont…

Paranoia.

Simples paranoia.

Eddie deixou de lado.

4

Como não havia qualquer carro à vista, e portanto nenhum tapete do lado do banco do motorista sob o qual olhar, Eddie ia examinar o que havia embaixo do degrau da varanda. Mas antes que pudesse dar mais que um simples passo naquela direção, Roland agarrou seu ombro com uma das mãos e apontou com a outra. O que Eddie viu foi uma encosta coberta de mato descendo até a água e o telhado do que provavelmente seria outra casa de barcos, os beirais verdes cobertos por uma camada de folhas secas de pinheiros.

— Tem alguém ali — disse Roland, os lábios mal se movendo. — Provavelmente o menos tolo dos dois, e está nos observando. Levante suas mãos.

— Roland, acha que é seguro?

— Sim. — Roland ergueu as mãos. Eddie pensou em como chegara a essa conclusão, e soube a resposta sem precisar perguntar: intuição. Era a especialidade de Roland. Com um suspiro, Eddie ergueu as mãos até os ombros.

— Deepneau! — Roland gritou na direção do abrigo de barcos. — Aaron Deepneau! Somos amigos e nosso tempo é curto! Se está aí, saia! Precisamos confabular!

Houve uma pausa, e então uma voz de velho gritou:

— Qual é o nome do senhor?

— Roland Deschain, de Gilead e da linhagem do Eld. Acho que sabe disso.

— E qual é sua ocupação?

— Trabalho com chumbo! — Roland respondeu e Eddie sentiu um arrepio retesar seus braços.

Uma longa pausa. Então:

— Mataram Calvin?

— Não que *nós* tenhamos conhecimento — Eddie retornou. — Se sabe de alguma coisa, por que não vem até aqui e nos conta?

— Você é o cara que apareceu enquanto Cal estava negociando com aquele babaca do Andolini?

Eddie sentiu outro pulsar de raiva com a palavra *negociando*. Era uma maneira muito distorcida de descrever o que estava se passando na sala dos fundos de Tower.

— Uma negociação? Foi o que ele te falou que era aquilo? — E então, sem esperar pela resposta de Aaron Deepneau: — É, sou o cara. Venha até aqui fora e vamos conversar.

Nenhuma resposta. Vinte segundos se passaram. Eddie respirou fundo antes de fazer menção de chamar novamente Deepneau. Roland pôs a mão no braço de Eddie e balançou a cabeça. Outros vinte segundos transcorreram e houve então o guincho enferrujado de uma mola quando a porta de tela foi empurrada. Um homem alto e magro saiu da casa de barcos, piscando como uma coruja. Com uma das mãos segurava pelo cano uma grande pistola automática preta. Deepneau ergueu-a sobre a cabeça.

— É uma Beretta e está descarregada — disse. — Meu único pente de balas está no quarto, embaixo das minhas meias. Armas carregadas me deixam nervoso, certo?

Eddie revirou os olhos. Aquele pessoal eram os próprios piores inimigos, como Henry poderia ter dito.

— Ótimo — falou Roland. — Continue se aproximando.

E — milagres, ao que parecia, aconteciam — Deepneau obedeceu.

5

O café que ele fez era muito melhor que qualquer café que tivessem tomado em Calla Bryn Sturgis, e melhor que qualquer café que Roland tivesse tomado desde seus dias em Mejis, o café espumoso que bebia quando cavalgava pela Baixa. Havia também morangos. Cultivados em estufa e comprados em loja, disse Deepneau, mas Eddie foi arrebatado pela doçura da fruta. Estavam os três sentados na cozinha da Jaffords Locações, Chalé 19, tomando o café e mergulhando os grandes morangos no açucareiro. Quando a confabulação chegou ao fim, os três pareciam assassinos que tinham mergulhado a ponta dos dedos no sangue derramado da última vítima. O revólver descarregado de Deepneau ficara jogado no peitoril da janela.

Deepneau estivera na rua, fazendo uma caminhada na Rocket Road, quando ouviu os tiros, altos, nítidos, e depois explosões. Entrara correndo no chalé (não que fosse capaz de correr muito depressa na sua atual forma física, explicou) e quando viu a fumaça começar a subir no sul achou que voltar para o abrigo de barcos poderia, sem dúvida, ser uma atitude sensata. Já então estava praticamente convencido de que, por trás do tiroteio, havia aquele meliante italiano, Andolini...

— O que está querendo dizer por *voltar* ao abrigo de barcos? — Eddie perguntou.

Deepneau mexeu os pés debaixo da mesa. Parecia extremamente pálido, com manchas roxas sob os olhos e poucos tufos de cabelo, finos como felpa de dente-de-leão, na cabeça. Eddie se lembrava de Tower dizendo que, dois anos atrás, Deepneau recebera um diagnóstico de câncer. Hoje ele não estava com uma cara muito boa, mas Eddie havia visto gente — especialmente na cidade de Lud — com aparência muito pior. Gasher, amigo de Jake, fora um deles.

— Aaron? — Eddie chamou. — O que você quis dizer por...

— Ouvi a pergunta — disse ele, em um certo tom de irritação. — Tínhamos recebido um bilhete via posta-restante, ou melhor, Cal recebera, sugerindo que nos mudássemos do chalé para algum lugar próximo e mantivéssemos uma conduta muito discreta. O bilhete veio de um homem chamado Callahan. Vocês o conhecem?

Roland e Eddie assentiram a cabeça.

— Esse Callahan... pode-se dizer que ele deu uma boa bronca no Cal.

Cal, Calla, Callahan, Eddie pensou e suspirou.

— Cal é, de um modo geral, um homem decente, mas não admite levar bronca, e o fato é que acabou se mudando comigo por alguns dias para a casa de barcos... — Deepneau fez uma pausa, possivelmente envolvido e uma breve luta com sua consciência. Depois continuou: — Na realidade dois dias. Só dois. E então Cal disse que éramos malucos, que ficar em um lugar úmido só servia para piorar sua artrite e que podia ouvir como minha respiração ficara difícil. "Se continuar assim vai acabar naquele hospital de merda em Norway", disse ele, "com pneumonia além de câncer." Disse que não havia a menor chance de Andolini nos encontrar ali, enquanto o rapaz... isto é, você

— ele apontou o dedo torto e manchado de morango para Eddie — ... ficasse de boca fechada. "Aqueles meliantes de Nova York não conseguem ir além de Westport sem uma bússola", disse Cal.

Eddie gemeu. Pela primeira vez na vida estava realmente detestando ter acertado em suas deduções.

— Cal achava que tínhamos sido muito cuidadosos. Mas quando eu disse: "Bem, *alguém* nos encontrou, este Callahan nos encontrou", Cal só respondeu: "É, é claro". — De novo o dedo apontado para Eddie. — *Você* deve ter dito ao sr. Callahan onde procurar pelo código postal, e depois disso foi fácil. E Cal acrescentou: "E o melhor que ele conseguiu chegar foi no correio, não é mesmo? Acredite em mim, Aaron, estamos seguros aqui. Ninguém sabe exatamente onde estamos, exceto a corretora de imóveis, e ela mora em Nova York."

Deepneau espreitou-os sob as sobrancelhas revoltas, depois mergulhou um morango no açúcar e comeu metade dele.

— Foi *assim* que você soube exatamente onde nos encontrar? Através da corretora?

— Não — disse Eddie. — Foi um habitante local. Ele nos trouxe direto a você, Aaron.

Deepneau se recostou.

— Eita!

— Eita, mesmo — disse Eddie. — Então vocês se mudaram de volta para este chalé e Cal continuou a procurar livros em vez de ficar escondido aqui lendo um. Correto?

Deepneau baixou os olhos para a toalha de mesa.

— Vocês têm de compreender que Cal é muito dedicado ao que faz. Os livros são a vida dele.

— Não — disse Eddie secamente —, Cal não é dedicado. Cal é *obcecado*, é isso que ele é.

— Pelo que entendo você é um libéu — disse Roland, falando pela primeira vez desde que Deepneau levara-os para o chalé. Acendera outro dos cigarros de Cullum (após tirar o filtro, como o homem tinha mostrado) e agora fumava com uma expressão que não parecia a Eddie em nada satisfeita.

— Um libéu? Não sei o...

— Um advogado.

— Ah. Bem, sim. Mas me aposentei desde que...

— Precisamos que interrompa seu retiro pelo tempo suficiente de preparar uma certa papelada — disse Roland, e logo explicou que tipo de papelada queria. Deepneau estava assentiu antes que o pistoleiro dissesse mais que meia dúzia de palavras e Eddie presumiu que Tower já colocara o amigo a par de um pouco do assunto. Nenhum problema. Mas Eddie não gostava da expressão no rosto de Deepneau. Ele, no entanto, deixou Roland terminar. Ao que parecia, aposentado ou não, Deepneau não esquecera o básico na relação com clientes potenciais.

Quando teve certeza de que Roland tinha acabado, Deepneau disse:

— Acho que devo lhe dizer que Calvin decidiu conservar um pouco mais esse bem específico.

Eddie bateu no lado não machucado de sua cabeça, tendo o cuidado de usar a mão direita para este pequeno teatrinho. O braço direito estava se enrijecendo e a perna começava mais uma vez a latejar entre o joelho e o tornozelo. Achava possível que o velho e bom Aaron estivesse viajando com alguns analgésicos pesados e anotou mentalmente que devia lhe pedir alguns.

— Desculpe — disse Eddie —, mas levei uma pancada na cabeça ao chegar a esta encantadora cidadezinha e acho que isso comprometeu minha capacidade de audição. Pensei ter ouvido você dizer que sai... que o sr. Tower decidiu não nos vender o terreno.

Deepneau sorriu, demonstrando cansaço.

— O senhor sabe perfeitamente bem o que eu disse.

— Mas ele *deveria* vendê-lo para nós! Era exatamente o que dizia o testamento de seu tataravô Stefan Toren!

— Cal diz que não foi bem assim — Aaron respondeu em um tom suave. — Pegue outro morango, sr. Dean.

— Não, obrigado!

— Pegue outro morango, Eddie — disse Roland, passando-lhe um.

Eddie pegou. Depois de pensar em esmagar a fruta contra o nariz do Comprido, Alto e Feio só para causar impacto, mergulhou-o primeiro em um pires de creme, depois no açucareiro. Começou a comer. E, droga, era difícil continuar amargo com tamanha doçura inundando a boca. Um fato do qual Roland (assim como Deepneau, é claro) estava sem dúvida consciente.

— Segundo Cal — disse Deepneau —, não havia nada no envelope que veio de Stefan Toren, salvo o nome deste homem. — Inclinou a cabeça quase inteiramente calva para Roland. — O testamento de Toren... coisa que nos tempos antigos era às vezes chamada de "carta-morta"... está há muito desaparecido.

— Eu sabia o que havia no envelope — disse Eddie. — Ele me perguntou e eu *sabia*!

— Foi o que ele me contou. — Deepneau olhou-o com ar impassível. — Ele disse que foi um truque que qualquer mágico de rua pode fazer.

— Ele também disse a você que *prometeu* nos vender o lote se eu lhe dissesse o nome? Que ele fez a porra de uma *promessa*?

— Ele alega ter estado sob considerável pressão ao fazer essa promessa. Como tenho certeza de que estava.

— Será que o filho da puta acha que não vamos pagar? — Eddie perguntou, as têmporas latejando de raiva. Alguma vez na vida ficara tão furioso? Possivelmente uma vez. Quando Roland se recusara a deixá-lo voltar para Nova York para que pudesse comprar heroína. — Será que acha? Porque vamos pagar. Podemos conseguir cada centavo que ele quer, e até mais. Juro pelo rosto do meu pai! E pelo coração do meu dinh!

— Me escute com atenção, rapaz, porque isto é importante.

Eddie olhou para Roland. Roland assentiu levemente a cabeça, depois esmagou o cigarro com o salto da bota. Eddie tornou a olhar para Deepneau, em silêncio, mas com um olhar carregado.

— Ele *diz* que este é exatamente o problema. Diz que vocês lhe pagariam uma soma ridiculamente baixa como sinal... um dólar é a soma usual nesses casos... e depois não vão pagar o resto. Alega que você tentou hipnotizá-lo e levá-lo a crer que você fosse um ser sobrenatural ou alguém com acesso a seres sobrenaturais... Para não mencionar um acesso a milhões da Holmes Dental Corporation... mas ele não se deixou enganar.

Eddie ficou boquiaberto de espanto.

— Estas são as coisas que Calvin *diz* — continuou Deepneau no mesmo tom calmo de voz —, mas não são necessariamente as coisas em que Calvin *acredita*.

— Que diabo está querendo dizer?

— Calvin tem dificuldade em se desfazer das coisas — disse Deepneau. — Ele é muito bom para descobrir livros raros e esgotados, você sabe... um verdadeiro Sherlock Holmes literário... e tem compulsão para adquiri-los. Eu já o vi *caçar* o proprietário de um livro que ele quer... acho que não há outra palavra que possa dar conta da ideia... até o sujeito ceder e concordar em vender. Às vezes, tenho certeza, só para que Cal pare de telefonar.

"Graças a seus talentos, à localização de sua loja e à considerável soma de dinheiro que ganhou quando fez vinte e seis anos, Cal deveria ter se tornado um dos mais bem-sucedidos negociantes de livros raros de Nova York, ou até mesmo de todo o país. Seu problema não é comprar, mas vender. Depois que consegue um item que realmente trabalhou para adquirir, detesta se desfazer dele. Me lembro quando um colecionador de livros de San Francisco, um sujeito quase tão compulsivo quanto o próprio Cal, finalmente venceu Cal pela persistência, fazendo-o vender uma primeira edição autografada de *Moby Dick*. Cal fez mais de setenta mil dólares nessa única transação, mas passou uma semana sem dormir.

"Ele se sente mais ou menos da mesma maneira com relação ao terreno na esquina da Segunda Avenida com a rua Quarenta e Seis. É o único bem real, além dos livros, que ainda tem. E está convencido que você quer roubá-lo dele."

Houve um breve período de silêncio.

— Mas, no fundo — disse Roland por fim —, ele sabe que não é bem assim, não é?

— Sr. Deschain, não entendo o que...

— Sim, você entende — disse Roland. — Não falei a verdade?

— Sim — disse Deepneau. — Acredito que sim.

— No fundo, ele sabe perfeitamente que somos homens de honra, gente que pagará por sua propriedade, a não ser que morra antes de fechar o negócio, não é?

— Sim, provavelmente, mas...

— Será que ele entende que, se ele transferir para nós a propriedade do terreno, e se deixarmos esta transferência perfeitamente documentada ante o dinh de Andolini... o chefe dele, um homem chamado Balazar...

— Já ouvi falar — disse secamente Deepneau. — Aparece de tempos em tempos nos jornais.

— Que se fizermos isso, Balazar o deixará em paz? Isto é, se Balazar puder ser levado a compreender que o terreno não está mais em poder de seu amigo e que qualquer esforço para se vingar de sai Tower vai lhe custar caro?

Deepneau cruzou os braços sobre o peito estreito e esperou. Olhava para Roland com uma espécie de fascinação inquieta.

— Em suma, se seu amigo Calvin Tower nos vender aquele terreno, os seus problemas acabarão. Não acha que, *no fundo*, ele sabe disso?

— Sim — disse Deepneau. — Só que ele tem esta... esta excentricidade com relação à posse das coisas.

— Faça uma minuta — disse Roland. — Objeto: a quadra de terreno baldio na esquina daquelas duas ruas. Tower o vendedor. Nós como compradores.

— A Corporação Tet como compradora — Eddie interveio. Deepneau estava balançando a cabeça.

— Posso fazer isso, mas não o convencerão a vender. A menos que disponham de uma semana e não sejam avessos a usar ferros quentes nos pés dele. Ou talvez nos testículos.

Eddie murmurou alguma coisa a meia-voz. Deepneau perguntou o que ele havia dito. Eddie não respondeu. O que ele dissera fora: *Parece boa ideia.*

— Vamos convencê-lo — disse Roland.

— Não ficaria tão certo disso, meu amigo.

— Vamos convencê-lo — Roland repetiu. Falava em seu tom mais seco.

Do lado de fora, um carrinho anônimo (um típico Hertz de aluguel pelo que Eddie podia ver) avançou para a frente do chalé e parou.

Morda a língua, morda a língua, Eddie disse a si mesmo, mas quando Calvin Tower saltou vigorosamente do carro (não dispensando ao veículo desconhecido parado em sua porta mais que um olhar extremamente rápido), Eddie sentiu as têmporas começando a esquentar. Fechou as mãos em punhos e, quando as unhas se cravaram na pele da palma das mãos, sorriu em uma amarga apreciação da dor.

Tower abriu a mala do Chevy alugado e tirou de lá uma grande bolsa. *Sua leva mais recente*, Eddie pensou. Tower olhou brevemente para trás, viu o céu enfumaçado, deu de ombros e continuou a caminhar para o chalé.

Isso mesmo, Eddie pensou, *isso mesmo, seu babaca, só alguma coisa pegando fogo, o que isso interessa a você?* A despeito do latejar de dor que aquilo causava a seu braço febril, Eddie apertou os punhos com mais força, enfiando as unhas mais fundo.

Não pode matá-lo, Eddie, disse Susannah. *Sabe disso, não sabe?*

Sabia mesmo? E mesmo que soubesse, daria ouvidos à voz de Suze? Ou a qualquer outra voz da razão? Eddie não sabia. O que sabia era que a verdadeira Susannah se fora; Susannah tinha um macaco chamado Mia nas costas e desaparecera na goela do futuro. Tower, por outro lado, estava ali. O que, de certa forma, fazia sentido. Eddie lera em alguma lugar que os sobreviventes mais prováveis de uma guerra nuclear seriam as baratas.

Não importa, docinho, morda a língua e deixe Roland tratar disso. Não pode matá-lo!

Não, Eddie supunha que não.

Não, pelo menos até sai Tower ter assinado na linha pontilhada. Depois disso, entretanto... depois disso...

6

— Aaron! — Tower chamou ao subir os degraus da varanda. Roland olhou para Deepneau e colocou um dedo nos lábios.

— Aaron, ei, *Aaron*! — Tower parecia forte e feliz por estar vivo… Não alguém fugindo, mas um homem em um ótimo descanso de feriadão.

— Aaron, fui até a casa daquela viúva em East Fryeburg e, olha só!, ela tem todos os livros que Herman Wouk escreveu! Não as edições do clube do livro, que é o que eu esperava encontrar, mas…

O *croink!* da mola enferrujada da porta de tela sendo esticada foi seguido pela batida dos sapatos na varanda.

— … as primeiras edições da Doubleday! *Até o último alento*! *The Caine Mutiny*! Torço para alguém do outro lado do lago ter o seguro de incêndio em dia, porque…

Entrou. Viu Aaron. Viu Roland sentado na frente de Deepneau, olhando-o firmemente com aqueles assustadores olhos azuis de profundas rugas nos cantos. E, por último, viu Eddie. Mas Eddie não o viu. No último momento Eddie Dean colocara as mãos apertadas entre os joelhos e baixara a cabeça, de modo que seu olhar estava fixado nelas e nas tábuas do chão abaixo delas. Ele estava literalmente mordendo a língua. Havia duas gotas de sangue do lado de seu polegar direito. Fixou os olhos nelas. Fixou cada centímetro de sua atenção nelas. Porque se olhasse para o dono daquela voz jovial, Eddie certamente o mataria.

Viu o nosso carro. Viu-o mas não se deteve para dar uma olhada melhor. Não gritou nem perguntou ao amigo quem estava lá ou se estava tudo bem. Se Aaron *estava bem. Porque ele tinha um cara chamado Herman Wouk na cabeça, não edições do clube do livro, mas a coisa real. Fica tranquilo, amigo. Porque você, Tower, não tem mais imaginação de curto prazo que Jack Andolini. Você e Jack, só uma dupla de baratas maltrapilhas correndo pelo piso do universo. Olho no troféu, certo? Olho na porra do troféu.*

— *Você* — disse Tower. A felicidade e o entusiasmo tinham desaparecido de sua voz. — O cara de…

— O cara de lugar nenhum — disse Eddie sem erguer a cabeça. — Aquele que livrou você de Jack Andolini quando você estava a dois minutos de cagar nas calças. E é assim que você agradece. Você é mesmo um cara e tanto, não é? — Assim que parou de falar, Eddie tornou a morder a língua. Suas mãos apertadas estavam tremendo. Esperava que Roland interviesse (certamente ele o faria, Eddie não esperava ter de lidar sozinho com aquele monstro egoísta, não seria capaz de fazê-lo), mas Roland não disse nada.

Tower riu. O som foi tão nervoso e frágil quanto fora sua voz quando ele percebeu quem estava sentado na cozinha de seu chalé alugado.

— Ah, senhor… Sr. Dean… Realmente acho que exagerou a seriedade daquela situação…

— Do que eu me lembro — disse Eddie, ainda sem erguer a cabeça — é do cheiro da gasolina. Disparei o revólver do meu dinh, está lembrado? Acho que tivemos sorte de não haver vapores e de eu ter atirado para o lado certo. Tinham derramado gasolina por todo o canto onde fica sua escrivaninha. Iam queimar seus livros favoritos... ou eu deveria dizer seus melhores amigos, sua família? Porque é isso que eles são para você, não é? E Deepneau, que porra ele é? Só um cara velho cheio de câncer que fugiu para o norte com você quando você precisou de um companheiro de fuga. Você o deixaria morrendo em uma sarjeta se alguém lhe oferecesse uma primeira edição de Shakespeare ou alguma coisa especial de Ernest Hemingway.

— Não gostei nada do que disse! — Tower gritou. — Fiquei sabendo que minha livraria se incendiou por completo e que por um descuido não estava segurada! Estou arruinado e é tudo culpa sua! Quero você fora daqui!

— Você relaxou no seguro quando precisou de dinheiro vivo para comprar aquela coleção de Hopalong Cassidy do espólio de Clarence Mulford no ano passado — disse suavemente Aaron Deepneau. — Você me disse que a falta de pagamento do seguro era apenas temporária mas...

— E era! — disse Tower, que parecia simultaneamente insultado e surpreso, como se nunca tivesse esperado uma traição dessas vindo pelo amigo. Provavelmente nunca tinha acontecido. — *Era* apenas temporária, maldição!

— ... mas culpar este rapaz — continuou Deepneau no mesmo tom equilibrado e pesaroso — parece extremamente injusto.

— Quero você fora daqui! — Tower disparou para Eddie. — Você e seu amigo também! Não quero fazer negócios com você! Se algum dia pensou que eu queria, foi uma... *incompreensão*! — Pronunciou a última palavra como se anunciasse a entrega de um troféu; ela foi quase gritada.

Eddie apertou as mãos com ainda mais força. Nunca estivera mais consciente do revólver que estava carregando; ele adquirira uma espécie de peso que se fazia malignamente sentir. Seu corpo exalava um cheiro de suor; podia senti-lo. E agora gotas de sangue começavam a surgir entre sua palma e a cair no chão. Podia sentir os dentes começando a afundar na língua. Bem, era certamente um jeito de esquecer a dor na perna. Eddie decidiu dar à língua em questão um indulto breve e condicional.

— O que eu me lembro mais claramente da minha visita a você...

— Você tem alguns livros que me pertencem — disse Tower. — Eu os quero de volta. *Insisto* nisso...

— Cale a boca, Cal — disse Deepneau.

— *O quê?* — Agora Tower não parecia apenas levemente ofendido; parecia chocado. Quase sem fôlego.

— Pare de falar bobagens. Você mereceu essa repreensão e sabe disso. Se tiver sorte, vai ficar apenas na repreensão. Cale a boca e, pelo menos uma vez na vida, encare a situação como um homem.

— Escute bem o que ele está dizendo — disse Roland em um tom de seca aprovação.

— O que eu lembro mais claramente — Eddie continuou — é como você ficou horrorizado com o que eu disse a Jack... sobre como eu e meus amigos encheríamos a praça Grand Army de cadáveres se ele não desistisse. Alguns deles mulheres e crianças. Você não gostou disso, mas sabe de uma coisa, Cal? Jack Andolini está aqui, neste exato momento, aqui em East Stoneham.

— *Mentira!* — disse Tower. Ficou quase sem fôlego dizendo isso, transformando as palavras em um grito abafado.

— Deus — Eddie respondeu —, como seria bom se fosse mesmo mentira. Vi duas mulheres inocentes morrerem, Cal. Aconteceu no armazém. Andolini montou uma emboscada e se você fosse um homem devoto... suponho que não seja, a não ser que exista alguma primeira edição em risco de se perder... se você fosse devoto, cairia de joelhos e rezaria ao deus dos egoístas, obcecados, gananciosos, indiferentes e desonestos donos de livrarias para que tenha sido uma mulher chamada *Mia* quem contou ao dinh de Balazar onde nós poderíamos ser encontrados, *ela*, não você. Porque se eles tiverem seguido *você*, Calvin, o sangue daquelas duas mulheres está em *suas mãos*!

A voz de Eddie ia aos poucos se elevando e embora ele continuasse olhando firmemente para baixo, todo o seu corpo começara a tremer. Podia sentir os olhos saltando nas órbitas e as veias de tensão inchando no pescoço. Podia sentir os testículos se contraindo, ficando tão pequenos e duros quanto caroços de pêssego. Mais que tudo podia sentir o desejo de saltar pela sala, com a naturalidade de um bailarino, e enterrar as mãos no pescoço gordo e branco de Calvin Tower. Estava esperando que Roland interviesse, *torcendo* para que fizesse isso, mas o pistoleiro não se mexeu e a voz de Eddie continuava a subir para o inevitável grito de fúria.

— Uma dessas mulheres morreu de imediato, mas a outra... continuou em pé por alguns segundos. Uma bala arrancou o topo da cabeça dela. Acho que foi uma bala de metralhadora e, pelos segundos que permaneceu de pé, ela parecia um vulcão. Só que estava lançando sangue em vez de lava. Bem, mas provavelmente foi a Mia quem abriu o bico. Tenho a sensação de que foi ela. Não é uma sensação inteiramente lógica, mas felizmente para você é *forte*. Mia usando o que Susannah sabia e querendo proteger o carinha.

— Mia? Rapaz... Sr. Dean... não conheço...

— Cale a boca! — Eddie gritou. — Cale a boca, seu rato! Seu mentiroso, seu renegado! Projeto ganancioso, avarento e porco de homem! Por que não espalhou alguns cartazes pela rua? EI, SOU CAL TOWER! ESTOU VIVENDO NA ROCKET ROAD EM EAST STONEHAM! VENHAM ME FAZER UMA VISITA, A MIM E A MEU AMIGO, AARON! TRAGAM OS REVÓLVERES!

Aos poucos Eddie foi erguendo os olhos. Lágrimas de raiva escorriam pelo rosto. Tower recuara para a parede de um dos lados da porta, os olhos úmidos e arregalados na face redonda. O suor brotava na testa. Ele segurava a sacola com os livros recentemente adquiridos contra o peito como um escudo.

Eddie o encarava. O sangue gotejou entre as mãos fortemente cerradas; a mancha de sangue no braço da camisa tinha começado de novo a se espalhar; agora um filete de sangue corria também pelo lado esquerdo de sua boca. E Eddie Dean achava que agora entendia o silêncio de Roland. Aquele trabalho era seu. Porque ele conhecia Tower por dentro e por fora, certo? Conhecia muito bem. Afinal, em certa época, não muito tempo atrás, o próprio Eddie achava que, além da heroína, tudo no mundo era sem cor e sem importância. Não chegara a pensar que tudo no mundo que não fosse heroína era válido se trocar ou vender? Não chegara a um ponto onde teria literalmente prostituído a própria mãe para conseguir mais uma dose? Não era por isso que estava tão furioso?

— Aquele terreno na esquina da Segunda Avenida com a rua Quarenta e Seis nunca foi seu — disse Eddie. — Nem de seu pai. Nem de nenhum de seus avós até chegar a Stefan Toren. Vocês eram apenas guardiões, da mesma forma como sou guardião do revólver que uso.

— Nego isso!

— Sério? — Aaron perguntou. — Que coisa estranha. Ouvi você falar daquele pedaço de terra usando quase exatamente essas palavras...

— *Aaron, cale a boca!*

— ... muitas vezes — concluiu calmamente Deepneau.

Houve um estalido. Eddie deu um pulo, fazendo irradiar outra pontada de dor pela perna a partir do buraco na canela. Era um fósforo. Roland estava acendendo outro cigarro. O filtro já estava ao lado de dois outros sobre a toalha que cobria a mesa. Pareciam pequenas pílulas.

— Não esqueci o que conversamos — falou Eddie ficando repentinamente calmo. A raiva saíra dele, como veneno tirado de uma presa de cobra. Roland o deixara cuidar da questão sozinho e, apesar da língua e da palma das mãos estarem sangrando, ele estava agradecido por isso.

— Seja o que for que eu tenha dito... eu estava sob pressão... estava com medo de que você mesmo quisesse me matar!

— Você disse que tinha um envelope de março de 1846. Disse que havia uma folha de papel no envelope e um nome escrito na folha. Você disse...

— *Nego isso*...

— Você disse que se eu pudesse dizer o nome escrito naquele pedaço de papel, você me venderia o lote. Por um dólar de sinal. E com a promessa de que lhe pagaríamos bem mais, milhões a mais, entre aquele momento e... digamos, 1985.

Tower explodiu em uma risada.

— Por que não me oferecer logo a ponte do Brooklyn também?

— Você me fez uma promessa. E agora seu pai está vendo você tentar quebrá-la.

— *NEGO CADA PALAVRA QUE VOCÊ DIZ!* — gritou Calvin Tower.

— Continue negando até o inferno — disse Eddie. — E agora vou lhe dizer uma coisa, Cal, uma coisa que me ensinou meu coração machucado, mas ainda vivo. Você está comendo um prato amargo. Você não se dá conta disso porque alguém lhe disse que era doce e seu paladar está entorpecido.

— Não tenho a menor ideia do que está falando! Você está louco!

— Não — disse Aaron. — Ele não está. O louco é você, se não lhe der ouvidos. Acho... Acho que ele está lhe dando uma chance de redimir a razão de sua vida.

— Desista, Cal — disse Eddie. — Pelo menos uma vez na vida dê ouvidos ao anjo melhor e não ao outro. Esse outro o odeia, Cal. Ele só quer matá-lo. Acredite em mim, eu sei.

Silêncio no chalé. Do lago veio o pio de um mergulhão. Do outro lado vinha o barulho menos agradável de sirenes.

Calvin Tower lambeu os lábios e disse:

— Está dizendo a verdade sobre Andolini? Ele realmente está na cidade?

— Sim — disse Eddie, que agora podia ouvir o *vup-vup-vup-vup* de um helicóptero se aproximando. Um aparelho de alguma rede televisiva? Não seria cinco anos cedo demais para essas coisas, ainda mais ali, no meio do mato?

Os olhos do livreiro se deslocaram para Roland. Tower fora surpreendido — e fora o objeto de um monte de culpa — mas o homem já estava recuperando alguma compostura. Eddie podia ver isso e ponderou (não pela primeira vez) como a vida seria mais simples se as pessoas ficassem nos pombais para onde tinham sido destinadas no começo. Ele não queria perder tempo pensando em Calvin Tower como um homem corajoso ou até primo em segundo grau das pessoas de caráter, mas talvez ele fosse ambas as coisas. Maldito seja.

— Você é mesmo Roland de Gilead?

Roland olhou através das espirais de fumaça de cigarro subindo no ar.

— Você diz a verdade, eu digo obrigado.

— Roland do Eld?

— Sim.

— Filho de Steven?

— Sim.

— Neto de Alaric?

Os olhos de Roland piscaram com o que provavelmente era surpresa. O próprio Eddie se surpreendeu, mas o que mais sentiu foi uma espécie de alívio cansado. As perguntas que Tower estava fazendo só podiam significar duas coisas. Primeiro, lhe fora passado mais do que apenas o nome ou profissão de Roland. Segundo, estava cedendo.

— De Alaric, sim — disse Roland —, aquele do cabelo ruivo.

— Não sei nada acerca do cabelo, mas sei por que ele foi para Garlan. Você sabe?

— Foi matar um dragão.

— E conseguiu?

— Não, chegou tarde demais. O último dragão que havia naquela parte do mundo havia sido morto por outro rei, um que depois foi assassinado.

Agora, para surpresa ainda maior de Eddie, Tower se dirigiu hesitantemente a Roland em uma linguagem que era, na melhor das hipóteses, prima de segundo grau do inglês. O que Eddie ouviu foi alguma coisa tipo: *Tom tinhas linhague, Rol-uh, ganste arma, uste falcon, permaste arma?*

Roland assentiu e respondeu na mesma língua, falando devagar e com esmero. Quando acabou, Tower se encostou na parede e, distraído, deixou cair a saca de livros no chão.

— Fui um tolo — disse.

Ninguém o contradisse.

— Roland, se importaria de ir até lá fora comigo? Eu preciso... eu... preciso... — Tower começou a chorar. Disse mais alguma coisa naquela linguagem desconhecida, mais uma vez terminando numa inflexão crescente, como se estivesse fazendo alguma pergunta.

Roland se levantou sem responder. Eddie também se levantou, fazendo uma careta por causa da dor na perna. Ali havia uma bala, sem dúvida, ele podia senti-la. Agarrou o braço de Roland, puxou-o para baixo e sussurrou no ouvido do pistoleiro:

— Não esqueça que Tower e Deepneau têm um encontro marcado na Lavanderia da Baía da Tartaruga daqui a quatro anos. Diga a ele que é na rua Quarenta e Sete, entre a Segunda e a Primeira. Provavelmente ele conhece o lugar. Tower e Deepneau eram... são... *serão* aqueles que vão salvar a vida de Don Callahan. Tenho quase certeza disso.

Roland assentiu e caminhou para Tower, que inicialmente se retraiu e depois se endireitou com um esforço consciente. Roland pegou sua mão à maneira da Calla e levou-o para fora.

Depois que os dois saíram, Eddie disse a Deepneau:

— Faça o contrato. Ele vai vender.

Deepneau lhe lançou um olhar cético.

— Acha mesmo que vai?

— Sim — disse Eddie. — Acho.

7

Redigir o contrato de compra e venda não levou muito tempo. Deepneau encontrou um bloco na cozinha (no alto de cada folha, havia o desenho de um castor correndo e a legenda MINHAS COISAS IMPORTANTES A FAZER) e começou a escrever, parando de vez em quando para fazer alguma pergunta a Eddie.

Quando acabaram, Deepneau olhou para o rosto brilhante de suor de Eddie.

— Tenho alguns comprimidos de Percocet — disse. — Quer alguns?

— Com certeza — disse Eddie. Se os tomasse naquele momento, achava, esperava estar pronto para o que queria que Roland fizesse quando voltasse. A bala ainda estava lá dentro, sem dúvida lá dentro, e precisava sair. — O que me diz de quatro?

Os olhos de Deepneau o avaliaram.

— Sei o que estou fazendo — disse Eddie. E então acrescentou: — Infelizmente.

8

Aaron encontrou alguns band-aids infantis no armário de remédios do chalé (Branca de Neve em uma embalagem, Bambi na outra) e colocou-os no buraco do braço de Eddie após passar mais um pouco de antisséptico na entrada e nos pontos de saída da ferida. Então, enquanto pegava um copo d'água para tomar com os comprimidos, perguntou de onde Eddie vinha.

— Porque embora você use o revólver com autoridade — disse —, é muito mais parecido comigo e com Cal do que com ele.

Eddie sorriu.

— Há uma razão muito boa para isso. Cresci no Brooklyn. Co-Op City, o conjunto habitacional. — E pensou: *E se eu dissesse a você que na realidade ainda estou lá, neste exato momento? Eddie Dean, o garoto de quinze anos mais tarado do mundo, correndo solto nas ruas? Para aquele Eddie Dean, a coisa mais importante do mundo é transar. Coisas como a queda da Torre Negra ou algum malvadão chamado Rei Rubro vão continuar a não preocupá-lo por mais...*

Então ele observou o modo como Aaron Deepneau o estava olhando e abandonou depressa os próprios pensamentos.

— Que foi? Tem alguma meleca pingando do meu nariz ou coisa parecida?

— Co-Op City não fica no Brooklyn — disse Deepneau. Era como se falasse para uma criança pequena. — Co-Op City fica no Bronx. Sempre ficou.

— Isso é... — Eddie começou, pretendendo acrescentar *ridículo*, mas antes que pudesse pronunciá-la, a palavra pareceu oscilar em seu eixo. De novo ele foi dominado por aquela sensação de fragilidade, aquela sensação de todo um universo (ou todo um *continuum* de universos) feitos de cristal em vez de aço. Não havia meio de expressar racionalmente o que estava sentindo, porque nada havia de racional no que estava acontecendo.

— Existem mais mundos que este — disse ele. — Era o que Jake dissera a Roland antes de morrer. "Vá, então... Há outros mundos além desses." E sem dúvida ele estava certo, porque voltou.

— Sr. Dean? — Deepneau parecia preocupado. — Não entendo o que está falando, mas ficou muito pálido. Acho que devia se sentar.

Eddie se deixou levar para o que no chalé funcionava ao mesmo tempo como cozinha e sala. Será que ele próprio sabia do que estava falando? Como Aaron Deepneau, certamente um morador de longa data de Nova York, podia afirmar com tanta segurança e descontração que a Co-Op City ficava no Bronx, quando Eddie sabia que ficava no Brooklyn?

Não compreendia de todo, mas compreendia o suficiente para ficar tremendamente assustado. Outros mundos. Talvez um número infinito de mundos, todos girando no eixo que era a Torre. Todos eram semelhantes, mas *havia* diferenças. Diferentes políticos retratados nas notas de dinheiro. Diferentes marcas de automóveis — Takuro Spirits em vez de Datsuns, por exemplo — e diferentes primeiras divisões de times de beisebol. Nesses mundos, um dos quais fora dizimado por uma praga chamada de supergripe, você podia saltar no tempo de um lado para o outro, passado e futuro. Porque...

Porque de algum modo vital, eles não são o mundo verdadeiro. Ou se são reais, não são o mundo-chave.

Sim, essa ideia parecia certa. Seu mundo original era um dos outros mundos, estava convencido disso. Assim como Susannah. E Jake Um e Jake Dois, o Jake que havia caído e o Jake que havia sido literalmente puxado da boca do monstro e salvo.

Mas o mundo onde estava era o mundo-chave. E ele sabia disso porque era, por profissão, *chaveiro: Dad-a-chum, dad-a-chee, não se preocupe, você tem a chave.*

Beryl Evans? Não de todo real. Claudia y Inez Bachman? Real.

Mundo com a Co-Op City no Brooklyn? Não de todo real. Mundo com a Co-Op City no Bronx? Real, por mais difícil que fosse de aceitar.

E ele achava que Callahan havia cruzado do mundo real para um dos outros muito tempo antes de ter embarcado em suas estradas escondidas; tinha cruzado sem mesmo saber. Contara algo sobre oficiar o velório de um garotinho e como, depois disso…

— Ele achava que depois disso tudo tinha mudado — Eddie comentou ao se sentar. — *Tudo mudou.*

— Sim, sim — disse Aaron Deepneau, dando tapinhas no ombro dele. — Procure ficar calmo.

— O père foi de um seminário em Boston para Lowell, isso foi real. Mas a cidade de 'Salem's Lot não é real. Foi inventada por um escritor chamado…

— Vou pegar uma compressa fria para a sua testa.

— Boa ideia — disse Eddie, fechando os olhos. Sua mente rodopiava. Real, não real. Ao vivo, ou gravado? O professor aposentado, amigo de John Cullum, tinha razão: a coluna da verdade tinha *mesmo* um buraco no meio.

Eddie se perguntava se alguém conhecia a profundidade desse buraco.

9

Foi um Calvin Tower diferente que voltou ao chalé com Roland quinze minutos depois, um Calvin Tower tranquilo e disciplinado. Perguntou a Deepneau se ele tinha feito um recibo de compra e venda e, quando este assentiu, Tower não disse nada, apenas aquiesceu. Foi até a geladeira e voltou com várias latas de cerveja Blue Ribbon, que distribuiu. Eddie recusou, não querendo misturar álcool com os Percs.

Tower não fez um brinde, mas tomou metade de sua cerveja de uma golada só.

— Não é todo dia que sou comparado à escória da terra por um homem que promete me transformar em um milionário e também me aliviar do mais pesado fardo que oprime meu coração. Aaron, este papel teria valor em juízo?

Aaron Deepneau concordou com a cabeça. Com um certo pesar, Eddie observou.

— Então, tudo bem — disse Tower. E, após uma pausa: — Tudo bem, vamos em frente. — Mas não tomou a iniciativa de assinar.

Roland falou com ele naquela outra linguagem. Tower se retraiu e assinou seu nome em um rápido rabisco, os lábios apertados em uma linha tão estreita que a boca parecia quase não estar ali. Eddie assinou pela Corporação Tet, maravilhando-se em como a caneta parecia estranha em sua mão — não conseguia se lembrar de quando segurara uma caneta pela última vez.

Assim que o negócio foi resolvido, houve uma reversão no humor de sai Tower. Ele olhou para Eddie e lamentou em um tom esganiçado que foi quase um grito:

— Aí está! Sou agora um indigente! Me dê o meu dólar! Fui prometido um dólar! Sinto que vou precisar cagar e preciso de alguma coisa para limpar a bunda!

Então ele pôs as mãos sobre o rosto. Ficou assim por vários segundos, enquanto Roland dobrava o papel assinado (Deepneau servira de testemunha para as duas assinaturas) e o colocava no bolso.

Quando Tower tornou a baixar as mãos, seus olhos estavam secos e o rosto recomposto. Parecia até mesmo haver um pouco de cor nas faces anteriormente pálidas.

— Acho que até me sinto um pouco melhor — disse ele e, virando-se para Aaron: — Acredita que esses dois babacas possam estar certos?

— Acho que é uma possibilidade real — disse Aaron, sorrindo.

Eddie, enquanto isso, tinha pensado em um meio de descobrir com certeza (ou quase com certeza) se aqueles dois homens eram os que tinham salvo Callahan dos Irmãos Hitler... Um deles tinha dito que...

— Escutem — disse Eddie. — Há uma certa frase, que acho ser em iídiche. *Gai cocknif en yom*. Sabem o que significa? Algum de vocês?

Deepneau atirou a cabeça para trás e riu.

— Sim, é iídiche, pode apostar. É o que minha mãe dizia quando ficava irritada com a gente. Quer dizer: vá cagar no mar.

Eddie assentiu a cabeça para Roland. Nos próximos dois anos, um daqueles homens — provavelmente Tower — compraria um anel com as palavras *Ex Libris* gravadas. Talvez — que maluquice era *aquilo* — porque o próprio Eddie Dean tinha posto a ideia na cabeça de Cal Tower. E Tower — o Calvin Tower egoísta, ganancioso, mesquinho e ávido por livros — salvaria a vida do padre

Callahan com aquele anel no dedo. Ficaria tremendamente assustado (Deepneau também), mas faria a coisa. E...

A essa altura, Eddie olhou por acaso para a caneta com a qual Tower assinara o recibo de compra e venda, uma Bic Clic perfeitamente ordinária e o enorme peso do que acabara de acontecer o atingiu. O terreno agora era deles. O terreno baldio era deles. Deles, não da Corporação Sombra.

A rosa era deles!

Eddie se sentiu como se tivesse levado um baque forte na cabeça. A rosa pertencia à Corporação Tet, que era a empresa de Deschain, Dean, Dean, Chambers & Oi. A rosa era agora responsabilidade deles, para o melhor ou para o pior. Tinham vencido aquele round. O que não alterava o fato de que Eddie tinha uma bala na perna.

— Roland — disse ele —, queria que você fizesse uma coisa por mim.

10

Cinco minutos mais tarde, Eddie deitava no chão de linóleo do chalé na ridícula ceroula de Calla Bryn Sturgis, comprida até o joelho. Em uma das mãos segurava um cinto de couro que passara toda uma vida anterior impedindo que as calças de Aaron Deepneau caíssem. A seu lado havia uma bacia com um líquido marrom-escuro.

O buraco na perna, com cerca de sete centímetros e meio, ficava abaixo do joelho e um pouco à direita da tíbia. A carne em volta dele tinha inchado, se transformando em um cone pequeno e duro. Esta cratera de vulcão em miniatura estava naquele momento coroada com um brilhante coágulo roxo e vermelho de sangue. Tinham sido colocadas duas toalhas dobradas sob a panturrilha de Eddie.

— Você vai me hipnotizar? — ele perguntou a Roland. Então olhou para o cinto que estava segurando e soube a resposta. — Ah, merda, não vai, não é?

— Não há tempo. — Roland estivera remexendo no gaveta à esquerda da pia. Agora se aproximava de Eddie com um alicate em uma das mãos e uma faca de descascar frutas e legumes na outra. Eddie achou que formavam uma combinação extremamente desagradável.

O pistoleiro se pôs de joelhos ao lado dele. Tower e Deepneau ficaram na sala, lado a lado, observando aquilo de olhos arregalados.

— Havia uma coisa que Cort nos dizia quando éramos garotos — disse Roland. — Quer ouvi-la, Eddie?

— Se acha que vai ajudar, claro.

— A dor sobe. Do coração à cabeça, a dor sobe. Dobre o cinto de sai Aaron e coloque-o na boca.

Eddie fez o que Roland disse, sentindo-se muito ridículo e muito assustado. Em quantos faroestes tinha visto uma versão daquela cena? Às vezes John Wayne mordia um pedaço de pau e às vezes Clint Eastwood mordia uma bala. Ele achava que, em um ou outro seriado televisivo, Robert Culp tinha chegado a morder um cinto.

Mas é claro que temos de remover a bala, Eddie pensou. *Nenhuma história deste tipo ficaria completa sem pelo menos uma cena onde...*

Uma memória repentina, chocante em sua nitidez, o atingiu e o cinto caiu de sua boca. Ele gritou.

Roland estava prestes a mergulhar seus rudes instrumentos cirúrgicos em uma bacia onde havia o resto da solução antisséptica. Olhou preocupado para Eddie:

— O que foi?

Por um momento, Eddie não pôde responder. Parecia ter ficado decididamente sem ar, os pulmões achatados como duas velhas câmaras de ar. Estava se lembrando de um filme que vira com seu irmão quando eram garotos. Fora de tarde, na televisão, no apartamento onde moravam, aquele que ficava

(*no Brooklyn*)

(*no Bronx*)

em Co-Op City. Era quase sempre Henry quem escolhia o que assistiam, pois era maior e mais velho. Eddie não reclamava muito e, quando o fazia, não exagerava; idolatrava o irmão mais velho (quando *de fato* reclamava demais acabava fazendo o irmão machucá-lo com os nós dos dedos ou o bom e velho braço atrás das costas). Henry gostava era dos faroestes. O tipo de filme onde, mais cedo ou mais tarde, algum personagem tinha de morder um pedaço de pau, um cinto ou uma bala.

— Roland — disse ele. A voz já era apenas um débil chiado. — Roland, escute.

— Estou ouvindo muito bem.

— Havia um filme. Já falei sobre os filmes, não foi?

— Histórias contadas com imagens em movimento.

— Às vezes eu e Henry ficávamos em casa e assistíamos na televisão. A televisão é basicamente uma máquina de cinema doméstica.

— Uma máquina de merda, diriam alguns — acrescentou Tower.

Eddie o ignorou.

— Um dos filmes que vimos foi sobre aqueles camponeses mexicanos... que alugavam uns pistoleiros para protegê-los dos bandidos. Os bandidos atacavam todo ano a aldeia deles e roubavam as colheitas. Isso não faz você se lembrar de alguma coisa?

Roland o olhou com ar sério e uma espécie de tristeza.

— Sim. Realmente faz.

— E o nome da aldeia de Tian. Sempre me pareceu familiar, mas eu não sabia por quê. Agora sei. O filme se chamava *Sete homens e um destino*, por falar nisso, Roland, quantos éramos nós, naquele dia no fosso, à espera dos Lobos?

— Se incomodariam de nos dizer do que estão falando? — Deepneau perguntou. Mas embora o tom tenha sido gentil, tanto Roland quanto Eddie o ignoraram.

— Você, eu — disse Roland depois de uma rápida checada na memória —, Susannah, Jake, Margaret, Zalia e Rosa. Havia mais gente... os gêmeos Tavery, o filho de Ben Slightman... mas os combatentes eram sete.

— Sim. E o que estava me faltando lembrar era o nome do diretor do filme. Quando se está filmando, precisa existir um diretor para pôr as coisas em ordem. Ele é o dinh.

Roland assentiu.

— O dinh de *Sete homens e um destino* era um homem chamado John Sturges.

Roland pensou mais um pouco.

— Ka — disse ele.

Eddie explodiu em uma risada. Simplesmente não conseguiu evitá-la. Roland sempre tinha a resposta.

11

— Para suportar a dor — disse Roland — você tem de morder o cinto no instante em que senti-la. Está entendendo? No instante exato. Segure o cinto com os dentes.

— Entendi. Mas seja rápido.

— Vou fazer o melhor que puder.

Roland mergulhou o alicate e depois a faca no antisséptico. Eddie esperou com o cinto na boca, esticado entre os dentes. Uma vez percebido o padrão básico, era impossível deixar de vê-lo, não é? Roland era o herói do espetáculo, o guerreiro de cabelos grisalhos que seria encarnado por algum astro de cabelos grisalhos mas de renome, como Paul Newman ou Eastwood na versão de Hollywood. Ele próprio, Eddie, era o cara jovem, cujo papel caberia ao mais celebrado jovem astro do momento. Tom Cruise, Emilio Estevez, Rob Lowe, alguém nessa linha. E ali estava um cenário que todos conhecíamos, o chalé na floresta e uma situação que tínhamos visto muitas vezes, mas ainda apreciávamos: Puxando a Bala. Só o que faltava era o sinistro som de tambores à distância. E, Eddie percebeu, provavelmente não havia os tambores porque já havia passado a parte dos Tambores Sinistros na história: os deuses-tambores. E que acabaram se revelando ser uma versão amplificada de uma música de Z.Z. Top sendo irradiada por alto-falantes nas esquinas das ruas na Cidade de Lud. A situação deles estava se tornando cada vez mais difícil de negar: *eram personagens na história de alguém*. Todo este mundo...

Eu me recuso a acreditar nisso. Me recuso a acreditar que fui criado no Brooklyn simplesmente porque algum escritor cometeu um erro, algo que acabará sendo corrigido no segundo rascunho do manuscrito. Ei, père, estou com você... me recuso a acreditar que sou um personagem. *Esta é a porra da minha vida!*

— Continue, Roland — disse ele. — Tire essa coisa de dentro de mim.

O pistoleiro derramou um pouco do antisséptico da bacia sobre a tíbia de Eddie, depois usou a ponta da faca para tirar o sangue coagulado da ferida. Com isso feito, ele baixou o alicate.

— Prepare-se para morder a dor, Eddie — ele murmurou e, um instante mais tarde, foi o que Eddie fez.

12

Roland sabia o que estava fazendo, já tinha feito aquilo antes e a bala não penetrara demais na carne. A coisa toda durou cerca de noventa segundos, mas foi o minuto e meio mais longo da vida de Eddie. Por fim Roland bateu de leve com o alicate em uma das mãos fechadas de Eddie. Quando Eddie conseguiu desenrolar os dedos, o pistoleiro deixou cair uma bala achatada nela.

— Suvenir — disse ele. — Parou bem no osso. Foi a raspada que você ouviu.

Eddie olhou para o pedaço de chumbo amassado, depois atirou-o no chão de linóleo, como se fosse uma bola de gude.

— Não quero ficar com isso — disse enxugando a testa.

Tower, sempre o colecionador, pegou a bala jogada no chão. Deepneau, enquanto isso, examinava com silenciosa fascinação as marcas de dentes no cinto.

— Cal — disse Eddie, se apoiando nos cotovelos. — Você tinha um livro em sua mala...

— Quero aqueles livros de volta — disse Tower de imediato. — E é melhor que tenha cuidado bem deles, rapaz!

— Tenho certeza de que estão em ótimo estado — Eddie respondeu, dizendo a si mesmo que talvez precisasse morder a língua de novo. *Ou agarrar o cinto de Aaron e tornar a mordê-lo, se a língua não desse conta do recado.*

— É melhor estarem, meu jovem; agora eles são tudo o que me resta.

— Sim, juntamente com cerca de quarenta outros em seus diversos cofres de banco — disse Aaron Deepneau, ignorando completamente o olhar irritado que o amigo lhe atirava. — O *Ulysses* assinado é provavelmente o melhor, mas há fólios esplêndidos de Shakespeare, uma série completa de Faulkner assinados...

— Aaron, pode me fazer o favor de calar a boca?

— ... e um *Huckleberry Finn* que você pode converter em um sedã Mercedes-Benz assim que quiser — Deepneau concluiu.

— De qualquer modo, um deles era um livro chamado *'Salem* — disse Eddie. — Escrito por um homem chamado...

— Stephen King — Tower concluiu. Ele deu uma última olhada na bala, depois a pousou na mesa da cozinha, perto do açucareiro. — Me disseram que ele mora perto daqui. Peguei dois exemplares do *'Salem* e três do primeiro romance, *Carrie, a Estranha*. Estava pensando em dar um pulo em Bridgton e voltar com os exemplares assinados. Agora acho que isso não vai acontecer.

— Não entendo o que os torna tão valiosos — disse Eddie, e então: — Ai, Roland, isso dói!

Roland estava checando a bandagem improvisada em volta da ferida na perna de Eddie.

— Fique quieto — disse ele.

Tower não deu atenção à interrupção. Eddie o voltara mais uma vez para seu assunto favorito, sua obsessão, seu amor. O que Gollum, nos livros de Tolkien, teria chamado "meu precioso".

— Você se lembra do que eu lhe disse quando estávamos discutindo *The Hogan*, sr. Dean? Ou *A Dogan*, se o senhor assim preferir? Eu disse que o valor de um livro raro... como o de uma moeda rara ou um selo raro... é criado de diferentes modos. Às vezes é apenas um autógrafo...

— Seu exemplar de *'Salem* não está assinado.

— Não, porque este autor em particular é bem jovem e ainda não é muito conhecido. Talvez um dia se torne alguém importante, ou talvez não. — Tower levantou os ombros, quase como se dissesse que estava nas mãos do ka. — Mas este livro específico... bem, a primeira edição teve uma tiragem de apenas 7500 exemplares, e quase todos foram vendidos na Nova Inglaterra.

— Por quê? Porque o sujeito que escreveu é da Nova Inglaterra?

— Sim. Como tão frequentemente acontece, o valor do livro é criado inteiramente por acaso. Uma cadeia local de televisão decidiu promovê-lo intensamente. Chegaram a produzir um comercial, o que foi uma coisa quase sem precedentes no nível da publicidade regional. E deu certo. A Bookland do Maine pediu cinco mil exemplares da primeira edição... quase 70% da tiragem... e vendeu praticamente tudo. Assim como aconteceu com *The Hogan*, havia erros de impressão na edição. Não no título, neste caso, mas na orelha. Você pode identificar uma cópia autêntica de *'Salem* pelo preço cortado na orelha... no último minuto, a Doubleday decidiu subir o preço de 7,95 para 8,95... e pelo nome do padre na orelha.

Roland ergueu os olhos.

— O que houve com o nome do padre?

— No livro, é padre Callahan. Mas na orelha alguém escreveu padre *Cody*, que na realidade é o nome do médico da cidade.

— E foi o que bastou para lançar o preço de um exemplar de nove dólares para 950 — disse Eddie em um tom de admiração.

Tower assentiu.

— Foi o que bastou: tiragem pequena, orelha cortada, erro de impressão. Mas há também um elemento de especulação nas edições raras que os colecionadores acham... realmente empolgante.

— É uma palavra para isso — Deepneau comentou secamente.

— Por exemplo, suponha que este tal de King se torne famoso ou aclamado pela crítica... Admito que as chances são pequenas, mas vamos dizer que aconteça. As primeiras edições disponíveis de seu segundo livro são tão raras que, em vez de 750 dólares, meu exemplar pode acabar valendo dez vezes mais. — Fez cara feia para Eddie. — Então é bom que você esteja cuidando bem dele.

— Tenho certeza que continuará em bom estado — disse Eddie, se perguntando o que Calvin Tower ia pensar se soubesse que um dos personagens do livro tinha o exemplar em uma prateleira de sua casa paroquial, uma casa paroquial também possivelmente ficcional. A dita casa paroquial ficava em uma cidade que era gêmea fraterna da cidade de um antigo filme estrelado por Yul Brynner, como gêmeo de Roland, e apresentando Horst Buchholz como o duplo de Eddie.

Ele pensaria que você é maluco, era isso que ia pensar.

Eddie ficou de pé, oscilou um pouco e agarrou-se à mesa da cozinha. Após alguns momentos, o mundo se firmou.

— Consegue andar? — Roland perguntou.

— Conseguia antes, não é?

— Mas ninguém tinha cavado aí.

Eddie deu alguns passos a título de experiência e fez que sim com a cabeça. A canela acendia com uma pontada de dor cada vez que ele deslocava o peso para a perna direita, mas sim... conseguia andar.

— Vou lhe dar o resto do meu Percocet — disse Aaron. — Posso conseguir mais.

Eddie abriu a boca para dizer que sim, com certeza, me dá mais e então viu como Roland o olhava. Se Eddie aceitasse a oferta de Deepneau, o pistoleiro não falaria nada para não lhe causar constrangimentos... mas sim, seu dinh estava observando.

Eddie pensou na fala que dirigira a Tower, toda aquela coisa poética sobre como Calvin estava comendo uma refeição amarga. Era verdade, poesia ou não. Mas aparentemente isso não impediria que Eddie se sentasse novamente na mesma mesa de jantar. Primeiro alguns Percodan, depois alguns Percocet. Ambos medicamentos parecidos demais com a heroína. Então quanto tempo Eddie levaria para se cansar das drogas leves e começar a procurar por algum alívio *de verdade* para a dor?

— Acho que vou abrir mão do Percs — disse Eddie. — Nós vamos para Bridgton...

Roland olhou espantado.

— Vamos?

— Vamos. Podemos conseguir algumas aspirinas no caminho.

— Asmina — disse Roland, com inequívoca afeição.

— Tem certeza? — Deepneau perguntou.

— Tenho — disse Eddie. — Sim... — Fez uma pausa, depois acrescentou: — Eu lamento.

13

Cinco minutos depois estavam os quatro parados no estreito tapete de folhas de pinheiro junto à porta, ouvindo sirenes e contemplando a fumaça, que agora começava a ficar menos espessa. Impaciente, Eddie sacudia em uma das mãos as chaves do Ford de John Cullum. Roland tinha lhe perguntado duas vezes se aquela viagem para Bridgton era necessária e Eddie respondera duas vezes que tinha quase certeza que sim. Da segunda vez acrescentara (quase esperançoso) que Roland, como dinh, podia, se assim desejasse, mandar que não fossem.

— Não. Se você acha que devemos visitar este contador de histórias, vamos lá. Eu só gostaria que você soubesse o *motivo*.

— Acho que quando chegarmos lá, nós dois vamos compreender.

Roland assentiu, mas ainda não parecia satisfeito.

— Sei que está tão ansioso quanto eu para deixar este mundo... este nível da Torre. Para você querer ir contra isso, sua intuição deve ser forte.

Era, mas havia outra coisa: ouvira novamente Susannah, a mensagem vindo mais uma vez da versão que ela fizera da Dogan. Era prisioneira em seu próprio corpo — pelo menos Eddie *achava* que era o que estava tentando lhe dizer —, mas ela estava no ano de 1999 e estava bem.

Ele recebera a mensagem enquanto Roland agradecia a Tower e Deepneau pela ajuda. Eddie estava no banheiro. Entrara no banheiro para urinar, mas se esquecera completamente disso e se limitara a ficar sentado na tampa do vaso, cabeça baixa, olhos fechados. Tentando enviar uma mensagem a Susannah. Tentando pedir que atrasasse o máximo possível o nascimento. Captara dela a sensação de luz do dia (Nova York de tarde) e isso era ruim. Jake e Callahan tinham atravessado a Porta Desconhecida para Nova York à noite; Eddie vira isso com seus próprios olhos. Talvez conseguissem ajudá-la, mas só se ela pudesse fazer Mia ir mais devagar.

Enrole, foi a mensagem que enviou... ou tentou enviar a Susannah. *Precisa esperar escurecer antes que ela consiga levá-la para onde pretende ter o bebê. Está me ouvindo? Suze, você está me ouvindo? Responda se estiver! Jake e père Callahan estão chegando e você precisa aguentar firme!*

Junho, respondeu uma voz ansiosa. *Junho de 1999. As moças andam na rua com as barrigas aparecendo e...*

Então veio a batida na porta do banheiro e a voz de Roland perguntando se Eddie estava pronto. Antes que o dia terminasse, pretendiam chegar à Via do Casco da Tartaruga na cidadezinha de Lovell — um lugar onde os aparecidos eram comuns, segundo John Cullum, e onde a própria realidade talvez fosse igualmente frágil. Antes, no entanto, iam passar em Bridgton e, se tudo desse certo, encontrar o homem que parecia ter criado Donald Callahan e a cidade de 'Salem's Lot.

Imagina a ironia que seria se King estiver na Califórnia, trabalhando no roteiro para o cinema ou algo do gênero, Eddie pensou, mas não acreditava que isso fosse acontecer. Continuavam no Caminho do Feixe, no caminho do ka. Então era de se presumir que sai King também estivesse no mesmo caminho.

— Tenham muito cuidado, rapazes — disse Deepneau. — Vão encontrar policiais por todo lado. Para não mencionar Jack Andolini e o que tiver sobrado de seu grupinho simpático.

— Falando de Andolini — disse Roland —, acho que chegou a hora de vocês dois irem para algum lugar onde ele não esteja.

Tower fechou a cara, o que não surpreendeu Eddie.

— Ir *agora*? Você deve estar brincando! Tenho uma lista de quase uma dúzia de pessoas na área que colecionam livros... Compram, vendem, trocam. Alguns sabem o que estão fazendo, mas outros... — Ele fez um gesto de corte com tesoura, como se tosquiasse uma ovelha invisível.

— Em Vermont também há gente tirando livros velhos dos celeiros e querendo vender — disse Eddie. — Não esqueça como o encontramos com facilidade. Foi você que tornou a coisa fácil, Cal.

— Ele tem razão — disse Aaron e, quando Calvin Tower, em vez de responder, limitou-se a baixar a cara irritada para encarar os sapatos, Deepneau olhou de novo para Eddie. — Mas pelo menos eu e Cal temos carteiras de motorista para mostrar, se formos parados pela polícia local ou federal. Coisa que, aposto, nenhum de vocês dois tem.

— Aposta ganha — disse Eddie.

— E acho bem improvável que possuam autorização para portar esses revólveres de tamanho descomunal.

Eddie baixou de relance os olhos para o imenso revólver — incrivelmente antigo — preso logo abaixo de seu quadril. Depois, com ar divertido, voltou a olhar para Deepneau.

— Outra aposta ganha — disse.

— Então tenham cuidado. Depois que saírem de East Stoneham, estejam muito atentos para saber onde estão se metendo.

— Obrigado — disse Eddie, estendendo a mão. — Longos dias e belas noites.

Deepneau a apertou.

— E uma bela coisa para dizer, filho, mas acho que ultimamente minhas noites não têm sido lá muito agradáveis e, se as coisas no departamento médico não derem rapidamente uma guinada para melhor, meus dias certamente também não serão particularmente longos.

— Acho que serão mais longos do que imagina — disse Eddie. — Tenho um bom motivo para crer que você tem pelo menos outros quatro anos pela frente.

Deepneau encostou o dedo em um lábio e apontou para o céu.

— Que a boca do homem consiga alcançar o ouvido de Deus.

Eddie se virou para Calvin Tower enquanto Roland trocava um aperto de mão com Deepneau. Por um momento, Eddie achou que o livreiro não ia aceitar o seu aperto de mão, mas por fim ele o fez. Com um certo mau humor.

— Longos dias e belas noites, sai Tower. Você fez a coisa certa.

— Fui coagido e você sabe — disse Tower. — A loja perdida... o terreno perdido... E prestes a ter de interromper as primeiras férias de verdade que tive nos últimos dez anos...

— Microsoft — Eddie disse abruptamente. E depois: — Limões.

Tower piscou.

— Como disse?

— *Limões* — Eddie repetiu e riu alto.

14

Perto do fim de sua vida quase que inteiramente inútil, Henry Dean, o tremendo sábio e drogado de primeira, tinha desfrutado duas coisas mais que todas as outras: ficar chapado e ficar chapado explicando como ia fazer sua grande jogada no mercado de ações. Em matéria de investimentos, ele se considerava um verdadeiro E.F. Hutton.

— Mas em uma coisa eu definitivamente *jamais* investiria, maninho — Henry disse um dia, quando estavam no terraço. A conversa acontecera pouco antes da viagem de Eddie para as Bahamas como mula de cocaína. — Uma coisa em que eu apple-solutamente *jamais* enfiaria meu dinheiro era em toda essa merda de computador: Microsoft, Macintosh, Sanyo, Sankyo, Pentium, tudo isso.

— Parecem muito populares — Eddie arriscara. Não que se importasse muito, mas que diabo, era uma conversa. — Especialmente a Microsoft. Parece que vai estourar.

Henry rira em um tom indulgente e fizera gestos masturbatórios.

— Minha pica, é isso que vai estourar.

— Mas...

— Tá, tá, as pessoas estão indo *em massa* para essa porra. Jogando todos os preços para cima. E quando observo isto acontecendo, sabe o que vejo?

— Não, o quê?

— Limões.

— Limões? — Eddie perguntara. Achava que estava seguindo o raciocínio de Henry, mas de repente ficou perdido. Claro que o pôr do sol estava lindo naquela tarde e passara boa parte do dia Eddie estivera colossalmente chapado.

— Você ouviu o que eu disse! — Henry dissera, empolgado com o tema. — Porra de limões! Será que não lhe ensinaram nada na escola, maninho? Limões são esses animaizinhos que vivem lá na Suíça ou em lugares do tipo.

E de vez em quando... acho que a cada dez anos, não tenho certeza... eles se tornam suicidas e se atiram dos rochedos.

— Ah — disse Eddie, mordendo com força o interior das bochechas para não cair estrondosamente no riso. — *Esses* limões. Achei que você estava se referindo aos que usamos para fazer limonada.

— Vai se foder — Henry retrucara, continuando a falar no tom indulgente que os tremendos e de primeira às vezes reservam para os pequenos e mal-informados. — De qualquer modo, meu ponto é que toda essa gente que está correndo para investir na Microsoft, na Macintosh e, não sei o que mais, no Nervoso Nexo Veloz do Grande Chips, tudo que vão fazer é deixar a porra do Bill Gates e do caralho do Steve Jobs ainda mais ricos. Esta merda de computador vai estar morta e enterrada por volta de 1995, todos os experts dizem isso, e as pessoas continuam investindo... Limões de merda, atirando-se dos rochedos na porra do mar.

— Limões de merda — Eddie concordou, prendendo a língua no céu da boca para que Henry não pudesse ver como ele estava perto de perder o controle. Via bilhões de limões-galegos trotando para a ponta dos penhascos, todos usando shorts vermelhos de cooper e pequenos tênis brancos, como os M&Ms num comercial.

— Sim, mas eu queria ter entrado na porra da Microsoft lá em 1982 — disse Henry. — Dá pra imaginar que ações vendidas por quinze dólares naquele tempo estão sendo vendidas agora por trinta e cinco? Ah, cara!

— Limões — disse Eddie em um tom de devaneio, contemplando as cores do crepúsculo começando a desbotar. A essa altura, tinha menos de um mês de vida naquele mundo (aquele onde a Co-Op City ficava, e sempre tinha estado, no Brooklyn) e Henry tinha menos de um mês de vida, ponto.

— Pois é — Henry dissera, estendendo-se ao lado dele. — Cara, eu queria ter investido em 1982.

15

Agora, ainda segurando a mão de Tower, Eddie dizia:

— Sou do futuro. Sabe disso, não sabe?

— Sei que *ele* diz que você é, sim. — Tower sacudiu a cabeça para Roland, depois tentou libertar a mão. Eddie continuou segurando.

— Me escute, Cal. Se ouvir e depois agir conforme eu lhe disser, vai poder ganhar cinco, talvez dez vezes mais do que aquele seu terreno baldio poderia valer no mercado de imóveis.

— Conselhos de um homem que nem está usando meias — disse Tower, tentando mais uma vez libertar a mão. E Eddie continuou segurando. Houve um tempo em que não teria força para fazer isso, mas agora suas mãos estavam mais fortes. Assim como sua determinação.

— Conselhos de um homem que viu o futuro — Eddie corrigiu. — E o futuro são os computadores, Cal. O futuro é a Microsoft. Vai conseguir se lembrar disso?

— *Eu* vou — disse Aaron. — Microsoft.

— Nunca ouvi falar — disse Tower.

— Não — Eddie concordou. — Acho que ainda nem existe. Mas logo vai surgir e será enorme. Computadores, entendeu? Computadores para todos, ou pelo menos era esse o plano. *Será* o plano. O cara no comando é Bill Gates. Sempre Bill, nunca William.

Por um instante ocorreu-lhe que, como aquele mundo era diferente do mundo em que ele e Jake tinham sido criados (o mundo de Claudia y Inez Bachman em vez de Beryl Evans), talvez o grande gênio dos computadores não fosse Gates; podia ser, por exemplo, alguém chamado Chin Ke Fod. Mas Eddie sabia que isso não era provável. Aquele mundo estava muito próximo do seu: os mesmos carros, as mesmas marcas de refrigerantes (Coca e Pepsi em vez de Nar-izz-Cola), os mesmos rostos no dinheiro. Achava que podia apostar que Bill Gates (para não mencionar Steve Jobs-a-rino) fosse aparecer na hora certa.

Se bem que, sob certo ponto de vista, ele pouco se importava com isso. Calvin Tower era, sob muitos aspectos, um babaca total. Por outro lado, Tower, assim como ele, tinha resistido ao máximo a Andolini e Balazar. Fizera pé firme com relação ao terreno baldio. E agora Roland tinha o recibo de compra e venda no bolso. Deviam a Tower um retorno razoável pelo que o homem lhes vendera. Isso não tinha nada a ver com o fato de gostarem muito ou pouco do sujeito, o que era provavelmente a sorte do velho Cal.

— Você vai poder comprar uma ação dessa Microsoft — disse Eddie — por quinze dólares em 1982. Por volta de 1987... que foi quando entrei em uma espécie de férias permanentes... essas ações vão valer trinta e cinco dólares cada. Um ganho de cem por cento. Um pouco mais.

— É o que você diz — comentou Tower, conseguindo, por fim, livrar a mão.

— Se ele diz isso — Roland falou — é porque é verdade.

— Diga obrigado — Eddie acrescentou. Ocorreu-lhe que ele estava sugerindo que Tower apostasse bastante na palavra de um tremendo ex-viciado, mas achou que naquele caso Tower podia fazer isso.

— Vamos — disse Roland, fazendo aquele gesto circular com os dedos. — Se temos de falar com o escritor, vamos logo.

Eddie entrou atrás do volante do carro de Cullum, tendo a súbita certeza de que jamais voltaria a se encontrar com Tower ou Aaron Deepneau. Com exceção de père Callahan, nenhum deles voltaria a falar com os dois. As despedidas tinham começado.

— Passem bem — disse. — Que os dois fiquem bem.

— E você também — disse Deepneau.

— Sim — disse Tower, pela primeira vez sem um único traço de mau humor. — Boa sorte para vocês dois. Longos dias e belas noites, ou seja lá como se diga.

O espaço dava para dar volta sem entrar em marcha a ré, o que agradou a Eddie — ele ainda não estava exatamente preparado para a marcha a ré.

Enquanto Eddie seguia para a Rocket Road, Roland olhou por cima do ombro e acenou. Um comportamento extremamente pouco característico dele, e algum espanto deve ter transparecido na expressão de Eddie.

— É a parte final do jogo — disse Roland. — Tudo pelo qual trabalhei e tudo que esperei por todos esses longos anos. O fim está chegando. Sinto isso. Você não?

Eddie aquiesceu. Era como aquele momento em uma música em que todos os instrumentos começam a avançar rapidamente para algum inevitável clímax cheio de acordes.

— Susannah? — Roland perguntou.

— Ainda viva.

— Mia?

— Ainda no controle.

— O bebê?

— Ainda chegando.

— E Jake? Padre Callahan?

Eddie parou na estrada, olhou para os dois lados e fez o contorno.

— Não — disse. — Deles não escutei nada. E você?

Roland balançou a cabeça. De Jake, em algum lugar no futuro, protegido apenas por um ex-padre católico e um malhado, havia apenas silêncio. Roland esperava que estivesse tudo bem com o garoto.

Por ora, não havia mais nada que ele pudesse fazer.

LINHA: *Commala-vem também*
Tens de cruzar a linha.
Quando finalmente a coisa conseguires
Te sentirás muito bem.

RESPOSTA: *Commala-vem nove!*
Te sentirás muito bem!
Mas para conseguires a coisa
Terás de cruzar também.

Décima estrofe

SUSANNAH-MIO, MINHA MOÇA DIVIDIDA

1

"John Fitzgerald Kennedy morreu hoje à tarde no Parkland Memorial Hospital."

Esta voz, esta voz pesarosa: a voz de Walter Cronkite, em um sonho.

"O último pistoleiro da América está morto. Ó, Discórdia!"

2

Enquanto Mia deixava o quarto 1919 do New York Plaza-Park (que logo seria o Regal U.N. Plaza, um empreendimento Sombra/North Central, Ó, Discórdia), Susannah caiu em um desmaio. Do desmaio ela passou para um sonho selvagem cheio de notícias selvagens.

3

A voz seguinte é de Chet Huntley, co-âncora do *The Huntley-Brinkley Report*. É também — de um modo que lhe parece incompreensível — a voz de Andrew, seu motorista.

"Diem e Nhu estão mortos", diz essa voz. "Agora se mexem os cães da guerra, a era das desgraças começa; a partir daqui o caminho para a Colina de Jericó está pavimentado com sangue e pecado. Ó, Discórdia! Árvore de Charyou! Venha, colheita!"

Onde estou?

Olha ao redor e vê uma parede de concreto repleta de um cerrado amontoado de nomes, slogans e desenhos obscenos. No meio, onde qualquer pessoa sentada no beliche consegue vê-la, há esta saudação: ALÔ CRIOLA BEM-VINDA A OXFORD NÃO DEIXE O SOL DESCER EM VOCÊ AQUI!

Em sua calça, o meio das pernas está úmido. A roupa de baixo está realmente ensopada e ela se lembra por quê: embora o agente de fiança tivesse sido notificado com bastante antecedência, os policiais se demoraram o máximo que puderam, ignorando na maior satisfação o coro crescente de súplicas para uma visita ao banheiro. Nada de vasos nas celas, nada de pias, sequer um balde de lata. Ninguém precisava ser um gênio para avaliar corretamente a situação; as pessoas *deviam* urinar nas roupas, deviam entrar em contato com suas naturezas essencialmente animais e finalmente ela fez isso, ela, Odetta Holmes…

Não, ela pensa, *sou Susannah. Susannah Dean. Fui novamente feita prisioneira, novamente encarcerada, mas continuo sendo eu.*

Ouve vozes vindo do fundo de sua ala de celas de prisão, vozes que retomam o presente. Devia pensar que vem de uma televisão lá fora no escritório da cadeia, ela supõe, mas só pode ser um truque. Alguma brincadeira de muito mau gosto. Por que mais Frank McGee estaria dizendo que o irmão do presidente Kennedy, Bobby, está morto? Por que Dave Garroway, do programa *Today*, estaria dizendo que o *filhinho* do presidente está morto, que John-John morreu em um acidente de avião? Que tipo de mentira escabrosa fazem você ouvir quando está na cela fedorenta de uma cadeia sulista com a roupa de baixo grudada no meio das pernas? Por que está "Buffalo" Bob Smith, do *Howdy Doody Show*, gritando "Cousabunga, garotos, Martin Luther King está morto"? E a garotada gritando de volta: "Commala-venha-*ei*! Amamos as coisas que dizeis! Negro bom é negro morto. Mate *hoje* um crioulão!"

O agente de fiança logo estará aqui. Isso é o que ela precisa para continuar firme, *isso*.

Ela vai até as grades e as agarra. Sim, aquela é a cidade de Oxford, pode apostar. Oxford de novo, dois homens mortos à luz do luar, alguém tem que investigar logo. Mas ela vai sair e vai voar, voar, voar para casa, e não muito tempo depois haverá um mundo inteiramente novo para explorar, com uma nova pessoa para amar e uma nova pessoa para *ser*. Commala-venha-venha, a jornada está só começando.

Ah, mas isso é uma mentira. A jornada está quase terminada. O coração dela sabe.

Uma porta se abre no corredor e passos vêm estalando em sua direção. Ela observa — ávida, esperando pelo agente de fiança ou um guarda com um molho de chaves. Mas em vez disso é uma mulher negra com um par de sapatos roubados. É seu próprio antigo eu. É Odetta Holmes. Não foi para Morehouse; foi para a Universidade Columbia. E frequentou todas aquelas cafeterias do Village. E também foi ao Castelo do Abismo, aquela casa também.

— Preste atenção — diz Odetta. — Só quem pode tirá-la disso é você mesma, garota.

— Aproveite essas pernas enquanto você as tem, querida! — A voz que ouve saindo de sua boca é rude, com um certo tom agressivo na superfície e medo por baixo. A voz de Detta Walker.

— Tu num vai demorar pra perder elas! Elas vão ser cortadas fora pelo trem A! Aquele famoso trem A! Um cara chamado Jack Mort vai te empurrar da plataforma na estação de Christopher Street!

Odetta olha calmamente para ela e diz:

— O trem A não para lá. *Nunca* parou lá.

— Que merda tu tá dizendo, escrota?

Odetta não se deixa enganar pela voz enfurecida ou os palavrões. Sabe com quem está falando. E sabe do que está falando. A coluna da verdade tem um buraco no meio. Essas não são as vozes do gramofone, mas as de nossos amigos mortos. Eles são fantasmas nas salas da ruína.

— Volte para a Dogan, Susannah. E não esqueça o que estou dizendo; você é que tem de salvar a si mesma. Você é que tem de resgatar a si mesma da Discórdia.

4

Agora é a voz de David Brinkley, dizendo que alguém chamado Stephen King foi atropelado e morto por uma minivan quando caminhava perto de sua casa em Lovell, uma cidadezinha no oeste do Maine. King tinha cinquenta e dois anos, diz ele, e era autor de muitos romances, entre os quais se destacavam *A dança da morte*, *O iluminado* e *'Salem*. Ah, Discórdia, diz Brinkley, o mundo fica mais escuro.

5

Odetta Holmes, a mulher que Susannah um dia foi, aponta por entre as grades da cela para trás dela. Odetta torna a dizer:

— Só você pode salvar a si mesma. Mas o caminho da arma é o caminho da danação assim como da salvação; no fim não há diferença.

Susannah se vira para onde o dedo está apontando e fica horrorizada com o que vê: O sangue! Bom Deus, o *sangue*! Há uma bacia cheia de sangue e nela uma monstruosa coisa morta, um bebê morto que não é humano, e será que foi ela mesma que o matou?

— Não! — grita ela. — Eu jamais farei isso! JAMAIS *farei*!

— Então o pistoleiro morrerá e cairá a Torre Negra — diz a terrível mulher parada no corredor, a terrível mulher que está usando os sapatos de Trudy Damascus. — Discórdia, sem dúvida.

Susannah fecha os olhos. Será que ela pode se *forçar* a desmaiar? Será que pode desmaiar e escapar daquela cela, daquele mundo terrível?

Pode. Cai para a frente no escuro, entre os bipes suaves das máquinas. A última voz que ouve é a de Walter Cronkite, dizendo que Diem e Nhu estão mortos, que o astronauta Alan Shepard está morto, que Lyndon Johnson está morto, que Richard Nixon está morto, que Elvis Presley está morto, que Rock Hudson está morto, que Roland de Gilead está morto, que Eddie de Nova York está morto, que Jake de Nova York está morto, que o mundo está morto — os *mundos*, a Torre está caindo, um trilhão de universos estão se fundindo e tudo é Discórdia, tudo é ruína, tudo está acabado.

6

Susannah abriu os olhos e olhou febrilmente ao redor, lutando para respirar. Quase caiu da cadeira em que estava sentada. Era uma daquelas capazes de rolar de um lado para o outro defronte aos painéis de instrumentos cheios de botões giratórios, interruptores e luzes piscando. No alto, as telas dos monitores em preto e branco. Ela estava de volta a Dogan. Oxford

(*Diem e Nhu estão mortos*)

fora apenas um sonho. Um sonho dentro de um sonho, se quiser colocar dessa maneira. Este era outro, mas um pouco melhor.

A maioria dos monitores televisivos, que tinham mostrado imagens de Calla Bryn Sturgis da última vez que ela estivera lá, exibiam agora uma tela branca ou testes de padrões de imagens. Em um deles, contudo, havia o corredor do 19º andar do Plaza-Park Hotel. A câmera avançava para os elevadores e Susannah percebeu que era através dos olhos de Mia que ela estava observando aquilo.

Os meus olhos, pensou. Sua raiva não era muita, mas ela sentiu que poderia ser alimentada. Que *teria* de ser alimentada se ia mesmo cogitar a coisa inominável que vira em seu sonho. A coisa no canto de sua cela de xadrez em Oxford. A coisa na tigela ensanguentada.

São meus olhos. Ela os sequestrou, só isso.

Outro monitor televisivo mostrava Mia chegando ao saguão do elevador, examinando os botões e pressionando aquele marcado com a seta DESCE. *Estamos a caminho de ir ver a parteira*, Susannah pensou, olhando sombriamente para o monitor e logo deixando escapar um riso breve, sem humor. *Ah, estamos a caminho de ir ver a parteira, a maravilhosa parteira de Oz. Por causa por causa por causa por causa por-*CAUSSS... *Por causa das coisas maravilhosas que ela faz!*

Ali estavam os controles que ela reprogramou a um custo considerável — diabo, *dor*. TEMPERATURA EMOCIONAL ainda em 72. O interruptor de encaixe com a inscrição CARINHA continuava virado para ADORMECIDO e, no monitor acima dele, o carinha permanecia quieto em preto e branco: nenhum sinal daqueles inquietantes olhos azuis. O bizarro botão de fogão com a marca TRABALHO DE PARTO continuava em 2, mas ela viu que a maioria das luzes que tinham uma coloração âmbar da última vez que estivera ali estavam agora ficando vermelhas. Havia mais rachaduras no chão e o antigo soldado morto no canto da sala tinha perdido a cabeça: a vibração cada vez mais forte das máquinas derrubara o crânio do alto da espinha. O crânio caíra virado para o teto e ria para as luzes fluorescentes.

O ponteiro do mostrador **SUSANNAH-MIO** chegara ao fim da faixa amarela; enquanto Susannah observava, ele foi se encaminhando para o vermelho. Perigo, perigo, Diem e Nhu estão mortos. Papa Doc Duvalier está morto. Jackie Kennedy está morta.

Tentou mexer nos controles, um após outro, confirmando o que já sabia: estavam emperrados nas marcações. Talvez Mia não tivesse sido capaz de mudar os botões, mas prender as marcações do jeito que preferia? Aquilo ela conseguira fazer.

Veio um guincho e um estalido dos alto-falantes acima dela, barulhentos o bastante para lhe dar um susto. Depois, chegando através de fortes explosões de estática, a voz de Eddie.

— *Suze!... ei!... Está me ouvindo? Enr... le! Faça isso antes... para onde... ter... beb? Está me ouvindo?*

Na imagem do monitor, que ela imaginava como a visão de Mia, as portas do elevador do meio se abriram. A mama-puta sequestradora entrou. Susannah mal reparou. Ela agarrou o microfone e empurrou o interruptor para o lado.

— Eddie! — gritou. — Estou em junho. Junho de 1999! As mulheres andam na rua com as barrigas e as alças dos sutiãs aparecendo... — Cristo, o que estava tagarelando? Fez um esforço intenso para limpar a mente.

— Eddie, não estou ouvindo você bem! Diga de novo, docinho!

Por um momento só houve mais estática, somada a um ocasional e fantasmagórico gemido de feedback. Estava prestes a tentar de novo o microfone quando a voz de Eddie retornou, desta vez um pouco mais clara.

— *Enrole! Jake... père Cal... firme! Enrol... antes ela... para onde... ter o bebê! Se você... confirme!*

— Estou ouvindo você, sobre isso não há dúvida! — gritou ela. Agarrava o microfone prateado com tanta força que ele tremia em suas mãos. — Estou em 1999! Mas não escuto você tão bem quanto eu queria, docinho! Diga de novo e diga se está tudo bem com você!

Mas Eddie fora embora.

Depois de chamar meia dúzia de vezes por ele e não conseguir mais que aquele borrão de estática, tornou a pousar o microfone e tentou entender o que ele estivera tentando lhe dizer. Procurava pôr de lado a alegria de simplesmente saber que Eddie ainda podia estar tentando lhe dizer *qualquer coisa.*

— Enrole — disse ela. Essa parte, pelo menos, chegara alta e clara. — Enrole o *dia*. Como em mate o tempo.

Achou que sobre isso praticamente não havia dúvida. Eddie queria que ela atrasasse Mia. Talvez porque Jake e père Callahan estivessem chegando? Sobre isso não tinha tanta certeza e sem dúvida não gostava muito da ideia. Jake era um pistoleiro, tudo bem, mas era também apenas uma criança. E Susannah desconfiava que o Dixie Pig estava cheio de gente muito perigosa.

Enquanto isso, na visão de Mia, as portas do elevador estavam de novo se abrindo. A mama-puta sequestradora tinha chegado ao saguão. Por ora Susannah tiraria Eddie, Jake e père Callahan da cabeça. Recordava-se de como Mia se recusara a tomar a frente, mesmo quando suas pernas de Susannah-Mio ameaçaram desaparecer sob o corpo que compartilhava com Mia. Porque ela estava, parafraseando o trecho de algum velho poema, sozinha e assustada em um mundo que jamais criara.

Porque estava *tímida.*

E, meu Deus, as coisas no saguão do Plaza-Park tinham mudado enquanto a mama-puta sequestradora esperava o telefonema no andar de cima. Tinham mudado *bastante.*

Susannah se inclinou para a frente apoiando os cotovelos na beirada do principal painel de instrumentos da Dogan e o queixo nas palmas das mãos.

Isto podia ser interessante.

7

Mia saiu do elevador e na mesma hora tentou voltar atrás, chocando-se contra as portas com força suficiente para fazer seus dentes baterem com um pequeno estalido. Olhou em volta, desnorteada, a princípio sem entender muito bem como a pequena saleta que subia e descia tinha desaparecido.

Susannah! O que aconteceu com ela?

Nenhuma resposta da mulher de pele escura cujo rosto ela agora usava, mas Mia descobriu que não precisava de uma. Podia ver o lugar onde a porta se abria e fechava. Se empurrasse o botão, provavelmente a porta se abriria de novo, mas ela teve de conter o repentino e forte desejo de voltar ao quarto 1919. Seu assunto ali estava concluído. Agora, seu *verdadeiro* assunto era em algum lugar além das portas do saguão.

Olhou para aquelas portas com aquele tipo de desânimo que pode fazer a pessoa morder os lábios e descambar para o pânico após uma única palavra dura ou olhar irritado.

Ficara lá em cima por pouco mais de uma hora e, durante esse tempo, a calmaria do saguão do hotel após o almoço chegara ao fim. Meia dúzia de táxis vindos do La Guardia e do Kennedy haviam encostado na frente do hotel quase que ao mesmo tempo; o mesmo acontecera com um ônibus de excursão com turistas japoneses vindo do aeroporto de Newark. A excursão começara em Sapporo e consistia em cinquenta casais com reservas no Plaza-Park. Agora o saguão estava rapidamente se enchendo de gente conversando. A maioria tinha olhos escuros, amendoados e cabelos pretos e brilhantes. Em volta dos pescoços, presos em correias, exibiam objetos oblongos. De vez em quando alguém suspendia um desses objetos e o apontava para outra pessoa. Havia um clarão brilhante, risos e gritos *de Domo! Domo!* Três filas estavam se formando no balcão. À bela mulher que tinha feito o check-in de Mia em uma hora mais calma se juntavam agora dois outros funcionários, todos trabalhando febrilmente. O saguão de pé-direito alto ecoava com uma mistura de risos e conversas em uma estranha língua que, aos ouvidos de Mia, soava como um chilreio de pássaros. O conjunto de espelhos aumentava a confusão geral, fazendo o saguão parecer duas vezes mais cheio do que realmente estava.

Mia se encolheu, sem saber o que fazer.

— Frente! — gritou um funcionário da recepção, tocando um sino. O som pareceu atravessar os pensamentos desnorteados de Mia como uma flecha de prata. — Frente, por favor!

Um homem sorridente — cabelo preto grudado no crânio, pele amarela, olhos amendoados atrás de óculos redondos — se aproximou afobado de Mia, segurando uma das coisas oblongas que disparavam clarões. Mia se concentrou, disposta a matá-lo se ele atacasse.

— Tira foto meu e esposa?

Oferecia-lhe a coisa do clarão. Querendo que ela o tomasse da mão dele. Mia recuou um pouco, com medo de que a coisa funcionasse a base de radiação, com medo de que os clarões pudessem causar dano ao bebê.

Susannah? O que eu faço?

Nenhuma resposta. Claro que não, ela realmente não podia esperar a ajuda de Susannah depois do que tinha acabado de acontecer, mas...

O homem sorridente continuava lhe empurrando a máquina do clarão. Parecia um pouco confuso, mas sem demonstrar medo.

— Tira foto, por favor?

E colocou a coisa oblonga na mão dela. Dando um passo atrás, o homem colocou o braço em volta de uma senhora que parecia exatamente igual a ele, exceto pelo cabelo muito preto, cortado ao longo da testa no que Mia achou parecido com o corte de cabelo de uma menininha. Até os óculos redondos eram iguais.

— Não — disse Mia. — Não, me desculpem... não. — O pânico agora estava muito próximo e era muito intenso, girando, rodopiando bem na frente dela

(*tira a foto, porfa?, matamos o bebê, porfa?*)

e o primeiro impulso de Mia foi deixar a coisa oblonga cair no chão. Só que ela podia se quebrar e liberar a malignidade que alimentava os clarões.

Pousou-a, então, cuidadosamente no chão, sorrindo com ar de desculpas para o espantado casal japonês (o homem continuava com o braço em volta da esposa). Depois saiu apressada pelo saguão na direção da lojinha. Até a música do piano tinha se alterado; em vez das melodias tranquilas de antes, agora ele martelava alguma coisa sincopada e dissonante, uma espécie de dor de cabeça musical.

Preciso de uma blusa porque há sangue nesta. Vou pegar a blusa e depois vou para o Dixie Pig, na rua Sessenta e Um com a Lexingworth... quero dizer, Lexington, Lexington... e vou ter meu bebê. Vou ter meu bebê e toda esta confusão vai acabar. Vou dar risada quando me lembrar de como fiquei assustada.

Mas a loja também estava cheia. Mulheres japonesas, enquanto esperavam que os maridos completassem os check-ins no hotel, examinavam os suvenires e trocavam palavras entre si naquela língua de passarinho. Mia viu blusas empilhadas em um balcão, mas havia mulheres por toda volta, examinando-as. E havia uma fila junto ao balcão.

Susannah, o que devo fazer? Você precisa me ajudar!

Nenhuma resposta. Susannah estava ali, Mia podia senti-la, mas não ia ajudar. *E realmente*, Mia pensou, *eu ajudaria se estivesse no lugar dela?*

Bem, talvez ajudasse. Alguém teria que lhe oferecer o incentivo adequado, é claro, mas...

O único incentivo que eu quero de você é a verdade, Susannah disse friamente.

Alguém esbarrou em Mia quando ela parou na porta da loja. Mia se virou, erguendo as mãos. Se fosse um inimigo, ou algum inimigo de seu carinha, arrancaria os olhos dele.

— Perdão — disse uma sorridente mulher de cabelo preto. Como o homem, estava segurando uma das coisas oblongas de clarão. No meio da coisa havia um olho circular de vidro que contemplava Mia. Podia ver seu próprio rosto nele, pequeno, escuro e desnorteado. — Tira foto, por favor? Meu e de meu amiga?

Mia não fazia ideia do que a mulher estava dizendo, o que ela queria ou o que devia fazer com a caixa que produzia clarões. Só sabia que havia gente demais ali, gente por toda parte, aquilo era um hospício. Através da vitrine da loja, viu que a frente do hotel estava igualmente apinhada de gente. Havia carros amarelos e compridos carros pretos com janelas atrás das quais não se via ninguém (embora as pessoas lá dentro sem dúvida enxergassem o lado de fora). Um enorme transporte prateado parou barulhento no meio-fio. Havia dois homens de uniformes verdes no meio da rua, soprando apitos também prateados. Em algum lugar por perto alguma coisa começou a trepidar com força. Para Mia, que nunca tinha ouvido uma britadeira, a coisa soava como uma metralhadora, mas ninguém do lado de fora estava se jogando no chão; ninguém sequer parecia assustado.

Como ia conseguir chegar sozinha ao Dixie Pig? Richard P. Sayre tinha dito que com certeza Susannah poderia ajudá-la a encontrar o caminho, mas Susannah permanecia teimosamente silenciosa e Mia estava à beira de perder inteiramente o controle.

Então Susannah falou de novo.

Se eu a ajudar um pouco agora — levá-la a um lugar tranquilo onde possa recuperar o fôlego e, pelo menos, tomar alguma providência com relação à blusa — me dará respostas diretas?

Sobre o quê?

Sobre o bebê, Mia. E sobre a mãe. Sobre você.

Já dei!

Acho que não. Não acho que você seja tão elemental quanto... bem, quanto eu. Quero a verdade.

Por quê?

Quero a verdade, Susannah repetiu e logo caiu em silêncio, recusando-se a responder a qualquer outra pergunta de Mia. E quando mais um homenzinho sorridente se aproximou com outra coisa-clarão, os nervos de Mia cederam. Naquele momento a simples travessia do saguão do hotel parecia uma tarefa maior do que suas forças; como conseguiria continuar avançando até onde ficava aquele Dixie Pig? Depois de tantos anos em

(*Fedic*)

(*Discórdia*)

(*o Castelo do Abismo*),

estar entre tanta gente a deixava com vontade de gritar. E, afinal, por que não dizer à mulher de pele escura o pouco que sabia? Ela — Mia, filha de ninguém, mãe de alguém — estava firmemente com a rédea. Que mal haveria em contar um pouco da verdade?

Tudo bem, disse. *Vou fazer o que me pede, Susannah, Odetta ou quem quer que você seja. Mas me ajude. Me tire daqui.*

Susannah Dean tomou a frente.

8

Havia um banheiro feminino adjacente ao bar do hotel, depois do piano, contornando o balcão. Duas das senhoras de pele amarela, cabelo preto e olhos amendoados estavam nas pias, uma lavando as mãos, a outra arrumando o cabelo, ambas conversando no jargão de passarinho. Nenhuma delas prestou atenção à mulher *kokujin* que passou por elas e foi para um compartimento. Pouco depois a deixaram em abençoado silêncio, só interrompido pela música fraca que fluía dos alto-falantes no teto do banheiro.

Mia observou como o trinco funcionava e entrou. Estava prestes a sentar no vaso sanitário quando Susannah disse: *Vire pelo avesso.*

O quê?

A blusa, mulher. Vire a blusa pelo avesso, pelo amor de seu pai!

Por um momento Mia não reagiu. Estava atordoada demais.

A blusa era um rude callum-ka de malha, o tipo de pulôver simples usado por ambos os gêneros no tempo mais fresco, na parte rural de campos de arroz. Tinha o que Odetta Holmes teria chamado de gola canoa. Não havia botões e, sim claro, poderia ser facilmente virada pelo avesso, mas…

Susannah, visivelmente impaciente: *Vai ficar parada, como lua de commala, o dia inteiro?*

Vire pelo avesso! E desta vez enfie por dentro do jeans.

P… Por quê?

Vai lhe dar um visual diferente, Susannah respondeu prontamente, mas essa não era a razão. O que ela queria era dar uma boa olhada em si mesma abaixo da cintura. Se suas pernas fossem as de Mia, seriam com toda a probabilidade pernas brancas. Estava fascinada (e um tanto nauseada) com a ideia de ter se tornado uma espécie de mistura com todos os tons.

Mia ficou parada mais um instante, a ponta dos dedos esfregando o linho grosso da blusa sobre a pior das manchas de sangue, que ficava sobre o seio esquerdo. Sobre o coração. Vire do avesso! No saguão, uma dúzia de ideias semiconcretas tinham lhe atravessado a cabeça (usar a tartaruga de marfim para encantar as pessoas na loja fora provavelmente a única que se aproximara do viável), mas simplesmente virar a maldita coisa pelo avesso não fora uma delas. O que apenas revelava, ela supunha, como estivera perto do pânico total. Mas agora...

Será que precisava de Susannah para o breve tempo que ia permanecer naquela superpovoada e desorientadora cidade, tão diferente dos tranquilos aposentos do castelo e das tranquilas ruas de Fedic? Precisava de Susannah para ir de lá até a esquina da rua Sessenta e Um com a avenida Lexingworth?

*Lexing*ton, disse a mulher capturada dentro dela. *Lexing*ton. *Fica se esquecendo disso, não é?*

Sim. Sim, disse ela. E não havia razão para se esquecer de uma coisa tão simples. Talvez nunca tivesse estado em Morehouse ou em house nenhuma, mas não era burra. Então por que...

O quê?, ela perguntou de repente. *Por que você está sorrindo?*

Por nada, disse a mulher dentro dela... mas que continuava sorrindo. Quase rindo. Mia podia sentir isso e não gostou. Lá em cima, no quarto 1919, Susannah chegara a gritar com ela em um misto de terror e fúria, acusando-a de trair o homem que ela, Susannah, amava, assim como o homem atrás de quem seguia. O que fora suficientemente verdadeiro para deixar Mia envergonhada. Ela não gostava de se sentir desse jeito, porém gostava mais da mulher que trazia por dentro quando a outra estava aos berros, chorando, totalmente abalada. O sorriso a deixava nervosa. Esta versão da mulher de pele marrom estava tentando virar a mesa em cima dela; talvez achasse que *já* virara a mesa. O que era impossível, é claro, pois Mia estava sob a proteção do Rei, mas...

Me diga por que está sorrindo!

Ah, que importância tem isso, disse Susannah, só que agora já parecia ser aquela outra, a outra cujo nome era Detta. Mia não se limitava a antipatizar com Detta. Chegava a ter um certo medo dela. *É só que tinha um sujeitinho chamado Sigmund Freud, queridinha... um branquelo safado, mas não burro. E ele disse que quando alguém tá sempre esquecendo de alguma coisa, pode ser porque essa pessoa quer esquecer.*

Isso é idiotice, disse Mia friamente. Além do compartimento onde estava tendo esta conversa mental, a porta se abriu e mais duas senhoras entraram — ou melhor, pelo menos três ou quatro. Tagarelavam na linguagem de passarinho e davam risadinhas de um modo que fez Mia cerrar os dentes. *Por que eu iria esquecer o lugar onde estão me esperando para me ajudar a ter meu bebê?*

Bem, este Freud… um elegante branquelo vienense safado, fumador de charuto… ele alegava que temos outra mente pru baixo da nossa *mente. Ele a chamou de subconsciente ou inconsciente ou alguma porra consciente. Eu não tô, claro, dizendo que exista essa coisa, só que ele* dizia *que havia.*

(Enrole, *Eddie lhe dissera, até aí tinha certeza, e a faria o melhor que pudesse, só esperando que não estivesse contribuindo, ao fazer isso, para a morte de Jake e Callahan.*)

E aí Freud Safado, Detta continuou, *diz que, sob muitos aspectos, a mente subconsciente ou inconsciente é mais* esperta *que aquela que está em cima. É capaz de reconhecer verdades mais* depressa *que aquela que está em cima. E talvez essa sua mente entenda o que venho há muito tempo te dizendo. Que seu amigo Sayre não passa de um filho da puta mentiroso e safado que vai roubar teu bebê e, sei lá, talvez retalhá-lo naquela bacia e depois dá-lo como comida aos vampiros, como se eles fossem cães e teu bebê nada mais que uma tigelona de ração Purina ou Pedigree Ch…*

Cale a boca! Pare com essas mentiras!

Do outro lado, junto às pias, as mulheres-passarinhos riram de um modo tão estridente que Mia sentiu os olhos estremecerem, ameaçando se liquefazer nas órbitas. Teve vontade de se atirar para fora do compartimento, agarrar as cabeças delas e atirá-las contra os espelhos. Teve vontade de fazer isso várias vezes até que o sangue delas esguichasse até o teto e seus *cérebros…*

Calma, calma, disse a mulher dentro dela, que agora já soava de novo como Susannah.

Ela está mentindo! Essa puta está MENTINDO!

Não, Susannah respondeu, e a convicção nessa única e tão curta palavra bastou para disparar uma flecha de medo contra o coração de Mia. *Ela diz o que lhe vem na cabeça, isso não se discute, mas ela não mente. Vamos lá, Mia, vire essa blusa pelo avesso.*

Com uma última explosão de riso de encher os olhos de lágrimas, as mulheres-passarinhos saíram do banheiro. Mia puxou a blusa pela cabeça, expondo os seios de Susannah, que eram marron-escuro com círculos mais claros no topo. Os mamilos, sempre pequenos como mudas de amora, estavam agora bem maiores. Mamilos ansiando por uma boca.

As marcas avermelhadas pelo lado de dentro da blusa eram mínimas. Mia tornou a vesti-la, desabotoando a frente da calça jeans para colocá-la por dentro. Susannah contemplou, fascinada, o ponto logo acima da região pubiana. Ali sua pele adquirira um tom marrom mais claro, bem claro. Abaixo, estavam as pernas brancas da mulher que conhecera no torreão do castelo. Susannah sabia que se Mia continuasse a baixar o jeans, veria as canelas arranhadas e com cascas de feridas que já observara quando Mia — a *verdadeira* Mia — olhara pela Discórdia para o clarão vermelho indicando o castelo do Rei.

Algo naquilo assustou terrivelmente Susannah e, após um momento de consideração (não mais que isso), a razão voltou a ela. Se Mia tivesse apenas substituído as partes das pernas que Odetta Holmes perdera para o trem do metrô quando Jack Mort a empurrou para os trilhos, a pele só seria branca dos joelhos para baixo. Mas suas *coxas* eram brancas, também, e a área da virilha estava ficando. Que tipo de licantropia bizarra era aquela?

Da espécie de corpo roubado, Detta respondeu em um tom jovial. *Logo estará com uma barriga branca... seios brancos... pescoço branco... bochechas brancas...*

Pare com isso, Susannah advertiu, mas quando Detta Walker deu ouvidos às advertências dela? Dela ou de qualquer outra pessoa?

E então, como se não bastasse, tu terá um cérebro branco, garota! Um cérebro de Mia! E não será engraçado? Claro que sim! Então tu vai ser inteiramente Mia! Ninguém vai dar a mínima se tu quiser se sentar bem na frente do ônibus!

Então a blusa ficou esticada sobre os quadris; a calça jeans foi de novo abotoada. Mia sentou-se desse jeito na tampa do vaso. Na frente dela, rabiscado na porta, estava uma pichação: BANGO SKANK ESPERA O REI!

Quem é Bango Skank?, perguntou Mia.

Não faço ideia.

Acho... Era difícil, mas Mia se obrigou. *Acho que devo a você um obrigada.*

A resposta de Susannah foi fria e imediata. *Me agradeça com a verdade.*

Primeiro me diga por quê, no final das contas, você me ajudou, após eu...

Desta vez Mia não pôde terminar. Gostava de se imaginar como corajosa — pelo menos tão corajosa quanto precisava ser por estar a serviço do seu carinha —, mas desta vez não pôde terminar.

Após você entregar quem eu amo a homens que, em essência, não passam de recrutas da infantaria do Rei Rubro? Após você ter decidido que não fazia mal que matassem o meu homem desde que você pudesse conservar o seu? É isso que quer saber?

Mia detestava ouvir alguém dizer aquilo expresso daquela maneira, mas suportou. *Teve* de suportar.

Sim, minha senhora, se preferir assim.

Desta vez quem respondeu foi a outra, com aquela voz — grosseira, esganiçada, debochada, triunfante e detestável — que era ainda pior que o riso estridente das mulheres-passarinhos. Muito pior.

Porque meus rapazes escaparam, tá aí! Foderam completamente aqueles branquelos safados! E os que não balearam, foram estourados em pedacinhos!

Mia experimentou uma profunda sensação de mal-estar. Fosse aquilo genuíno ou não, aquela mulher de riso perverso sem a menor dúvida acreditava que era verdade. E se Roland e Eddie Dean ainda estavam vivos, não era possível que o Rei Rubro não fosse assim tão forte, tão onipotente, como a tinham informado? Não seria mesmo possível que *tivesse* sido induzida a erro sobre...

Pare, pare, você não pode pensar assim!

Há outro motivo para que eu tenha ajudado. A mulher áspera se fora e a outra estava de volta. Ao menos por ora.

Qual é?

É meu bebê, também, disse Susannah. *Não quero que seja morto.*

Não acredito em você.

Mas acreditava. Porque a mulher por dentro tinha razão: Mordred Deschain de Gilead e Discórdia pertencia a ambas. A má podia não se importar, mas a outra, Susannah, sentia claramente a força da maré do carinha. E se ela estivesse certa sobre Sayre e quem quer que estivesse à sua espera no Dixie Pig... se eles fossem mentirosos e vigaristas...

Pare com isso. Pare. Não tenho mais nenhum lugar para onde ir a não ser para eles.

Tem, sim, Susannah disse rapidamente. *Com o Treze Preto você pode ir para qualquer lugar.*

Você não entende. Ele me seguiria. Ele o seguiria.

Você está certa, eu não entendo. Ela na realidade entendia ou *achava* que entendia, mas... *Enrole, ele dissera.*

Tudo bem, vou tentar explicar. Eu mesma não entendo tudo — há coisas que não sei —, mas vou lhe dizer o que puder.

Obrigad...

Antes que pudesse concluir, Susannah estava caindo de novo, como Alice no buraco do coelho. Pelo vaso sanitário, pelo piso, pelos canos sob o chão, em direção a outro mundo.

9

Nenhum castelo no final da queda, não desta vez. Roland tinha contado algumas histórias de seus anos de perambulação — as enfermeiras vampiras e os doutorzinhos da Elúria, as águas caminhantes do East Downe e, é claro, a história de seu primeiro amor condenado — e isto foi um pouco como cair em uma daquelas histórias. Ou, talvez, em um dos seriados ("faroestes adultos", como eram chamados) na ainda relativamente nova rede ABC de televisão: *Sugarfoot*, com Ty Hardin, *Maverick*, com James Garner, ou (o preferido de Odetta Holmes) *Cheyenne*, estrelada por Clint Walker. (Um dia Odetta escrevera uma carta para o diretor de programação da ABC sugerindo que eles poderiam simultaneamente desbravar novos terrenos e conquistar toda uma nova audiência se fizessem uma série sobre um caubói negro andarilho, nos anos após a Guerra Civil; terminou chegando a conclusão de que o próprio envio da carta fora ridículo, uma perda de tempo.)

Havia uma cocheira para cavalos de aluguel com uma placa na frente dizendo CONSERTO BARATO DE ARREIOS. A placa sobre o hotel prometia QUARTOS TRANQUILOS, BOAS CAMAS. Havia pelo menos cinco saloons. Na frente de um deles, um robô enferrujado andava com passos rangentes e virava a cabeça volumosa de um lado para o outro. Pelo alto-falante em forma de buzina no centro do rosto simplório, transmitia uma chamada para a cidade vazia:

— Moças, moças, *moças*! Algumas humanas, algumas cyber, mas quem se importa, você não vai notar a diferença, fazem o que você quiser sem se queixarem, não existe o não no vo-ca-bu-lário delas, proporcionam satisfação a cada gesto! Moças, moças, moças! Algumas são cyber, outras são reais, você não vai saber a diferença quando der uma passada de mão! Fazem o que você quiser! Querem o que *você* quiser!

Ao lado de Susannah seguia a bonita e jovem mulher branca de barriga inchada, pernas arranhadas e cabelo preto na altura dos ombros. Agora, quando as duas cruzavam a fachada vistosa e falsa do MAIS DIVERTIDO SALOON DE FEDIC — BAR E PISTA DE BAILE, ela estava usando um desbotado vestido de pano xadrez que revelava o avançado estado de gravidez de um modo que o fazia parecer anormal, quase um sinal do apocalipse. As sandálias usadas no torreão do castelo tinham sido substituídas por botas lascadas e gastas de couro cru. Ambas usavam aquelas botas e os calços batiam abafados na calçada de tábuas.

De uma das mais afastadas e desertas salas de baile veio o ritmo áspero, sincopado de uma peça de jazz tocada no piano e o trecho de um antigo poema ocorreu a Susannah: *Um bando de rapazes estava fazendo algazarra no Malamute Saloon!*

Susannah olhou sobre a meia-porta de vaivém e não ficou nada surpresa ao ver as palavras MALAMUTE SALOON ÀS SUAS ORDENS.

Diminuiu suficientemente o passo para poder espreitar sobre a porta de vaivém e viu um piano cromado tocando sozinho, teclas empoeiradas subindo e descendo, somente uma caixa de música, sem dúvida construída pela sempre popular North Central Positronics, entretendo uma sala vazia, fora um robô morto e, bem no canto, dois esqueletos atravessando a fase final do processo de decomposição, aquela que os transformaria definitivamente de osso para pó.

Mais longe, no final da única rua da cidade, erguia-se a parede do castelo. Era tão alta e larga que tapava a maior parte do céu.

Susannah bateu abruptamente com o punho no lado da cabeça. Depois estendeu as mãos na frente do corpo e estalou os dedos.

— O que você está fazendo? — Mia perguntou. — Me diga, eu lhe peço.

— Me certificando de que estou aqui. Fisicamente aqui.

— Está.

— É o que parece. Mas como pode ser?

Mia balançou a cabeça, indicando que não sabia. Pelo menos com relação a isso, Susannah estava inclinada a acreditar nela. Também não houve qualquer palavra de discordância por parte de Detta.

— Não era o que eu esperava — disse Susannah, olhando em volta. — Realmente não era o que eu esperava.

— Não? — perguntou sua companheira, sem muito interesse. Mia estava se movendo com aquele desajeitado, mas estranhamente simpático andar gingado de pata, que parece ser o mais adequado às mulheres nos últimos estágios da gestação. — E o que você estava esperando, Susannah?

— Acho que alguma coisa mais medieval. Mais parecida com aquilo. — Apontou para o castelo.

Mia deu de ombros, como para dizer ame-o ou deixe-o, e depois perguntou:

— Aquela outra está com você? A nojenta?

Estava se referindo a Detta. É claro.

— Ela está sempre comigo. É parte de mim exatamente como seu carinha é parte de você. — Mas ainda morria de vontade de saber como Mia podia estar grávida se fora ela, Susannah, quem tivera que trepar.

— Logo a minha parte vai sair de mim — disse Mia. — Será que você nunca vai se livrar da sua?

— Pensei que já tivesse me livrado — disse Susannah, e falava a verdade. — Mas ela voltou. E acho que foi mais para lidar com você.

— Eu a detesto.

— Sei disso. — E Susannah sabia mais. Mia também sentia medo de Detta. Temia-a muito-muito.

— Se ela se intrometer, nossa confabulação termina.

Susannah deu de ombros.

— Ela vem quando quer e fala quando quer. Ela não me pede pela minha autorização.

À frente delas, naquele mesmo lado da rua, havia um arco com uma placa em cima:

ESTAÇÃO FEDIC
MONO PATRÍCIA DESCONTINUADO
LEITOR DE DIGITAIS INOPERANTE
MOSTRE SEU BILHETE
A NORTH CENTRAL POSITRONICS AGRADECE PELA SUA COMPREENSÃO

A placa não interessou a Susannah tanto quanto as duas coisas que jaziam na imunda plataforma da estação além dela: uma boneca de criança, reduzida a pouco mais que uma cabeça e um braço desengonçado, e, mais atrás, uma máscara sorridente. Embora a máscara parecesse feita de aço, boa parte dela parecia ter apodrecido como carne. Os dentes despontando do sorriso eram caninos pontiagudos. Os olhos eram de vidro. Lentes, Susannah teve certeza, também manufaturadas pela North Central Positronics. Em volta da máscara havia alguns farrapos e tiras de pano verde, que sem a menor dúvida fora o capuz daquela coisa. Susannah não teve dificuldade em relacionar os restos da boneca com os restos do Lobo; sua mamãe, como Detta às vezes gostava de dizer às pessoas (especialmente aos rapazes cheios de tesão no estacionamento dos motéis de beira de estrada), não criara nenhuma tola.

— Era para cá que os traziam — disse ela. — Para onde os Lobos traziam os gêmeos que roubavam de Calla Bryn Sturgis. Onde eles... o quê?... os operavam.

— Não apenas de Calla Bryn Sturgis — disse Mia em um tom de indiferença —, mas sim, vinham para cá. E quando os bebês chegavam, eram levados para aquilo ali. Um lugar que você também vai reconhecer, tenho certeza.

Ela apontou para o outro lado da única rua de Fedic, mais adiante. A última construção antes que a muralha do castelo encerrasse abruptamente a cidade era um comprido galpão Quonset com paredes imundas de metal corrugado, e um enferrujado telhado curvo. Pelo lado que Susannah podia ver, as janelas tinham sido vedadas com tábuas. Também ao longo desse lado havia um poste de ferro. Nele estavam amarrados talvez uns setenta cavalos, todos cinza. Alguns tinham caído e jaziam com as pernas esticadas e rígidas. Um ou dois tinham virado a cabeça na direção das vozes das mulheres, mas pareciam ter ficado congelados naquela posição. Era um comportamento que nada combinava com cavalos, mas aqueles cavalos não eram de verdade. Eram robôs, ciborgues ou qualquer um daqueles termos de Roland que quisesse chamar. Muitos pareciam ter estagnado ou estar completamente esgotados.

Na frente do galpão havia uma placa de ferro já corroída pela ferrugem. Nela, uma inscrição:

NORTH CENTRAL POSITRONICS, LTD.

Sede de Fedic

Arco 16 Estação Experimental

Segurança Máxima

ENTRADA PROIBIDA SEM CÓDIGO DE ACESSO

VERBAL E IMPRESSÃO VISUAL

— É outra Dogan, não é? — Susannah perguntou.

— Bem, sim e não — disse Mia. — Na realidade, é a Dogan de todas as Dogans.

— Para onde os Lobos traziam as crianças.

— Sim, e tornarão a trazê-las — disse Mia. — Pois a obra do Rei continuará assim que esta perturbação provocada por seu amigo pistoleiro passar. Não tenho a menor dúvida disso.

Susannah a olhou com curiosidade genuína.

— Como pode falar de modo tão cruel e parecer tão serena? — perguntou. — Trazem as crianças para cá e limpam suas cabeças como… como se limpassem cuias. Crianças! Que não tinham feito mal a ninguém! O que eles devolvem são uns idiotas grandes e desajeitados que atingem seu tamanho máximo agoniados de dor e frequentemente morrem da mesma maneira terrível. O que você ia fazer, Mia, se o *seu* filho fosse jogado na sela de um daqueles cavalos, gritando o seu nome e estendendo os braços?

Mia ficou vermelha, mas foi capaz de enfrentar o olhar de Susannah.

— Cada um tem de seguir a estrada onde o ka plantou seus pés, Susannah de Nova York. Minha missão é gerar meu carinha, criá-lo e assim dar fim a jornada de seu dinh. E à vida dele.

— É incrível como todo mundo parece julgar que sabe exatamente o que o ka destinou para si — disse Susannah. — Não acha que é incrível?

— Acho que está tentando zombar de mim porque está com medo — disse Mia secamente. — Se isto a faz se sentir melhor, então sim, continue. — Ela abriu os braços com ar sarcástico e se curvou brevemente por cima da sua grande barriga.

Tinham parado na calçada junto a uma loja com uma placa que dizia CHAPELARIA E ARTIGOS PARA SENHORAS, defronte a Dogan de Fedic. Susannah pensou: *Enrole, não esqueça que essa é a outra parte de sua tarefa aqui. Ganhar tempo. Manter aquele corpo esquisito que nós duas agora compartilhamos naquele banheiro feminino pelo maior tempo possível.*

— Não estou zombando — disse Susannah. — Só estou pedindo que se coloque no lugar de todas aquelas outras mães.

Mia balançou a cabeça com raiva, o cabelo muito preto esvoaçando em volta das orelhas e batendo nos ombros.

— Não tracei o destino delas, minha senhora, nem elas o meu. Vou poupar minhas lágrimas, obrigada. Quer ouvir minha história ou não?

— Sim, por favor.

— Então vamos sentar, pois minhas pernas estão doloridas e cansadas.

10

No Gin-Puppie Saloon, passando algumas melancólicas fachadas de lojas na direção da qual tinham vindo, encontraram cadeiras que ainda aguentavam o peso delas, mas nenhuma das duas experimentou qualquer simpatia pelo saloon propriamente dito, que cheirava a poeira e morte. Arrastaram as cadeiras para a calçada de tábuas, onde Mia se sentou com um nítido suspiro de alívio.

— Logo — disse ela. — Logo você dará à luz, Susannah de Nova York, e eu também.

— Talvez, mas não estou entendendo nada disto. Principalmente não entendo por que está correndo ao encontro desse tal de Sayre, quando você deve saber que ele serve ao Rei Rubro.

— Calada! — disse Mia sentada com as pernas abertas, contemplando a rua deserta, a enorme barriga diante de Susannah. — Foi um homem do Rei quem me deu a chance de cumprir o único destino que o ka me reservou. Não Sayre, mas alguém muito maior que ele. Alguém a quem Sayre tem de prestar contas. Um homem chamado Walter.

Susannah teve um sobressalto ao ouvir o nome do antigo oponente de Roland. Mia se virou para ela com um sorriso frio.

— Estou vendo que reconheceu o nome. Bem, talvez isso nos poupe de alguns detalhes. Deus sabe que já houve conversa demais para o meu gosto; não foi para isso que fui feita. Fui feita para gerar meu carinha e criá-lo, não mais que isso. E não menos.

Susannah não deu resposta. Matar deveria ser o seu ofício, e matar tempo era sua tarefa atual, mas na verdade ela começava a achar a obstinação de Mia um tanto cansativa. Para não dizer assustadora.

— Sou o que sou e estou satisfeita com isso — disse Mia, como se tivesse captado o pensamento. — E daí se os outros não gostam? Cuspo neles!

Falado como Detta Walker no seu estado mais briguento, Susannah pensou, mas não deu resposta. Parecia mais seguro ficar em silêncio.

Após uma pausa, Mia continuou:

— Mas eu estaria mentindo se não admitisse que estar aqui traz de volta… certas lembranças. Sim! — E, inesperadamente, ela deu uma risada. Da mesma forma inesperada, o som foi bonito e melódico.

— Conte sua história — disse Susannah. — Desta vez me conte tudo. Temos tempo antes que o trabalho de parto comece de novo.

— Acha que sim?

— Acho. Me conte.

Por alguns momentos Mia se limitou a contemplar a rua com sua poeirenta cobertura de oggan e seu ar de triste e antigo abandono. Esperando que a história começasse a ser contada, Susannah reparou pela primeira vez na natureza parada e sem sombra de Fedic. Podia se ver tudo muito bem e não havia lua no céu, como na noite em que estavam no torreão do castelo. Ela, no entanto, ainda hesitava em definir se estavam ali durante o dia.

Não há tempo, uma voz sussurrava dentro de Susannah… ela não sabia de quem. *Isto é um lugar entre, Susannah; um lugar onde as sombras são canceladas e o tempo prende a respiração.*

Então Mia contou sua história. Era menor do que Susannah imaginava (mais curta do que ela queria, considerando o pedido de Eddie para ganhar tempo), mas explicava muita coisa. Até mais do que Susannah tinha esperado. Ela ouviu com raiva crescente, e por que não? Ao que parecia, havia sido mais do que estuprada naquele dia no círculo de pedras e ossos. Fora também roubada… o mais estranho roubo a que uma mulher jamais foi submetida.

E aquilo ainda estava se passando.

11

— Olhe ali, possa isso lhe fazer bem — disse a mulher de barriga grande sentada ao lado de Susannah na calçada de tábuas. — Olhe e veja Mia antes que ela ganhasse seu nome.

Susannah olhou para a rua. A princípio não viu nada, a não ser uma roda de carroça jogada em um canto, um bebedouro lascado (e há muito tempo seco) e uma estrelada coisa prateada, que parecia a roseta perdida da espora de algum caubói.

Então, lentamente, uma figura imprecisa se formou. Uma mulher nua. A beleza era ofuscante — mesmo antes de ela ficar totalmente visível, Susannah a reconheceu. Sua idade era qualquer uma. O cabelo negro batia nos ombros. Seu ventre era chapado, o umbigo uma taça graciosa em que qualquer homem que já tivesse amado as mulheres gostaria de mergulhar a língua. Susannah (ou talvez Detta) pensou: *Diabo, até eu gostaria de mergulhar a minha*. Escondida entre as coxas da mulher-fantasma havia uma graciosa fenda. Ali havia uma maré de atração.

— Essa sou eu quando cheguei aqui — disse a versão grávida sentada ao lado de Susannah. Falou quase como alguém que estivesse mostrando os slides de fotos das férias. *Essa sou eu no Grand Canyon, essa sou eu em Seattle, essa sou eu na Grande Represa do Vale, essa sou eu na rua principal de Fedic, gostou.* A mulher grávida era também bonita, mas não tão feericamente quanto o espectro na rua. A mulher grávida aparentava por exemplo uma certa idade (vinte e tantos anos, por exemplo) e tinha o rosto marcado pela experiência. Boa parte dela dolorosa.

— Eu disse que eu era um elemental... aquele que fez sexo com seu dinh... mas era mentira. Como acho que você suspeitou. Menti não por querer tirar alguma vantagem, mas só... não sei... por uma espécie de avidez, eu acho. Queria que o bebê fosse meu de todas as formas...

— Seu desde o início.

— Isso, desde o início... você está certa. — Observavam a mulher nua subindo a rua, braços balançando, os músculos das costas compridas sendo flexionados, os quadris se sacudindo de um lado para o outro naquele eterno, incansável pêndulo de movimento. Ela não deixava pegadas no oggan.

— Eu lhe disse que as criaturas do mundo invisível foram deixadas para trás quando o *Prim* recuou. A maioria morreu, como acontece aos peixes e demais animais marinhos atirados em uma praia e deixados à mercê do ar que vai estrangulá-los. Mas há sempre quem se adapta e eu fui um desses desventurados. Vaguei de um lado para o outro e, quando encontrava homens nas terras devastadas, assumia a forma que você vê.

Como uma modelo em uma passarela (uma modelo que tivesse esquecido de vestir a mais recente criação parisiense que devia estar exibindo), a mulher na rua girou no rastro de seus pés, as nádegas tensionando com uma suave e fascinante descontração que, momentaneamente, criou covas em forma de lua crescente. Ela começou a caminhar de volta. O cabelo balançava ao lado de orelhas que não tinham qualquer outro ornamento e os olhos, logo abaixo do corte reto das franjas, estavam fixos em um horizonte distante.

— Quando encontrava alguém com um pau, transava com ele — disse Mia. — Isso eu tinha em comum com o demônio elemental que primeiro tentou ter relações com o seu soh e depois conseguiu ter relações com o seu dinh, e isso também contribuiu para minha mentira, eu acho. Julguei seu dinh razoavelmente bonito. — Um leve traço de desejo engrossou a voz de Mia. A Detta em Susannah achou isso sexy. A Detta em Susannah entreabriu os lábios em um terrível sorriso de compreensão.

— Eu transava com eles e se eles não conseguiam se libertar eu os fodia até a morte. — Como se fosse nada. *Depois do Grande Vale, fomos ao Parque Yosemite.* — Se importaria de passar ao seu dinh um recado meu, Susannah? Se tornar a vê-lo?

— Sim, se quiser.

— Certa vez ele conheceu um homem... um sujeito perverso... chamado Amos Depape, irmão do Roy Depape que andava com Eldred Jonas em Mejis. Seu dinh acredita que Amos Depape morreu por uma picada de cobra, e em certo sentido foi isso que aconteceu... mas a cobra fui eu.

Susannah não disse nada.

— Não transava com eles por sexo. Não transava com eles para matá-los, embora pouco tenha me importado quando sentia que morriam e seus paus finalmente saíam de dentro de mim como pingentes de gelo derretendo. Na verdade eu não sabia por que estava transando com eles, até que cheguei aqui, a Fedic. Naqueles primeiros dias ainda havia homens e mulheres neste lugar; a Morte Rubra não chegara, percebe? A rachadura na terra atrás da cidade estava lá, mas a ponte sobre ela permanecia forte, segura. Aquelas pessoas eram obstinadas, tentando resistir, mesmo quando começaram os rumores de que o Castelo Discórdia estava assombrado. Os trens ainda vinham, embora não em horários regulares...

— As crianças? — perguntou Susannah. — Os gêmeos? — Ela fez uma pausa. — Os Lobos?

— Não, isso tudo foi duas dúzias de séculos mais tarde. Ou mais. Mas agora me escute: houve um casal em Fedic que teve um *bebê*. Você não faz ideia, Susannah de Nova York, como isso era raro e como era maravilhoso naqueles dias, quando a maioria das pessoas eram tão estéreis quanto os próprios elementais, e quem não era geralmente só produzia vagos mutantes ou monstros tão terríveis que eram mortos pelos pais se respiravam mais de uma vez. A maioria deles nem chegava a respirar. Ah, mas *aquele* bebê!

Bateu as mãos. Os olhos brilhavam.

— Era gordinho, rosado e não era maculado por uma só marca de nascença... Era perfeito e, após um simples olhar, descobri para o que eu fora feita. Eu não estava transando por sexo ou porque no coito me fizesse sentir como se fosse quase mortal ou porque isso levasse à morte a maioria dos meus parceiros, mas para ter um bebê como o daquele casal. Como o Michael deles.

Ela baixou ligeiramente a cabeça e continuou:

— Eu o teria pegado para mim, sabe. Teria ido até o homem, transado com ele até deixá-lo louco e depois sussurraria em seu ouvido que ele devia matar a esposa. E quando ela tivesse chegado à clareira no fim do caminho, eu já o teria matado através do sexo e o bebê... aquele belo bebezinho rosado... teria ficado comigo. Você entende?

— Sim — disse Susannah. Ela se sentia um pouco nauseada. Na frente delas, no meio da rua, a mulher fantasmagórica dava mais uma volta e começava tudo de novo. Mais abaixo, o robô propagandista buzinava sua fala aparentemente eterna: *Moças, moças, moças! Algumas humanas, algumas cyber, mas quem se importa, você não vai notar a diferença!*

— Mas descobri que não podia me aproximar deles — disse Mia. — Era como se um círculo mágico tivesse sido traçado ao redor dos dois. Era o bebê, eu acho.

"Então veio a praga. A Morte Rubra. Algumas pessoas disseram que alguma coisa fora aberta no castelo, alguma jarra de coisa demoníaca, que devia ter ficado trancada para sempre. Outros disseram que a praga saíra da fenda... do que chamavam Traseiro do Demônio. De um modo ou de outro, foi o fim da vida em Fedic, da vida na beira do castelo da Discórdia. Muitos partiram a pé ou em carroças. O bebê Michael e seus pais ficaram, à espera de um trem. A cada dia eu ficava na expectativa que adoecessem... que as manchas vermelhas aparecessem nas bonitas bochechas e nos bracinhos gordinhos do bebê... mas nunca apareceram; nenhum dos três adoeceu. Talvez *estivessem* mesmo em um círculo mágico. Acho que só podem ter estado. E um dia chegou um trem. Era Patricia. O mono. Você sabe..."

— Sim — disse Susannah. Sabia tudo o que queria sobre a companheira mono do Blaine. Um dia sua rota devia tê-la levado para cá, assim como para Lud.

— Então, tomaram o trem. Fiquei observando da plataforma da estação, enxugando minhas lágrimas invisíveis e soltando meus gritos que ninguém ouvia. Tomaram o trem com seu doce bebezinho... só que ele já estava com três ou quatro anos, andava e falava. E partiram. Tentei segui-los, mas não consegui, Susannah. Estava aprisionada aqui. Conhecer meu propósito foi o que me levara a essa condição.

Susannah duvidava disso, mas decidiu não fazer comentários.

— Passaram-se anos, décadas e séculos. Em Fedic sobravam apenas os robôs e os corpos sem sepultura deixados pela Morte Rubra, corpos que viraram esqueletos e depois pó.

"Então alguns homens vieram novamente para cá, mas não me atrevi a chegar perto deles porque eram os homens *dele*. — Ela fez uma pausa. — Homens da *coisa*."

— Do Rei Rubro.

— Sim, aqueles com os buracos na testa sangrando sem fim. E foram para lá. — Ela apontou para a Dogan de Fedic, a Estação Experimental Arco 16. — E logo suas máquinas amaldiçoadas estavam de novo funcionando, como se eles ainda acreditassem que máquinas pudessem sustentar o mundo. Não, é claro, que sustentar o mundo seja o que eles querem fazer! Não, não, não eles! Trouxeram camas...

— Camas! — Susannah exclamou, sobressaltada. Na rua diante delas, a mulher fantasmagórica caminhava mais uma vez em seu próprio rastro e dava a volta, fazendo uma graciosa pirueta.

— Para as crianças, embora ainda faltassem muitos anos para que os Lobos começassem a trazê-las e para que você entrasse na história de seu dinh. Mas aquele tempo se aproximava e, um dia, Walter veio me ver.

— Não pode fazer essa mulher na rua desaparecer? — Susannah perguntou abruptamente (e um tanto irritada). — Sei que é uma versão de você, percebo a ideia, mas ela me deixa... não sei... nervosa. Não pode fazer com que vá embora?

— Se quiser. — Mia franziu os lábios e soprou. A mulher tão perturbadoramente bela... um espírito sem nome... desapareceu como fumaça.

Por vários momentos, Mia ficou em silêncio, de novo reunindo os fios de sua história.

— Walter... me enxergou — ela continuou. — Não como os outros homens. Mesmo aqueles que fodi até a morte só viam o que queriam ver. Ou o que *eu* quis que vissem. — Ela sorriu em uma desagradável recordação. — Fiz alguns morrerem achando que estavam transando com as próprias mães! Devia ter visto a cara deles! — O sorriso desbotou. — Mas Walter me *viu*.

— Como era a aparência dele?

— Difícil dizer, Susannah. Usava um capuz e, dentro dele, sorria... era um homem muito sorridente... e confabulou comigo. Ali. — Apontou para o MAIS DIVERTIDO SALOON DE FEDIC com um dedo que tremia levemente.

— Nenhuma marca na testa, certo?

— Não, tenho certeza que não, pois ele não é um daqueles que père Callahan chama de homens nefastos. A tarefa deles são os Sapadores. Os Sapadores e nada mais.

Foi então que Susannah começou a sentir a raiva, embora tentasse não deixá-la transparecer. Mia tinha acesso a todas as suas memórias, o que significava a todos os feitos e segredos mais íntimos do ka-tet. Era como alguém descobrir que estivera um ladrão em sua própria casa que havia experimentado suas calcinhas, além de roubar o dinheiro e remexer nos seus papéis mais pessoais.

Era terrível.

— Suponho que Walter seja o que você chamaria de primeiro-ministro do Rei Rubro — disse Mia. — Costuma viajar disfarçado e é conhecido em outros mundos sob outros nomes, mas é um homem que está sempre sorrindo, rindo...

— Conheci-o rapidamente — disse Susannah —, usando o nome de Flagg. Espero encontrá-lo de novo.

— Se realmente o tivesse conhecido, não desejaria uma coisa dessas.

— Os Sapadores de que você falou... onde eles estão?

— Ora... Em Trovão, você não sabe? Nas terras da sombra. Por que está perguntando?

— Só por curiosidade — disse Susannah, parecendo ouvir a voz de Eddie: *Pergunte qualquer coisa que ela vá responder. Enrole. Nos dê uma chance para alcançar vocês*. Esperava que Mia não pudesse ler seus pensamentos quando estavam separadas. Porque se pudesse, ela, Susannah, estaria completamente na merda. — Vamos voltar ao Walter. Podemos falar um pouco dele?

Mia aparentava um estado de submissão fatigada no qual Susannah não conseguia acreditar de todo. Quanto tempo se passara desde a última vez em que Mia tivera um ouvinte para algum assunto que tivesse vontade de contar? A resposta, Susannah supôs, era que provavelmente isso nunca acontecera. E as perguntas que Susannah estava fazendo, as dúvidas que estava expondo... certamente algumas delas deviam ter passado pela cabeça de Mia. Seriam banidas rapidamente como blasfêmias, mas ainda assim, esta não era uma mulher burra. A não ser que a obsessão a *tornasse* burra. Susannah não achava essa ideia nada improvável.

— Susannah? O malhado comeu sua língua?

— Não, eu só estava pensando que alívio deve ter sido quando Walter a procurou.

Mia pensou um instante e sorriu. O sorriso a alterou, fazendo-a parecer uma menina, ingênua e tímida. Susannah precisou se lembrar que aquela não era uma expressão em que pudesse confiar.

— Sim! Foi! Claro que foi!

— Depois de descobrir seu objetivo na vida e ser presa aqui por isto... Depois de ver os Lobos se aprontando para estocar as crianças e operá-las... Depois de tudo isso, Walter chega. O próprio demônio, mas que pelo menos pode vê-la. Pelo menos pode ouvir sua triste história. E ele te faz uma proposta.

— Ele disse que o Rei Rubro me daria um filho — falou Mia, encostando suavemente as mãos em sua grande barriga redonda. — Meu Mordred, cujo tempo finalmente chega.

12

Mia apontou de novo para a Estação Experimental Arco 16. O que chamara Dogan das Dogans. O último vestígio de seu sorriso se prolongou nos lábios, mas agora não havia neles felicidade ou satisfação real. Os olhos brilhavam de medo e — talvez — de reverência.

— Foi ali onde me modificaram, me tornando mortal. Antigamente havia muitos lugares assim... deve ter havido... mas aposto minha cabeça que aquele é o único que sobrou em todo o Mundo Interior, em todo o Mundo Médio ou no Fim do Mundo. É um lugar ao mesmo tempo maravilhoso e terrível. Foi para lá que me levaram.

— Não entendo o que está querendo dizer — Susannah estava pensando em sua própria Dogan. Que era, é claro, baseada na Dogan de *Jake*. Certamente um lugar estranho, com luzes piscando e inúmeros monitores de televisão, mas não assustador.

— Embaixo dele há galerias que passam sob o castelo — disse Mia. — No fim de uma delas há uma porta que se abre no lado do Trovão que dá para Calla, logo embaixo da última orla de escuridão. É essa porta que os Lobos usam quando partem em suas excursões de pilhagem.

Susannah assentiu. Isso explicava muita coisa.

— Traziam as crianças de volta pelo mesmo caminho?

— Não, minha dama, posso lhe garantir; como acontece com muitas portas, a que leva os Lobos de Fedic ao lado do Trovão que dá na Calla só vai em uma direção. Quando se está do outro lado, a porta não existe mais.

— Porque não é uma porta *mágica*, certo?

Mia sorriu, aquiesceu e deu palmadinhas no joelho.

Susannah olhou-a com crescente interesse.

— É outra coisa de gêmeos.

— Acha que sim?

— Acho. E desta vez o Cara-de-Um-Focinho-do-Outro são ciência e magia. Racional e irracional. São e insano. Não importa o jeito de chamá-los, são um par extremamente amaldiçoado.

— É? Acha que sim?

— Sim! Portas *mágicas*... como a que Eddie encontrou e pela qual você me levou para Nova York... vão em ambas direções. As portas que a North Central Positronics fabricou para substituí-las quando o *Prim* recuou e a magia enfraqueceu... essas portas levam apenas a uma direção. Não estou certa?

— Acho que está, sim.

— Talvez não tenham tido tempo de descobrir como transformar o teletransporte em uma via de mão dupla antes de o mundo seguir adiante. Assim, os Lobos vão de Trovão para o lado da Calla por uma porta e voltam a Fedic de trem. Certo?

Mia assentiu.

Susannah já não achava que só estivesse tentando matar o tempo. Talvez aquelas informações viessem a ser úteis.

— E depois que os homens do Rei, os homens nefastos do père, escavam os cérebros das crianças, o que acontece? Levam-nas por galerias sob o castelo até uma estação dos Lobos. Depois um trem as conduz pelo resto da viagem para casa.

— É.

— Mas por que se davam ao trabalho de mandá-las de volta?

— Não sei, minha dama. — E então a voz de Mia ficou mais baixa: — Há uma segunda porta embaixo do Castelo da Discórdia. Uma porta nas salas em ruína. Uma porta que leva... — Ela umedeceu os lábios. — Que leva para o todash.

— Todash?... Conheço a palavra, mas não entendo o que há de tão mau...

— Há um número infinito de mundos, seu dinh tem razão a esse respeito, e mesmo quando esses mundos estão muito próximos... como algumas das Nova Yorks múltiplas... há infinitos espaços entre eles. Pense nos espaços entre as paredes internas e as paredes externas de uma casa. Espaços onde é sempre escuro. Mas o fato de um lugar estar sempre escuro não quer dizer que esteja vazio. Percebe isso, Susannah?

Há monstros na escuridão todash.

Quem havia dito aquilo? Roland? Ela não tinha certeza, e que diferença fazia? Achava que entendia o que Mia estava dizendo e, se assim fosse, era horrível.

— Há ratos nas paredes, Susannah. *Morcegos* nas paredes. Todo tipo de inseto sugador, mordedor nas paredes.

— Pode parar, já consegui ter uma ideia.

— A porta que fica embaixo do castelo... um dos erros deles, não tenho dúvida... dá para *absolutamente lugar nenhum.* Leva à escuridão entre mundos. Ao espaço-todash. Mas não espaço vazio. — Sua voz ficou ainda mais baixa. — Aquela porta está reservada para os piores inimigos do Rei Rubro. Por ela são atirados em uma escuridão onde poderão sobreviver... cegos, vagando, insanos... durante anos. Mas, no fim, algo sempre os encontra e os devora. Monstros cuja imagem nossa mente não seriam capazes de suportar.

Susannah se viu tentando imaginar uma porta dessas e o que esperava atrás dela. Não queria, mas não pôde evitar. Sua boca secou.

No mesmo tom baixo, como em um terrível tom de confidência, Mia continuou:

— Há muitos lugares onde o povo antigo tentou reunir magia e ciência, mas aquela ali pode ter sido a única que sobrou — disse ela apontando a cabeça para a Dogan. — Foi para lá que Walter me levou. Para me fazer mortal e me tirar para sempre do caminho do *Prim.*

"Para me fazer como você."

13

Mia não sabia tudo, mas pelo que Susannah podia entender, Walter/Flagg tinha oferecido a maior das barganhas faustianas, à entidade que mais tarde seria conhecida como Mia. Se estivesse disposta a abrir mão de sua condição quase eterna, mas incorpórea, e tornar-se uma mulher mortal, Mia poderia engravidar e gerar uma criança. Walter foi honesto ao lhe mostrar o pouco que estaria obtendo pelo muito que estava cedendo. O bebê não se desenvolveria como uma criança normal (como se desenvolvera o bebê chamado Michael diante dos olhos invisíveis, mas reverentes, de Mia) e ela só ficaria sete anos com ele, mas ah, que anos maravilhosos seriam!

Além disto, Walter fora cuidadosamente reticente, deixando Mia formar suas próprias imagens: como amamentaria e daria banho no bebê, sem esquecer de lavar as tenras dobras atrás dos joelhos e das orelhas; como o beijaria na fenda cheirosa entre as omoplatas delicadas; como passearia com ele, segurando as mãos do bebê quando ele estivesse aprendendo a andar; como leria histórias para ele, mostrando o Velho Astro e a Velha Mãe no céu, contando a história de como Rustie Sam roubou o melhor pedaço de pão da viúva; como o abraçaria e encheria suas faces com lágrimas de gratidão quando ele pronunciasse a primeira palavra, que seria, é claro, *mamãe*.

Susannah ouvia aquela narrativa arrebatada com um misto de piedade e cinismo. Certamente Walter fizera um trabalho muito bom ao lhe vender a ideia e, como sempre, o melhor modo de fazer isso fora deixar a vítima fazer o trabalho da venda. Chegara até a propor um período adequadamente satânico de posse da criança: sete anos. *Assine por favor na linha pontilhada, madame, e por favor não ligue para esse cheirinho de enxofre; é um aroma que eu simplesmente não estou conseguindo tirar das minhas roupas.*

Susannah entendeu o pacto, mas teve dificuldade de engoli-lo. Aquela criatura desistira da imortalidade em troca de enjoo matinal, inchaço, seios doloridos e, nas últimas seis semanas de gravidez, a necessidade de urinar aproximadamente a cada quinze minutos. Mas espere, pessoal, tem mais! Dois anos e meio trocando fraldas ensopadas de mijo e cheias de merda! Levantando no meio da noite quando a criança grita com a dor do primeiro dente de leite que cai (coragem, mamãe, só faltam mais trinta e um para cair). Aquele primeiro vômito mágico! Aquele primeiro jato comovente de urina pela ponte de seu nariz que o guri deixa escapar quando você está trocando a fralda!

E sim, haveria magia. Embora nunca tenha tido um filho, Susannah sabia que, se a criança fosse o resultado de uma união amorosa, haveria magia mesmo nas fraldas sujas e nas cólicas. Mas ter a criança e depois vê-la tirada de você justamente quando a coisa está melhorando, justo quando a criança se aproxima do que a maioria das pessoas acredita ser a idade da razão, da responsabilidade e da confiabilidade? Para então ser levada para o horizonte vermelho do Rei Rubro? Era uma ideia terrível. E será que Mia ficara tão maravilhada com a iminente maternidade a ponto de não perceber que mesmo o pouco que lhe *fora* prometido estava agora sendo reduzido? Walter/Flagg fora ao encontro dela em Fedic, o Lindo Local de Descanso da Morte Rubra, e lhe prometera sete anos com o filho. Mas no telefone do Plaza-Park, Richard Sayre já falava de apenas cinco.

Seja como for, Mia tinha concordado com os termos do homem sombrio. E será que ele precisara se esforçar para conseguir que Mia fizesse aquilo? Ela fora talhada para a maternidade, saíra do *Prim* com esse imperativo, tomara plena consciência da coisa desde que vira o primeiro bebê humano perfeito, o menino Michael. Como poderia ter dito que não? Mesmo que a proposta tivesse sido de apenas três anos, ou mesmo de um único ano com o bebê! Seria como achar que um viciado de longa data fosse recusar a oferta de uma seringa cheia.

Mia tinha sido levada para a Estação Experimental Arco 16. Fizera um tour na estação, guiada pelo sorridente, sarcástico (e certamente assustador) Walter que, às vezes, se autodenominava Walter do Fim do Mundo e, às vezes, Walter do Mundo Total. Ela vira a grande sala cheia de camas, esperando as crianças que viriam ocupá-las; na cabeceira de cada uma havia um capuz de aço inox ligado a um tubo de ferro segmentado. Mia não queria pensar qual seria o objetivo daquele equipamento. Ela também fora mostrada algumas das passagens sob o Castelo do Abismo e conhecera locais onde o cheiro de morte era forte, sufocante. Mia... houve uma escuridão vermelha e ela...

— Você já era mortal nesse momento? — Susannah perguntou. — Passa a impressão de que talvez já fosse.

— Estava a caminho de ser — disse ela. — Era um processo que Walter chamava de *devenir*.

— Tudo bem. Continue.

Mas ali as recordações de Mia se perderam em um devaneio sombrio — não todash, mas longe de ser agradável. Uma espécie de amnésia, e era *vermelha*. Uma cor da qual Susannah passara a desconfiar. Será que a transição da mulher grávida do mundo do espírito para o mundo da carne — sua viagem para Mia — fora cumprida por meio de algum outro tipo de portal? A própria Mia parecia não saber. Só sabia que houvera um tempo de escuridão... de inconsciência, ela supunha... e de repente tinha acordado.

— Acordei como você me vê. Só que ainda não grávida, é claro.

De acordo com Walter, Mia não poderia realmente conceber um bebê, mesmo como mulher mortal. Carregá-lo sim. Concebê-lo não. O que se passou, então, foi que um dos demônios elementais prestou um grande serviço ao Rei Rubro, pegando o sêmen de Roland como fêmea e transmitindo-o a Susannah como macho. E houvera também outra razão, por trás da oferta de maternidade. Walter não a mencionara, mas Mia sabia qual era.

— É a profecia — disse, olhando para a rua deserta e sem sombras de Fedic. Do outro lado, um robô que parecia o Andy, da Calla, permanecia silencioso e enferrujado na frente do Fedic Café, cuja placa prometia BOAS REFEIÇÃO A PREÇU BAICHU.

— Que profecia? — Susannah perguntou.

— "Aquele que é o último da descendência do Eld conceberá um filho de incesto com sua irmã ou sua filha, e este filho será marcado, e será reconhecido pelo seu calcanhar vermelho. É ele quem trará o fim do último guerreiro."

— Mulher, eu não *sou* a irmã de Roland nem sua filha! Você talvez não tenha reparado em uma pequena, mas básica diferença, na cor de nossa pele, ou seja, o fato de a dele ser *branca* e a minha ser *negra*. — Susannah, no entanto, não deixava de ter uma noção do que a profecia poderia significar. Laços de família, afinal, se formavam de muitos modos. O sangue era apenas um deles.

— Ele não lhe disse o que é um dinh? — Mia perguntou.

— Claro que disse. O dinh é um líder. Se tivesse sob sua responsabilidade um país inteiro, em vez de apenas três pistoleiros amadores, o dinh seria um rei.

— Líder, rei, você diz a verdade. Agora, Susannah, seria capaz de me garantir que essas palavras não são apenas substitutas fajutas para uma outra?

Susannah não deu resposta.

Mia assentiu como se tivesse sido respondida e estremeceu quando uma nova contração a atingiu. A contração passou e ela continuou:

— O esperma era de Roland. Acredito que possa ter sido de alguma forma preservado pela ciência do povo antigo enquanto o demônio elemental virou-se pelo avesso e fez homem de mulher, mas essa não é a parte importante. A parte importante é que o esperma viveu e encontrou a outra parte de si mesmo, como ordenado pelo ka.

— Meu óvulo.

— Seu óvulo.

— Quando fui estuprada no círculo de pedras.

— É a verdade.

Susannah hesitou, refletindo. Finalmente ergueu os olhos.

— Acho que é como eu já disse. Você não gostou lá atrás e não deve gostar agora mas, menina, você é apenas a babá.

Desta vez não houve raiva. Mia apenas sorriu.

— Quem continuou a menstruar, mesmo quando acordava enjoada de manhã? Você. E quem está hoje de barriga? Eu estou. Se houver alguma babá aqui, Susannah de Nova York, a babá é você.

— Mas como pode ser? Você sabe?

Mia sabia.

14

O bebê, Walter tinha lhe dito, seria *transmitido* a Mia; mandado para ela célula por célula exatamente como um fax é mandado linha a linha.

Susannah abriu a boca para dizer que não sabia o que era um fax, mas logo a fechou. Compreendia a *ideia* do que Mia dizia, o que bastava para enchê-la de uma terrível combinação de temor e raiva. *Estava* grávida. Em um sentido real, estava grávida naquele exato instante. Mas o bebê estava sendo enviado

(*por fax*)

para Mia. Era um processo que tinha começado rápido e diminuído a marcha ou começado devagar e se acelerado? Achava que era a segunda hipótese, porque à medida que o tempo passava, sentia-se menos grávida em vez de mais. O pequeno volume em sua barriga já praticamente desaparecera. E agora entendia como tanto ela quanto Mia sentiam a mesma ligação profunda com o carinha: o bebê, de fato, pertencia às duas. Passara de uma para a outra como uma... uma transfusão de sangue.

Só que quando querem tirar seu sangue e passá-lo para outra pessoa, pedem sua permissão. Isto é, se são médicos e não um dos vampiros de père Callahan. Você está muito mais próxima de um desses, Mia, não está?

— Ciência ou magia? — perguntou Susannah. — Qual delas permitiu que você roubasse o meu bebê?

Mia ficou um pouco vermelha mas, ao se virar, conseguiu enfrentar diretamente o olhar de Susannah.

— Não sei — disse ela. — Provavelmente uma mistura de ambas. E não seja tão pedante! Ele está em *mim*, não em você. Se alimenta dos meus ossos e do meu sangue, não do seu!

— E daí? Pensa que isso muda alguma coisa? Você o roubou, com a ajuda de um mágico sujo.

Mia balançou a cabeça em uma negativa veemente, o cabelo se agitando tempestuoso em volta do rosto.

— Não era meu? — perguntou Susannah. — Então por que não foi *você* quem teve de comer as rãs no pântano, os leitões no chiqueiro e só Deus sabe que outras coisas nojentas? Por que precisou de todo aquele absurdo faz de conta em torno das mesas de banquete no castelo, onde você fingia ser aquela que comia? Em suma, docinho, por que o alimento de seu carinha tinha de descer pela minha garganta?

— Porque... porque... — Susannah viu que os olhos de Mia estavam se enchendo de lágrimas. — Porque isto é terra corrompida! Terra devastada!

O lugar da Morte Rubra, as torres da Discórdia! Eu não alimentaria meu carinha das coisas aqui!

Era uma boa resposta, Susannah reconheceu, mas não era a resposta *completa*. E Mia também sabia disso. Porque o bebê Michael, o perfeito bebê Michael, fora concebido ali, se desenvolvera ali, continuava se desenvolvendo quando Mia o vira pela última vez. E se estava tão certa do que dizia, por que as lágrimas tinham brotado em seus olhos?

— Mia, estão mentindo para você sobre o carinha.

— Você não sabe de nada, não seja tão detestável!

— Eu sei. — E sabia. Mas não havia prova, maldição! E como se provava uma sensação, mesmo uma sensação tão forte quanto aquela?

— Flagg... Walter, se você preferir... lhe prometeu sete anos — ela continuou. — Sayre disse que pode ter cinco. De repente vão lhe passar um cartão quando você chegar a este Dixie Pig: VÁLIDO POR TRÊS ANOS DE CRIAÇÃO DE CRIANÇA, VER O CARIMBO. Vai aceitar isso também?

— Isso não vai acontecer! Você é tão nojenta quanto a outra! Cale essa boca!

— Muita coragem da sua parte em *me* chamar de nojenta! Você que não vê a hora de dar à luz uma criança predestinada a matar o pai!

— Pouco me importa!

— Está muito confusa, menina. Encurralada entre o que quer que aconteça e o que *vai* acontecer. Como sabe que não vão matá-lo antes que ele possa completar seu primeiro choro? Triturá-lo e dá-lo como alimento para aqueles Sapadores de merda?

— *Cale... a boca!*

— Uma espécie de superalimento? Tudo resolvido em um piscar de olhos?

— Cale a boca, eu já disse, cale A BOCA!

— A verdade é: você não sabe o que vai acontecer. Não sabe de nada! É apenas a babá, só a baby-sitter. Sabe que estão mentindo, sabe que nunca cumprem o que prometem e, no entanto, continua seguindo em frente. E você quer que *eu* cale a boca!

— Sim! *Sim!*

— Não calo — disse Susannah em um tom severo, pegando Mia pelos ombros. Eles pareceram extremamente ossudos sob o vestido, mas quentes, como se Mia estivesse febril. — Não calo porque o bebê é realmente meu e você sabe disso! Gatos podem ter filhotes no forno, menina, mas isto jamais os transformará em muffins.

Bem, tinham voltado à fúria total. O rosto de Mia se contorceu em algo ao mesmo tempo horrível e infeliz. Nos olhos de Mia, Susannah achou que podia ver a criatura angustiada, ansiosa, sofredora que aquela mulher fora um dia. E mais alguma coisa. Uma faísca que podia ser transformada em crença. Se houvesse tempo.

— Vou fazer com que se cale — disse Mia e, de repente, o horizonte da rua principal de Fedic se abriu, exatamente como no torreão do castelo. Atrás dele havia uma espécie de escuridão pesada. Não vazia. Ah, não, não vazia, Susannah sentiu muito claramente isso.

As duas começaram a cair naquela direção. Mia as *impeliu* para o escuro. Susannah tentou impedir, mas falhou. E enquanto elas caíam na escuridão, Susannah ouviu um pensamento monótono girar em sua cabeça, fluir em um interminável círculo vicioso: *Susannah-Mio, minha moça dividida, foi parar*

15

no DIXIE PIG, *no ano de...*

Antes que este irritante (mas tão imperioso) jingle pudesse completar uma última volta pela cabeça de Susannah-Mio, a cabeça em questão bateu em alguma coisa, algo duro o bastante para fazer uma galáxia de estrelas brilhantes explodir no seu campo de visão. Quando seus olhos entraram em foco, Susannah viu, em letras muito grandes, na frente dos olhos:

NK ESP

Ela recuou e viu BANGO SKANK ESPERA O REI! Era a pichação que havia do lado de dentro da porta do compartimento do banheiro. Sua vida era assombrada por portas — fora assim, ao que parece, desde que a porta da cela fora batida com força nas suas costas em Oxford, no Mississippi —, mas aquela estava trancada. Bom. Estava começando a acreditar que portas trancadas apresentavam menos problemas. Logo, no entanto, a porta se abriria e os problemas começariam de novo.

Mia: *Eu disse a você tudo que sabia. Agora vai me ajudar a chegar ao Dixie Pig ou terei de fazer isso sozinha? Se for preciso eu faço, principalmente com a tartaruga para me ajudar.*

Susannah: *Eu vou ajudar.*

Mas a quantidade de ajuda que Mia ia receber de Susannah dependia da hora. Quanto tempo tinham estado ali? Suas pernas pareciam completamente dormentes dos joelhos para baixo... assim como suas nádegas... e Susannah achava que isso era um bom sinal, mas sob aquelas lâmpadas fluorescentes, podia ser qualquer hora.

Que diferença isso faz para você?, Mia perguntou, desconfiada. *Que diferença faz saber que horas são?*

Susannah se empenhou em buscar uma explicação.

O bebê. Você sabe que o que eu fiz só vai impedi-lo de nascer por um certo tempo, não sabe?

Claro que sei. É por isso que quero ir andando.

Tudo bem. Vamos ver o dinheiro que nosso amiguinho Mats nos deixou.

Mia pegou o pequeno maço de notas e olhou-as sem compreender.

Pegue a que diz Jackson.

Eu... Vergonha. *Não consigo ler.*

Deixe que eu tome a frente. Posso ler.

Não!

Tudo bem, tudo bem, calma. É o sujeito com o cabelo branco comprido penteado para trás, como o de Elvis.

Não conheço esse tal de Elvis...

Não importa, é essa primeira no maço. Ótimo. Agora ponha o resto do dinheiro no bolso, deixe guardado. Segure a nota de vinte na palma da mão. Certo, vamos ralar.

Ralar o quê?

Mia, cale a boca.

16

Quando tornaram a entrar no saguão — andando devagar, sobre pernas que formigavam como se estivessem sendo espetadas por alfinetes e agulhas —, Susannah sentiu-se um pouco encorajada ao ver que estava escurecendo do lado de fora. Não conseguira enrolar a outra até tarde da noite, sem dúvida, mas pelo menos já não era mais de dia.

O saguão estava movimentado, mas nada tão frenético quanto antes. A bela moça eurasiana que fizera o registro das duas se fora, completara seu turno. Sob o toldo de entrada, dois novos mensageiros, com uniformes verdes, assobiavam chamando os táxis para os hóspedes, muitos usando smokings ou vestidos longos e cintilantes.

Vão a festas, disse Susannah. *Ou talvez ao teatro.*

Isso não me interessa, Susannah. Precisamos pegar um dos homens de uniforme verde para conseguir um veículo amarelo?

Não. Vamos pegar um táxi na esquina.

Acha melhor?

Ah, pare com essa desconfiança! Está indo a caminho do que acredito ser ou a sua morte ou a morte do bebê, mas reconheço sua intenção de fazer a coisa certa e vou manter minha promessa. Sim, acho melhor.

Tudo bem.

Sem dizer mais nada — muito menos sem se desculpar — Mia saiu do hotel, virou à direita e começou a caminhar para o Hammarskjöld Plaza 2, na Segunda Avenida, na direção da bela canção da rosa.

17

Na esquina da Segunda com a rua Quarenta e Seis, uma carruagem de metal pintada de vermelho desbotado estava parada no meio-fio. O meio-fio era amarelo naquele ponto e um homem de uniforme azul (um Guarda da Vigília, a julgar pela arma na cintura) parecia estar discutindo o fato com um homem alto, de barba branca.

Mia sentiu dentro dela um movimento de sobressalto.

Susannah? O que foi?

Aquele homem!

O Guarda da Vigília? Ele?

Não, o que usa barba! É extremamente parecido com Henchick! Henchick dos mannis! Não percebe?

Mia não reparava nem se importava. Deduziu que estacionar carruagens em um meio-fio amarelo era proibido e o homem de barba, embora parecesse saber disso, não queria tirar o veículo. Continuou montando um cavalete, onde logo colocaria uma figura. Mia sentiu que aquela era uma discussão familiar entre os dois homens.

— Vou precisar aplicar uma multa, reverendo.

— Faça o que tem de fazer, agente Benzyck. Deus o ama.

— Ótimo. Fico muito contente de ouvir isso. Quanto à multa, o senhor vai rasgá-la. Certo?

— Dai a César o que é de César e a Deus o que é de Deus. Assim diz a Bíblia e abençoado seja o Livro Sagrado do Senhor.

— Com isso eu concordo — disse Benzyck da Vigília, tirando um bloco de papel grosso do bolso de trás da calça e começando a rabiscar alguma coisa, o que também tinha a aparência de um ritual familiar. — Mas deixe eu lhe dizer uma coisa, Harrigan... Em algum momento a prefeitura vai responsabilizá-lo por suas ações e vão enfiar coisas brabas em seu debochado ânus sagrado. Só espero estar aqui quando isso acontecer!

O guarda rasgou uma folha do bloco, aproximou-se da carruagem de metal e pôs o papel sob um deslizador preto de vidro, na frente.

Susannah, se divertindo: *Está levando uma multa. E, ao que tudo indica, não é a primeira.*

Mia, momentaneamente mesmo que a contragosto: *O que está escrito do lado desta carruagem, Susannah?*

Houve um ligeiro tranco quando Susanna tomou parcialmente a frente e a sensação de um apertar de olhos. Para Mia foi uma sensação estranha, como ter cócegas profundas dentro da cabeça.

Susannah, ainda em um tom divertido: Diz *IGREJA DO SAGRADO DEUS--BOMBA, reverendo Earl Harrigan.* E também diz: *SUA CONTRIBUIÇÃO SERÁ RECOMPENSADA NO CÉU.*

O que é céu?

É outro nome para a clareira no final do caminho.

Ah.

Benzyck, da Vigilância, estava se afastando com as mãos entrelaçadas atrás das costas, seu considerável traseiro fazendo volume sob a calça do uniforme azul, o dever cumprido. Enquanto isso, o reverendo Harrigan arrumava duas gravuras no display. A primeira mostrava um homem sendo retirado do xadrez por alguém em um manto branco. A cabeça do sujeito do manto brilhava. A outra gravura mostrava o cara do manto branco virando as costas para um monstro com pele vermelha e chifres na cabeça. O monstro com chifres parecia extremamente irritado com sai Mantobranco.

Susannah, o pessoal deste mundo vê o Rei Rubro como essa coisa vermelha?

Susannah: *Acho que sim. É Satã, se quer saber... senhor do submundo. Peça que o reverendo nos consiga um táxi, o que acha? Use a tartaruga.*

De novo desconfiada (ao que parece Mia não conseguia controlar essa reação): *Acha melhor?*

Estou sendo sincera! Por Jesus Cristo, mulher!

Tudo bem, tudo bem. Mia parecia um tanto sem jeito. Caminhou para o reverendo Harrigan tirando do bolso a tartaruga de marfim.

18

O que precisava ser feito ocorreu em um lampejo a Susannah. Ela se retirou de Mia (se a mulher não conseguisse um táxi com a ajuda daquela tartaruga mágica, então não seria capaz de fazer nada) e, fechando com força os olhos, visualizou a Dogan. Quando os abriu, estava lá. Agarrou o microfone que usara para falar com Eddie e apertou o interruptor.

— Harrigan! — disse no micro. — Reverendo Earl Harrigan! Está aí? Está me ouvindo, docinho? *Está me ouvindo?*

19

O reverendo Earl Harrigan fez uma pausa em seu trabalho pelo tempo suficiente para ver uma mulher negra — uma mulher negra realmente atraente, Deus fosse louvado — entrar em um táxi. O táxi partiu. Tinha muito o que fazer antes de dar início a seu sermão noturno (a pequena escaramuça com o agente Benzyck fora apenas o aquecimento), mas mesmo assim continuou parado, vendo as lanternas traseiras do táxi cintilarem, piscarem.

Será que alguma coisa acabara de acontecer com ele?

Será que...? Era possível que...?

O reverendo Harrigan caiu de joelhos na calçada, inteiramente indiferente aos pedestres que por ali passavam (assim como a maioria dos pedestres ficaram indiferentes a ele). Juntou suas grandes e velhas mãos, levando-as à altura do queixo. Sabia que a Bíblia afirmava que rezar era uma coisa particular, melhor praticada dentro da casa de cada um e ele passara muito tempo de joelhos curvados na sua, sim Senhor, mas ele também acreditava que Deus queria que as pessoas vissem, de vez em quando, como era a imagem de um homem rezando, porque a maioria delas — Deus seja louvado! — tinha esquecido de como era. E não havia lugar melhor, mais simpático para falar com Deus que aquela esquina da Segunda Avenida com a rua Quarenta e Seis. Havia ali uma atmosfera cantante, clara e doce. Ela elevava o espírito, clareava a mente... e, só para mencionar, ajudava com a pele, também. Não era a voz de Deus que se manifestava ali, e o reverendo Harrigan não era tão blasfematoriamente burro a ponto de achar que fosse, mas desconfiava que fosse a voz de anjos. Sim, Deus fosse louvado, Deus-bomba, a voz do ser-afim!

— Deus, será que você acabou de deixar cair um pequeno Deus-bomba em mim? Quero saber se a voz que acabei de ouvir era sua ou minha?

Nenhuma resposta. Como em tantas vezes, não houve resposta. Mais tarde pensaria no assunto. Por ora, tinha um sermão para preparar. Um show a fazer, se quisesse se colocar em termos mais vulgares.

O reverendo Harrigan foi até sua van, estacionada como sempre na faixa amarela do meio-fio, e abriu as portas de trás. Pegou os folhetos, o prato de coleta forrado de seda que pusera a seu lado na calçada e um sólido cubo de madeira. O cubo em cima do qual ia subir... Vamos erguer as mãos para o céu e gritar aleluia?

E sim, irmãos, vocês parados aí, vamos dar amém?

LINHA: *Commala-venha-veja*
É a outra de novo.
Talvez você conheça seu nome e seu rosto
Mas isso não a faz sua amiga.

RESPOSTA: *Commala-venha-dez!*
Ela não é sua amiga!
Se você a deixa se aproximar demais
Ela vai destruí-la de novo.

Décima primeira estrofe

O ESCRITOR

1

Quando alcançaram o pequeno shopping center na cidade de Bridgton (que tinham um supermercado, uma lavanderia e uma farmácia surpreendentemente grande), tanto Roland quanto Eddie sentiram a coisa: não apenas o canto, mas uma força que se reunia. A força os elevou como algum louco e maravilhoso elevador. Eddie se viu pensando no pó mágico da fada Sininho e na pena mágica do Dumbo. Era como se aproximar da rosa, mas não era bem isso. Não havia uma sensação de sagrado ou santidade naquela pequena cidade da Nova Inglaterra, mas *alguma coisa* estava acontecendo ali, e era poderosa.

Dirigindo desde East Stoneham, seguindo as placas para Bridgton de uma estradinha a outra, Eddie sentira ainda outra coisa: o inacreditável *frescor* daquele mundo. As profundezas verdes das florestas de pinheiros sob aquele verão tinham uma vitalidade que ele jamais encontrara, da qual sequer suspeitava existir. Os pássaros que voavam pelo céu, mesmo o mais comum dos pardais, suspendiam a respiração para admirá-los. As próprias sombras no solo pareciam ter uma consistência aveludada, como se fosse possível encostar a mão nelas, suspendê-las e, se a pessoa quisesse, levá-las embora debaixo do braço, como tapetes.

A certa altura, Eddie perguntou a Roland se ele sentia aquilo.

— Sim — disse Roland. — Sinto, vejo, ouço... Eddie, eu *toco* a coisa.

Eddie assentiu. Ele também tocava. Aquele mundo era real além da realidade. Era... *anti*todash, isso era o mais próximo que conseguia expressar. Estavam bem no coração do Feixe. Eddie podia sentir o Feixe carregando-os como um rio que desce uma garganta em direção à queda d'água.

— Mas tenho medo — disse Roland. — É como se estivéssemos nos aproximando do centro de tudo... da própria Torre, talvez. Como se a própria jornada, após todos esses anos, tivesse se tornado uma finalidade em si mesma, e o que está no fim é assustador.

Eddie assentiu. Ele concordava. Certamente tinha medo. Se não fosse a Torre que emitia aquela estupenda força, então era alguma coisa potente, terrível e aparentada com a rosa. Mas não inteiramente igual. Uma *gêmea* da rosa? Podia ser que sim.

Roland olhou para o estacionamento e as pessoas que chegavam e partiam sob um céu de verão cheio de lentas nuvens espessas, aparentemente inconscientes de que o mundo inteiro cantava intensamente em volta delas, e que todas as nuvens fluíam ao longo de uma mesma e antiga trilha nos céus. As pessoas eram inconscientes de sua própria beleza.

— Eu costumava pensar — disse o pistoleiro — que a coisa mais terrível seria alcançar a Torre Negra e encontrar vazio o aposento no topo. O Deus de todos os universos morto ou mesmo não existente. Mas agora... suponha que *haja* alguém ali, Eddie? Alguém responsável que se revela... — Não pôde terminar. Eddie conseguiu:

— Alguém que se revela apenas como outro impostor? É isso? Não um Deus morto, mas um Deus de cabeça fraca, malicioso?

Roland fez que sim com a cabeça. Aquilo não era, de fato, exatamente do que tinha medo, mas achava que Eddie tinha pelo menos chegado perto.

— Como pode ser, Roland? Levando em conta o que estamos sentindo?

Roland deu de ombros, como se quisesse dizer que poderia ser qualquer coisa.

— Seja como for, que opção nós temos?

— Nenhuma — disse Roland sombriamente. — Todas as coisas servem ao Feixe.

Fosse lá o que fosse a grande força cantante, ela parecia estar vindo da estrada que ia do shopping center para oeste, entrando de novo na floresta. A estrada do Kansas, segundo a placa, o que fazia Eddie pensar em Dorothy, em Totó e no Mono Blaine.

Ele engrenou a direção automática no Ford emprestado e começou a avançar. O coração batia em seu peito com uma força lenta, tensa. Talvez Moisés tivesse se sentido assim ao se aproximar da moita ardente que continha Deus. Talvez Jacó tivesse se sentido assim quando, ao despertar, encontrou um desconhecido radiante e belo no acampamento... o anjo com quem ia lutar. Eddie achou que provavelmente tinham sentido coisa parecida. Experimentava a certeza de que outra parte da jornada estava chegando ao fim... Encontrariam mais uma resposta logo adiante.

Deus morando na estrada do Kansas, na cidade de Bridgton, no Maine? Devia parecer loucura, mas não parecia.

Só não me faça morrer, Eddie pensou, virando para oeste. *Preciso voltar ao meu amor, por isso, por favor não me faça morrer, seja você quem for ou o que for.*

— Cara, estou tão assustado — disse ele.

Roland estendeu o braço e deu um aperto breve em sua mão.

2

A cinco quilômetros do shopping, atingiram uma estrada de terra que avançava pelos pinheiros à esquerda. Tinham visto outros caminhos ermos, mas Eddie passara por eles sem recuar um instante dos firmes cinquenta quilômetros por hora que vinha mantendo. Naquela estrada, porém, ele parou.

As duas janelas da frente estavam abaixadas. Conseguiam ouvir o vento nas árvores, o grito rabugento de um corvo, o não tão distante zumbido de um barco a motor e o ronco do motor do Ford. Excluindo umas cem mil vozes cantando em tosca harmonia, aqueles eram os únicos sons. A placa indicando o desvio dizia apenas ESTRADA PARTICULAR. Mesmo assim, Eddie assentia a cabeça.

— É esta.

— Sim, eu sei. Como está a sua perna?

— Doendo. Não se preocupe com ela. Vamos fazer isso?

— *Precisamos* fazer — disse Roland. — Estava certo em fizer para virmos aqui. O que está aqui é a outra metade *disto.* — Bateu no papel em seu bolso, o papel onde a propriedade do terreno baldio era transmitida à Corporação Tet.

— Acha que este tal de King é um gêmeo da rosa.

— Você diz a verdade. — Roland sorriu ante sua própria escolha de palavras. Eddie achou que quase nunca vira alguém tão triste. — Pegamos o modo de falar da Calla, não foi? Jake primeiro, depois todos nós. Mas vai passar.

— Vamos avançar — disse Eddie. Não era uma pergunta.

— Sim, o que será perigoso. Só que... talvez nada seja tão perigoso quanto o que estamos fazendo aqui. Vamos rodar?

— Só um instante. Roland, você não se lembra de ter ouvido Susannah mencionar um homem chamado Moses Carver?

— Um talo... o que quer dizer um homem de negócios. Ficou com a empresa do pai dela quando sai Holmes morreu, estou certo?

— Isso. Foi também padrinho de Suze. Ela disse que era inteiramente confiável. Está lembrado de como ficou furiosa quando eu e Jake sugerimos que Moses podia ter roubado o dinheiro da empresa?

Roland assentiu.

— Confio no julgamento dela — disse Eddie. — E você?

— Eu também.

— Se Carver *for* honesto, podemos deixá-lo encarregado das coisas que precisamos cumprir neste mundo.

À primeira vista, nada daquilo parecia muito importante comparado com a força que Eddie sentia brotar a seu redor, mas ele achou que era. Talvez não tivessem mais que uma chance de proteger a rosa agora e assegurar sua sobrevivência mais tarde. Tinham de fazer a coisa certa e Eddie sabia que isso significava não opor resistência à vontade do destino.

Em uma palavra, ao ka.

— Suze diz que, quando você a puxou de Nova York, a Holmes Dental valia de oito a dez milhões. Se Carver for tão bom quanto eu espero que seja, a companhia pode já estar valendo de doze a catorze milhões.

— Isso é muito?

— Delah — disse Eddie atirando a mão aberta para o horizonte e vendo Roland assentir. — Parece engraçado falar em usar os lucros de um processo de tratamento dentário para salvar o universo, mas é justamente disso que *estou* falando. E o dinheiro que a fada dos dentes deixou a Susannah pode ser apenas o começo. Veja a Microsoft, por exemplo. Lembra quando mencionei esse nome a Tower?

— Devagar, Eddie — disse Roland balançando a cabeça. — Vá com *calma*, por favor!

— Sinto muito — disse Eddie respirando fundo. — É este lugar. O cântico. Os *rostos*... Não vê os rostos nas árvores? Nas sombras?

— Vejo-os muito bem.

— Me deixam um pouco louco. Desculpa. O que está passando na minha cabeça é a possibilidade de unir a Holmes Dental com a Corporação Tet e usar nosso conhecimento do futuro para transformá-la em um dos mais ricos conglomerados da história do mundo. Com recursos comparáveis aos da Corporação Sombra... ou talvez da própria North Central Positronics.

Roland deu de ombros e ergueu a mão sem entender como Eddie podia estar falando de dinheiro na presença da imensa força que fluía pelo leito do Feixe e passava através deles, arrepiando os pelos da nuca, fazendo os poros formigarem, transformando cada sombra da floresta em um rosto atento... como se uma multidão tivesse se juntado ali para assistir ao desempenho dos dois na cena crucial do drama deles.

— Sei como está se sentindo, mas o que estou dizendo é *importante* — Eddie insistiu. — Acredite em mim. Vamos supor, por exemplo, que cresçamos rápido o bastante para comprar a North Central Positronics antes que ela possa surgir como força neste mundo... Roland, podemos inverter os processos! Da mesma maneira como se desviar o maior dos rios com nada mais do que uma pá, se o pegar na cabeceira, onde não passa de um filete de água!

Neste momento os olhos de Roland brilharam.

— Tomar conta — disse ele. — Desviar o seu propósito daqueles do Rei Rubro, transformando-os nos nossos. Sim, talvez seja possível.

— Sendo ou não possível, precisamos ter em mente é que não estamos agindo apenas pelo que acontece em 1977 ou 1987, o ano em que eu vim, ou mesmo em 1999, o ano para onde Suze foi. — No mundo de 1999, Eddie compreendeu, Calvin Tower poderia estar morto e Aaron Deepneau com certeza. A última empreitada dos dois no drama da Torre Negra (salvar Donald Callahan dos Irmãos Hitler) estaria já há muito concluída. Ambos já teriam sido varridos do palco e levados para a clareira no final do caminho. Junto de Gasher e Hoots, Benny Slightman, Susan Delgado

(*Calla, Callahan, Susan, Susannah*)

e o Homem do Tique-taque. Até mesmo ao encontro de Blaine e Patricia. Roland e seu ka-tet também chegariam, cedo ou tarde, àquela clareira. No final — se dessem uma sorte fantástica ou fossem suicidamente corajosos — apenas a Torre Negra ficaria de pé. Se pudessem extirpar pela raiz a North Central Positronics, talvez conseguissem salvar todos os Feixes que tinham sido quebrados. Mesmo, no entanto, que fracassassem nisso, dois Feixes poderiam ser suficientes para manter a Torre no lugar, a rosa em Nova York e um homem chamado Stephen King no Maine. Eddie não tinha nenhuma prova de que essa possibilidade fosse realmente verdadeira... mas seu coração acreditava que sim.

— O que está em jogo, Roland, é a eternidade.

Roland fechou um punho, bateu levemente com ele no painel empoeirado do velho Ford de John Cullum e assentiu.

— Qualquer coisa pode ser construída naquele terreno, percebe? — continuou Eddie. — *Qualquer coisa*. Um prédio, um parque, um monumento, o Instituto Nacional do Gramofone. Desde que a rosa permaneça lá. Esse tal de Carver pode legalizar a Corporação Tet, talvez trabalhando em conjunto com Aaron Deepneau...

— É — disse Roland. — Gostei do Deepneau. Tinha um ar confiável.

Eddie concordava.

— Sem dúvida — disse —, podem cuidar da documentação de que precisamos para que ninguém conteste nossa posse da rosa... A rosa precisa sempre permanecer, não importa o que façam do terreno. E tenho a impressão de que ela vai permanecer, de que sempre vai estar lá: 2007, 2057, 2525, 3700... diabo, ano de 19 000! Acho que ela sempre estará lá. Pois ela pode ser frágil, mas acho que é imortal. Só que temos que aproveitar enquanto temos a oportunidade de fazer a coisa certa. Porque este é o mundo-chave. Aqui não se pode ajustar o entalhe quando a chave não gira. Acho que neste mundo não existe nenhuma possibilidade de fazer de novo.

Roland refletiu um pouco sobre isto e apontou para a estradinha de terra que avançava entre as árvores. Que entrava em uma floresta de rostos atentos e vozes que cantavam. Era uma harmonia de todas as coisas enchendo a vida de valor, de significado, algo capaz de conduzir à verdade, ao reconhecimento do Branco.

— E quanto ao homem que mora no final desta estrada, Eddie? Se *for* um homem.

— Acho que ele é, e não só devido ao que disse John Cullum. É o que eu sinto aqui. — Eddie bateu no peito, um pouco acima do coração.

— Eu também.

— Você acha, Roland?

— Sim, eu acho. Mas será que *ele* é imortal? Já ouvi muita coisa na vida e já ouvi rumores de muito mais, mas nunca conheci um homem ou uma mulher que vivessem para sempre.

— Não acho que ele precise ser imortal. Acho que tudo o que precisa fazer é escrever a história certa. Porque algumas histórias *realmente* vivem para sempre.

A compreensão iluminou os olhos de Roland. *Enfim*, Eddie pensou. *Enfim ele enxerga.*

Mas quanto tempo o próprio Eddie levara para enxergar e depois engolir tal coisa? Deus sabia que ele já devia ser capaz de tal proeza, depois de ter visto tantos prodígios, mas esta última etapa lhe fugira. Até mesmo descobrir que père Callahan tinha aparentemente saído vivo e respirando de um livro de ficção chamado *'Salem* não o levara a entender aquela etapa final. O que finalmente o levara a entender fora descobrir que Co-Op City ficava no Bronx, não no Brooklyn. Pelo menos neste mundo. Que era o único mundo que importava.

— Talvez ele não esteja em casa — disse Roland enquanto, ao redor deles, o mundo inteiro esperava. — Talvez este homem que nos fez não esteja em casa.

— Você sabe que ele está.

Roland assentiu. E a velha luz tinha brotado em seus olhos, luz de uma chama que jamais se extinguira, a chama que, desde Gilead, vinha iluminando seu caminho ao longo do Feixe.

— Então, vamos! — gritou em um tom rouco. — Vamos, pelo amor de seu pai! Se King for Deus... nosso Deus... vou encará-Lo no olho e perguntar a Ele qual é o caminho para a Torre!

— Não perguntaria antes qual é o caminho para Susannah?

Assim que a pergunta lhe saiu da boca, Eddie lamentou que a tivesse feito e torceu para o pistoleiro não responder.

Roland não respondeu. Limitou-se a agitar os dedos restantes da mão direita: *Vá, vá.*

Eddie engatou a marcha do Ford de Cullum e pegou a estradinha de terra. Ela os conduziu sob uma grande força cantante, que pareceu atravessá-los como um vento, transformando-os em algo tão insubstancial quanto o pensamento, ou um sonho, na cabeça de algum deus adormecido.

3

Quatrocentos metros à frente, havia uma bifurcação na estrada. Eddie entrou à esquerda, embora a placa apontando para lá dissesse ROWDEN, não KING. A poeira levantada pela passagem deles era vista no retrovisor. O cântico era um doce ruído, derramando-se nele como uma bebida. As raízes dos cabelos de Eddie continuavam se arrepiando e os músculos estavam trêmulos. Se tivesse necessidade de sacar o revólver, Eddie achava que provavelmente deixaria a maldita coisa cair. Mesmo que conseguisse segurar a arma, seria impossível mirar. Não entendia como o homem que estavam procurando, vivendo tão próximo do som daquele cântico, conseguia comer ou dormir, para não falar em escrever histórias. Mas obviamente King não estava apenas *próximo* do som; se Eddie estivesse certo, King era a fonte do som.

Mas se tem uma família, como eles convivem com isso? E mesmo que não tenha, o que dizer dos vizinhos?

Ali havia uma entrada de garagem à direita e...

— Eddie, pare. — Era Roland, mas inteiramente diferente do que costumava ser. O bronzeado ganho em Calla era agora uma tintura fina sobre uma palidez imensa.

Eddie parou. Roland mexeu na maçaneta a seu lado e, não conseguindo fazê-la funcionar, ergueu-se e se debruçou até a cintura na janela (Eddie ouviu o retinir da fivela do cinto contra a faixa de cromo na borda da fenda do vidro) e vomitou na relva. Quando se recostou no banco, parecia ao mesmo tempo exausto e exaltado. Os olhos que se viraram para encontrar os de Eddie eram azuis, antigos, brilhantes.

— Siga em frente.

— Roland, você tem certeza...

Roland se limitou a retorcer os dedos, olhando bem à frente através do empoeirado para-brisas do Ford. *Ande, ande. Pelo amor de seu pai!*

Eddie seguiu adiante.

4

Era o tipo de casa que os corretores de imóveis chamam de fazenda. Eddie não ficou surpreso. O que *de fato* o surpreendeu um pouco foi como o lugar era modesto. Então ele se lembrou que nem todo escritor era um escritor *rico*, o que provavelmente era ainda mais verdade para os escritores jovens. Ao que parece algum erro tipográfico transformara o segundo livro de King em um artefato estimado entre bibliomaníacos, mas Eddie duvidada que algum dia ele recebera alguma comissão sobre esse tipo de coisa. Ou royalties, se preferissem chamar assim.

Contudo, o carro parado no acesso circular diante da casa era um Jeep Cherokee, com aparência de carro novo. Tinha uma bela faixa dos lados e sugeria que Stephen King também não estava exatamente passando fome pelo amor à arte. No jardim da frente, havia um trepa-trepa com um monte de brinquedos de plástico espalhados ao seu redor. O coração de Eddie se apertou com a visão daquilo. Uma lição que Calla fez questão de ensinar era que as crianças complicavam as coisas. Ali viviam crianças *pequenas*, a julgar pelo aspecto dos brinquedos. E agora elas recebiam a visita de uma dupla de homens usando armas de grosso calibre. Homens que não estavam, pelo menos naquele momento, estritamente em seu juízo perfeito.

Eddie desligou o motor do Ford. Um corvo grasnou. Um barco a motor (a julgar pelo som, maior que aquele que tinham ouvido antes) passou zumbindo. Atrás da casa, um sol brilhante cintilou na água azul. E as vozes cantavam: *Venha, venha, venha-venha-commala.*

Ouviu-se um barulho quando Roland abriu a porta e saiu um pouco trôpego: quadril dolorido, torção seca. Eddie saltou sobre pernas que pareciam duras como pedaços de pau.

— Tabby? É você?

Isto veio do lado direito da casa. E agora, se antecipando à voz e ao homem que era seu dono, veio uma sombra. Nunca Eddie vira uma que o deixasse tão cheio de terror e fascinação. Ele pensou, e com absoluta certeza: *Aí vem quem me fez. Mais atrás é ele, sim, sei que é*. E as vozes cantavam: *Commala-venha-três, ele que me fez.*

— Esqueceu alguma coisa, querida? — Só a última palavra saiu no tom arrastado do baixo leste, *queriii-da*, o modo como John Cullum teria falado. E então apareceu o homem da casa, então apareceu ele. Viu-os e parou. Viu *Roland* e parou. As vozes cantantes pararam com ele e mesmo o ronco do barco a motor pareceu parar. Por um momento, o mundo inteiro ficou em uma espécie de limbo. Então o homem se virou e correu. Não, contudo, antes de Eddie ver o tremendo espanto no olhar de reconhecimento daquele rosto.

Roland foi na mesma hora atrás dele, como gato atrás de um pássaro.

5

Mas sai King era um homem, não um pássaro. Não sabia voar e na verdade nem havia lugar algum para onde correr. O gramado lateral se estendia por um suave declive só interrompido por uma área cimentada que podia ter sido um poço ou algum tipo de sumidouro. Além do gramado havia uma faixa mínima de areia, também repleta de brinquedos. Na frente ficava o lago. O homem atingiu a beira do lago, deu uma pisada forte na água e se virou tão desajeitadamente que quase caiu.

Roland parou derrapando na areia. Ele e Stephen King se entreolharam. Eddie se achava talvez uns dez metros atrás de Roland, observando os dois. O canto recomeçara, assim como o forte zumbido do barco a motor. Talvez aqueles barulhos jamais tivessem cessado, mas Eddie continuava achando que tinham.

O homem dentro d'água pôs a mão nos olhos como uma criança.

— Vocês não estão aí — disse.

— Estou, sai. — A voz de Roland foi ao mesmo tempo gentil e cheia de respeitoso temor. — Tire as mãos de seus olhos, Stephen de Bridgton. Abaixe as mãos e me veja bem.

— Talvez eu esteja tendo um colapso nervoso — disse o homem na água, que, aos poucos, foi baixando as mãos. Usava óculos grossos com uma severa armação escura. Uma haste fora emendada com um pedaço de fita isolante. Seu cabelo era preto ou castanho muito escuro. A barba era definitivamente preta, os primeiros fios brancos chamando atenção pelo brilho. Usava uma calça jeans sob uma camiseta comprida que dizia: THE RAMONES, ROCKET TO RUSSIA E GABBA-GABBA-HEY. Parecia estar começando a ganhar aquela gordurinha típica da meia-idade, mas ainda não era gordo. Era alto e tão pálido quanto Roland. Eddie não chegou a se espantar quando reparou como Stephen King era *parecido* com Roland. Dada a diferença de idade ninguém jamais os consideraria gêmeos, mas pai e filho? Sim. Facilmente.

Roland bateu três vezes na base da garganta e balançou a cabeça. Não foi o bastante. Não dava. Eddie viu com fascínio e horror o pistoleiro cair de joelhos entre o amontoado de coloridos brinquedos de plástico e pôr a mão na testa.

— Salve, contador de histórias — disse ele. — Venho eu, Roland Deschain, que era de Gilead, e Eddie Dean, de Nova York. Você se abre conosco, se nos abrirmos convosco?

King riu. Dada a força das palavras de Roland, Eddie achou o riso chocante.

— Eu... cara — disse King —, isto não pode estar acontecendo. — E então, para si mesmo: — Pode?

Roland, ainda de joelhos, continuou como se o homem parado na água não tivesse rido nem falado.

— Você nos reconhece pelo que somos, e o que fazemos?

— Seriam pistoleiros, se fossem reais. — King observava Roland através das lentes grossas dos óculos. — Pistoleiros em busca da Torre Negra.

É isso, Eddie pensou enquanto as vozes se elevavam e o sol brilhava na água azul. *Isso confirma tudo.*

— Você diz a verdade, sai — disse Roland. — Procuramos ajuda e socorro, Stephen de Bridgton. Vai nos prestar?

— Senhor, não sei quem é seu amigo, mas quanto a você... cara, eu o *criei*! Não pode estar *aí* porque o único lugar onde você realmente existe é *aqui*! — Ele bateu com a mão fechada no centro da testa, como se parodiasse Roland. Depois apontou para a casa. A casa de fazenda. — E ali. Você também está ali, eu acho. Na gaveta de uma escrivaninha ou talvez em uma caixa na garagem. Você é um assunto inacabado. Já não penso em você há... há...

A voz tinha ficado fina. Agora King começava a balançar como alguém que estivesse ouvindo alguma música baixa, mas incrível, e os joelhos vergaram. Ele caiu.

— Roland! — Eddie gritou, por fim se atirando para a frente. — O homem teve a porra de um infarto! — Já sabendo ou talvez esperando que não fosse bem assim. Porque o cântico estava forte como nunca. As faces nas árvores e sombras igualmente nítidas.

O pistoleiro estava se curvando e agarrando King — que já tinha começado a se sacudir um pouco — sob os braços.

— Ele só desmaiou. E quem poderia censurá-lo? Me ajude a levá-lo para dentro de casa.

6

A suíte principal tinha uma esplêndida vista do lago e um horrível tapete roxo no chão. Eddie sentou-se na cama e viu, através da porta do banheiro, King tirando os tênis molhados, a camiseta, a calça e parando um momento entre a porta e a parede azulejada para trocar a cueca samba-canção molhada por uma cueca seca. Não fizera objeções a que Eddie o seguisse até o quarto. Desde que voltara a si — e não ficara mais de trinta segundos desacordado — exibia uma calma quase assustadora.

Ele saiu do banheiro e foi até a cômoda.

— Isto é algum trote? — perguntou, remexendo a gaveta em busca de uma calça jeans seca e uma nova camiseta. Para Eddie, a casa de King sugeria dinheiro... pelo menos algum. As roupas, no entanto, Deus sabia o que sugeriam. — Alguma coisa que Mac McCutcheon e Floyd Calderwood poderiam ter inventado?

— Não conheço esses homens e isto não é trote.

— Talvez não, mas não tem como aquele sujeito ser real. — King vestiu a calça jeans. Falava com Eddie em um tom de voz razoável. — Quer dizer, fui eu quem *escreveu* sobre ele!

Eddie assentiu.

— Eu já tinha chegado a essa conclusão. Mas mesmo assim ele é real. Tenho andado com ele por... — Quanto tempo? Eddie não sabia — por algum tempo. Você escreveu sobre ele, mas não sobre mim?

— Está se sentindo rejeitado?

Eddie riu, mas estava *mesmo* se sentindo rejeitado. Pelo menos um pouco. Talvez King ainda não tivesse chegado ao seu personagem. Se fosse o caso, ele não estava exatamente seguro, ou não?

— Não me *parece* um colapso nervoso — disse King —, mas isso deve sempre ser o caso.

— Não está tendo um colapso nervoso, sai, mas entendo a maneira como se sente. Esse homem...

— Roland. Roland de. Gilead?

— Você diz a verdade.

— Não sei se escrevi ou não a parte de Gilead — disse King. — Preciso dar uma olhada nas laudas, isso se conseguir achá-las. Mas tudo bem. Seria como em "Não existem bálsamos em Gilead".

— Não estou entendendo.

— Não faz mal, eu também não. — King encontrou cigarros, Pall Malls, sobre a cômoda e acendeu um. — Termine o que ia dizer.

— Roland me arrastou através de uma porta entre este mundo e o mundo dele. Também me senti como se estivesse tendo um colapso nervoso. — Não tinha sido deste mundo que Eddie havia sido arrastado, mas tinha sido próximo; naquele tempo ele também vivia correndo atrás de heroína, mas a situação já era bastante complicada sem precisar acrescentar essa informação. E havia uma pergunta que tinha de fazer antes que se juntassem novamente a Roland e a verdadeira confabulação começasse.

— Me diga uma coisa, sai King. Sabe onde fica Co-Op City?

King estivera transferindo suas moedas e chaves da roupa molhada para a seca, o olho direito estreitado ante a fumaça do cigarro enfiado no canto da boca. Agora ele parava e olhava para Eddie com as sobrancelhas erguidas.

— É uma pergunta capciosa?

— Não.

— E não vai atirar em mim com o revólver que está usando se eu errar a resposta?

Eddie sorriu um pouco. Para um deus, King até que era um sujeito bastante simpático. Então ele se lembrou que Deus havia matado sua irmãzinha, usando como ferramenta um motorista embriagado, e também seu irmão Henry. Deus criara Enrico Balazar e queimara Susan Delgado na fogueira. Seu sorriso morreu.

— Ninguém vai ser baleado aqui, sai — disse.

— Nesse caso, respondo que Co-Op City fica no Brooklyn. De onde você veio, a julgar pelo seu sotaque. Será que ganhei o Ganso do Dia da Feira?

Eddie estremeceu como alguém que tivesse sido espetado por um alfinete.

— O quê?

— Só uma coisa que minha mãe costumava dizer. Quando meu irmão Dave e eu acabávamos todas as nossas tarefas domésticas e todas tinham ficado bem-feitas, ela dizia: "É, rapazes, vocês ganharam o Ganso do Dia da Feira". Era uma piada. Mas será que ganhei o prêmio?

— Ganhou — disse Eddie. — Com certeza.

King assentiu e amassou a ponta do cigarro.

— Você é um sujeito legal. Seu parceiro é que não me inspira muita confiança. E nunca inspirou. Acho que é parte da razão pela qual abandonei a história.

Isso tornou a sobressaltar Eddie e ele se levantou da cama para disfarçar o fato.

— Desistiu da história?

— Sim. Chamava-se *A Torre Negra*. Ia ser meu *O Senhor dos Anéis*, minha *Gormenghast*, minha não-sei-o-quê. Uma das características de ter vinte e dois anos é que nunca se falta ambição. Não demorei muito a perceber que a coisa era grande demais para o meu pequeno cérebro. E também... eu não sei... seria ultrapassada? Acho que é uma palavra tão boa quanto qualquer outra para definir isso. Mas também — acrescentou num tom mais seco — é que perdi o esboço.

— Fez o *quê*?

— Parece loucura, não é? Mas escrever pode ser uma tarefa louca. Sabia que um dia Ernest Hemingway perdeu um livro inteiro de contos em um trem?

— Verdade?

— Verdade. Não tinha feito nenhuma cópia em carbono. Foi assim, puf, a coisa se foi! É mais ou menos o que aconteceu comigo. Em uma noite dessas de bebedeira... ou talvez eu tivesse chapado de mescalina, não consigo mais lembrar... fiz o esboço completo para este épico fantástico de cinco mil ou dez mil páginas. Era um bom esboço, eu acho. Dava à coisa alguma forma. Algum estilo. E então perdi. Provavelmente voou da traseira de minha moto quando eu estava voltando da porra de algum bar. Nunca tinha me acontecido uma coisa dessas. Pelo menos com o meu trabalho costumo ter um certo cuidado.

— Hã-hã — disse Eddie, pensando em perguntar: *Será que por acaso você não viu uns caras em roupas espalhafatosas, tipo os caras que dirigem carros extravagantes, na época em que o perdeu? Homens nefastos, para dar nomes aos bois? Alguém com uma marca vermelha na testa? O tipo de coisa que lembrasse um pouco um círculo de sangue? Nenhuma indicação, em suma, de que alguém tivesse roubado seu esboço? Alguém que pudesse ter interesse em garantir que* A Torre Negra *jamais fosse concluída?*

— Vamos até a cozinha. Precisamos confabular. — Eddie torceu para descobrir rapidamente sobre o *que* deviam confabular. Fosse lá o que fosse, era melhor conversar com atenção, porque aquele era o mundo real, o mundo onde não dava para refazer.

7

Roland não fazia ideia de como encher de pó e depois ligar a estranha cafeteira no balcão da cozinha, mas achou um velho bule de café em uma das prateleiras que não era muito diferente do que, há muito tempo, Alain Johns carregara em sua mochila, quando três garotos chegaram a Mejis para contar o gado. O fogão de sai King funcionava a eletricidade mas uma criança poderia facilmente descobrir como ligar as bocas. Quando Eddie e King entraram na cozinha, o bule estava começando a esquentar.

— Não tomo café — disse King e foi para a geladeira (passando bem longe de Roland). — E não costumo tomar cerveja antes das cinco, mas acho que hoje vou abrir uma exceção. Sr. Dean?

— Um café está ótimo para mim.

— Sr. Gilead?

— É Deschain, sai King. Também ficarei com o café e digo obrigado.

O escritor abriu uma lata puxando o anel na tampa (um dispositivo que Roland julgou superficialmente esperto e quase estupidamente supérfluo). Houve um assobio, seguido pelo cheiro agradável

(*commala-venha-venha*)

de fermento e lúpulo. King tomou pelo menos metade da lata de uma só vez, tirou a espuma do bigode e pôs a lata no balcão. Ainda estava pálido, mas aparentemente em controle e na posse de seu discernimento. O pistoleiro achou que tudo estava indo muito bem, pelo menos até aquele momento. Seria possível que, em alguns dos recessos mais profundos de seu coração e de sua mente, King estivesse contando com a visita deles? Que estivesse esperando por eles?

— Você tem esposa e filhos — disse Roland. — Onde estão?

— A família de Tabby mora no norte, perto de Bangor. Minha filha foi passar uma semana com a avó e o avô. Tabby pegou nosso filho mais novo... Owen, que é apenas um bebê... e seguiu pelo mesmo caminho cerca de uma hora atrás. Devo buscar meu outro filho... Joe... em... — consultou o relógio — mais ou menos uma hora. Quis terminar o que estava escrevendo, então desta vez vamos em dois carros.

Roland ponderou. Podia ser verdade. Era quase certamente um meio de King dizer que, se algo acontecesse a ele, rapidamente dariam pela sua falta.

— Não posso crer que isso está acontecendo. Acho que já repeti isto demais, não é? É exatamente como se uma de minhas histórias estivesse acontecendo.

— Como *'Salem*, por exemplo — Eddie sugeriu.

King ergueu as sobrancelhas.

— Então conhece o livro! Será que há um clube literário no lugar de onde vocês vieram? — Ele bebeu o resto da cerveja. Bebia, Roland pensou, como alguém que tivesse uma tendência para o álcool. — Duas horas atrás havia sirenes na outra margem do lago, além de uma grande coluna de fumaça. Pude ver do escritório. De início achei que, provavelmente, era apenas uma queimada, talvez em Harrison ou em Stoneham, mas agora já não sei. Será que aquilo não teve alguma coisa a ver com vocês, rapazes? Teve, não foi?

— Ele está escrevendo a coisa, Roland — disse Eddie. — Ou estava. Diz que parou. Mas chamou a história *A Torre Negra*. Portanto ele sabe.

King sorriu, mas Roland achou que, pela primeira vez, estava de fato profundamente assustado. Sem levar em conta aquele momento inicial em que dobrara um canto da casa e vira os dois, é claro. O momento em que vira sua criação.

É o que sou? Uma criação dele?

Tudo parecia errado e certo em igual medida. Pensar naquilo fez a cabeça de Roland doer e um novo bolo tomou conta de seu estômago.

— Ele sabe... — disse King. — Isto não me soou bem, rapazes. Em uma história, quando alguém diz "ele sabe", a próxima linha geralmente é "vamos ter de matá-lo".

— Acredite no que vou lhe dizer — interveio Roland, falando com grande ênfase. — Matá-lo é a última coisa que gostaríamos de fazer, sai King. Seus inimigos são nossos inimigos e aqueles capazes de ajudá-lo ao longo do caminho são nossos amigos.

— Amém — disse Eddie.

King abriu a geladeira e pegou outra cerveja. Roland viu muitas delas lá dentro, alinhadas em congelada reticência. Havia mais cerveja do que qualquer outra coisa.

— Nesse caso — disse ele —, podem me chamar de Steve.

8

— Conte a história comigo nela — Roland convidou.

King se debruçou no balcão da cozinha e o alto de sua cabeça pegou um raio de sol. Ele tomou um gole da cerveja e refletiu sobre a pergunta de Roland. Eddie viu então a coisa pela primeira vez, muito vaga — apenas um contraste no sol, talvez. Uma poeirenta sombra escura, algo que rondava em volta do homem. Vaga. Quase nem ali. Mas ali. Como a escuridão que se vê escondida atrás das coisas quando se viaja em todash. Era a mesma coisa? Eddie não achava que fosse.

Quase nem ali.

Mas ali.

— Sabe — disse King —, não sou muito bom para contar histórias. Parece um paradoxo, mas não é; é por essa razão que as escrevo.

É como Roland que ele fala ou como eu?, Eddie se perguntou. Não sabia definir. Muito mais tarde ia perceber que King falava como *todos* eles, incluindo Rosa Munoz, a mulher que cuidava das coisas para o père Callahan na Calla.

Então o escritor se animou.

— Sabem de uma coisa, quem sabe não consigo encontrar o manuscrito? No andar de baixo, tenho quatro ou cinco caixas de histórias fracassadas.

A Torre Negra tem de estar numa delas. — *Fracassadas. Histórias fracassadas.* Eddie não gostava nada de como aquilo soava. — Podem ler alguma coisa enquanto vou pegar meu garotinho. — Ele sorriu, exibindo dentes grandes, tortos. — E quem sabe já não tenham ido embora quando eu voltar? Aí vou poder começar a achar que jamais estiveram aqui.

Eddie olhou de relance para Roland, que balançou de leve a cabeça. Em cima do fogão, a primeira bolha de café cintilou no visor de vidro do bule.

— Sai King... — Eddie começou.

— Steve.

— Steve, então. Devíamos discutir nosso assunto agora. Colocando de lado problemas de confiança mútua, estamos em uma tremenda pressa.

— Claro, claro, certo, correndo contra o tempo — disse King, e riu. O som foi simplório de um jeito simpático. Eddie desconfiou que a cerveja estivesse começando a fazer efeito e se perguntou se o homem não seria um alcoólatra. Impossível dizer com certeza após passar tão pouco tempo com alguém, mas Eddie achava que alguns dos sinais estavam lá. Não lembrava muita coisa das aulas de inglês, mas recordava um ou outro professor dizendo que os escritores gostavam *mesmo* de beber. Hemingway, Faulkner, Fitzgerald, o sujeito de "O Corvo". Escritores gostavam de beber.

— Não estou rindo de vocês, rapazes — disse King. — É contra a minha religião rir de homens que estão armados. É só que, no tipo de livros que escrevo, as pessoas estão quase sempre correndo contra o tempo. Gostariam de ouvir a primeira linha de *A Torre Negra*?

— Claro, se você se lembrar — disse Eddie.

Roland não disse nada, mas seus olhos brilharam muito sob sobrancelhas que estavam agora cheias de fios brancos.

— Ah, eu me lembro. Pode ser a melhor linha de abertura que jamais escrevi. — King pôs a cerveja de lado e ergueu as mãos com os primeiros dois dedos de cada uma estendidos e curvados, como se formando aspas. "O homem de preto fugia pelo deserto e o pistoleiro ia atrás." O resto pode ter sido tolo e batido, mas cara, essa foi ótima! — Ele baixou as mãos e pegou a cerveja. — Pela 43ª vez, isto está realmente acontecendo?

— Era Walter o nome do homem de preto? — Roland perguntou.

Um pouco da cerveja de King escapou de sua boca e escorreu pelo peito, molhando a camisa que ele trocara. Roland assentiu, como se aquela fosse toda a resposta de que precisava.

— Não desmaie de novo em cima da gente — disse Eddie, um tanto secamente. — Uma vez já deu para impressionar.

King fez que sim com a cabeça, tomou outro gole de cerveja, parecendo ao mesmo tempo se controlar. Olhou para o relógio.

— Será, cavalheiros, que vão realmente deixar que eu pegue meu filho?

— Sim — disse Roland.

— Acha... — King parou para pensar e sorriu. — Sei e garanto o que estou dizendo.

— Acho que sim — disse Roland sem devolver o sorriso.

— Certo, então, *A Torre Negra*, versão condensada das Seleções do Reader's Digest. Tenham sempre em mente que contar histórias não é minha especialidade, mas vou fazer o melhor que puder.

9

Roland ouviu como se mundos dependessem daquilo, como estava inteiramente certo, aliás, que dependiam. King começara sua versão da vida de Roland com as fogueiras, o que tinha agradado ao pistoleiro porque confirmavam a humanidade essencial de Walter. Dali, disse King, a história voltava ao encontro de Roland com uma espécie de colono-peão na orla do deserto. Brown, fora o nome dele.

Vida para sua colheita, Roland ouvia por entre um eco de anos, e *Vida para as suas também*. Tinha se esquecido de Brown, e de Zoltan, o corvo de estimação de Brown, mas este estranho não havia esquecido.

— O que eu gostava — disse King — era como a história parecia estar indo para trás. De um ponto de vista puramente técnico, era muito interessante. Começo com você no deserto, depois volto um ponto para você encontrando Brown e Zoltan. Aliás, Zoltan era o nome de um guitarrista e cantor de música folk que conheci na Universidade do Maine. De qualquer modo, da cabana do colono a história volta mais um ponto para você entrando na cidade de Tull... nome tirado de um grupo de rock...

— Jethro Tull — disse Eddie. — Porra, é claro! Eu *sabia* que esse nome era conhecido! E sobre Z.Z. Top, Steve? Você os conhece? — Eddie olhou para King, viu a incompreensão e sorriu. — Acho que ainda não chegou o quando deles. Ou se é, você não está sabendo deles ainda.

Roland torceu os dedos: *Vamos, vamos*. E deu a Eddie um olhar sugerindo que ele parasse de interromper.

— Bem, depois da chegada de Roland a Tull, a história volta outro ponto para contar como Nort, o comedor de erva, morreu e foi ressuscitado por Walter. Vocês entendem o porquê de eu ter achado interessante, não é? A primeira parte foi toda contada em marcha a ré. Tudo visto pelo retrovisor.

Roland não tinha interesse pelos aspectos técnicos que pareciam fascinar King; era, afinal, de sua vida que estavam falando, a vida *dele* e, para ele, tudo sempre andara para a frente. Pelo menos até ele ter alcançado o mar Ocidental e as portas por onde puxara seus companheiros de viagem.

Mas Stephen King, ao que parecia, não sabia nada das portas. Tinha escrito sobre o posto de parada e sobre o encontro de Roland com Jake Chambers; tinha descrito a jornada dos dois, primeiro em direção às montanhas, depois através delas; tinha escrito da traição de Jake pelo homem que viera a amar e em quem viera a confiar.

King observou o modo como Roland baixou a cabeça durante essa parte da narrativa e falou com singular ternura.

— Não precisa ficar tão envergonhado, sr. Deschain. Afinal, fui eu quem o obrigou a fazer aquilo.

Mas novamente Roland se questionou sobre essa afirmação.

King descrevera a confabulação de Roland com Walter no poeirento gólgota de ossos, a leitura do tarô e a terrível visão que Roland tivera de ir avançando pelas cumeeiras do universo. Tinha escrito sobre como Roland acordara depois daquela longa noite de leitura da sorte para se descobrir anos mais velho, enquanto Walter estava reduzido a ossos. Finalmente King disse como escrevera de Roland se aproximando da beira da água e sentando lá.

— Você disse: "Eu amei você, Jake".

Roland assentiu a cabeça.

— Ainda o amo.

— Você fala como se ele realmente existisse.

Roland olhou-o firmemente.

— E eu existo? Você existe?

King ficou em silêncio.

— O que aconteceu então? — Eddie perguntou.

— Então, *señor*, perdi o fio da história… fiquei intimidado, se preferir… e parei.

Eddie também queria parar. Podia ver as sombras começando a se alongar na cozinha e quis ir atrás de Susannah antes que fosse tarde demais. Achava que tanto ele quanto Roland faziam uma ideia muito boa de como sair deste mundo; suspeitava que o próprio Stephen King poderia dirigi-los diretamente para a Via do Casco da Tartaruga, em Lovell, onde a realidade era fina e — pelo menos de acordo com John Cullum — ultimamente os aparecidos haviam sido abundantes. E King ficaria feliz em orientá-los. Feliz em se livrar deles. Mas ainda não podiam ir e, a despeito de sua impaciência, Eddie sabia disso.

— Você parou porque perdeu seu esmoço — disse Roland.

— Esboço. E não, não realmente. — King fora pegar a terceira cerveja e Eddie achou que não era de admirar que o homem estivesse ganhando uma certa barriga; já consumira as calorias equivalentes a uma bisnaga e estava entrando na bisnaga nº 2. — Quase nunca trabalho a partir de um esboço. Na verdade... Bem, não me censurem, mas essa pode ter sido a única vez em que eu tivesse um esboço. Porque a coisa ficou grande demais para mim. Estranha demais. Além disso, *você* se tornou um problema, senhor, sai ou como quer que o chame. — King fez uma careta. — Não importa a forma de tratamento, não fui eu que inventei.

— Pelo menos ainda não — Roland observou.

— Você começou como uma versão do Pistoleiro Sem Nome, de Sergio Leone.

— Nos faroestes spaghetti — disse Eddie. — Jesus, é claro! Vi uma centena deles no Majestic com meu irmão Henry, quando Henry ainda estava em casa. Quando Henry foi para o Vietnã, eu ia sozinho ou com um amigo meu, Chuggy Coter. Aqueles sim, eram filmes para *homens*.

King estava sorrindo.

— Sim — disse ele —, mas minha esposa era louca por eles, explica isso?

— Que bom pra ela! — Eddie exclamou.

— Sim, Tab é uma gatinha maneira. — King se virou para Roland. — Como o Pistoleiro Sem Nome... uma versão fantástica de Clint Eastwood... você esteve bem. Divertido de trabalhar junto.

— Foi assim que viu?

— Foi. Mas depois você mudou. Bem diante dos meus olhos. A tal ponto que não pude mais dizer se era o herói, o anti-herói ou nada de herói. Deixar o garoto cair foi a gota d'água.

— Você disse que me obrigou a fazer isso.

King olhou diretamente nos olhos de Roland (azul encontrando azul entre o interminável coro de vozes) e respondeu:

— Eu menti, irmão.

10

Houve uma pequena pausa e todos pareceram refletir. King, então, falou:

— Você começou a me assustar, por isso parei de escrever sobre você. Coloquei-o em uma caixa, depois em uma gaveta e dei andamento a uma série de contos que vendi para diversas revistas masculinas. — Ele pensou e prosseguiu: — As coisas mudaram para mim depois que o despachei, meu amigo, e para o melhor. Comecei a vender minhas histórias. Pedi a Tabby em casamento. Não muito tempo depois comecei um livro chamado *Carrie, a Estranha*. Não foi meu primeiro romance, mas foi o primeiro que vendi e me colocou no mapa. Tudo isso após dizer adeus Roland, até à vista, boas andanças para você. Então o que acontece? Um dia, seis ou sete anos mais tarde, viro a quina da minha casa e vejo você parado na porra da minha entrada, alto como um poste, como minha mãe costumava dizer. E agora pensar que você é uma alucinação trazida pelo excesso de trabalho é a conclusão mais otimista a que posso chegar. Só que não acredito nela. Como poderia? — A voz de King ia se elevando e ficando trêmula. Eddie percebeu que não se tratava de medo; era ultraje. — Como posso acreditar quando vejo a sombra lançada por você, o sangue na perna dele... — Apontando para Eddie... e, então, de novo para Roland: — E a poeira em seu rosto? Você acabou com minhas malditas opções e sinto minha mente... eu não sei... em queda? É essa a palavra? Acho que é. Em queda.

— Você não parou — disse Roland, ignorando por completo as últimas observações de King devido ao absurdo que representavam.

— Não?

— Acho que contar histórias é como empurrar alguma coisa. Empurrar contra a própria ausência de criação, talvez. E um dia, quando você estava fazendo isso, sentiu algo empurrando de volta.

King refletiu pelo que Eddie considerou um tempo muito longo. Depois fez que sim com a cabeça.

— Talvez você tenha razão. Mas acho que foi mais que a habitual sensação de a fonte secar, a que estou acostumado, embora ela já não aconteça com a mesma frequência de antes. Foi... não sei... um dia simplesmente você começa a se divertir menos de estar sentado ali, batendo a sua história nas teclas. Começa a ver tudo menos claramente. Curtir menos o fato de estar contando a *você mesmo* a história. E aí, para piorar as coisas, se tem uma nova ideia, uma ideia realmente notável, brilhante, novinha em folha na frente da concessionária, sem um único arranhão. Completamente não fodida por você, pelo menos ainda não. E... bem...

— E você sentiu a coisa empurrando de volta — Roland falou no mesmo tom seco.

— Sim. — A voz de King tinha caído tão baixo que Eddie mal podia ouvi-lo. — ENTRADA PROIBIDA. NÃO ENTRE. ALTA VOLTAGEM. — Fez uma pausa. — Quem sabe... PERIGO DE MORTE.

Você não ia gostar daquela sombra tênue que vejo girando à sua volta, Eddie pensou. *Aquele halo escuro. Não, sai, acho que não ia gostar nem um pouco. E o que estou vendo? Os cigarros? A cerveja? Algum outro vício que atrai você? Um acidente de carro em uma noite de bebedeira? Quanto tempo à frente? Quantos anos?*

Olhou para o relógio que estava na mesa da cozinha de King e ficou desanimado ao ver que eram 15h45.

— Roland, está ficando tarde. O homem precisa buscar o filho. — *E precisamos encontrar minha esposa antes que Mia tenha aquele bebê que as duas parecem estar compartilhando e antes que a parte Susannah da dupla não tenha mais utilidade para o Rei Rubro.*

— Só mais um pouco — disse Roland, baixando a cabeça sem dizer nada. Pensando. Tentando decidir que perguntas seriam as perguntas certas. Talvez só houvesse uma pergunta certa. E era importante, Eddie sabia que era, porque nunca iriam conseguir voltar para o dia 9 de julho de 1977. Talvez conseguissem revisitar esse dia em algum outro mundo, mas não neste. E será que Stephen King existiria em algum desses outros mundos? Eddie achava que talvez não. *Provavelmente* não.

Enquanto Roland pensava, Eddie perguntou a King se o nome Blaine tinha algum significado especial para ele.

— Não. Não particularmente.

— E quanto a Lud?

— Como em ludistas? Era uma espécie de seita religiosa que odiava as máquinas, não é? Do século XIX, eu acho, ou talvez até de antes. Se não estou enganado, no século XIX os membros da seita irrompiam nas fábricas e despedaçavam as máquinas. — Sorriu, exibindo aqueles dentes tortos. — Acho que eram o Greenpeace da época.

— Beryl Evans? Esse nome lembra alguma coisa?

— Não.

— Henchick? Henchick dos mannis?

— Não. O que são os mannis?

— Complicado demais para resumir. O que me diz de Claudia y Inez Bachman? Esse nome significa algu...

King explodiu em uma risada, sobressaltando Eddie. Sobressaltando a si próprio, a julgar pela expressão em seu rosto.

— A esposa do Dicky! — exclamou. — Que diabo, como sabe o nome dela?

— Eu não sei. Quem é Dicky?

— É Richard Bachman. Comecei a publicar alguns dos meus primeiros livros em brochura, com um pseudônimo. E Bachman é o pseudônimo. Uma noite, quando eu estava bastante bêbado, inventei toda uma biografia para ele, inclusive como teria se curado de uma leucemia no início da vida adulta, viva

Dickie. Seja como for, Claudia é sua esposa. Claudia Inez Bachman. Só a parte do *y*... é que eu não sei de onde veio.

Eddie sentiu como se uma enorme pedra invisível tivesse de repente saído de seu peito e rolado para longe de sua vida. *Claudia Inez Bachman* só tinha dezoito letras. Então alguém acrescentara o *y*, e por quê? Para completar dezenove letras, é claro. Claudia Bachman era apenas um nome. Claudia y Inez Bachman, porém... *ela* era ka-tet.

Eddie achou que acabara de obter uma das coisas que os tinham levado até ali. Sim, Stephen King os criara. Pelo menos criara Roland, Jake e o padre Callahan. O resto ainda não fora criado. E King tinha movido Roland como uma pedra em um tabuleiro de xadrez: vá para Tull, Roland; durma com Allie, Roland; persiga Walter através do deserto, Roland. Mas enquanto movia seu personagem principal pelo tabuleiro, o *próprio* King fora movido. Aquela letra acrescentada ao nome da esposa de seu pseudônimo deixava isso claro. Alguma coisa quisera transformar Claudia Bachman em um *dezenove*. Portanto...

— Steve.

— Sim, Eddie de Nova York. — King sorriu meio sem graça. Eddie pôde sentir o coração batendo com força no peito.

— O que o número dezenove significa para você?

King pensou. Lá fora o vento sussurrava nas árvores, os barcos a motor zuniam e um corvo (ou outra coisa) grasnava. Em breve chegaria a hora dos churrascos nas margens do lago e, depois, talvez uma ida à cidade para um show de uma banda na praça, tudo naquele melhor de todos os mundos possíveis. Ou somente o mais real.

Por fim, King balançou a cabeça e Eddie soltou um suspiro frustrado.

— Lamento. É um número primo, mas isso é tudo o que me vem à cabeça. Os números primos me fascinam um pouco, desde as aulas de Álgebra I do professor Soychak, na Lisbon High School. E acho que eu tinha essa idade quando conheci minha esposa, embora ela talvez conteste isso. Ela tem um temperamento contestador.

— E quanto a noventa e nove?

King refletiu um pouco, depois começou a bater cada item na ponta de um dedo:

— Uma idade infernal para se ter. "Noventa e nove anos quebrando pedras." Acho que é uma música chamada "The Wreck of Old Ninety-nine", o naufrágio do velho noventa e nove... só que, pensando bem, podia ser "The Wreck of the *Hesperus*", o naufrágio do Vésper, que estou lembrando. "Noventa e nove garrafas de cerveja no muro, pegamos uma, passamos em volta e agora são 98 garrafas de cerveja", outra música. Além disso, nada.

Desta vez foi King quem se virou para o relógio.

— Se eu não sair logo, Betty Jones vai ligar para saber se esqueci que *tenho* um filho. E depois de pegar Joe devo dirigir mais de duzentos quilômetros para o norte, ainda mais essa. O que pode ficar mais fácil se eu parar com a cerveja. E isso, por sua vez, pode ser mais fácil se eu não tiver uma dupla de espectros armados sentados na minha cozinha.

Assentindo a cabeça, Roland estendeu a mão para o cinturão, pegou uma bala e começou a fazê-la rolar distraidamente entre o polegar e o indicador da mão esquerda.

— Só mais uma pergunta, se não se importar. Então seguiremos nosso caminho e deixaremos que siga o seu.

King concordou.

— Então pergunte. — Olhou para a terceira lata de cerveja e derramou-a na pia com uma expressão de pesar.

— Foi você que escreveu *A Torre Negra*?

Para Eddie a pergunta não fazia sentido, mas os olhos de King se iluminaram e ele abriu um largo sorriso.

— *Não!* — disse. — Se algum dia eu fizer um livro sobre o ofício de escrever, e talvez até fosse capaz, eu dava aula disso antes de parar para escrever, vou dizer que não escrevo. Não escrevi este, nenhum dos outros, realmente. Sei que existem escritores que escrevem, mas não sou um deles. De fato, quando perco a inspiração e começo a depender do enredo, a história em que estou trabalhando geralmente vira uma merda.

— Não faço a menor ideia do que está falando — disse Eddie.

— É como... Ah, que legal!

A bala rolando de um lado para o outro entre o polegar e o indicador do pistoleiro tinha saltado com naturalidade para as costas da mão, onde parecia avançar pelos nós ondulantes dos dedos de Roland.

— É — Roland concordou —, legal, não é?

— Foi assim que você hipnotizou Jake no posto de parada. Foi assim que o fez se lembrar de ter sido morto.

E Susan também, Eddie pensou. *Ele hipnotizou Susan da mesma maneira, só que você ainda não sabe disso, sai King. Ou talvez saiba. Talvez em algum lugar dentro de si, você saiba disso tudo.*

— Já tentaram me hipnotizar — disse King. — Quando eu era garoto, na Feira de Topsham. Um sujeito me fez subir no palco e me mandou cacarejar como uma galinha. Não deu certo. Foi mais ou menos na época em que Buddy Holly morreu. E o Big Bopper. E Ritchie Valens. Todana! Ah, Discórdia!

De repente King balançou a cabeça como se precisasse clarear as ideias e seus olhos passaram da bala nos dedos de Roland para o rosto dele.

— Eu disse alguma coisa agora mesmo?

— Não, sai. — Roland baixou os olhos para a bala dançante... de um lado para o outro, de um lado para o outro... Muito naturalmente, a bala continuava a atrair os olhos de King.

— O que acontece quando você cria uma história? — Roland indagou. — A *minha* história, por exemplo?

— Ela apenas vem — disse King. A voz tinha ficado muito débil. Atônita. — Entra como um vento... essa é a parte boa... e daí sai quando mexo os dedos. A história nunca vem da cabeça. Sai do umbigo ou de algum outro lugar. Teve um editor... acho que Maxwell Perkins... que chamou Thomas Wolfe de...

Eddie percebeu o que Roland estava fazendo e sabia que provavelmente não seria uma boa ideia se intrometer, mas não pôde se segurar.

— Uma rosa — disse. — Uma rosa, uma pedra, uma porta desconhecida.

O rosto de King se iluminou de prazer, mas os olhos não se desviaram da bala que dançava entre as cavidades dos nós dos dedos do pistoleiro.

— Na verdade a coisa é uma pedra, uma *folha*, uma porta — disse ele. — Mas gosto ainda mais da rosa.

Fora inteiramente capturado. Eddie achou que quase podia ouvir o som de sorver enquanto a mente consciente do homem se drenava. Ocorreu-lhe que, algo tão simples quanto um toque de telefone naquele momento crítico, poderia alterar todo o curso da existência. Ele se levantou (movendo-se serenamente, a despeito da rigidez e da dor na perna), se aproximou do telefone pendurado na parede, torceu o fio nos dedos e fez pressão até o fio se romper.

— Uma rosa, uma pedra, uma porta desconhecida — King concordou. — Podia ter sido Wolfe, sem dúvida. Maxwell Perkins chamou-o de "divino carrilhão de vento". Ah, perdido, e pelo vento chorado! Todos os rostos esquecidos! Ó, Discórdia!

— Como a história vem até você, sai? — perguntou Roland em voz baixa.

— Não gosto dos chatos da Nova Era... nem dos metidos com cristais... nem dos isso-não-importa, virem a página... Chamam a coisa de canalizar e... fica mesmo parecendo... alguma coisa em um canal...

— Ou por um feixe? — Roland perguntou.

— Todas as coisas servem ao Feixe — disse o escritor, e suspirou. A tristeza do som foi terrível. Eddie sentiu as costas se eriçarem nas implacáveis ondas de um arrepio.

11

Stephen King estava em pé em um raio empoeirado do sol da tarde. O sol iluminava seu rosto, a curva do olho esquerdo, a covinha no canto da boca, convertendo cada fio branco do lado esquerdo da barba em uma linha de luz. Ele *estava* na luz, o que tornava ainda mais nítida a ligeira escuridão à sua volta. Sua respiração tinha se reduzido para umas três ou quatro por minuto.

— Stephen King — disse Roland. — Está me vendo?

— Salve, pistoleiro, vejo você muito bem

— Quando me viu pela primeira vez?

— Hoje foi a primeira.

Roland pareceu surpreso com a resposta e um pouco frustrado. Sem dúvida não era a resposta que estava esperando. Aí King continuou:

— Vi Cuthbert, não você. — Uma pausa. — Você e Cuthbert, cortando pão e espalhando os miolos sob a forca. Está na parte que já escrevi.

— Sim, fizemos isso. Quando Hax, o cozinheiro, foi enforcado. Éramos apenas garotos. Bert lhe contou a história?

Mas King não respondeu.

— Vi Eddie. Vi-o muito bem. — Uma pausa. — Cuthbert e Eddie são gêmeos.

— Roland... — Eddie começou em voz baixa. Roland o silenciou sacudindo bruscamente a cabeça e pôs na mesa a bala que usara para hipnotizar King. O escritor continuou olhando para o lugar onde a bala estivera, como se ainda a estivesse vendo lá. Provavelmente estava. Grãos de poeira dançavam em volta daquela escura e desgrenhada cabeça cheia de cabelo.

— Onde você estava quando viu Cuthbert e Eddie?

— No celeiro. — A voz de King caiu. Os lábios tinham começado a tremer. — Titia me mandou para lá porque tentamos fugir de casa.

— Quem?

— Eu e meu irmão Dave. Eles nos pegaram e nos trouxeram de volta. Disseram que éramos meninos muito maus.

— E você teve de entrar no celeiro.

— Tive, e tive de serrar lenha.

— Foi seu castigo.

— Foi. — Uma lágrima brotou no canto do olho direito de King. Deslizou pelo rosto até a ponta da barba. — As galinhas estão mortas.

— As galinhas no celeiro?

— Sim, elas. — Novas lágrimas se seguiram às primeiras.

— O que as matou?

— Tio Oren diz que foi uma gripe avícola. Os olhos delas estão abertos. É... um pouco assustador.

Ou talvez mais do que apenas um pouco, Eddie pensou, julgando pelas lágrimas e a palidez no rosto do homem.

— Você não podia sair do celeiro?

— Não até eu serrar minha parte da lenha. David serrou a dele. É minha vez. Tem aranhas nas galinhas. Aranhas nas tripas, pequenas aranhas vermelhas. Como manchas de pimenta vermelha. Se subirem em mim, vou pegar a gripe e morrer. Só que aí vou voltar.

— Por quê?

— Porque vou ser um vampiro. Serei um escravizado para *ele*. Seu escriba, quem sabe. Seu escritor de estimação.

— Ele quem?

— O Senhor das Aranhas. O Rei Rubro, encerrado na Torre.

— Jesus, Roland... — Eddie murmurou, trêmulo. O que tinham encontrado ali? Que ninho haviam exposto? — Sai King, *Steve*, quantos anos você tinha... você *tem*?

— Tenho sete. — Uma pausa. — Mijei nas calças. Não quero que as aranhas me mordam. As aranhas vermelhas. Mas então *você* chegou, Eddie, me socorreu e fiquei livre. — Ele deu um sorriso radiante, as faces brilhando com as lágrimas.

— Está dormindo, Stephen? — perguntou Roland.

— Sim.

— Vá mais fundo.

— Tudo bem.

— Vou contar até três. Em três você vai estar o mais fundo que puder.

— Tudo bem.

— Um... dois... três. — Em *três*, a cabeça de King se inclinou para a frente. O queixo descansou no peito. Um filete prateado de baba correu da boca e balançou como um pêndulo.

— Agora então sabemos de alguma coisa — Roland disse a Eddie.

— Alguma coisa crucial, talvez. Ele foi tocado pelo Rei Rubro quando era apenas uma criança, mas parece que o ganhamos para o nosso lado. Ou *você* ganhou, Eddie. Você e meu velho amigo, Bert. Seja como for, isso o torna um tanto especial.

— Eu me sentiria mais à vontade com o meu heroísmo se me lembrasse dele — disse Eddie. E então: — Já percebeu que, quando este cara tinha sete anos, eu ainda não era nem nascido?

Roland sorriu.

— O ka é uma roda. Você roda nela sob diferentes nomes há muito tempo. Cuthbert é um deles, por exemplo.

— E o que me diz dessa história do Rei Rubro como "encerrado na Torre"?

— Não faço ideia.

Roland se virou para Stephen King.

— Quantas vezes você acha que o Senhor da Discórdia tentou matá-lo, Stephen? Matá-lo e deter sua caneta? Calar sua boca criadora de caso? Desde aquela primeira vez no celeiro de sua tia e seu tio?

King pareceu estar tentando contar, depois balançou a cabeça.

— Delah — disse. *Muitas*.

Eddie e Roland trocaram um olhar.

— E alguém sempre intervém? — Roland perguntou.

— Não, sai, nem pense nisso. Eu não sou indefeso. Às vezes eu dou passagem.

Roland riu... o som seco de um graveto quebrando em um joelho.

— Você sabe o que é?

King balançou a cabeça. O lábio inferior se projetou como o beiço de uma criança amuada.

— Você sabe o que é?

— O pai primeiro. O marido em segundo lugar. O escritor em terceiro. Depois o irmão. Depois da fraternidade fico em silêncio. Certo?

— Não. Nada certo! Você sabe o que é?

Uma longa pausa.

— Não. Já disse tudo o que sei. Pare de me fazer perguntas.

— Vou parar quando falar a verdade. Você sabe...

— Sim, tudo bem, sei aonde está querendo chegar. Satisfeito?

— Ainda não. Me diga o que...

— Eu sou Gan ou estou *possuído* pelo Gan, não sei qual dos dois, talvez não haja diferença. — King começou a chorar. As lágrimas eram silenciosas e horríveis. — Mas não é Dis, eu me afastei de Dis, eu *repudio* Dis e isso devia ser o bastante, mas não é, o ka nunca está satisfeito, o insaciável e velho ka, foi isso o que *ela* disse, não foi? O que Susan Delgado disse antes que você a matasse, ou que eu a matasse, ou que Gan a matasse. "Um velho ganancioso, o ka, como o detesto." Independentemente de quem a matou, *eu* a fiz dizer isso, pois eu também o detesto. Invisto contra o tormento do ka e farei isso até o dia de minha chegada na clareira do final do caminho.

Sentado à mesa, Roland ficara branco ao ouvir o nome de Susan.

— E no entanto o ka vem a mim, vem *de* mim, eu o traduzo e o *faço* traduzir; o ka flui do meu umbigo como uma fita. Não sou ka, não sou a fita, trata-se apenas do que flui através de mim e eu o odeio, eu o odeio! As galinhas estavam cheias de *aranhas*, você entende isso, cheias de *aranhas*!

— Pare com essa choradeira — disse Roland (com uma latente falta de simpatia, segundo a avaliação de Eddie). King ficou imóvel.

O pistoleiro continuou pensativo, depois ergueu a cabeça.

— Por que parou de escrever a história quando eu cheguei ao mar Ocidental?

— Você é idiota? Porque *eu não quero ser Gan*! Eu me afastei de Dis e devia ser também capaz de me afastar de Gan. Amo minha esposa. Amo meus filhos. Amo escrever histórias, mas não quero escrever a *sua* história. Estou sempre com medo. Ele me procura. O Olho do Rei.

— Mas não desde que parou — disse Roland.

— Não, desde então ele não me procura, ele não me vê.

— Não obstante, você tem de continuar.

O rosto de King se contorceu, como se estivesse sentindo alguma dor; depois se suavizou, recuperando o ar de sono.

Roland ergueu a mão direita mutilada.

— Quando recomeçar, vai contar como perdi meus dedos. Está lembrado?

— Lagostrosidades — disse King. — Elas os arrancaram.

— E como sabe disso?

King sorriu um pouco e deixou escapar um leve som de *assssobbbio*...

— O vento sopra — disse.

— Gan criou o mundo e seguiu adiante — Roland respondeu. — É o que pretende dizer?

— Sim, e o mundo teria caído no abismo se não fosse a grande tartaruga. Em vez de cair, ele pousou em seu casco.

— Foi o que nos contaram e todos nós agradecemos. Comece com as lagostrosidades mordendo meus dedos.

— Dad-a-dum, dad-a-chum e as malditas lagostas comeram seus dedos — King disse, e acabou rindo.

— Sim.

— Teria me poupado muitos problemas se tivesse morrido, Roland, filho de Steven.

— Eu sei. Eddie e meus outros amigos, também. — Um traço de sorriso tocou os cantos da boca do pistoleiro. — Então, depois das lagostrosidades...

— Vem Eddie. Vem Eddie. — King interrompeu e fez um pequeno e distraído gesto com a mão direita, como para dizer que sabia daquilo tudo e que

Roland não devia perder seu tempo. — O Prisioneiro o Empurrador a Dama das Sombras. O açougueiro, o padeiro o mau iluminador. — Ele sorriu. — É como diz meu filho Joe. Quando?

Roland piscou, apanhado de surpresa.

— Quando, quando, *quando*? — King ergueu a mão e Eddie observou espantado como a torradeira, o aparelho de waffles e o escorredor cheio de pratos limpos levantaram e flutuavam no sol.

— Está me perguntando quando devia começar de novo?

— Sim, sim, *sim*! — Uma faca subiu do flutuante escorredor de pratos e voou por toda a extensão da cozinha até se alojar, trêmula, na parede. Então tudo retornou ao normal.

— Preste atenção à canção da Tartaruga — disse Roland —, ao grito do Urso.

— Canção da Tartaruga, grito do Urso. Maturin, dos livros de Patrick O'Brian. Shardik, do livro de Richard Adams.

— Sim. Se é o que diz.

— Guardiões do Feixe.

— Sim.

— Do *meu* Feixe.

Roland olhou-o fixamente.

— É o que afirma?

— Sim.

— Então que seja. Quando ouvir a canção da Tartaruga ou o grito do Urso terá de começar de novo.

— Quando eu abro meu olho para o seu mundo, ele me vê. — Uma pausa. — *A coisa*.

— Eu sei. Tentaremos protegê-lo nessas ocasiões, assim como pretendemos proteger a rosa.

King sorriu.

— Eu amo a rosa.

— Você a viu? — Eddie perguntou.

— Sim, já vi, em Nova York. Subindo a rua, vindo do U.N. Plaza Hotel. Costumava ficar na delicatéssen Tom e Jerry. Nos fundos. Agora está no terreno baldio onde ficava a delicatéssen.

— Você vai contar nossa história até se cansar — disse Roland. — Quando não puder mais contar, quando a canção da Tartaruga e o grito do Urso soarem mais fracos aos seus ouvidos, você vai descansar. Mas quando puder começar de novo, *vai* começar de novo. Você...

— Roland?

— Sai King?

— Vou fazer como está dizendo. Vou estar atento à canção da Tartaruga e, cada vez que ouvi-la, continuarei com a história. Se eu sobreviver. Mas você também deve ficar atento. À canção *dela*.

— De quem?

— De Susannah. O bebê vai matá-la se você não agir rápido. E precisa estar de ouvidos atentos.

Eddie olhou para Roland, assustado. Roland assentiu. Era hora de ir.

— Preste atenção, sai King... Tivemos um encontro fortuito em Bridgton, mas agora temos de deixá-lo.

— Ótimo — disse King, e falou com um alívio tão sincero que Eddie quase riu.

— Você vai ficar aí, exatamente onde está, por dez minutos. Está entendendo?

— Sim.

— E então vai acordar. Sentindo-se muito bem. Não vai se lembrar de que estivemos aqui, exceto nos recônditos mais fundos de sua mente.

— Na lama do fundo.

— Na lama do fundo, exato. Na superfície, vai achar que tirou um cochilo. Um cochilo maravilhoso, revigorante. Vai buscar seu filho e ir para onde tem de ir. Se sentirá muito bem. Seguirá em frente com a sua vida. Vai escrever muitas histórias, mas cada uma delas terá, em maior ou menor grau, algo a ver com esta nossa história. Está entendendo?

— Estou — disse King, e soou tão parecido com Roland, quando Roland estava nervoso e cansado, que as costas de Eddie voltaram a formigar em um arrepio. — Porque o que é visto não pode ser não visto. O que é conhecido não pode ser desconhecido. — Fez uma pausa. — Salvo talvez na morte.

— Sim, talvez. Sempre que ouvir a canção da Tartaruga... se é assim que ela soa para você... vai voltar para a nossa história. A única história verdadeira que precisa contar. E tentaremos protegê-lo.

— Estou com medo.

— Eu sei, mas tentaremos...

— Não é *isso*. Tenho medo de não ser capaz de terminar. — Baixou a voz. — Tenho medo de que a Torre caia e que eu seja responsabilizado por isso.

— Isso é assunto do ka, não seu — disse Roland. — Nem meu. Com relação a isso já fiz a minha paz. E agora... — Ele assentiu a cabeça para Eddie e se levantou.

— Espere — disse King.

Roland olhou para ele, sobrancelhas erguidas.

— Tenho privilégios de correio, mas para usar apenas uma vez.

Parece um cara em um acampamento de prisioneiros de guerra, Eddie ponderou. E em voz alta:

— Quem lhe concede privilégios de correio, grande Steve?

A testa de King se enrugou.

— Gan? — ele próprio se perguntou. — É Gan? — Então, como o sol rompendo pela névoa da manhã, a testa se suavizou e ele sorriu. — Acho que sou *eu*! — ele disse. — Posso mandar uma carta para mim mesmo... talvez até uma pequena encomenda... mas apenas uma vez. — Seu sorriso se ampliou, transformando-se em um sorriso aberto. — Tudo isto... é mais ou menos como um conto de fadas, não é?

— Sim, de fato — disse Eddie, pensando no palácio de vidro que encontraram no meio da Interestadual do Kansas.

— O que você faria? — Roland perguntou. — Para quem mandaria uma mensagem?

— Para Jake — disse prontamente King.

— E o que diria a ele?

A voz de King se transformou na voz de Eddie Dean. Não era uma aproximação; era a voz *exata*. O som deixou Eddie congelado.

— Dad-a-chum, dad-a-chá — King entoou —, não se preocupe, você tem a chave!

Esperaram, mas aparentemente não havia mais. Eddie olhou para Roland e, agora, foi a vez de o homem mais jovem mexer os dedos no gesto de vamos-vamos. Roland fez que sim com a cabeça, e os dois se encaminharam para a porta.

— Isso foi sinistro pra caralho — disse Eddie.

Roland não respondeu.

Eddie deteve-o com um toque no braço.

— Outra coisa me ocorreu, Roland. Aproveitando que ele está hipnotizado, por que não manda que pare de beber e fumar? Principalmente de fumar. Não larga eles. Olhou em volta? Tem cinzeiros na porra da casa inteira.

Roland parecia estar se divertindo.

— Eddie, se a pessoa esperar até os pulmões estarem plenamente formados, o tabaco prolonga a vida, não a encurta. É por essa razão que em Gilead todo mundo fumava, exceto os mais pobres, e até eles tinham seu papel de palha. O tabaco afasta, por exemplo, vapores nocivos. E muitos insetos perigosos. Todo mundo sabe disso.

— O chefe do Ministério da Saúde dos Estados Unidos adoraria descobrir o que todo mundo sabia em Gilead — disse Eddie secamente. — Que tal, então, a bebida? Suponha que ele capote de jipe em uma noite em que esteja embriagado ou entre na Interestadual na contramão e bata de frente em alguém?

Depois de pensar um pouco, Roland balançou a cabeça.

— Já interferi o suficiente com sua mente... e com o próprio ka. Fiz o máximo que me *atrevi* a fazer. Teremos de continuar a vigiá-lo pelos anos de qual... Por que está sacudindo a cabeça para mim? A história parte *dele*!

— Pode ser, mas não vamos ser capazes de vigiá-lo, por exemplo, por vinte e dois anos a não ser que abandonemos Susannah... e eu nunca vou fazer isso. Assim que pularmos para 1999 não haverá mais volta. Não neste mundo.

Por um momento Roland ficou em silêncio, apenas fitou o homem apoiando o traseiro na bancada da própria cozinha, adormecido de olhos abertos, o cabelo caído na testa. Daí a sete ou oito minutos King despertaria sem se lembrar de Roland e Eddie... sempre presumindo, é claro, que os dois tivessem mesmo ido embora. Eddie não chegava a acreditar que o pistoleiro deixaria Suze pendurada na corda bamba... mas ele deixara Jake cair, não é? Certa vez deixara Jake cair no abismo.

— Então ele terá de seguir sozinho — disse Roland, e Eddie deu um suspiro de alívio. — Sai King?

— Sim, Roland.

— Não se esqueça... Quando ouvir a canção da Tartaruga, tem de pôr de lado todas as coisas e contar a história.

— Farei isso. Pelo menos vou tentar.

— Ótimo.

Então o escritor disse:

— A bola deve ser tirada do tabuleiro e quebrada.

Roland franziu a testa.

— Que bola? O Treze Preto?

— Se ela despertar, será a coisa mais perigosa do universo. E está despertando agora. Em algum outro lugar. Em algum outro onde e quando.

— Obrigado pela profecia, sai King.

— Dad-a-shim, dad-a-chuva. Leve a bola para a Torre dupla.

Neste ponto Roland balançou a cabeça em silenciosa perplexidade.

Eddie pôs um punho na testa e se curvou ligeiramente.

— Salve, palavreiro.

King sorriu fracamente, como se aquilo fosse ridículo, mas não disse nada.

— Longos dias e belas noites — disse Roland. — Não vai mais precisar pensar nas galinhas.

Uma expressão quase dolorosa de esperança se espalhou pelo rosto barbudo de Stephen King.

— Acha realmente que não?

— Acho. E possamos nos encontrar de novo no caminho antes de nos encontrarmos todos na clareira. — O pistoleiro se virou e deixou a casa do escritor.

Eddie deu uma olhada final no homem alto, um tanto curvado, imóvel, o traseiro estreito apoiado na bancada. Pensou: *Da próxima vez que eu o vir, Stevie... se o vir... sua barba estará quase toda branca e haverá rugas em seu rosto... mas eu ainda serei jovem. Como está sua pressão sanguínea, sai? Boa para os próximos vinte e dois anos? Espero que sim. E que me diz do coração? O câncer é comum em sua família, e se for, até que ponto?*

Não havia tempo para nenhuma dessas perguntas, é claro. Ou quaisquer outras. Muito breve o escritor estaria acordando e continuando com a vida. Eddie seguiu seu dinh pela tarde que se aproximava do anoitecer e fechou a porta atrás de si. Estava começando a pensar que, quando o ka os mandou para cá, e não para Nova York, soubera, sem dúvida, o que estava fazendo.

12

Eddie parou junto à porta do motorista do carro de John Cullum e olhou através da capota para o pistoleiro.

— Viu aquela coisa em volta dele? Aquela névoa escura?

— A todana, sim. Agradeça a seu pai por ela ainda ser fraca.

— O que é uma todana? Lembra um pouco todash.

Roland assentiu.

— É uma variação da palavra. Significa bolsa da morte. Ele foi marcado.

— Jesus — disse Eddie.

— É fraca, estou lhe dizendo.

— Mas está lá.

Roland abriu sua porta.

— Não há nada que possamos fazer a esse respeito. O ka marca o tempo de cada homem e mulher. Vamos, Eddie.

Mas agora que estavam realmente prontos para seguir viagem, Eddie se sentia estranhamente relutante em partir. Tinha uma sensação de que as coisas tinham ficado inacabadas com sai King. E detestava a ideia daquela aura escura.

— O que me diz da Via da Tartaruga e dos aparecidos? Eu tinha vontade de perguntar a ele...

— Podemos achar a estrada.
— Tem certeza? Porque acho que precisamos ir até lá.
— Também acho. Vamos. Temos muito trabalho pela frente.

13

As luzes das lanternas traseiras do velho Ford mal tinham deixado o acesso à garagem quando Stephen King abriu os olhos. A primeira coisa que fez foi olhar para o relógio. Quase quatro. Já devia ter saído para buscar Joe há dez minutos, mas o cochilo que tirara lhe fizera bem. Sentia-se ótimo. Revigorado. De alguma estranha maneira, purificado. Pensou: *Se todo cochilo fizesse assim tão bem, tirá-los seria lei federal.*

Talvez sim, mas Betty Jones ia ficar seriamente preocupada se não visse o Cherokee entrando em seu pátio até as quatro e meia. Quando King ia pegar o telefone para avisá-la, seus olhos caíram no bloco sobre a mesinha. A inscrição CHAMANDO TODOS OS NAVEGANTES no alto das folhas devia ser obra de uma de suas cunhadas.

Com o rosto ficando novamente sem expressão, King estendeu a mão para o bloco e a caneta ao lado dele. Curvou-se e escreveu:

Dad-a-chum, dad-a-cha, não se preocupe, você tem a chave.

Fez uma pausa, olhando fixamente para aquilo, depois escreveu:

Dad-a-cha, dad-a-relha, olhe, Jake! A chave é vermelha!

Parou novamente, e em seguida escreveu:

Dad-a-chum, dad-a-ático, dê a este garoto uma chave de plástico.

Olhou para o que tinha escrito com profundo afeto. Quase amor. Deus Todo-Poderoso, mas como se sentia bem! Aquelas linhas não significavam absolutamente nada, mas escrevê-las lhe trouxera uma profunda sensação de satisfação, quase um estado de êxtase.

King tirou a folha do bloco. Fez uma bola com ela.

Comeu-a.

Por um momento ela grudou em sua garganta e então… ulp!… desceu. Coisa boa! Ele tirou a

(*dad-a-chá*)

chave do jipe do porta-chaves de madeira na parede (que tinha também a forma de uma chave) e saiu apressado para fora. Pegaria Joe, voltaria com ele para cá, faria as malas e os dois jantariam no Mickey Kee's, em South Paris. Correção, Mickey-*Dee's*. Sentia que poderia comer dois Quarter Pounders inteiros. Com fritas, também. *Nossa*, mas como se sentia bem!

Quando chegou à rua Kansas e virou em direção à cidade, ligou o rádio e ouviu os McCoys cantando "Hang On, Sloopy" — sempre uma coisa excelente. Sua mente se dispersou, como tão frequentemente acontecia quando ouvia o rádio. Quando se deu conta, estava pensando nos personagens daquela velha história, *A Torre Negra*. Não que tivessem sobrado muitos; lembrava-se de ter matado a maior parte deles, até o garoto. Não sabia o que mais fazer com ele. Geralmente era por esse motivo que a pessoa se livrava de personagens, por não saber mais o que fazer com eles. Qual era mesmo o nome do garoto, Jack? Não, Jack fora o pai assombrado de *O iluminado*. O garoto da *Torre Negra* se chamava Jake. Excelente escolha de nome para uma história com um tema de faroeste, alguma coisa tirada de Wayne D. Overholser ou Ray Hogan. Será que tinha como Jake voltar para essa história, talvez como um fantasma? É claro que sim. O bom das histórias sobrenaturais, King refletiu, era que ninguém realmente precisava morrer. Podiam sempre voltar, como aquele tal de Barnabas em *Sombras da noite*. Barnabas Collins fora um vampiro.

— Talvez o *garoto* volte como vampiro — disse King, e riu. — Cuidado, Roland! O jantar está servido e o jantar é você! — Mas isso não parecia certo. Então como fazer? Nada lhe ocorria, mas tudo bem. No tempo certo, algo ia surgir. Provavelmente quando ele menos esperasse; enquanto estivesse dando comida ao gato, trocando a fralda do bebê ou simplesmente caminhando distraído, como dizia Auden em um poema sobre o sofrimento.

Nada de sofrimento hoje. Hoje ele se sentia *ótimo*.

É, pode me chamar de Tony, o Tigre.

No rádio, os McCoys cediam lugar a Troy Shondell cantando "This Time".

Na realidade aquela tal de *Torre Negra* fora interessante. E King pensou: *Talvez quando voltarmos do norte eu deveria desenterrar aquilo. Dar uma olhada.*

Não era uma má ideia.

LINHA: *Commala-venha-chame*
Saudamos aquele que nos fez a todos,
Que fez os homens e fez as garotas,
Que fez o grande e o pequeno.

RESPOSTA: *Commala-venha-chame!*
Ele fez o grande e o pequeno!
E como é grande a mão do destino
Que governa um e governa todos.

Décima segunda estrofe

JAKE E CALLAHAN

1

Don Callahan tivera muitos sonhos de voltar à América. Geralmente eles começavam com Callahan acordando sob um céu de deserto, alto e claro, cheio das nuvens espessas que os jogadores de beisebol chamam de "anjos". Às vezes acordava em sua própria cama na casa paroquial, na cidade de Jerusalem's Lot, no Maine. Independentemente do local, a primeira sensação que sempre tinha era de um alívio avassalador, e seu primeiro instinto era rezar. *Ah, graças a Deus. Graças a Deus foi apenas um sonho e finalmente estou acordado.*

Estava acordado agora, sem a menor dúvida.

Fez um círculo completo no ar e viu Jake fazer exatamente o mesmo na frente dele. Perdeu uma das sandálias. Ouviu Oi latindo e Eddie protestando aos brados. Ouviu buzinas de táxi, aquela sublime música das ruas de Nova York, e mais alguma coisa: um pastor. A julgar pelo modo como o ouvia, o homem parecia estar passando por ele rapidamente. Um carro pelo menos em terceira. Talvez na última marcha.

Um dos tornozelos de Callahan bateu na beirada da Porta Desconhecida quando ele atravessou e houve uma terrível explosão de dor naquele lugar. Então o tornozelo (e a área em volta) ficou dormente. Houve uma breve sequência de carrilhões todash, como um disco de 33 rotações tocado a 45 rotações por minuto. Então um bafo de conflitantes correntes de ar o atingiu e, de repente, estava sentindo o cheiro de gasolina e descarga de automóvel, em vez do ar úmido da Gruta da Porta. Primeiro música de rua; agora perfume de rua.

Por um momento havia *dois* pregadores. Henchick lá atrás, berrando: *Olhe, a porta se abre!*, e outro à frente gritando: *Diga JESUS, irmão, diga o nome de JESUS na Segunda Avenida!*

Mais gêmeos, Callahan pensou... houve tempo para isso... e então a porta atrás de si bateu com força e o único pregador foi quem ficou gritando o nome do Senhor, o homem que estava na Segunda Avenida. Callahan também teve tempo de pensar: *Bem-vindo ao lar, seu filho da puta, bem-vindo de volta à América, e então pousou.*

2

Foi de fato uma queda espetacular, mas aterrissou com firmeza sobre as mãos e os joelhos. A calça jeans protegeu até certo ponto os joelhos (embora tenha rasgado), mas a calçada esfolou uma enorme extensão de pele na palma das mãos. Ele ouviu a rosa cantando, poderosa e impassível.

Callahan rolou de costas e olhou para o céu, gemendo de dor, segurando as mãos ensanguentadas, trêmulas, na frente do rosto. Uma gota de sangue da mão esquerda salpicou seu rosto como uma lágrima.

— De que *porra* de lugar você veio, meu amigo? — perguntou um homem negro, com macacão de faxina e ar muito espantado. Parecia ter sido o único a presenciar a dramática reentrada de Don Callahan na América. Parado na calçada, arregalava os olhos para Callahan.

— De Oz — disse Callahan se sentando.

Suas mãos ardiam terrivelmente e agora o tornozelo voltava a se manifestar, se queixando em altos *ai-ai-ai*, pontadas de dor que estavam em perfeita sincronia com as batidas aceleradas de seu coração.

— Vá em frente, amigo. Saia daqui. Estou bem, então cai fora.

— Como quiser, irmão. Té mais.

O homem com macacão de faxina (algum zelador saindo de seu turno, era a suposição de Callahan) começou a andar. Concedeu a Callahan um último olhar (ainda assombrado, mas já começando a duvidar do que vira) e contornou a pequena multidão que ouvia o pregador na rua. Um momento mais tarde já se fora.

Callahan se levantou e parou em um dos degraus que subiam para o Hammarskjöld Plaza, procurando Jake. Não o via. Olhou para o outro lado, procurando a Porta Desconhecida, mas ela também sumira.

— *Agora escutem, meus amigos! Escutem, eu digo Deus, eu digo* amor *de Deus, eu digo entoem aleluia!*

— Aleluia — disse um membro da multidão do pregador de rua, mas sem empolgação.

— *Eu digo amém, obrigado, irmão! Agora escutem porque este é o tempo de* TESTE *da América e a América está* FRACASSANDO *em seu* TESTE*! Este país precisa de uma* BOMBA*, não uma nova bomba nu-cle-ar, mas uma* BOMBA-DEUS*, podem dizer aleluia?*

— Jake! — Callahan gritou. — Jake, onde você está? Jake!

— *Oi!* — Era Jake, a voz erguida em um grito. — *Oi,* CUIDADO!

Houve um latido nervoso, agudo, que Callahan teria reconhecido em qualquer lugar. Então o guincho de pneus freando.

O barulho de uma buzina.

E a pancada.

3

Callahan se esqueceu do tornozelo contundido e das palmas arranhadas. Correu para a pequena multidão do pregador (eles tinham se virado como um único ser para a rua e o pregador abandonara o discurso no meio) e viu Jake parado na Segunda Avenida, na frente de um táxi amarelo que tinha freado e parado torto no meio da rua a não mais que uns três centímetros de suas pernas. Fumaça azul ainda saía dos pneus traseiros. O rosto do motorista estava pálido e sua boca estava aberto devido ao choque. Oi estava agachado entre os pés de Jake. Para Callahan, o malhado parecia assustado, mas fora isso estava bem.

A pancada veio de novo e de novo. Era Jake, batendo com o punho fechado no capô do táxi.

— *Seu merda!* — Jake gritava para o homem boquiaberto do outro lado do para-brisas. *Pam!* — *Por que você não...* — *Pam!* — *... olha para...* — *PAM!* — *... a porra que está FAZENDO!* — *PAM-PAM!*

— É o que ele merece, garotão! — gritou alguém do outro lado da rua, onde talvez três dúzias de pessoas tinham parado para ver a cena.

A porta do táxi se abriu. O gigante que saltou do carro estava usando o que Callahan identificou como um dashiki sobre jeans e um enorme tênis de mutante, com bumerangues dos lados. Havia um barrete árabe em sua cabeça, que provavelmente não deixava de contribuir para a impressão de extrema altura, mas não era de todo responsável por ela. Callahan achou que o sujeito devia ter pelo menos uns dois metros. Com uma barba revolta, olhava com ar mal-encarado para Jake. Callahan avançou para a cena com um aperto no coração, quase sem consciência de que um de seus pés estava descalço, batendo no asfalto com cada passo que dava. O pregador de rua também continuava se deslocando para a confrontação. Atrás do táxi parado no cruzamento, outro motorista, preocupado unicamente com seus planos da noite, pressionava a buzina com ambas as mãos — *UUIII-OOOONNNNNNK!!!* — e se inclinava pela janela gritando:

— Tire o carro, Abdul, está bloqueando a quadra!

Jake não dava atenção àquilo. Estava em fúria total. Desta vez bateu com os dois punhos no capô do táxi, como Ratso Rizzo em *Perdidos na noite* — *PAM!*

— *Quase atropelou meu amigo, seu merda, será que não pode OLHAR...* — *PAM!* — *... por onde ANDA?*

Antes que Jake pudesse fazer os punhos atingirem de novo o capô do táxi (o que obviamente pretendia fazer até se dar por satisfeito), o motorista agarrou seu pulso direito.

— Pare de fazer isso, seu babaquinha! — gritou em um tom ofendido e estranhamente agudo. — Estou avisando…

Jake recuou um passo, conseguindo se livrar do aperto do motorista altão. Então, em um movimento ágil e rápido demais para que Callahan pudesse acompanhar, o garoto tirou a Ruger do pequeno coldre sob o braço e apontou para o nariz do homem.

— Avisando o *quê*? — Jake vociferou para ele. — Avisando o *quê*? Que estava dirigindo depressa demais e quase atropelou meu amigo? Que não quer morrer aqui na rua com um buraco na cabeça? Avisando o QUÊ?

Na outra calçada da Segunda Avenida, uma mulher viu o revólver ou captou um sopro da fúria homicida de Jake. Ela gritou e começou a se afastar depressa. Várias outras pessoas seguiram seu exemplo. Outros se juntaram no meio-fio, cheirando sangue. Por incrível que pareça, um deles (um homem jovem usando o boné virado para trás) gritou:

— Vamos, garoto! Faz um furo nesse camelo aí!

O motorista recuou dois passos, arregalando os olhos. Ergueu as mãos até os ombros.

— Não atire, garoto! Por favor!

— Então peça desculpas! — Jake berrou. — Se quer viver, peça o meu perdão! E o dele! O *dele*! — A pele de Jake estava mortalmente pálida exceto por diminutos pontos coloridos de vermelho no alto das bochechas. Os olhos estavam enormes e úmidos. O que Don Callahan viu mais claramente e menos gostou foi a maneira como o cano da Ruger estava tremendo. — Diga que lamenta o modo como estava dirigindo, seu filho da puta imprudente! Faça agora! *Faça agora!*

Oi ganiu ansioso.

— Ake! — disse ele.

Jake baixou os olhos para ele. Quando fez isso, o taxista saltou para o revólver. Então Callahan o atingiu com um cruzado de direita razoavelmente respeitável e o motorista se estatelou contra a frente do carro, o barrete caindo da cabeça. O motorista atrás dele tinha caminho livre pelos dois lados e podia ter partido de imediato, mas preferiu continuar tocando a buzina e gritando:

— *Tire esse carro daí, camarada, tire esse carro!*

Do outro lado da Segunda, algumas das pessoas assistindo chegaram realmente a aplaudir como espectadores de uma luta no Madison Square Garden.

Callahan pensou: *Ora, este lugar é uma casa de loucos. Será que eu sabia disso antes e esqueci, ou é uma coisa que acabei de descobrir?*

O pregador de rua, um homem de barba e longo cabelo branco que caía até os ombros, estava agora parado ao lado de Jake. Quando Jake começou a levantar novamente a Ruger, o pregador pousou a mão gentil e calma no pulso do garoto.

— Ponha no coldre, menino — disse ele. — Guarde e louve a Jesus.

Jake olhou-o e viu o que Susannah tinha visto há não muito tempo atrás: um homem extremamente parecido com Henchick dos mannis. Jake tornou a pôr o revólver no coldre que levava debaixo do braço, se curvou e pegou Oi. O malhado ganiu, esticou para o rosto de Jake o focinho na ponta do pescoço comprido e começou a lamber a bochecha do garoto.

Callahan, enquanto isso, tinha pegado o motorista pelo braço e o estava levando de volta a seu táxi. Colocando a mão no bolso, puxou uma nota de dez dólares, o que era praticamente a metade do dinheiro que tinham conseguido juntar para aquela pequena aventura.

— Já passou — disse ele ao motorista, falando no que esperava ser um tom tranquilizador. — Sem danos graves, você segue o seu caminho, ele segue o dele... — E então, acima do táxi, gritou para o incansável tocador de buzina: — A buzina funciona, imbecil, por que não dá um refresco nela e testa as luzes?

— Aquele merdinha estava me apontando o revólver — disse o motorista. Passou a mão na cabeça à procura do barrete e não o encontrou.

— É só uma arma de brinquedo — disse Callahan em um tom apaziguador. — O tipo de coisa que você monta com um kit, não atira sequer bolinhas. Garanto que...

— Ei, parceiro! — gritou o pregador de rua e, quando o taxista se virou, o homem lhe jogou o desbotado barrete vermelho. Com ele de novo na cabeça, o motorista pareceu mais disposto a ser razoável. Mais disposto ainda quando Callahan colocou a nota de dez em sua mão.

O sujeito atrás do táxi estava dirigindo um Lincoln velho e enorme. De repente tornou a pousar a mão na buzina.

— Vai à merda, sr. Monkeymeat! — o taxista gritou para ele, e Callahan quase deu uma risada. Quando Callahan começou a se encaminhar para o sujeito no Lincoln, o taxista quis juntar-se a ele, mas o padre pôs as mãos nos ombros do homem e o deteve.

— Deixe que eu cuido disso. Sou um religioso. Fazer o leão se deitar com o cordeiro é meu trabalho.

O pregador de rua aproximou-se a tempo de ouvir isto. Jake tinha se retirado para segundo plano. Estava parado ao lado da van do pastor e examinava as patas de Oi para ter certeza de que ele estava incólume.

— Irmão! — dirigiu-se o pregador a Callahan. — Posso perguntar qual é sua denominação? Sua, aleluia!, sua *visão* do *Todo-Poderoso*?

— Sou católico — disse Callahan. — Portanto vejo o Todo-Poderoso como um cara.

O pregador estendeu a mão grande, calejada. Ela produziu exatamente o aperto fervoroso, quase esmagador, com que Callahan havia contado. As cadências da fala do homem, combinadas com o leve sotaque sulista, fizeram Callahan se lembrar de Frangolino, dos desenhos animados da Warner Bros.

— Eu me chamo Earl Harrigan — disse o pregador, continuando a apertar firmemente os dedos de Callahan. — Igreja do Sagrado Deus-Bomba. Do Brooklyn e da América. Um prazer conhecê-lo, padre.

— Estou meio que aposentado — disse Callahan. — Se quiser me chamar de alguma coisa me chame de père. Ou apenas Don. Don Callahan.

— Jesus seja louvado, padre Don!

Callahan suspirou e achou que teria de se contentar com padre Don. Foi até o Lincoln. O taxista, enquanto isso, disparava com sua plaquinha FORA DE SERVIÇO iluminada.

Antes que Callahan pudesse falar com o motorista do Lincoln, ele saiu do carro por conta própria. Era a noite de Callahan enfrentar gente alta. Aquele teria em torno de um metro e noventa e carregava uma grande barriga.

— Está tudo resolvido — Callahan disse a ele. — Sugiro que volte para o carro e se afaste daqui.

— A coisa só está resolvida quando eu disser que está — o sr. Lincoln objetou. — Peguei o número da placa de Abdul; o que eu quero de você, gente boa, é o nome e endereço daquele garoto com o cachorro. Também quero dar uma olhada mais de perto no revólver que ele acaba... *ouh, ouh! OUH! OUHHHH! Pare com isso!*

O reverendo Earl Harrigan pegara uma das mãos do sr. Lincoln e a torcera para trás de suas costas. Agora parecia estar fazendo alguma coisa criativa com o polegar do homem. Callahan não podia ver exatamente o quê. O ângulo era ruim.

— Deus o ama demais — disse Harrigan, falando calmamente no ouvido do sr. Lincoln. — E o que Ele quer em retorno, seu falastrão de merda, é que você me diga aleluia e depois siga seu caminho. Vai me dar um aleluia?

— *OUH, OUHHH, solte! Polícia! POLÍCIAA!*

— O único policial que pode estar neste momento fazendo ronda nesta quadra seria o agente Benzyck e ele já entregou minha multa da noite e foi embora. A essas horas deve estar no Dennis's, comendo um waffle com nozes e um prato de bacon duplo, louvado seja Deus. Quero que pense no que eu disse. — O som de rachar por trás do sr. Lincoln fez os dentes de Callahan rangerem. Ele não gostava de pensar que o polegar do sr. Lincoln poderia ter feito aquele som, mas não sabia o que mais podia ter sido. Sobre o pescoço grosso, a cabeça do sr. Lincoln se inclinou para o alto e ele deixou escapar uma longa exalação de pura dor... *Iaaaahhhhhhh*!

— Vai me dar um aleluia, irmão — advertiu-o o reverendo Harrigan —, ou vai, louvado seja Deus, carregar o polegar para casa no bolso da camisa.

— Aleluia — sussurrou o sr. Lincoln. Sua pele tinha assumido uma tonalidade ocre. Callahan achou que parte daquilo podia ser atribuído às luzes alaranjadas que, em algum momento, tinham substituído as lâmpadas fluorescentes de seu próprio tempo. Mas provavelmente só mesmo parte daquilo.

— Bom! Agora diga amém. Você se sentirá melhor quando o fizer.

— A-Amém.

— Deus seja louvado! Jee-eee-eee-*esus* seja louvado!

— Me solte... solte o meu *polegar*...!

— Se eu soltar, vai sair daqui e parar de bloquear este cruzamento?

— Sim!

— E sem mais encheção de saco, Jesus seja louvado?

— *Sim!*

Harrigan se inclinou ainda mais para o sr. Lincoln, os lábios parando a um centímetro de uma grande tampa de cera amarela e laranja no contorno da orelha do sr. Lincoln. Callahan observava aquilo com fascinação, completamente absorto, esquecendo, pelo menos durante algum tempo, todos os problemas a resolver e objetivos a serem cumpridos. O père estava a mais que a meio caminho de acreditar que, se Jesus tivesse Earl Harrigan em Seu time, é possível que o velho Pôncio é que tivesse acabado na cruz.

— Meu amigo, bombas logo começarão a cair: bombas-Deus. E você tem de escolher se quer ficar entre os que estão, louvado Jesus!, lá em cima no céu *soltando* essas bombas ou os que estão nas aldeias aqui de baixo, sendo explodidos e reduzidos a cacos. Agora sinto que não é nem o momento nem o lugar para você fazer uma escolha por Cristo, mas não quer pelo menos pensar um pouco sobre essas coisas, senhor?

A resposta do sr. Lincoln deve ter sido um tanto lenta para o reverendo Harrigan, porque o religioso fez alguma outra coisa à mão que segurava presa atrás das costas do sr. Lincoln. O sr. Lincoln deu outro grito alto, sem fôlego.

— Eu disse, não vai *pensar* sobre essas coisas?

— Sim! Sim! Sim!

— Então entre no seu carro e vá embora. Que Deus o abençoe e guarde.

Harrigan soltou o sr. Lincoln. O sr. Lincoln foi recuando para longe dele, olhos arregalados e voltou para o carro. Um momento depois estava rodando pela Segunda Avenida — veloz.

Harrigan se virou para Callahan e disse:

— Os católicos vão para o Inferno, padre Don. Idólatras, todos e cada um deles; curvados ao Culto de Maria. E o papa! Não vou nem começar a falar *dele*! Contudo, já conheci algumas ótimas pessoas católicas e não tenho dúvida de que o senhor é uma delas. Quem sabe não consigo rezar e fazê-lo mudar de fé? Se não der certo, posso pelo menos ficar rezando enquanto o vejo a caminho das chamas. — Olhou para a calçada na frente da qual aparecia agora o Hammarskjöld Plaza. — Acho que minha congregação se dispersou.

— Lamento — disse Callahan.

Harrigan deu de ombros.

— Bem, seja como for as pessoas não procuram Jesus no verão — ele se limitou a dizer. — Saem para dar uma olhada nas vitrines e voltam para seus pecados. O inverno é quando a coisa fica séria... Tem que ter uma lojinha onde possa servir sopa quente e palavras sagradas quentes em uma noite fria. — Baixou os olhos para os pés de Callahan e disse: — Parece que você perdeu uma de suas sandálias, meu amigo. — Uma nova buzina soou e um táxi perfeitamente espantoso (Callahan achou parecido com uma versão mais nova dos velhos microônibus VW) veio guinando com um passageiro que gritava alguma coisa para eles. Provavelmente não era feliz aniversário. — E também, se não sairmos do meio da rua, talvez a fé não seja capaz de nos proteger.

4

— Ele está bem — disse Jake, pousando Oi na calçada. — Eu surtei, não foi? Sinto muito.

— Perfeitamente compreensível — assegurou o reverendo Harrigan. — Que cachorro interessante! Nunca vi um animal parecido com esse, louvado Jesus!

E se curvou para Oi.

— É de raça mestiça — disse Jake meio tenso — e não gosta de estranhos.

Oi demonstrou o quanto não gostava e desconfiava de estranhos erguendo o focinho para a mão de Harrigan e encolhendo as orelhas para aumentar a superfície onde o carinho podia ser feito. Mostrou os dentes sorrindo para o pastor como se fossem amigos de longuíssima data. Callahan, enquanto isso, olhava ao redor. Era Nova York e em Nova York as pessoas tinham uma tendência a cuidar da própria vida e deixar você cuidar da sua, mas Jake tinha puxado um revólver. Callahan não sabia quantos tinham visto aquilo, mas sabia que bastava uma pessoa passar aquilo adiante, talvez para aquele agente Benzyck que Harrigan havia mencionado, para colocá-los em uma encrenca, justo quando menos precisavam de uma.

Ele olhou para Oi e pensou: *Faça-me um favor e não diga nada, está bem? Talvez Jake possa fazer você passar como alguma nova espécie de Corgi ou alguma forma híbrida de Border Collie, mas no instante em que começar a falar, tudo vai pela janela. Portanto faça-me o favor de ficar calado.*

— Bom garoto — disse Harrigan e, após o amigo de Jake milagrosamente *não* responder dizendo: "Oto!", o pastor endireitou o corpo. — Tenho uma coisa para o senhor, padre Don. Só um minuto.

— Senhor, nós realmente temos de...

— Tenho uma coisa para você, também, filho... louvado Jesus, damos vivas ao Senhor! Mas primeiro... isto só vai demorar um segundo...

Harrigan correu para abrir a porta lateral da velha van Dodge estacionada de forma irregular. Mergulhou dentro dela, remexendo em algo.

Callahan suportou aquilo por alguns instantes, mas a sensação dos segundos passando logo se tornou insuportável.

— Senhor, sinto muito, mas...

— Aqui estão! — Harrigan exclamou e saiu da van com os primeiros dois dedos da mão direita agarrando os calços de um par de velhos mocassins marrons. — Se você calçar menos de 41, podemos forrar o sapato com um pedaço de jornal. Se calçar um número maior, é porque não deu sorte.

— Quarenta e um é exatamente o meu número — disse Callahan, arriscando um Deus seja louvado assim como um obrigado. Sentia-se melhor em sapatos tamanho quarenta, mas este número chegava perto e Callahan os calçou com sincera gratidão. — E agora nós...

Harrigan se virou para o garoto e disse:

— A mulher que você está procurando entrou em um táxi bem onde rolou essa briguinha. Isso aconteceu há não mais de meia hora. — Ele sorriu ante a expressão rapidamente mutável de Jake: do assombro ao deleite. — A mulher disse que a outra está no comando, e que vocês sabem quem é essa outra e para onde ela a está levando.

— Sim, para o Dixie Pig — disse Jake. — Avenida Lex com a Sessenta e Um. Père, talvez ainda tenhamos tempo de alcançá-la, mas só se formos agora mesmo. Ela...

— Não — disse Harrigan. — A mulher que falou comigo... dentro da minha cabeça ela falou comigo, claro como um sino, Jesus seja louvado... a mulher disse que vocês deviam ir primeiro para o hotel.

— Que hotel? — Callahan perguntou.

Harrigan apontou para o Plaza-Park Hyatt na rua Quarenta e Seis.

— É o único nas redondezas... E foi dessa direção que ela veio.

— Obrigado — disse Callahan. — Ela disse por que tínhamos de ir para lá?

— Não — Harrigan respondeu em um tom sereno. — Acredito que bem nessa hora a outra a pegou falando e a fez se calar. Depois ela entrou no táxi e se foi!

— Também temos de ir... — Jake começou.

Harrigan assentiu, mas ergueu um dedo de advertência.

— Claro que sim, mas não esqueçam que as bombas-Deus vão cair. Esqueçam as chuvas de bênçãos... isso é para as bestas metodistas e os chatos dos episcopais! As *bombas* vão cair! E... rapazes?

Eles se viraram para o pregador.

— Sei que vocês são tanto filhos humanos de Deus quanto eu, pois cheirei o suor de vocês, Jesus seja louvado! Mas e quanto à senhora? As senhoras, pois na verdade acredito que haja duas delas. E quanto a *elas*?

— A mulher que você encontrou está conosco — disse Callahan após uma breve hesitação. — Ela é das boas.

— Eu me pergunto sobre isso — disse Harrigan. — O Livro diz... louvado seja Deus e louvado seja Seu Santo Nome!, o livro diz para tomar cuidado com a mulher estranha, pois seus lábios gotejam como faz o favo de mel, mas seus pés descem para a morte e seus passos acabam no inferno. Remove seu caminho do dela e não passa perto da porta de sua casa. — Ele havia erguido a mão calosa em um gesto de bênção enquanto dizia essas palavras. Agora baixava a mão e dava de ombros. — Não é exatamente assim... Minha memória para a Bíblia já não é a mesma de quando eu era mais jovem. Naquela época eu percorria o sul com meu pai, proclamando a Bíblia, mas acho que vocês entenderam a ideia.

— Livro dos Provérbios — disse Callahan.

Harrigan meneou afirmativamente a cabeça.

— Capítulo cinco, glória a Deus! — Então ele se virou e contemplou o edifício que surgia atrás dele no céu noturno. Jake começou a andar, mas Callahan o deteve com um toque... Quando Jake levantou as sobrancelhas, Callahan apenas balançou a cabeça. Não, não sabia por que fizera aquilo. Só sabia que ainda não tinham acabado de todo com Harrigan.

— Esta é uma cidade entupida de pecado e enferma de tanta transgressão — disse por fim o pregador. — Sodoma na casca, Gomorra no biscoito, pronta para o Deus-bomba que certamente cairá dos céus, digam aleluia!, digam doce Jesus e cantem amém! Mas este aqui é um bom lugar. Um bom lugar. Conseguem sentir isso rapazes?

— Sim — disse Jake.

— Podem *ouvir* isso?

— Sim — Jake e Callahan disseram juntos.

— Amém! Achei que tudo isso ia parar quando derrubassem a pequena delicatéssen que existiu ali muitos anos atrás. Mas não parou. Aquelas vozes angelicais...

— Assim fala Gan ao longo do Feixe — disse Jake.

Callahan se virou para ele e viu a cabeça do garoto inclinada para um lado, o rosto em uma expressão calma e fascinada.

Jake disse:

— Assim fala Gan, e na voz do can calah, que alguns chamam de anjo. Gan nega o can toi; com o coração alegre da inocência ele nega o Rei Rubro e a própria Discórdia.

Callahan olhou para ele com os olhos arregalados — olhos assustados —, mas Harrigan assentia a cabeça com muita naturalidade, como se já tivesse ouvido tudo aquilo antes. Talvez tivesse.

— Havia um terreno baldio depois da delicatéssen, e então construíram isto. O Hammarskjöld Plaza 2. E eu pensei: "Bem, *isso* vai acabar com tudo e então vou me mudar pois a mão de Satã é forte, seus cascos deixam fundas marcas no chão e nesses pontos nenhuma flor se abrirá e nenhum grão jamais crescerá". Podem dizer *se*-lah? — Harrigan ergueu os braços, as nodosas mãos idosas tremendo com os espasmos de Parkinson, e virou a cabeça para o céu, aquele gesto franco e imemorial de louvor e humildade. — Contudo ainda canta — disse Harrigan baixando as mãos.

— Selah — Callahan murmurou. — Você diz a verdade, nós agradecemos.

— É uma flor — disse Harrigan —, pois uma vez entrei lá para ver. No saguão, alguém diz aleluia!, eu digo no *saguão* entre as portas que dão na rua e os elevadores para aqueles andares superiores onde Deus sabe quantas transações escusas são feitas usando dinheiro, há um pequeno jardim crescendo no sol que cai através das janelas altas, um jardim atrás de cordas de veludo e a placa diz: DOADO PELA CORPORAÇÃO TET, EM HONRA DA FAMÍLIA FEIXE E EM MEMÓRIA DE GILEAD.

— É mesmo? — disse Jake, o rosto se iluminando com um sorriso contente. — É mesmo como está dizendo, sai Harrigan?

— Rapaz, se eu mentir eu morro. Deus-bomba! E no meio de todas aquelas flores floresce uma solitária rosa selvagem, tão bonita que eu a vi e chorei como aqueles junto às águas de Babilônia, as águas do grande rio que flui pelo Sião. E os homens indo e vindo naquele lugar, eles com as maletas entulhadas de trabalhos de Satã, muitos *deles* também choraram. Choraram, mas continuaram falando sobre seus negócios safados como se nem soubessem o que estava acontecendo.

— Eles sabiam... — Jake disse em voz baixa. — O senhor sabe o que eu penso, sr. Harrigan? Penso que a rosa é um segredo que os corações deles conservam e que, se fosse ameaçado, a maioria deles lutaria para proteger. Talvez até a morte. — Ergueu os olhos para Callahan. — Père, temos de ir.

— Sim.

— Não é má ideia — Harrigan concordou —, pois meus olhos podem ver o agente Benzyck se encaminhando de novo para cá e talvez fosse melhor vocês já terem ido embora quando ele chegar. Estou feliz por seu pequeno amigo peludo não ter se machucado, filho!

— Obrigado, sr. Harrigan.

— Louvado seja Deus, ele é tão cachorro quanto eu, não é?

— Exato, senhor — disse Jake com um sorriso largo.

— Cuidado com aquela mulher, rapazes. Ela pôs um pensamento em minha cabeça. Chamo isso de bruxaria. E ela era *duas*.

— Como gêmeas em uma só, sim — disse Callahan, e então (só percebendo que pretendia fazer isso depois de já ter feito) esboçou o sinal da cruz na frente do pregador.

— Obrigado por sua bênção, pagã ou não — disse Earl Harrigan, nitidamente comovido. Então ele se virou para o patrulheiro da guarda municipal que se aproximava e gritou em um tom jovial. — Guarda Benzyck! Que bom vê-lo por aqui e há um pouco de geleia bem aí na sua gola, Deus seja louvado!

E enquanto o guarda Benzyck procurava a geleia na gola do uniforme, Jake e Callahan escapuliram.

5

— Incrível — disse Jake a meia-voz enquanto rumavam para o toldo do hotel, brilhantemente iluminado por baixo. Uma limusine branca, no mínimo duas vezes maior do que qualquer uma que Jake já tivesse visto (e já vira algumas; uma vez o pai chegara a levá-lo à cerimônia dos prêmios Emmy) estava descarregando homens sorridentes em smokings e mulheres em vestidos de gala. Eles desembarcavam em um fluxo aparentemente interminável.

— É, sem dúvida — disse Callahan. — É como estar em uma montanha-russa, não é?

— Não devíamos sequer *estar* aqui — disse Jake. — Era para Roland e Eddie terem feito isso. Devíamos apenas ir visitar Calvin Tower.

— Parece que alguma coisa tinha outras ideias.

— Bem, devia ter pensado duas vezes — Jake disse em um tom abatido. — Um garoto e um padre com um só revólver entre eles? Que piada. Quais são nossas chances se o Dixie Pig estiver cheio de vampiros e homens nefastos dando uma relaxada em seu dia de folga?

Callahan não respondeu, embora a ideia de ter que resgatar Susannah do Dixie Pig o apavorasse.

— O que foi aquela coisa de Gan a que você estava se referindo?

Jake balançou a cabeça.

— Não sei... Eu mal consigo me lembrar do que falei. Acho que é parte do toque, père. E sabe de quem acho que o peguei?

— De Mia?

O garoto assentiu. Oi trotava atento em seus calcanhares, o focinho comprido quase encostando na panturrilha de Jake.

— E estou pegando mais alguma coisa, também. Continuo vendo um homem negro no xadrez. Há um rádio ligado, falando a ele de todas essas pessoas que estão mortas: os Kennedy, Marilyn Monroe, George Harrison, Peter Sellers, Itzak Rabin, seja quem *ele* for. Acho que pode ser a cadeia de Oxford, no Mississippi, onde mantiveram Odetta Holmes por algum tempo.

— Mas está vendo um *homem*. Não Susannah, mas um *homem*.

— Sim, com um bigode tipo escovinha e uns pequenos e engraçados óculos de aro dourado. Como um mago em um conto de fadas.

Pararam diante da entrada elegante do hotel. Um porteiro de fraque verde tocou em uma altura de rachar os tímpanos o apitozinho prateado, fazendo parar um táxi amarelo.

— É Gan? Acha que o homem negro na cela da cadeia é Gan?

— Não sei. — Jake balançou a cabeça com ar frustrado. — Há alguma coisa sobre a Dogan também, tudo misturado.

— E isso vem do toque.

— Sim, mas não vem de Mia ou Susannah, nem de você ou de mim. Acho... — A voz de Jake baixou. — Eu acho que tenho que descobrir quem é aquele homem negro e o que ele significa pra gente, porque acho que o que estou vendo vem da própria Torre Negra. — Olhou solenemente para Callahan. — De algumas maneiras, estamos chegando muito perto dela e por isso é tão perigoso o ka-tet estar dividido como está.

"De algumas maneiras, estamos quase lá."

6

Jake adotou o papel de líder de maneira natural e por completo desde o momento em que saiu da porta giratória com Oi nos braços e pôs o malhado no chão de azulejos do saguão. Callahan achava que o garoto nem tinha consciência disso, o que provavelmente era para o melhor. Se pensasse demais nisso, sua confiança poderia desmoronar.

Oi farejou delicadamente seu próprio reflexo em um dos espelhos esverdeados das paredes do saguão, depois seguiu Jake até o balcão de recepção, as patas soando baixo nos quadrados pretos e brancos do piso de mármore. Callahan andava a seu lado, ciente de que estava olhando para o futuro e tentando não encarar tudo de maneira óbvia demais.

— Ela esteve aqui — disse Jake. — Père, estou quase conseguindo vê-la. As duas, ela e Mia.

Antes que Callahan pudesse responder, Jake estava no balcão.

— Com sua licença, senhora — disse. — Meu nome é Jake Chambers. Não há uma mensagem para mim, uma encomenda ou algo do tipo? Seria de Susannah Dean ou talvez de uma tal de srta. Mia.

Por um momento, a mulher ficou espreitando Oi com ar de desconfiança. Oi ergueu a cabeça para ela com um sorriso simpático que revelava muitos dentes. Talvez isso tenha perturbado a funcionária, pois ela se afastou franzindo a testa e foi consultar a tela do computador.

— Chambers? — perguntou.

— Sim, senhora. — Falava com uma voz calculada para impressionar adultos. Já se passara um bom tempo desde que precisara fazer uso dela, mas continuava lá, Jake percebeu, e facilmente utilizável.

— Tenho uma coisa para você, mas não de uma mulher. É de alguém chamado Stephen King. — Ela sorriu. — Será que pode ser o escritor famoso? Você o conhece?

— Não, senhora — disse Jake, atirando um olhar de lado para Callahan. Nenhum deles ouvira falar de Stephen King até recentemente, mas Jake compreendia por que o nome podia dar calafrios a seu atual companheiro de viagem. Callahan não parecia particularmente arrepiado naquele momento, mas sua boca tinha se reduzido a uma linha fina.

— Bem — disse ela. — Acho que é um nome bastante comum, não é? Provavelmente há Stephen Kings *normais* por todos os Estados Unidos que desejam… não sei… que ele *parasse* um pouco. — Ela deixou escapar um riso breve e nervoso; Callahan se perguntou o que a deixara tão agitada. Oi, que cada vez se parecia menos com um cachorro à medida que a pessoa olhava para ele? Talvez, mas Callahan achou que era mais provavelmente alguma coisa em Jake, algo que emanava *perigo*. Talvez até *pistoleiro*. Certamente havia algo nele o diferenciava dos outros garotos. *Muito*. Callahan lembrou-se de Jake tirando a Ruger do coldre sob o braço e apontando-a para o nariz do desafortunado taxista. *Me diga que você estava dirigindo depressa demais e quase atropelou meu amigo!*, ele gritara, o dedo já esbranquiçado sobre o gatilho. *Me diga que não quer morrer aqui na rua com um buraco na cabeça!*

Seria esse o modo normal de um garoto de doze anos reagir a um quase acidente? Callahan achava que não. Achava que a funcionária da recepção tinha razão em estar nervosa. Callahan, no entanto, percebeu que se sentia um pouco mais otimista sobre as chances que teriam no Dixie Pig. Não muito, mas um pouco.

7

Jake, talvez sentindo alguma coisa um tanto fora dos eixos, fulminou a funcionária com seu melhor sorriso de se dar bem com adultos, mas para Callahan o gesto foi bastante similar ao sorriso de Oi: dentes demais.

— Só um momento — disse ela virando as costas para Jake.

Jake deu a Callahan um olhar confuso de qual-é-o-problema-*dela*. Callahan deu de ombros e abriu as mãos.

A funcionária foi até um armário, abriu-o, olhou por entre os conteúdos de uma caixa guardada lá dentro e voltou para o balcão com um envelope com o logotipo do Plaza-Park. O nome de Jake — e mais alguma coisa — fora escrito na frente com uma mistura de letra de assinatura com letra de bloco:

Jake Chambers
<u>Esta é a verdade</u>

Ela passou o envelope pelo balcão, tomando cuidado para não encostar os dedos nos de Jake.

Jake pegou o envelope e correu os dedos por toda a sua extensão. Havia um pedaço de papel lá dentro. E alguma outra coisa. Uma coisa estreita e dura. Ele rasgou o envelope e puxou o papel. Dentro estava o retângulo plástico de um cartão, o MagCard de um hotel. Quanto ao bilhete, ele fora escrito em uma brincalhona folha de bloco com CHAMANDO TODOS OS NAVEGANTES escrito em cima. A mensagem em si era de poucas linhas:

Dad-a-chum, dad-a-chá, não se preocupe, você tem a chave.
Dad-a-chá, dad-a-relha, olhe, Jake! A chave é vermelha!

Jake olhou para o MagCard e viu a cor se alterar abruptamente, deixando quase de imediato o cartão da cor de sangue.

Não podia ficar vermelho antes que a mensagem fosse lida, Jake pensou, sorrindo um pouco com o clima de charada. Ele ergueu os olhos para ver se a funcionária observara a transformação do MagCard, mas ela tinha encontrado algo que requeria sua atenção na outra ponta do balcão. E Callahan estava apreciando duas mulheres que acabavam de chegar da rua. Ele podia ser um père, Jake refletiu, mas sua contemplação do gênero feminino ainda parecia estar em perfeito estado de funcionamento.

Jake voltou ao papel bem a tempo de ler uma última linha:

Dad-a-chum, dad-a-ático, dê a este garoto uma chave de plástico.

Dois anos antes, seus pais tinham lhe dado de Natal um estojo de química da Tyco. Usando o manual de instruções, ele conseguira produzir uma certa quantidade de tinta invisível. As palavras que escrevera com ela tinham desbotado quase tão depressa quanto aquelas palavras estavam desbotando, só que, na experiência com o estojo de química, se a pessoa olhasse bem de perto ainda conseguiria ler a mensagem escrita com a tinta. Esta, contudo, realmente se fora e Jake entendeu o motivo. O objetivo fora alcançado. Não havia mais necessidade da mensagem. O mesmo era verdade da linha dizendo que a chave era vermelha e, olha só, ela também estava sumindo. Só a primeira linha permanecia, como se ele necessitasse ser lembrada:

Dad-a-chum, dad-a-chá, não se preocupe, você tem a chave.

Será que Stephen King havia mandado aquela mensagem? Jake duvidava. Mais provavelmente teria sido um dos outros participantes do jogo — talvez o próprio Roland ou Eddie. Utilizara o nome para chamar sua atenção. Ele, no entanto, desde que chegara ali, se deparara com duas coisas que o encorajavam enormemente. A primeira era o contínuo cantar da rosa. Estava mais forte do que nunca, sem dúvida, embora um arranha-céu tivesse sido construído no terreno baldio. A segunda era que Stephen King, vinte e quatro anos após criar o companheiro de viagem de Jake, parecia continuar vivo. E já não era apenas um escritor, mas um escritor *famoso*.

Ótimo. Por ora as coisas continuavam chacoalhando, ainda que precariamente, pelo trilho certo.

Jake agarrou o braço do padre Callahan, levou-o na direção da lojinha de suvenires e do piano-bar. Oi foi atrás, bem rente ao joelho de Jake. Ao longo da parede havia uma fileira de telefones de onde se podia falar com os hóspedes.

— Quando a telefonista atender — disse Jake —, diga a ela que quer falar com sua amiga Susannah Dean ou com a amiga *dela*, Mia.

— Ela vai me perguntar o número do quarto — disse Callahan.

— Diga que esqueceu, mas que fica no 19º andar.

— Como você...

— É no 19º, pode confiar em mim.

— Confio — disse Callahan.

O telefone tocou duas vezes e então a telefonista perguntou em que podia ajudar. Callahan disse. Foi conectado e, em um quarto do 19º andar, um telefone começou a tocar.

Jake observou o père dizendo alô. Depois, com um pequeno e curioso sorriso no rosto, se calou para ouvir alguma coisa. Após alguns segundos, o père desligou.

— Secretária eletrônica! — disse. — Eles têm uma *máquina* que pega recados e os grava! Que invenção magnífica!

— Sim — disse Jake. — De qualquer modo, temos certeza de que ela saiu e temos quase certeza que não deixou ninguém olhando suas coisas. Mas por via das dúvidas... — Ele bateu na frente da camisa, que agora escondia a Ruger.

Enquanto atravessavam o saguão na direção dos elevadores, Callahan perguntou:

— O que vamos procurar no quarto dela?

— Não sei.

Callahan tocou-o no ombro.

— Acho que sabe.

As portas do elevador do meio se abriram bruscamente, e Jake entrou com Oi no calcanhar. Callahan foi atrás, mas Jake achou que o père começara a arrastar um pouco os pés.

— Talvez eu saiba — disse Jake quando começaram a subir. — E talvez você também saiba.

De súbito, o estômago de Callahan pareceu mais pesado, como se ele tivesse acabado de fazer uma refeição pesada. Callahan imaginava que o acréscimo de peso era puro medo.

— Achei que tinha me livrado daquilo — ele falou. — Quando Roland o tirou da igreja, realmente achei que tinha me livrado.

— Algumas coisas ruins costumam voltar sempre — disse Jake.

8

Estava disposto, se fosse preciso, a experimentar sua singular chave vermelha em cada porta do 19º andar, mas Jake soube que o quarto era o 1919 assim que pisaram no corredor. Callahan também soube e uma camada de suor brotou em sua testa. Sentiu como era fina e quente. Febril.

Até mesmo Oi sabia qual era o quarto. O malhado dera um ganido ansioso.

— Jake — disse Callahan. — Precisamos pensar um pouco. Essa coisa é perigosa. Pior, é *maligna*!

— É por isso que precisamos pegá-la — disse Jake pacientemente. Estava parado na frente do 1919, tamborilando o MagCard entre os dedos. Do outro lado da porta (e debaixo dela, e através dela) vinha um zumbido hediondo, como a voz de algum idiota apocalíptico cantarolando. Misturado nisso havia o som de sinos confusos, desafinados. Jake sabia que a bola tinha o poder de deixar a pessoa em todash e mandá-la para aqueles espaços escuros, quase totalmente sem portas, onde era muito possível se perder para sempre. Mesmo se encontrasse o caminho para outra versão da Terra, haveria uma estranha escuridão em tudo, como se o Sol estivesse sempre à beira de um eclipse total.

— Você a viu? — Callahan perguntou.

Jake balançou a cabeça.

— Eu vi — disse Callahan em um tom abafado, enxugando com o braço o suor da testa. Suas faces tinham ficado como chumbo. — Há um Olho nele. Acho que é o olho do Rei Rubro. Acho que é uma parte dele presa para sempre ali, e insana. Jake, levar essa bola para um lugar onde há vampiros e homens nefastos... servos do Rei... seria como dar a Adolf Hitler uma bomba atômica como presente de aniversário.

Jake sabia muito bem que o Treze Preto era capaz de causar um dano grande, talvez até ilimitado. Mas também sabia de mais alguma coisa.

— Père, se Mia deixou o Treze Preto neste quarto e agora está indo para onde *eles* estão, eles muito breve vão ficar sabendo de sua existência. E virão atrás da bola em um de seus carros chamativos antes que você tenha tempo de dizer Jack Robinson.

— Não podemos deixar a bola para Roland? — Callahan perguntou pesarosamente.

— Sim — disse Jake. — É uma boa ideia, assim como levá-la para o Dixie Pig é uma má ideia. Só não podemos é deixá-la para ele *aqui*. — Então, antes que Callahan pudesse dizer mais alguma coisa, Jake passou o MagCard vermelho-sangue pela abertura em cima da maçaneta. Houve um clique alto e a porta se escancarou.

— Oi, fique aqui fora, na frente da porta.

— Ake! — Oi se sentou, curvou ao redor das patas a cauda retorcida de desenho animado e se virou para Jake com olhos ansiosos.

Antes que entrassem, Jake pousou a mão fria no pulso de Callahan e disse uma coisa terrível.

— Proteja a sua mente.

9

Mia tinha deixado as luzes acesas e mesmo assim uma estranha escuridão se insinuara no quarto 1919 desde a sua partida. Jake reconheceu-a pelo que era: escuridão todash. A canção que o idiota zumbia e os sinos abafados, confusos, estavam vindo do armário.

Está acordado, Jake avaliou com um desânimo crescente. *Estava dormindo — pelo menos cochilando —, mas tanta agitação ao seu redor o acordou. O que eu faço? Será que a caixa e a sacola de boliche são suficientes para torná-lo mais seguro? Tenho alguma coisa capaz de guardá-lo melhor? Algum encanto, algum sigul?*

Quando Jake abriu a porta do armário, Callahan teve de mobilizar toda a sua força de vontade — que era considerável — para não fugir. Aquele murmúrio atonal e o estrépito dos sinos ofendiam seus ouvidos, mente e coração. Não parava de se lembrar do posto de parada, do grito que dera quando o homem encapuzado abrira a caixa. Como a coisa dentro dela era *escorregadia*! Estava pousada em veludo vermelho... e tinha *rolado*. Tinha *olhado* para ele e toda a malévola loucura do universo estivera contida naquele malicioso olhar desencarnado.

Não vou correr. Não vou. *Se o garoto pode aguentar, eu também posso.*

Ah, mas o garoto era um *pistoleiro*, e isso fazia diferença! Era mais que filho do ka; era também filho de Roland de Gilead, seu filho adotivo.

Não está vendo como o garoto está pálido? Está tão assustado quanto você, pelo amor de Cristo! Agora procure se controlar, homem!

Talvez fosse uma coisa perversa, mas observar a extrema palidez de Jake o deixou mais calmo. Quando o trecho de uma velha canção aleatória lhe ocorreu e ele começou a cantar a meia-voz, se acalmou ainda mais.

— Rodar e rodar no arbusto da amora — cantou em um sussurro —, o macaco caça a doninha... achando engraçada a rinha...

Jake abriu o armário. Havia um cofre de ferro lá dentro. Tentou 1919 e nada aconteceu. Fez uma pausa para deixar o mecanismo de segurança iniciar de novo, limpou o suor da testa com ambas as mãos (elas estavam trêmulas) e tentou de novo. Desta vez teclou 1999 e a porta se abriu de imediato.

O zumbido do Treze Preto e o contraponto dos sinos desafinados do todash aumentaram. Esses sons eram como dedos gelados invadindo a cabeça deles.

E podem nos mandar para outros lugares, Callahan pensou. *Só precisamos baixar um pouco a guarda... abrir a sacola... abrir a caixa... e então... ah, os lugares para onde iremos! É só deixar rolar!*

Embora soubesse como a coisa era perigosa, parte dele *queria* abrir a caixa. *Ansiava* por isso. E não era o único; quando se deu conta, Jake estava ajoelhado diante do cofre como um fiel na frente de um altar. O braço com que Callahan procurou impedi-lo de erguer a bolsa pareceu incrivelmente pesado.

Não faz diferença se você abre ou não abre, sussurrou uma voz em sua mente. Uma voz que induzia ao sono, extremamente persuasiva. Mesmo assim, Callahan continuou agindo. Agarrou o colarinho de Jake com dedos dos quais toda sensação parecia ter sumido.

— Não — disse ele. — Não. — A voz parecia arrastada, sem vida, deprimida. Quando Callahan puxou Jake para o lado, o garoto pareceu se mover em câmera lenta ou como se nadasse embaixo d'água. O quarto agora parecia iluminado por aquela doentia luminosidade amarela que, às vezes, cai sobre um recanto antes de uma tempestade forte. Quando Callahan caiu de joelhos diante do cofre aberto (teve a sensação de descer pelo ar por pelo menos um minuto inteiro antes de tocar o chão), a voz do Treze Preto se fez ouvir mais alta do que nunca. Estava lhe dizendo para matar o garoto, que abrisse a garganta do garoto e oferecesse à bola uma bebida refrescante com o sangue daquela vida cheia de energia de Jake. Depois Callahan teria autorização de pular da janela do quarto.

E até a calçada da rua Quarenta e Seis você vai me louvar, o Treze Preto lhe assegurou em uma voz sã e lúcida.

— Faça isso — Jake suspirou. — Ah, sim, faça isso, quem vai se importar.

— Ake! — Oi latiu da soleira da porta. — *Ake!* — Os dois o ignoraram.

Quando Callahan estendeu a mão para a sacola, surgiu em sua cabeça a lembrança do seu último encontro com Barlow, o rei vampiro — do Tipo Um, segundo a teoria do próprio Callahan — que chegara à pequena cidade de 'Salem's Lot. Lembrou-se como se defrontara com Barlow na casa de Mark Petrie, vendo os pais de Mark caídos no chão, jazendo sem vida aos pés do vampiro, os crânios esmagados, os cérebros tão racionais transformados em geleia.

Enquanto você cai, vou deixá-lo murmurar o nome do meu *rei*, sussurrou o Treze Preto. *O Rei Rubro.*

Enquanto Callahan observava suas mãos agarrando a sacola (a despeito de seu aspecto anterior, agora o que estava escrito nela era NADA ALÉM DE STRIKES NAS PISTAS DO MUNDO MÉDIO), a recordação de como seu crucifixo tinha, a princípio, brilhado com uma luz sobrenatural, fazendo Barlow retroceder... e então começara de novo a escurecer.

— Abra! — disse Jake avidamente. — Abra, eu quero ver!

Agora Oi latia sem parar. No fundo do corredor alguém gritava "faça o cachorro parar de latir", e era igualmente ignorado.

Callahan tirou a caixa de madeira da sacola — a caixa que passara um tempo, abençoadamente tranquilo, escondida sob o púlpito de sua igreja em Calla Bryn Sturgis. Agora ia abri-la. Agora ia observar o Treze Preto em toda a sua repelente glória.

E depois morrer. Agradecido.

10

Triste ver a fé de um homem falhar, dissera o vampiro Kurt Barlow tirando a cruz escura e inútil da mão de Don Callahan. Por que Barlow conseguira fazer isso? Porque (olhem o paradoxo, pensem no enigma) o padre Callahan *não conseguira jogar a cruz fora, ele mesmo*. Porque não aceitara que a cruz não passava de um símbolo de um poder muito maior, que fluía como um rio sob o universo, talvez sob mil universos...

Não preciso de símbolos, Callahan agora pensava; e então: *Foi por essa razão que Deus me deixou viver? Estaria Ele me dando uma segunda chance de aprender isso?*

Era possível, ele pensou enquanto suas mãos pegavam a tampa da caixa. Segundas chances eram uma das especialidades de Deus.

— Pessoal, vocês precisam fazer esse cachorro *parar*. — A voz rabugenta da camareira de um hotel, mas muito distante. Então a voz disse: — *Madre de Dios*, por que está tão *escuro* aqui? O que é esse... o que é esse... z... z...

Talvez estivesse tentando dizer *zumbido*. De qualquer forma, jamais concluiu. Até Oi parecia agora submisso à atração da bola cantante, murmurante, pois abriu mão de seus protestos (e de seu posto junto à porta) para entrar trotando no quarto. Callahan pensou que o animal queria estar ao lado de Jake quando o fim chegasse.

O père lutava para acalmar suas mãos suicidas. A coisa na caixa ergueu o volume de sua canção idiota e a ponta dos dedos de Callahan se mexiam em resposta. Depois se acalmaram de novo. *Pelo menos até aqui a vitória está sendo minha*, Callahan pensou.

— Deixe pra lá... *Eu* faço. — A voz da camareira, embriagada e ávida. — Quero ver. *Dios!* Quero *segurar* isso!

Os braços de Jake pareciam estar pesando uma tonelada, mas ele os forçou a se estenderem e a agarrar a camareira, uma senhora hispânica de meia-idade que parecia não pesar mais do que cinquenta quilos.

Do mesmo jeito que lutara para acalmar as mãos, Callahan agora lutava para rezar.

Deus, não a minha vontade mas a Tua. Não o oleiro, mas a argila do oleiro. Se eu não puder fazer mais nada, me ajude a pegá-la nos braços, pular a janela e destruir de uma vez por todas a maldita coisa. Mas se for Tua vontade me ajudar a fazê-la ficar quieta... a fazê-la voltar a dormir... me mande Tua força. E me ajude a lembrar...

Jake podia estar atordoado pelo Treze Preto, mas ainda não perdera seu toque. Agora puxava o resto do pensamento da mente do père e o falava em voz alta, mudando somente a palavra que Callahan usara àquela que Roland ensinara.

— Não preciso de sigul — disse Jake. — Não o oleiro, mas a argila do oleiro *e não preciso de sigul*!

— Deus — disse Callahan. A palavra era pesada como pedra, mas assim que saiu de sua boca as outras vieram com mais facilidade. — Deus, se o Senhor ainda estiver aí, se o Senhor ainda me ouve, aqui é Callahan. Por favor pare esta coisa, Senhor. Por favor faça-a voltar a dormir. É o que peço em nome de Jesus.

— Em nome do Branco — disse Jake.

— *Anco!* — Oi ganiu.

— Amém — disse a camareira em um tom perplexo, atônito.

Por um momento o zumbido da maldita canção que vinha da caixa aumentou mais e Callahan compreendeu que não havia esperança, que nem mesmo Deus Todo-Poderoso poderia enfrentar o Treze Preto.

E então a coisa caiu em silêncio.

— Deus seja louvado — murmurou ele, percebendo como seu corpo estava de cima a baixo encharcado de suor.

Jake explodiu em lágrimas e agarrou-se a Oi. A camareira também começou a chorar, mas não havia ninguém para consolá-la. Quando père Callahan passou a malha (estranhamente pesada) da sacola de boliche em volta da caixa de madeira, Jake se virou para ela e disse:

— Precisa tirar um cochilo, sai.

Foi a única coisa em que pôde pensar e funcionou. A camareira se virou e avançou em direção à cama. Subiu nela, puxou a saia para cobrir os joelhos e pareceu cair inconsciente.

— Será que a bola vai ficar dormindo? — Jake perguntou em voz baixa. — Porque... père... essa foi perto demais.

Talvez Jake tivesse razão, mas de repente a cabeça de Callahan pareceu livre — havia anos não se sentira tão livre assim. Ou talvez fosse seu coração que tivesse se libertado. Seja como for, seus pensamentos pareceram muito claros quando ele pousou a sacola de boliche junto às sacas de roupa para lavar que havia por cima do cofre.

Lembrando uma conversa na viela atrás do Lar. Ele, Frankie Chase e Magruder, em uma pausa para fumar. Falavam de onde guardar objetos de valor em Nova York, principalmente se fosse preciso sair por um tempo da cidade. Magruder tinha dito que o depósito mais seguro em Nova York... o depósito mais seguro de todos...

— Jake, há também uma sacola com pratos no cofre.

— Orizas?

— Sim. Pegue-os. — Enquanto ele o fazia, Callahan se aproximou da camareira deitada na cama e pôs a mão no bolso esquerdo da saia de seu uniforme. Retirou de lá alguns MagCards de plástico, chaves de quartos do hotel e pastilhas de hortelã de uma marca de que nunca ouvira falar: Altoids.

Ele virou a mulher. Foi como virar um cadáver.

— O que está fazendo? — Jake sussurrou. Colocara Oi no chão para poder jogar sobre o ombro a sacola de juncos com forro de seda. Era pesada, mas ele achou o fardo confortador.

— Roubando ela, o que acha que parece? — o père respondeu irritado. — Padre Callahan, da Sagrada Igreja Católica Romana, está roubando uma camareira de hotel. Ou estaria, se ela tivesse qualquer... ah!

Encontrou no outro bolso o pequeno maço de notas que procurava. Ela estava arrumando os quartos para a noite quando o latido de Oi a distraiu. A arrumação incluía dar descarga nos vasos sanitários, baixar as cortinas, abrir a cama e deixar o que as camareiras chamavam de "o chocolate de travesseiro".

Algumas vezes os hóspedes davam gorjetas. A camareira tinha com ela duas notas de dez, três de cinco e quatro de um dólar.

— Pago a você se nossos caminhos se cruzarem — Callahan disse à mulher inconsciente. — Se não acontecer, considere isto como um serviço que presta a Deus.

— *Braaaanco* — disse a camareira no murmúrio arrastado de alguém que fala dormindo.

Callahan e Jake trocaram um olhar.

11

No elevador que descia, Callahan levava a sacola contendo o Treze Preto e Jake carregava a bolsa dos pratos Orizas. Também levava o dinheiro deles, que agora chegava a um total de quarenta e oito dólares.

— Será que vai dar? — Foi a única pergunta que Jake fez depois de ouvir o plano do père para se livrar da bola, um plano que necessitaria de mais uma parada.

— Não sei e não me importo — Callahan respondeu. Falava em um tom baixo de conspiração, embora fossem as únicas pessoas no elevador.

— Se posso roubar uma camareira adormecida, dar calote em um taxista deve ser brincadeira de criança.

— É — disse Jake. Estava pensando que Roland tinha feito mais do que roubar algumas pessoas inocentes durante sua jornada pela Torre; também matara muitas pessoas. — Vamos acabar logo com isso e procurar o Dixie Pig.

— Não precisa se preocupar tanto, sabe? — disse Callahan. — Se a Torre cair, você será um dos primeiros a saber.

Jake o observou. Após um ou dois segundos de escrutínio, Callahan arriscou um sorriso. Não pôde contê-lo.

— Não é tão engraçado, sai — disse Jake e os dois saíram para o escuro daquela noite de início de verão, no ano de 1999.

12

Eram 20h45 e havia ainda um resíduo de luz no outro lado do Hudson quando chegaram à primeira de suas duas paradas. O taxímetro marcava nove dólares e cinquenta centavos. Callahan deu ao taxista uma das notas de dez dólares da camareira.

— Não, não precisa gastar tanto — disse o motorista com um forte sotaque jamaicano. — Não quero que fique sem grana.

— Dê graças a Deus por estar conseguindo esses dez, filho — disse Callahan em um tom amável. — Estamos em Nova York com um orçamento muito apertado.

— Minha esposa também trabalha com um orçamento — disse o motorista, arrancando em seguida.

Jake, enquanto isso, olhava para cima.

— Uau — disse ele em voz baixa. — Acho que eu tinha esquecido como isto aqui é *grande*.

Callahan seguiu seu olhar e disse:

— Vamos resolver fazer logo isso. — E, enquanto entravam apressados: — O que está conseguindo de Susannah? Alguma coisa?

— Homem com um violão — disse Jake. — Cantando... não sei. E eu deveria saber. Era outra daquelas coincidências que não são coincidências, como o proprietário da livraria chamar-se Tower, Torre, ou o bar de Balazar denominar-se A Torre Inclinada. Alguma canção... Eu devia saber.

— Mais alguma coisa?

Jake balançou a cabeça.

— Essa foi a última coisa que tirei dela e foi logo após pegarmos o táxi na frente do hotel. Acho que ela entrou no Dixie Pig, e agora está fora do toque. — Ele sorriu fracamente ante o jogo involuntário de palavras.

Callahan se virou para o quadro de aviso do prédio no centro do enorme saguão.

— Mantenha Oi perto de você.

— Não se preocupe.

Callahan não demorou muito para encontrar o que estava procurando.

13

A placa dizia:

DEPÓSITO A LONGO PRAZO
10-36 MESES
USE FICHAS
PEGUE A CHAVE
A GERÊNCIA NÃO SE RESPONSABILIZA POR OBJETOS PERDIDOS!

Embaixo, em um quadro emoldurado, havia uma lista de normas e regulamentos, que os dois examinaram com atenção. De debaixo de seus pés veio o ronco de um trem subterrâneo. Callahan, que não pisava em Nova York havia vinte anos, não fazia ideia de que trem poderia ser, para onde poderia ir ou a que profundidade poderia estar correndo nas entranhas da cidade. Já tinham descido dois andares por escada rolante, primeiro para o piso das lojas e depois para cá. A estação de metrô, no entanto, era ainda mais para baixo.

Jake deslocou a bolsa de Orizas para o outro ombro e apontou para a última linha no quadro emoldurado:

— Teríamos um desconto se fôssemos locatários — disse ele.

— Conto! — Oi gritou severamente.

— Pois é, rapazinho — Callahan concordou —, mas se desejos fossem pássaros, os mendigos iriam voar. Não precisamos de um desconto.

Após atravessar um detector de metais (nenhum problema com os Orizas) e passarem por um vigia cochilando em cima de um banco, Jake concluiu que um dos menores escaninhos do armário — aqueles na extremidade esquerda do comprido saguão — acomodaria a sacola das PISTAS DO MUNDO MÉDIO e a caixa que havia lá dentro. Alugar o compartimento pelo prazo máximo de tempo custaria vinte e sete dólares. Père Callahan colocou notas cuidadosamente nas várias aberturas da máquina que liberava as fichas, com medo de um mau funcionamento: de todas as maravilhas e horrores que vira durante este breve período de retorno à cidade (o último horror fora saber de uma taxa adicional de dois dólares para o táxi), esta era, sob certos aspectos, a mais difícil de acreditar. Uma máquina de vender que aceitava notas? Devia existir um monte de tecnologia sofisticada por trás desta máquina com seu opaco mostrador marrom e suas instruções ao usuário: INSIRA AS NOTAS COM A FRENTE PARA CIMA! A ilustração acompanhando o comando mostrava George Washington com a cabeça de frente para a esquerda, mas as notas que Callahan introduziu na máquina pareceram funcionar independentemente do jeito que a cabeça estava virada. Desde que a figura estivesse para cima. Callahan ficou quase aliviado quando a máquina *deu* um pequeno problema em determinado momento, recusando-se a aceitar uma nota de um dólar velha e amassada. Engoliu sem um murmúrio as relativamente novas notas de cinco, despejando pequenas chuvas de fichas na bandeja abaixo. Callahan recolheu fichas no valor de vinte e sete dólares, voltou para onde Jake estava esperando, porém voltou atrás novamente, curioso a respeito de alguma coisa. Examinou a lateral da incrível (incrível pelo menos para ele, é claro) máquina comedora de notas. Então, em uma série de pequenas placas, viu a informação que estava procurando. Esta era uma Change-Mak-R 2000, fabricada em Cleveland, Ohio, mas diversas empresas tinham contribuído para sua montagem: General Electric, DeWalt Electronics, Showrie Electric, Panasonic e, embaixo, em letras menores mas bastante nítidas, a North Central Positronics.

A cobra no jardim, Callahan pensou. *Este tal de Stephen King, que supostamente me criou, pode existir em apenas um mundo, mas quer apostar que a North Central Positronics existe em todos eles? Claro, porque faz parte do esquema do Rei Rubro, exatamente como a Sombra também faz parte. O Rei só quer o que qualquer déspota enlouquecido pelo poder sempre quis: estar em toda parte, possuir tudo e basicamente controlar o universo.*

— Ou levá-lo para a escuridão — ele murmurou.

— Père! — Jake chamou impaciente. — *Père!*

— Estou indo — disse ele e correu para Jake com as mãos cheias de brilhantes fichas douradas.

14

A chave saiu do escaninho 883 depois de Jake inserir nove fichas, mas ele continuou a colocá-las até todas as vinte e sete desaparecerem. Neste ponto a pequena portinhola de vidro sob o número do compartimento ficou vermelha.

— No limite — disse Jake com satisfação. Ainda estava conversando naquele tom baixo, tipo não-vamos-acordar-o-bebê, e aquela galeria comprida, cavernosa, era realmente muito silenciosa. Jake achou que seria extremamente tumultuada às oito da manhã e às cinco da tarde nos dias úteis, com as pessoas chegando e saindo da estação do metrô logo abaixo, algumas guardando suas coisas no bagageiro para períodos curtos. Agora havia apenas o fantasmagórico som de conversas descendo pela escada rolante, vindo das poucas lojas ainda abertas na galeria, e o ronco de outro trem se aproximando.

Callahan introduziu a sacola de boliche na abertura estreita. Empurrou-a o mais que pôde para o fundo com Jake observando ansioso. Então bateu a porta do armário e Jake girou a chave.

— Bingo — disse Jake, guardando a chave no bolso. Depois, tenso: — Vai ficar adormecida?

— Acho que sim — disse Callahan. — Como fez na minha igreja. Se outro Feixe se romper, ela poderá despertar e trabalhar de forma maligna, mas de qualquer maneira, se outro Feixe ceder...

— Se outro Feixe ceder, um pouco de malícia não vai fazer diferença — Jake concluiu.

Callahan assentiu.

— A única coisa é... bem, você sabe para onde estamos indo. E você sabe o que provavelmente vamos encontrar lá.

Vampiros. Homens nefastos. Talvez outros servos do Rei Rubro. Possivelmente Walter, o homem de preto e de capuz que às vezes trocava de forma e estilo, chamando a si mesmo de Randall Flagg. Possivelmente até mesmo o próprio Rei Rubro.

Sim, Jake sabia.

— Se você tem o toque — Callahan continuou —, temos de presumir que algum deles também tem. É possível que possam captar este lugar... e o número do armário... a partir de nossa mente. Vamos entrar lá e tentar pegá-la, mas precisamos admitir que as chances de fracasso são razoavelmente altas. Nunca atirei com um revólver em toda a minha vida e você... me perdoe, Jake, mas você não é exatamente um veterano.

— Já passei por algumas boas batalhas — disse Jake. Estava pensando em seu confronto com Gasher. E com os Lobos, é claro.

— Isto é capaz de ser diferente — disse Callahan. — Estou apenas dizendo que pode não ser uma boa ideia sermos apanhados vivos. Se chegar a esse ponto. Está entendendo?

— Não se preocupe — disse Jake em um tom tranquilo e arrepiante. — Não se preocupe com isso, père. Não vão nos pegar vivos.

15

De repente estavam de novo do lado de fora, à procura de outro táxi. Graças ao dinheiro trocado da camareira, Jake constatou que tinham a quantia certa de dinheiro para serem levados ao Dixie Pig. E ele tinha ideia de que, assim que entrassem no Pig, a necessidade de dinheiro no bolso — ou qualquer outra coisa — cessaria.

— Aqui está um — disse Callahan agitando o braço em um sinal de parada. Jake, enquanto isso, olhava para o edifício de onde tinham acabado de sair.

— Tem certeza de que a coisa ficará segura aqui? — perguntou a Callahan quando o táxi começou a avançar na direção deles, buzinando implacavelmente para o motorista lerdo que havia entre ele e seus passageiros.

— Segundo meu velho amigo sai Magruder, este é o lugar mais confiável para guardar alguma coisa em Manhattan — disse Callahan.

— Cinquenta vezes mais seguro que os escaninhos dos armários da Penn Station ou da Grand Central, segundo ele... E claro que aqui você tem a opção de um depósito a longo prazo. Há provavelmente outros bagageiros em Nova York, mas já teremos ido embora quando eles abrirem... de um modo ou de outro.

O táxi encostou. Callahan manteve a porta aberta para Jake, e Oi pulou discretamente bem atrás dele. Callahan dispensou um último olhar às torres gêmeas do World Trade Center antes de entrar.

— Não teremos problema até junho de 2002, a não ser que alguém arrombe o escaninho e a roube.

— Ou se o prédio cair em cima dela — disse Jake.

Callahan riu, embora o tom de Jake não fosse exatamente de quem estivesse brincando.

— Nunca vai acontecer. E se acontecer... bem, uma bola de cristal sob cento e dez andares de aço e concreto? Mesmo uma bola de cristal cheia de magia forte? Isto seria uma maneira de acabar com esta coisa maligna, eu acho.

16

Jake pedira que o táxi os deixasse na esquina da Lexington com a Cinquenta e Nove, só para garantir e, depois de olhar para Callahan em busca de aprovação, deu ao sai o que lhe restava exceto os seus últimos dois dólares.

Na esquina da Lex com a rua Sessenta, Jake apontou para algumas pontas de cigarro amassadas na calçada.

— Era aqui que ele estava — disse. — O homem tocando o violão.

Ele se abaixou, pegou uma das pontas e conservou-a um momento ou dois na palma da mão. Depois assentiu, sorriu com um ar meio abatido e ajeitou a correia no ombro. Os Orizas retiniram levemente dentro da bolsa de junco. Jake os havia contado no banco de trás do táxi e não se surpreendera ao constatar que eram exatamente dezenove.

— Não admira que ela parasse — disse Jake, deixando cair a guimba limpando a mão na camisa. E de repente começou a cantar, baixo mas perfeitamente no tom: — Sou um homem... de pesar constante... Vi problemas... todos os meus dias... Estou pronto para viajar... na ferrovia do norte entrar... Talvez até o próximo trem... eu vá pegar.

Callahan, já tenso, sentiu o corpo enrijecer ainda mais. Claro que ele conhecia a canção. Ao cantá-la aquela noite no Pavilhão (a mesma noite em que Roland ganhara os corações da Calla dançando a mais enérgica commala já vista por muita gente), Susannah substituíra "moça" por "homem".

— Ela lhe deu dinheiro — Jake disse em um tom de devaneio. — E ela disse... — Permanecia de cabeça baixa, mordendo o lábio, muito concentrado. Oi erguia os olhos para ele com um ar arrebatado. Callahan também não interrompeu. A compreensão chegara até o padre: ele e Jake iam morrer no Dixie Pig. Cairiam lutando, mas morreriam ali.

E ele achou que estava tudo bem em morrer. Perder o garoto ia partir o coração de Roland... mas Roland continuaria. Enquanto a Torre Negra se mantivesse de pé, Roland continuaria.

Jake levantou a cabeça.

— Ela disse: "Lembrem-se da luta".

— Susannah disse.

— Sim. Ela tomou a frente. Mia deixou. E a canção mexeu com Mia. Ela chorou.

— De verdade?

— De verdade. Mia, filha de ninguém, mãe de alguém. E enquanto Mia estava distraída... os olhos ofuscados de lágrimas...

Jake olhou em volta. Oi olhou em volta com ele, provavelmente não procurando nada, apenas imitando seu amado Ake. Callahan estava se lembrando daquela noite no Pavilhão. As luzes. O modo como Oi ficara nas patas traseiras e se curvara para o povo de Calla. Susannah, cantando. As luzes. A dança, Roland dançando a commala nas luzes, as luzes coloridas. Roland dançando no branco. Sempre Roland; e no fim, após os outros terem caído, assassinados um a um de maneira sangrenta, Roland restaria.

Posso viver com isso, Callahan pensou. *E morrer com isso*.

— Susannah deixou alguma coisa, mas *sumiu*! — Jake disse em um tom angustiado, quase de choro. — Alguém deve ter encontrado... ou talvez o violonista tenha visto quando ela deixou cair e pegou... Porra de cidade! Todo mundo rouba tudo! Ah, *merda*!

— Esqueça.

Jake virou o rosto pálido, cansado, assustado para Callahan.

— Ela nos deixou alguma coisa de que *precisamos*! Você não entende como as nossas chances são poucas?

— Sim. Se quiser recuar, Jake, agora seria o momento certo.

O garoto balançou a cabeça sem qualquer dúvida, nem mesmo a menor hesitação, e Callahan se sentiu terrivelmente orgulhoso dele.

— Vamos, père — disse Jake.

17

Na esquina da Lex e da rua Sessenta e Um pararam de novo. Jake apontou para o outro lado da rua. Callahan viu o toldo verde e fez que sim com a cabeça. Havia um leitão desenhado nele que, a despeito de ter sido assado e estar muito vermelho, sorria alegremente, fumegante. O DIXIE PIG, era o que estava escrito no toldo suspenso. Estacionadas em uma fileira diante dele, cinco compridas limusines pretas, com as luzes laterais ligadas, lançavam uma luminosidade amarela, meio borrada, na escuridão. Pela primeira vez Callahan percebeu que havia uma névoa descendo pela avenida.

— Pegue — disse Jake passando-lhe a Ruger. Depois o garoto remexeu nos bolsos, de onde tirou dois grandes cartuchos de munição. Os cartuchos tinham um brilho opaco no penetrante clarão alaranjado das luzes da rua. — Coloque tudo isso no bolso da camisa, père. Vai ficar mais fácil pegar, certo?

Callahan assentiu.

— Alguma vez já atirou com um revólver?

— Não — disse Callahan. — E você já atirou algum desses pratos?

Os lábios de Jake se separaram em um sorriso.

— Benny Slightman e eu surrupiamos alguns pratos de treino e levamos até a margem do rio, e fizemos uma competição. Ele não era muito bom, mas...

— Me deixe adivinhar. Você era.

Jake deu de ombros, depois confirmou com um gesto de cabeça. Não teve tinha para expressar como os pratos tinham se adaptado bem às suas mãos, de uma maneira selvagem. Mas talvez fosse algo instintivo. Susannah também aprendera depressa e sem grande esforço a atirar os Orizas. Père Callahan vira isso com seus próprios olhos.

— Tudo bem, qual é o nosso plano? — Callahan perguntou. Agora que decidira levar tudo isso até o fim, estava mais do que contente em entregar a liderança ao garoto. Jake, afinal, era o pistoleiro.

O garoto balançou a cabeça.

— Não *há* nenhum — disse ele —, não de fato. Eu entro primeiro. Você vem logo atrás de mim. Assim que atravessarmos a porta nos separamos. Três metros entre nós sempre que for possível, père... está entendendo? Assim não importa quantos sejam ou o quanto estejam *perto*, nenhum deles conseguirá pegar nós dois ao mesmo tempo.

Era uma lição de Roland, e Callahan reconheceu-a como tal. Ele aquiesceu.

— Vou ser capaz de segui-la pelo toque e Oi fará isso pelo faro — disse Jake. — Mova-se conosco. Atire em qualquer coisa que pareça merecer levar um tiro, e sem hesitação, está entendendo?

— Sim.

— Se matar alguma coisa que tenha uma arma que pareça aproveitável, pegue a arma. Isso se conseguir pegá-la enquanto continuar andando. Precisamos continuar avançando. Precisamos continuar levando o fogo para eles. Precisamos ser implacáveis. Pode gritar?

Callahan refletiu, depois assentiu.

— Grite com eles — disse Jake. — Estarei fazendo o mesmo. E estarei avançando. Talvez correndo, mais provavelmente me deslocando a um passo bem acelerado. Cuide para que toda vez que eu olhe para a direita eu veja o seu rosto.

— Você o verá — disse Callahan e pensou: *Pelo menos até um deles me derrubar.* — Depois que a tirarmos de lá, Jake, serei um pistoleiro?

O sorriso de Jake foi feroz, todas as dúvidas e medos postos para trás.

— Khef, ka e ka-tet — disse ele. — Olhe, lá está a luz SIGA. Vamos atravessar.

18

O assento do motorista da primeira limusine estava vazio. Havia um sujeito de uniforme e boné atrás do volante da segunda, mas para père Callahan, o sai parecia adormecido. Havia outro homem de uniforme e boné encostado na terceira limusine, no lado que dava para a calçada. A brasa de um cigarro soprava espirais preguiçosas do lado de seu corpo para sua boca e depois tornava a descer. Ele olhou de relance para os dois, mas sem grande interesse. O que havia para ver? Um homem a caminho da velhice, um garoto entrando na adolescência e um cachorro correndo. Grande coisa.

Quando chegaram no outro lado da rua Sessenta e Um, Callahan viu uma placa em um cavalete de cromo na frente do restaurante.

FECHADO PARA EVENTO PARTICULAR

O que, exatamente, seria o evento desta noite no Dixie Pig?, Callahan se perguntava. Um chá de bebê? Uma festa de aniversário?

— O que fazemos com Oi? — perguntou ele a Jake em voz baixa.

— Oi fica comigo.

— Só três palavras, mas o suficiente para convencer Callahan de que Jake sabia o que estava dizendo: aquela era a noite deles para morrer. Callahan não sabia se iriam se acabar trazendo a casa abaixo, mas iam se acabar, todos os três. A clareira no final do caminho estava agora escondida da vista por uma única virada; os três entrariam nela de peito aberto. E por menos que quisesse morrer enquanto seus pulmões ainda estavam limpos e os olhos ainda enxergavam, Callahan sabia que as coisas poderiam ter sido muito piores. O Treze Preto, afinal, fora enfiado em um lugar escuro, onde ficaria adormecido, e se Roland realmente permanecesse de pé quando toda a confusão estivesse acabada, com a batalha perdida e ganha, Roland iria atrás da bola e disporia dela como achasse melhor. Enquanto isso...

— Jake, me escute rapidinho. É importante.

Jake aquiesceu, mas parecia impaciente.

— Entende que está em perigo de morte e deve pedir perdão pelos seus pecados?

O garoto entendeu que estava recebendo a extrema-unção.

— Sim — disse.

— Lamenta sinceramente todos esses pecados?

— Sim.

— Arrepende-se deles?

— Sim, père.

Callahan esboçou o sinal da cruz na frente dele.

— *In nomine Patris, et Filii et Spiritus*...

Oi latiu. Só uma vez, mas com empolgação. E foi um latido um pouco abafado, pois tinha achado alguma coisa na sarjeta e a segurava na boca para Jake ver. O garoto se abaixou e pegou.

— O que é? — Callahan perguntou. — O que é isso?

— É o que ela deixou para nós — disse Jake parecendo enormemente aliviado, quase esperançoso de novo. — O que ela deixou cair enquanto Mia estava distraída e chorando com a canção. Ah, cara... podemos ter uma chance, père. Realmente podemos ter uma chance.

Ele colocou o objeto na mão do père. Callahan ficou surpreso com o peso e quase sem fôlego com a sua beleza. Sentiu o mesmo alvorecer de esperança. Era provavelmente uma sensação estúpida, mas estava ali, pode apostar.

Aproximou do rosto a tartaruga de marfim entalhado e correu a parte de baixo do dedo indicador pelo arranhado em forma de ponto de interrogação que havia no casco. Contemplou os olhos sábios e pacíficos.

— Como é bela! — sussurrou. — É a Tartaruga Maturin? É, não é?

— Não sei — disse Jake. — Provavelmente. Susannah a chama de *sköldpadda* e ela pode nos ajudar, mas não vai matar os capangas que estão lá dentro à nossa espera. — Sacudiu a cabeça para o Dixie Pig. — Só nós podemos fazer isso, père. Não é?

— Ah, sim — disse calmamente Callahan colocando a tartaruga, a *sköldpadda*, no bolso da frente. — Vou atirar até as balas acabarem ou eu estar morto. Se eu gastar as balas antes que me matem, vou acertá-los com a coronha do revólver.

— Bem. Vamos dar a *eles* a nossa extrema-unção.

Passaram a placa de FECHADO em seu cavalete de cromo, Oi trotando entre eles, a cabeça erguida e o focinho com aquele sorriso cheio de dentes. Subiram sem hesitação os três degraus para as portas duplas. No patamar, Jake colocou a mão na bolsa e puxou dois pratos. Ele bateu os dois juntos, abanando a cabeça com o retinir abafado, e disse:

— Vamos ver a sua arma.

Callahan ergueu a Ruger e aprumou o cano ao lado da face direita, como se estivesse em um duelo. Então tocou no bolso da camisa, inchado e torto com o peso das balas.

Jake assentiu, satisfeito.

— Assim que entrarmos, ficamos juntos. Sempre juntos, com Oi entre nós. E avançamos os três. E assim que começarmos, só paramos quando estivermos mortos.

— Nunca vamos parar.

— Certo. Está pronto?

— Sim. Que o amor de Deus caia sobre você, garoto.

— E sobre você também, père. Um... dois... *três*. — Jake abriu a porta e eles adentraram juntos na luz fraca e no cheiro adocicado e picante de porco assando.

LINHA: *Commala-venha-ki,*
Há um tempo de viver e um de morrer.
Com as costas no último muro
Você deixa a bala voar.

RESPOSTA: *Commala-venha ki!*
Deixa a bala voar!
E não chore por mim, meus garotos
Quando meu dia de morrer chegar.

Décima terceira estrofe

SALVE, MIA, SALVE, MÃE

1

O ka podia ter colocado aquele ônibus urbano onde ele estava quando o táxi de Mia chegou ou podia ter sido apenas coincidência. Certamente é o tipo de questão que provoca discussões do mais humilde pregador de rua (quem vai me dar um aleluia) até o mais refinado filósofo teológico (quem vai me dar um amém socrático). Alguns podem considerar a coisa quase fútil; as enormes questões que lançam suas sombras atrás do debate, contudo, são tudo menos fúteis.

Um ônibus urbano, quase vazio.

Mas se ele não estivesse ali, na esquina da Lex com a rua Sessenta e Um, provavelmente Mia jamais teria reparado no homem que tocava violão. E se ela não tivesse parado para ouvir o homem tocando violão, quem sabe quanta coisa do que se seguiu não teria sido diferente?

2

— Eiiii, *cara*, onde já se viu uma coisa *dessas*? — o taxista exclamou erguendo a mão para o para-brisa num gesto exasperado. Havia um ônibus estacionado na esquina da Lexington com a Sessenta e Um, o motor diesel roncando e as lanternas piscando, o que Mia julgou ser alguma espécie de código para pedido de socorro. O motorista do ônibus estava parado junto de uma das rodas traseiras, observando a escura nuvem de fumaça de diesel que jorrava pelos orifícios de ventilação da traseira do ônibus.

— Dona — disse o taxista —, será que se importa de saltar na esquina da Sessenta? Tudo bem ser ali?

Está?, Mia perguntou. *O que devo dizer?*

Claro, Susannah respondeu distraída. *Na Sessenta está ótimo.*

A pergunta de Mia a chamara de volta de sua versão da Dogan, onde estivera tentando entrar em contato com Eddie. Dessa vez não tivera sorte e estava horrorizada com o estado do lugar. As rachaduras no piso pareciam mais fundas e um dos painéis do teto havia se esborrachado no chão, trazendo consigo as lâmpadas fluorescentes e diversos e compridos emaranhados de cabos elétricos. Alguns painéis de instrumentos se apagaram. Outros estavam exalando anéis de fumaça. A agulha no mostrador Susannah-Mio estava inteiro no vermelho. Abaixo de seus pés, o chão vibrava e a maquinaria guinchava. E dizer que nada daquilo era real, que tudo não passava de uma técnica de visualização. Bem, isso era fugir inteiramente do que interessava, não era? Ela interrompera um processo muito poderoso e seu corpo estava pagando um preço. A voz da Dogan a alertara para o perigo do que estava fazendo, lembrando (nas palavras de um comercial televisivo) que não era certo brincar com a Mãe Natureza. Susannah não tinha ideia de qual de suas glândulas e órgãos estariam suportando a carga maior, mas sabia que eram os *seus*. Não os de Mia. Estava na hora de dar um basta naquela loucura antes que tudo fosse para o espaço.

Antes, no entanto, tentara entrar em contato com Eddie, gritando repetidamente seu nome naquele microfone com NORTH CENTRAL POSITRONICS estampado nele. Nada. Gritar o nome de Roland também não dera resultado. Se estivessem mortos, ela saberia. Tinha certeza. Mas o fato de não estar sendo capaz de entrar em contato com eles... o que isso podia significar?

Isto significa que tu, mais uma vez, está fodida e muito bem fodida, pimentão de mel, Detta disse a ela, cacarejando uma risada. *Foi isso que tu conseguiu por se meter com branquelos.*

Posso saltar aqui?, Mia perguntava, retraída como uma menina chegando ao primeiro baile. *Posso mesmo?*

Susannah teria batido em sua própria têmpora, se tivesse uma. Deus, quando se tratava de qualquer coisa menos o bebê, a escrota ficava tão *tímida* pra porra!

Sim, tudo bem. É apenas uma quadra e, nas avenidas, as quadras são curtas.

O motorista... quanto devo dar ao motorista?

Dê uma nota de dez e deixe que fique com o troco. Vá, deixa eu ver...

Susannah sentiu a relutância de Mia e reagiu com uma raiva sem muita convicção. Aquilo não deixava de ser engraçado.

Preste atenção, querida, lavo minhas mãos com relação a você. Tudo bem? Dê a ele a porra da quantia que bem entender.

Não, não, está tudo bem. Humilde agora. Assustada. *Confio em você, Susannah.* Ela puxou do bolso as notas restantes do Mats, e colocou-as paradas diante dos olhos, como um punhado de cartas.

Susannah quase se recusou, mas que sentido havia em não ajudar? Ela tomou a frente, assumiu o controle sobre as mãos marrons que seguravam o dinheiro, pegou uma nota de dez e deu-a ao motorista.

— Guarde o troco — disse.

— Obrigado, dona!

Susannah abriu a porta do lado do meio-fio. Uma voz de robô começou a falar quando ela o fez, assustando-a... assustando as duas. Era de uma mulher chamada Whoopi Goldberg lembrando-a para não esquecerem seus pertences. Para Susannah-Mia, a questão das suas coisas era sem importância. Agora só carregavam uma coisa que importava a elas, algo que dizia respeito às duas e que Mia logo traria ao mundo.

Ela ouviu música de violão. Ao mesmo tempo sentiu diminuir seu controle sobre a mão que enfiava no bolso o dinheiro que sobrara e sobre a perna que saltava do táxi. Agora que Susannah resolvera outro de seus probleminhas nova-iorquinos, Mia assumia de novo. Susannah começou a lutar contra esta usurpação

(meu *corpo, maldição,* meu, *pelo menos da cintura para cima, e isso inclui a cabeça e o cérebro dentro dele!*)

mas logo desistiu. Para quê? Mia era mais forte. Susannah não sabia muito bem por quê, mas sabia que era.

A esta altura, uma espécie de estranho fatalismo de samurai se apoderara de Susannah Dean. O tipo de calmaria que encobre motoristas de carros derrapando inexoravelmente para viadutos, os pilotos de aviões que entram em parafuso, motores parados, para uma queda final... e pistoleiros impelidos para uma última gruta ou uma última luta. Mais tarde talvez ela lutasse, se a luta parecesse valer a pena ou que valesse alguma honra. Lutaria para salvar a si mesma ou ao bebê, mas não Mia — esta era sua decisão. Pela maneira de ver de Susannah, Mia perdera o direito a qualquer chance de resgate que um dia pudesse ter merecido.

Por ora nada havia a fazer, exceto talvez girar o disco TRABALHO DE PARTO de volta para o 10. Ela achou que poderia se permitir este nível de controle.

Antes disso, no entanto... a música. O violão. Era uma canção que conhecia e conhecia bem. Cantara uma versão desta música para o povo de Calla na noite da chegada deles a Calla Bryn Sturgis.

Após tudo que vivera desde que conhecera Roland, ouvir "Man of Constant Sorrow" naquela esquina de Nova York não lhe parecia, de forma alguma, mera coincidência. E era uma canção maravilhosa, não era? Talvez o ápice de todas as canções folk que ela tanto amara quando jovem, aquelas que a tinham seduzido e levado, passo a passo, ao ativismo e que, finalmente, a conduziriam a Oxford, no Mississippi. Aqueles dias tinham passado... ela se sentia tão mais velha do que era então... mas a melancólica simplicidade da canção ainda exercia uma forte atração. O Dixie Pig ficava a menos de uma quadra. Assim que Mia as fizesse passar através de suas portas, Susannah estaria na Terra do Rei Rubro. Não tinha dúvidas ou ilusões quanto a isso. Não esperava voltar de lá, não esperava ver de novo seus amigos ou seu amor, e desconfiava que talvez tivesse de morrer na companhia dos gemidos injustiçados de Mia... Nada disso, porém, interferia em seu prazer de ouvir a canção neste momento. Seria sua marcha fúnebre? Se fosse, ótimo.

Susannah, filha de Dan, julgava que podia ter sido muito pior.

3

O músico de rua tinha se instalado defronte a um café chamado Blackstrap Molasses. O estojo do violão estava aberto na frente dele, o veludo roxo do interior (exatamente o mesmo tom que o tapete no quarto de sai King em Bridgton, não vamos dizer amém?) salpicado de moedas e notas, de modo que qualquer transeunte inocente percebesse o que era para se fazer. Estava sentado em um sólido cubo de madeira que parecia exatamente igual àquele onde o reverendo Harrigan subia para pregar.

Havia sinais de que estava quase dando a noite por encerrada. Vestira a jaqueta, que trazia um decalque dos New York Yankees na manga, e um boné com JOHN LENNON VIVE escrito na aba. Aparentemente tinha havido uma placa na frente dele, mas agora ele a devolvera ao estojo do instrumento, o lado com as palavras para baixo. De qualquer modo, Mia não teria sido capaz de decifrar o que estava escrito na placa.

O músico olhou para a mulher, sorriu, e parou de tocar. Ela ergueu uma das suas notas restantes e disse:

— Vou lhe dar esta se você tocar de novo aquela canção. Desta vez inteira.

O rapaz parecia ter em torno de vinte anos e, embora não houvesse nada de muito bonito na pele muito pálida, cheia de manchas, na argola dourada em uma das narinas e no cigarro se projetando do canto da boca, tinha um ar cativante. Os olhos se arregalaram quando perceberam de quem era a cara na nota que ela estava segurando.

— Dona, por cinquenta paus eu tocaria todas as músicas de Ralph Stanley que conheço... e conheço bastante delas.

— Vamos nos contentar com esta — disse Mia jogando a nota que esvoaçou para o estojo do violão do músico. Ele contemplou sua descida irregular com uma expressão atônita. — Rápido — disse Mia. Susannah estava quieta, mas Mia percebeu que prestava atenção. — Meu tempo é curto. Toque!

E assim o tocador de violão, sentado em um cubo na frente do café, começou a tocar uma canção que Susannah ouvira pela primeira vez no The Hungry i, uma canção que ela própria cantara em só Deus sabe quantas audições de música folk, uma canção que, certa noite, cantara atrás de um motel em Oxford, no Mississippi. Acontecera na véspera de serem todos atirados no xadrez. Àquela altura, os três jovens que tentar lutar para que pessoas negras pudessem votar já estavam sumidos havia quase um mês, enterrados na terra escura do Mississippi, em algum lugar nos arredores da Filadélfia (seriam por fim encontrados na cidade de Longdale, podem dizer aleluia, por favor digam amém). A Famosa Marreta Branca tinha começado de novo a cair nas regiões rurais onde moravam os caipiras brancos, mas cantaram mesmo assim. Odetta Holmes, ou Det, como a chamavam naquela época — dera início à canção e todos se juntaram a ela, os rapazes cantando *homem* e as garotas cantando *moça*. Agora, embevecida dentro da Dogan, que se tornara seu gulag, Susannah ouvia aquele jovem, que ainda não era nem nascido naqueles dias terríveis, cantar novamente a canção. O compartimento de suas memórias se escancarou e foi Mia, despreparada para a violência dessas recordações, quem se deixou arrebatar pela onda.

4

Na Terra da Memória, o tempo é sempre *Agora*.

No Reino do Passado, o relógio faz tique-taque... mas seus ponteiros nunca se mexem.

Há uma Porta Desconhecida
(Ah, perdida)
e a memória é a chave que a abre.

5

Seus nomes são Chaney, Goodman, Schwerner; foram eles que caíram sob a Marreta Branca a 19 de junho de 1964.

Ó, Discórdia!

6

Estão hospedados em um lugar chamado Blue Moon Motor Hotel, no lado negro de Oxford, Mississippi. O Blue Moon pertence a Lester Bambry, cujo irmão John é pastor da Primeira Igreja Metodista Afro-Americana de Oxford, podem me dar um aleluia, podem me dar um amém!

É 19 de julho de 1964, um mês após o desaparecimento de Chaney, Goodman e Schwerner. Três dias após eles sumirem em algum lugar nos arredores de Filadélfia, houve uma reunião na igreja de John Bambry e os ativistas negros locais disseram a cerca de três dúzias remanescentes de brancos do norte que, em vista do que estava acontecendo, deviam se sentir, é claro, livres para voltar para casa. E alguns tinham voltado para casa, Deus seja louvado!, mas Odetta Holmes e outros dezoito ficam. Sim. Ficaram no Blue Moon Motor Hotel. E agora, à noite, às vezes vão lá nos fundos, e Delbert Anderson leva seu violão e todos cantam.

"I Shall Be Released", cantam e

"John Henry", cantam, capaz de vergar o próprio aço (grande Deus, digam Deus-bomba), e eles cantam

"Blowin in the Wind", e eles cantam

"Hesitation Blues" pelo reverendo Gary Davis, todos rindo com os versos deliciosamente apimentados: um dólar é um dólar e um tostão é um tostão eu peguei uma casa cheia de filhos e nenhum deles é meu, e eles cantam

"I Ain' t Marchin Anymore", não estou mais fazendo as passeatas, e eles cantam

na Terra da Memória e no Reino do Passado eles cantam

no sangue-quente de sua juventude, na energia dos corpos, na confiança das mentes eles cantam

para negar a Discórdia para negar o can toi

na afirmação de Gan, o Criador, Gan, o Tomador do Mal

eles não conhecem esses nomes

eles conhecem todos esses nomes

o coração canta o que tem de cantar

o sangue sabe o que o sangue sabe

no Caminho do Feixe nossos corações sabem de todos os segredos

e eles cantam

cantam

Odetta começa e Delbert Anderson toca; ela canta

— Sou uma moça de pesar constante... Vi problemas todos os meus dias... Dei adeus... ao velho Kentucky...

7

Assim Mia foi conduzida pela Porta Desconhecida para a Terra da Memória, transportada para o quintal cheio de mato atrás do Blue Moon Motor Hotel, de Lester Bambry, e assim ela ouviu...

(*ouve*)

8

Mia ouve a mulher que se tornará Susannah enquanto canta a canção. Ouve os outros se juntando a ela, um por um, até todos estarem cantando em coro e, lá no alto, está a lua do Mississippi, derramando o seu brilho em seus rostos — alguns negros, alguns brancos — e sobre os frios trilhos de aço da linha que corre atrás do hotel, trilhos que correm para o sul a partir daqui, que vão até Longdale, a cidade onde a 5 de agosto de 1964 os corpos muito decompostos de seus amigos serão encontrados: James Chaney, vinte e um; Andrew Goodman, vinte e um; Michael Schwerner, vinte e quatro; ó, Discórdia! E você que faz o jogo da escuridão, mostre sua alegria pelo Olho vermelho que brilha ali!

Ela os ouve cantar.

Por toda esta Terra estou destinada a vagar... Através do temporal e do vento, através da nevasca e da chuva... estou destinada a passar naquela ferrovia do norte...

Nada abre o olho da memória como uma canção e são as memórias de Odetta que levantam Mia e a carregam enquanto elas cantam juntas, Det e seus companheiros de ka sob a lua prateada. Mia os observa caminhando de um lado para o outro com os braços unidos, cantando

(*ah, fundo em meu coração... eu realmente creio...*)

outra canção, aquela que sentem que os define mais claramente. As faces que se enfileiram na rua a observá-los estão contraídas de ódio. Os punhos sendo sacudidos para elas têm calos. A boca das mulheres que franzem os lábios para atirar o cuspe que salpicará seus rostos sujar seu cabelo manchar suas blusas não têm batom e as pernas não têm meias e os sapatos não passam de pedaços surrados de lona. Há homens de macacões (da Oshkosh, por Deus, alguém diga aleluia). Há adolescentes em suéteres brancos limpos, cabelos cortados a máquina zero e um deles grita para Odetta, articulando cuidadosamente cada palavra: *Vamos matar! Cada um! Maldição! Crioulo! Quem ousa pôr os pés no campus da Universidade do Mississippi?*

E a camaradagem apesar do medo. *Por causa* do medo. A sensação de estarem fazendo algo incrivelmente importante: algo para o futuro. Eles vão mudar a América e se o preço é sangue, então vão pagá-lo. Sejam verdadeiros, digam aleluia, louvado seja Deus, deem améns em voz alta.

Então vem o garoto branco chamado Darryl e a princípio ele não podia, ele brochava e não podia, e então mais tarde ele podia e a outra secreta de Odetta — a barulhenta, sorridente, feia outra secreta — nunca se aproximou. Darryl e Det deitaram juntos até de manhã, dormindo juntinhos até de manhã sob a lua do Mississippi. Ouvindo os grilos. Ouvindo as corujas. Ouvindo o leve, suave rumor da Terra girando em seu eixo, girando e girando sempre mais pelo século XX. São novos, o sangue corre nas veias e nunca duvidam de sua capacidade de fazer as coisas mudarem.

É adeus, meu verdadeiro amor...

Isto é sua canção no mato atrás do Blue Moon Motor Hotel; esta é sua canção sob o luar.

Nunca verei novamente seu rosto...

É Odetta Holmes na apoteose de sua vida e Mia está lá*!* Ela vê isso, sente isso, está perdida em sua gloriosa e um tanto, alguns diriam, burra esperança (ah, mas eu digo aleluia, todos nós dizemos Deus-bomba). Ela compreende como estar todo tempo com medo torna mais preciosos os amigos; como torna doce cada mordida de cada refeição; como estica o tempo até que cada dia parece durar para sempre, e se prolongar na noite de veludo, e eles *sabem* que James Chaney está morto

(falem a verdade)

eles *sabem* que Andrew Goodman está morto

(digam aleluia)

eles *sabem* que Michael Schwerner — o mais velho deles e no entanto apenas uma criança de vinte e quatro anos — está morto.

(Deem seu mais alto amém!)

Sabem que qualquer um deles é também candidato a acabar na lama de Longdale ou da Filadélfia. *A qualquer momento.* Na noite após aquele coro especial atrás do Blue Moon, a maioria deles, Odetta incluída, será levada para o xadrez e o tempo da humilhação começará. Mas nesta noite ela está com seus amigos, com seu amante, eles são um só e a discórdia foi banida. Nesta noite eles cantam, balançando com os braços em volta uns dos outros.

As garotas cantam *moça*, os rapazes cantam *homem*.

Mia está muito comovida com o amor que têm um pelo outro; está exaltada pela simplicidade daquilo em que acreditam.

A princípio, atônita demais para rir ou chorar, ela só consegue ouvir, maravilhada.

9

Quando o músico de rua começou o quarto verso, Susannah se juntou a ele, de início hesitante e então — ante o sorriso encorajador do rapaz — com vontade, harmonizando acima da voz dele:

Para o café da manhã tínhamos molho de buldogue
Para o jantar tínhamos feijões e pão
Os mineradores não têm o que jantar
E chamam de cama um feixe de palha...

10

O cantor de rua parou após esse verso, contemplando Susannah-Mia com um ar de surpresa e satisfação.

— Achei que eu era o único que conhecia esta letra — disse. — É o modo como os Viajantes da Liberdade costumavam...

— Não — disse Susannah em voz baixa. — Não eles. Era o pessoal do registro eleitoral que cantava o verso do molho de buldogue. As pessoas que vieram para Oxford no verão de 1964. Quando aqueles três rapazes foram mortos.

— Schwerner e Goodman — disse o rapaz. — Não me lembro do nome do...

— James Chaney — disse ela em voz baixa. — O que tinha o cabelo mais bonito.

— Fala como se o tivesse conhecido — disse ele —, mas você não pode ter muito mais de... trinta?

Susannah acreditava que parecia ter muito mais de trinta, especialmente nesta noite, mas é claro que este jovem tinha cinquenta dólares a mais no estojo do violão do que uma canção atrás, e isso podia ter afetado sua visão.

— Minha mãe passou o verão de 1964 no condado de Neshoba — disse Susannah, não imaginando que, com duas palavras espontaneamente escolhidas (*minha mãe*), pudesse causar um mal tão grande à sua sequestradora. Aquelas palavras deixaram em carne viva o coração de Mia.

— Que mãe maneira! — o jovem exclamou e sorriu. Então o sorriso acabou. Ele tirou a nota de cinquenta do estojo do violão e a devolveu. — Pegue de volta. Foi realmente um prazer cantar com a senhora.

— Não posso aceitar, acredite — disse Susannah sorrindo. — Lembre-se da luta, para mim isso é o bastante. E lembre-se de Jimmy, Andy e Michael, se conseguir. Isso me recompensaria plenamente.

— Por favor — o rapaz insistia. Estava sorrindo de novo, mas o sorriso parecia transtornado e ele podia ter sido qualquer um daqueles rapazes da Terra do Passado, cantando ao luar nos fundos imundos das pequenas cabanas individuais do Blue Moon, vendo o duplo e frio reflexo dos raios de luar nos trilhos da ferrovia; podia ter sido qualquer um deles com sua beleza, com a flor descuidada da juventude e como, neste momento, Mia o amou. Mesmo o carinha pareceu secundário naquele ardor. Ela sabia que, sob muitos aspectos, era um falso ardor, trazido pelas recordações de sua hospedeira e, no entanto, suspeitava que, sob outros aspectos, fosse um ardor bastante real. Pelo menos tinha certeza de uma coisa: só uma criatura como ela, que tivera a imortalidade e dela abrira mão, seria capaz de apreciar a coragem de que as pessoas precisavam para se colocarem contra as forças da Discórdia. Para arriscar aquela frágil beleza colocando suas crenças à frente da própria segurança.

Faça-o feliz, pegue o dinheiro de volta, ela disse a Susannah, mas não tomou a frente para obrigar Susannah a fazer isso. Que a escolha fosse dela.

Antes que Susannah pudesse responder, o alarme na Dogan disparou, inundando a mente compartilhada das duas de barulho e luz vermelha.

Susannah se virou naquela direção, mas Mia agarrou seu ombro e apertou-o como uma garra antes que ela pudesse ir.

O que está acontecendo? O que houve de errado?

Me solte!

Susannah se contorceu e se soltou. E antes que Mia pudesse agarrá-la de novo, ela se foi.

11

A Dogan de Susannah pulsava e cintilava com luzes vermelhas de pânico. Um sinal de advertência martelava pelos alto-falantes acima. Todos os monitores televisivos haviam entrado em curto, com exceção de dois — um deles ainda mostrando o músico na esquina da Lex com a rua Sessenta, o outro o bebê adormecido. O piso rachado zumbia sob os pés de Susannah e soltava poeira. Um dos painéis de controle ficara escuro e outro estava em chamas.

Isso parecia ruim.

Como se para confirmar seus temores, a Voz da Dogan, semelhante à de Blaine, começou de novo a falar.

— ALERTA! — a voz gritou. — SISTEMA COM SOBRECARGA! SEM REDUÇÃO DA POTÊNCIA DA SEÇÃO ALFA, A QUEDA COMPLETA DO SISTEMA OCORRERÁ EM QUARENTA SEGUNDOS!

Susannah não se lembrava de ter visto nenhuma Seção Alfa em suas visitas anteriores a Dogan, mas não ficou espantada ao ver agora uma placa indicando exatamente aquilo. Um dos painéis perto dela de repente estourou com uma vistosa chuva de centelhas alaranjadas, fazendo pegar fogo o assento de uma poltrona. Mais painéis caíram, arrastando emaranhados de fios.

— SEM REDUÇÃO DA POTÊNCIA NA SEÇÃO ALFA, A QUEDA COMPLETA DO SISTEMA OCORRERÁ EM TRINTA SEGUNDOS!

E quanto ao mostrador TEMPERATURA EMOCIONAL?

— Deixe isso em paz — murmurou para si mesma.

Tudo bem, CARINHA? O que me diz dessa?

Depois de pensar um momento, Susannah passou o interruptor de ADORMECIDO para ACORDADO e aqueles desconcertantes olhos azuis se abriram de repente, fitando Susannah com o que parecia ser uma curiosidade febril.

O filho de Roland, ela pensou com estranha e dolorosa mistura de emoções. *E meu. Quanto a Mia? Garota, você não passa de uma ka-mai. Sinto muito por você.*

Ka-mai, sim. Não apenas uma tola, mas uma tola do ka... uma tola do destino.

— SEM REDUÇÃO DA POTÊNCIA NA SEÇÃO ALFA, A QUEDA COMPLETA DO SISTEMA OCORRERÁ EM VINTE E CINCO SEGUNDOS!

Então acordar o bebê de nada servira, pelo menos em termos de evitar um colapso total do sistema. Hora do Plano B.

Ela estendeu a mão para o absurdo botão de controle rotulado TRABALHO DE PARTO, aquele que tanto lembrava o botão do forno no fogão da mãe dela. Fazer o disco voltar a 2 fora difícil e a dor fora tenebrosa. Girá-lo para o outro lado foi mais fácil e não houve absolutamente qualquer dor. O que ela sentiu foi um *relaxamento* em algum lugar no fundo de sua cabeça, como se alguma teia de músculos que tinham ficado horas flexionados estivesse agora sendo solta com um pequeno grito de alívio.

A barulhenta pulsação do sinal de advertência cessou.

Susannah girou o TRABALHO DE PARTO para 8, parou ali e deu de ombros. Que diabo, estava na hora de tocar o apito, acabar com isso. Ela virou o botão até 10. No momento em que ele chegou lá, uma dor enorme, concentrada, endureceu seu estômago e desceu, agarrando sua pélvis. Ela precisou apertar os lábios para não gritar.

— A REDUÇÃO DE POTÊNCIA NA SEÇÃO ALFA FOI CUMPRIDA — disse a voz para logo cair em uma fala arrastada tipo John Wayne, que Susannah conhecia muito bem. — OBRIGADÃO, GRANDE VAQUEIRA.

Precisou novamente apertar os lábios para sufocar outro grito... não dor desta vez, mas de terror puro. Não foi difícil a Susannah se lembrar de que Blaine, o Mono, estava morto e aquela voz estava vindo de alguma detestável piada armada por seu próprio subconsciente, mas isso não interrompia o seu medo.

— O TRABALHO DE PARTO... COMEÇOU — disse a voz amplificada, voltando à imitação de John Wayne. — O TRABALHO... COMEÇOU. — Então, em um tom horrível (e nasal) à maneira de Bob Dylan, que fez seus dentes rangerem, a voz entoou: — PARABÉNS PRA VOCÊ... *DOÇURA*!... PARABÉNS... PRA VOCÊ! PARABÉNS... QUERIDO MORDRED... PARABÉNS... PRA VOCÊ!

Susannah visualizou um extintor de incêndio instalado na parede atrás dela e, quando se virou, o extintor estava, é claro, bem ali (mas não imaginara a plaquinha que dizia: SÓ VOCÊ E A SOMBRA PODEM AJUDAR A PREVENIR O FOGO NOS PAINÉIS — isso, juntamente com um desenho de Shardik, do Feixe, usando um chapéu com a inscrição Fumaça, o Urso, era brincadeira de outro piadista). Quando correu pelo chão rachado e irregular para pegar o extintor, contornando os painéis caídos do teto, outra dor pareceu rasgá-la, fazendo arder sua barriga e suas coxas, fazendo-a ter vontade de vergar o corpo e empurrar a ultrajante pedra em seu útero.

Não vai demorar muito, pensou em uma voz que era parte Susannah e parte Detta. Não, senhora. *Este carinha está vindo por trem expresso!*

Mas então a dor cedeu ligeiramente. Ela arrancou o extintor da parede, dirigiu o bico fino para o flamejante painel de controle e apertou o disparador. A espuma jorrou, cobrindo as chamas. Houve um sinistro assobio e um cheiro que lembrava cabelo queimando.

— O FOGO... ESTÁ APAGADO — proclamou a Voz da Dogan. — O FOGO... ESTÁ APAGADO. — E então, passando rápido como relâmpago para um sotaque pomposo, com todas as inflexões de um lorde britânico: — EU DIGO, QUE BELO SHOW, SIU-SANNAH, AB-SOLUTAMENTE BRILLHHHAN-TE!

Ela cambaleou outra vez pelo minado piso da Dogan, agarrou o microfone e apertou o botão de transmissão. No alto, numa das telas de televisão ainda operando, pôde ver que Mia estava de novo em movimento, atravessando a rua Sessenta.

Então Susannah viu o toldo verde com a caricatura do porco e seu coração se contraiu. Não a Sessenta, mas a Sessenta e *Um*. A escrota da mamãe sequestradora tinha alcançado seu destino.

— Eddie! — ela gritou ao microfone. — Eddie ou Roland! — Que diabo, por que não dar uma boa varredura no local? — Jake? Père Callahan? Chegamos ao Dixie Pig e vamos ter este maldito bebê! Venham para cá se puderem, mas tenham cuidado!

Tornou a erguer os olhos para o monitor. Mia estava agora no lado da rua onde ficava o Dixie Pig, dando uma olhada no toldo verde. Hesitando. Seria capaz de ler as palavras DIXIE PIG? Provavelmente não, mas podia certamente entender o desenho. O porco sorridente, fumegante. E, de qualquer modo, não hesitaria por muito tempo, não agora que o trabalho de parto havia começado.

— Eddie, preciso ir. Amo você, docinho! Aconteça o que acontecer, lembre-se disso! Nunca esqueça isso! *Eu amo você!* Isto é... — Seu olhar recaiu sobre o mostrador semicircular no painel atrás do microfone. O ponteiro tinha saído do vermelho. Achou que ficaria no amarelo até o parto acabar, voltando então para o verde.

A não ser, é claro, que alguma coisa desse errado.

Ela percebeu que continuava agarrando o microfone.

— Aqui é Susannah-Mio, desligando. Que Deus esteja com vocês, rapazes. Deus e o ka.

Ela pousou o microfone e fechou os olhos.

12

Susannah sentiu de imediato a diferença em Mia. Embora ela tivesse alcançado o Dixie Pig e o trabalho de parto tivesse ostensivamente começado, a mente de Mia estava, pelo menos desta vez, em outro lugar. Na realidade se voltara para Odetta Holmes e para o que Michael Schwerner chamara Projeto de Verão do Mississippi (*ele* era chamado pelos caipiras brancos do sul de O Garoto Judeu). A atmosfera emocional a que Susannah retornou estava *abalada*, como o ar quieto antes de uma violenta tempestade de setembro.

Susannah! Susannah, filha de Dan!

Sim, Mia.

Concordei com a mortalidade.

Foi o que me contou.

E certamente Mia parecera mortal em Fedic. Mortal e *terrivelmente* grávida.

Contudo, perdi a maior parte do que faz a vida de curto prazo valer a pena? Não é? A dor naquela voz era terrível; a surpresa era ainda pior. *E não há tempo para você me dizer. Não agora.*

Vá para outro lugar, disse Susannah, sem absolutamente qualquer esperança disso acontecer. *Chame um táxi, vá para um hospital. Vamos tê-lo juntas, Mia. Talvez até possamos criá-lo jun...*

Se eu o tiver em qualquer outro lugar que não seja aqui, ele vai morrer e nós morreremos com ele. Falava com absoluta certeza. *E eu vou tê-lo. Tiraram tudo de mim a não ser o meu carinha, e eu vou tê-lo. Mas... Susannah... antes de entrarmos... você falou de sua mãe.*

Eu menti. Era eu em Oxford. Mentir era mais fácil do que tentar explicar uma viagem no tempo e mundos paralelos.

Me mostre a verdade. Me mostre sua mãe. Me mostre, eu lhe peço!

Não havia tempo para pesar os prós e os contras do pedido; era aceitá-lo ou se recusar no impulso do momento. Susannah decidiu aceitá-lo.

Olhe, disse.

13

Na Terra da Memória, o tempo é sempre *Agora*.

Há uma Porta Desconhecida

(Ah, perdida)

e quando Susannah a encontrou e abriu, Mia viu uma mulher com o cabelo preto todo penteado para trás e surpreendentes olhos cinzas. Há um camafeu no pescoço da mulher. Está sentada na mesa da cozinha, essa mulher, em um eterno raio de sol. Nesta memória são sempre duas e dez de uma tarde de outubro de 1946, a Grande Guerra já terminou, Irene Daye está tocando no rádio e o cheiro é sempre de bolo de gengibre.

— Odetta, venha se sentar comigo — diz a mulher à mesa, ela que é mãe. — Coma alguma coisa doce. Você está *bonita*, garota.

E ela sorri.

Ah, fantasma perdido, e pelo vento chorado, volte outra vez!

14

Bastante prosaico, você diria, sim. Uma menina volta da escola com a bolsa de livros em uma das mãos e a bolsa de roupa de ginástica na outra, usando a blusa branca, a saia pregueada de xadrez escocês e meias até o joelho com faixas do lado (laranja e preta, as cores da escola St. Ann). A mãe, sentada à mesa da cozinha, ergue os olhos e oferece à filha um pedaço do bolo de gengibre que acabou de sair do forno. É um único momento em um milhão de outros momentos banais, um simples átomo de evento em uma eternidade deles. Mas faz Mia perder o fôlego

(*você está* bonita, *garota*)

e lhe mostra, em um modo concreto que anteriormente ela não havia compreendido, como a maternidade podia ser rica... *se*, é claro, pudesse seguir seu curso sem interrupções.

As recompensas? Incomensuráveis.

No final *você* podia ser a mulher sentada no raio de sol. Você podia ser aquela olhando para a criança que navega bravamente para fora do porto da infância. Você podia ser o vento nas velas desfraldadas daquela criança.

Você.

Odetta, venha se sentar comigo.

O ar começou a mover-se aos arrancos no peito de Mia.

Coma alguma coisa doce.

Seus olhos se enevoaram, o sorridente porco desenhado no toldo primeiro se duplicando, depois se quadruplicando.

Você está bonita, *garota.*

Algum tempo era melhor que tempo nenhum. Mesmo cinco anos — ou três — era melhor que tempo nenhum. Ela não sabia ler, não estivera no Morehouse, nem em *qualquer* house, mas pelo menos esta matemática era capaz de fazer: três = melhor que nenhum. Até mesmo um = melhor que nenhum.

Ah...

Ah, mas...

Mia pensou em um garoto de olhos azuis atravessando uma porta; uma porta conhecida, não uma porta perdida. Imaginou-se dizendo a ele: *você está* bonito, *filho!*

Ela começou a chorar.

O que eu fiz era uma pergunta terrível. *O que mais eu* poderia *ter feito* era talvez ainda pior.

Ó, Discórdia!

15

Era a única chance que Susannah tinha de fazer alguma coisa: agora, com Mia parada diante dos degraus que levavam a seu destino. Susannah pôs a mão no bolso do jeans e sentiu a tartaruga, a *sköldpadda*. Os dedos marrons, separados da perna branca de Mia por um forro fino, fecharam-se em torno da tartaruga.

Ela a puxou e fez um movimento para trás, jogando-a na sarjeta. De sua mão para o colo do ka.

Depois se deixou carregar pelos três degraus até as portas duplas do Dixie Pig.

16

Estava muito escuro lá dentro e a princípio Mia não pôde ver nada além das luzes fracas, vermelho-alaranjadas. Tochas elétricas do tipo que ainda iluminavam alguns cômodos no Castelo Discórdia. Seu senso de olfato não precisava, contudo, de ajuste e, mesmo quando sentiu uma renovada dor de parto, o estômago reagiu ao cheiro do porco assado e gritou para ser alimentado. Seu *carinha* gritou para ser alimentado.

Isso não é porco, Mia, disse Susannah, e foi ignorada.

Quando as portas se fecharam — havia um homem (ou um ser parecido com um homem) parado em cada uma delas —, ela começou a ver melhor. Estava na frente de um salão de jantar comprido e estreito. As toalhas das mesas e os guardanapos brilhavam. Em cada mesa havia uma vela em um suporte tingido de laranja. As velas brilhavam como olhos de raposa. O piso do vestíbulo era de mármore preto, mas além da mesa do maître havia um tapete de um vermelho profundo.

Ao lado da mesa havia um sai de uns sessenta anos com cabelo branco penteado para trás, rosto magro e um ar um tanto perverso. Era o rosto de um homem inteligente, mas as roupas — o espalhafatoso paletó esporte amarelo, a camisa vermelha, a gravata preta — eram as de um vendedor de carros usados ou um trapaceiro especializado em depenar os caipiras de cidades pequenas. No centro de sua testa havia um buraco vermelho com pouco mais de dois centímetros de uma ponta a outra, como se ele tivesse sido baleado à queima-roupa. Estava inundado de sangue, mas o sangue não transbordava para a pele pálida.

Nas mesas do salão de jantar havia talvez uns cinquenta homens e a metade desse número em mulheres. A maioria deles usava roupas tão ou mais espalhafatosas quanto a do cavalheiro de cabelos brancos. Grande anéis cintilavam em dedos carnudos, brincos de diamante em forma de pingentes refletiam a luz alaranjada das tochas.

Havia também figuras com trajes mais sóbrios — jeans e camisas brancas sem estampados parecia ser a indumentária por que optara esta minoria. Essas pessoas eram pálidas e estavam atentas, os olhos parecendo se constituir de nada mais do que pupilas. Em volta de seus corpos, girando tão debilmente que às vezes desapareciam, havia auras azuis. Para Mia, aquelas criaturas pálidas, cercadas de auras, pareciam realmente bem mais humanas que os homens e mulheres nefastos. Eram vampiros — não era preciso observar os afiados caninos que os sorrisos revelavam para descobrir isso —, mas ainda assim pareciam mais humanos que o bando de Sayre. Talvez porque um dia tivessem sido humanos. Os outros, porém...

Seus rostos são apenas máscaras, ela observou com crescente mal-estar. *Sob as máscaras que os Lobos usam estão os homens elétricos — os robôs —, mas o que há sob estas?*

O salão de jantar estava morbidamente silencioso, mas de algum lugar nas proximidades vinham os sons ininterruptos de conversa, riso, copos tilintando e talheres batendo contra louças. Houve um barulho de líquido — vinho ou água, ela supôs — e uma explosão mais alta de risadas.

Um homem nefasto e uma mulher nefasta — ele em um smoking adornado com lapelas xadrez e uma gravata-borboleta de veludo vermelho, ela em um vestido de gala prata lamé, sem alças, ambos de uma alarmante obesidade — viraram-se (com óbvio desprazer) para a fonte daqueles sons, que pareciam estar vindo de trás de uma tapeçaria mais ou menos pretensiosa retratando cavaleiros e suas esposas em um jantar. Quando o casal se virou para olhar, Mia viu as bochechas se enrugarem para cima como tecido que agarra e, por um momento, sob o suave ângulo dos queixos, viu uma coisa escura, vermelha e forrada de pelos.

Susannah, isso era pele?, Mia perguntou. *Bom Deus, aquilo era a* pele *deles?*

Susannah não respondeu, nem sequer um *eu não falei para você* ou *eu não avisei?* Essas coisas agora pertenciam ao passado. Era tarde demais para exasperação (ou para qualquer uma das emoções mais suaves) e Susannah sentia uma pena sincera da mulher que a levara até lá. Sim, Mia mentira e traíra; sim, fizera o máximo para que Eddie e Roland fossem mortos. Mas algum dia tivera escolha? Susannah percebeu, com um despontar de amargura, que agora podia dar a perfeita definição de uma ka-mai: alguém a quem tinham dado esperança, mas não opções.

Como dar uma motocicleta a um cego, ela pensou.

Richard Sayre — magro, de meia-idade, com uma beleza composta por lábios grossos e um rosto largo — começou a bater palmas. Os anéis lampejavam em seus dedos. O blazer amarelo chamava muita atenção sob a luminosidade fraca.

— Salve, Mia! — gritou ele.

— *Salve, Mia!* — responderam os outros.

— Salve, Mãe!

— *Salve, Mãe!* — os vampiros e os homens e mulheres nefastos gritaram, e também eles começaram a aplaudir. O som era sem dúvida bastante entusiástico, mas a acústica do local o amortecia, transformando-o em um agitar de asas de morcego. Um som faminto, que fez Susannah sentir-se mal do estômago. Ao mesmo tempo uma nova contração tomou conta dela, convertendo suas pernas em água. Ela cambaleou para a frente, mas quase saudou a dor, que amortecia um pouco o nervosismo. Sayre deu um passo à frente e agarrou-a pela parte superior dos braços, apoiando-a antes que caísse. Ela tinha pensado que seu toque seria frio, mas os dedos de Sayre estavam quentes como os de uma vítima de cólera.

Bem mais nos fundos, ela viu uma figura alta saindo das sombras, algo que não era nem um homem nefasto nem um vampiro. Usava calça jeans e uma camisa social branca, mas emergindo da gola da camisa havia a cabeça de um pássaro. Estava coberta de penas lisas, em um tom amarelo-escuro. Os olhos eram pretos. A coisa batia palmas em um aplauso educado e ela viu — com um mal-estar cada vez maior — que as mãos eram equipadas com garras, não com dedos.

Meia dúzia de insetos saíram correndo de debaixo de uma das mesas e olharam-na com olhos que oscilavam em antenas grossas. Olhos horrendamente inteligentes. As mandíbulas clicaram em um som que era muito parecido com riso.

Salve, Mia!, ela ouviu em sua cabeça. Um zumbido de inseto. *Salve, Mãe!* E então eles se foram, de volta para as sombras.

Mia se virou para a porta e viu a dupla de homens nefastos que a bloqueavam. E sim, *eram* máscaras; assim perto dos guardas das portas era impossível não ver como os cabelos pretos e lisos eram apenas pintura. Mia se virou para Sayre com o coração apertado.

Tarde demais agora.

Tarde demais para qualquer coisa, a não ser seguir em frente com aquilo.

17

O aperto de Sayre se soltara quando ela se virou. Agora ele o restabelecia agarrando sua mão esquerda. No mesmo momento, alguém lhe pegou também a mão direita. Ela se virou e viu a mulher gorda no vestido prata lamé. O enorme busto ultrapassava em muito o topo do vestido, que lutava corajosamente para não revelá-lo de todo. A carne da parte de cima dos braços tremia solta, derramando um sufocante odor de talco. Na testa havia uma ferida vermelha que encharcava mas nunca transbordava.

É como eles respiram, Mia pensou. *É como respiram quando estão usando suas...*

Em seu crescente mal-estar, Mia se esquecera quase de todo de Susannah Dean e completamente de Detta. Então, quando Detta Walker tomou a frente — diabo, quando ela saltou para a frente — não houve meio de detê-la. Ela observou os braços se estendendo aparentemente por vontade própria deles e viu os dedos mergulharem no rosto da mulher do vestido prata lamé. A mulher gritou, mas estranhamente, os outros, inclusive Sayre, riram estrepitosamente, como se aquilo fosse a coisa mais engraçada que já tinham visto na vida.

A máscara de humanidade escorregou do olhar sobressaltado da mulher nefasta e depois se rasgou. Susannah lembrou-se dos últimos momentos passados no torreão do castelo, quando tudo havia congelado e o céu tinha se rasgado como papel.

Detta dilacerou quase inteiramente a máscara. Fiapos do que parecia látex ficaram escorrendo da ponta dos seus dedos. Embaixo da máscara despontou a cabeça de um enorme rato vermelho, um mutante com dentes amarelos crescendo em uma crosta do lado de fora das bochechas e coisas brancas que pareciam vermes pendendo do nariz.

— Garota travessa — disse o rato, sacudindo um dedo malicioso para Susannah-Mio. Sua outra mão continuava segurando a dela. O companheiro da coisa (o homem nefasto com o smoking brilhante) ria tanto que chegava a vergar o corpo e, quando ele o fez, Mia viu alguma coisa saindo pelo traseiro da calça. Era ossudo demais para ser uma cauda, mas apesar de tudo ela achou que fosse.

— Venha, Mia — disse Sayre, puxando-a para a frente e se inclinando para ela, espreitando avidamente em seus olhos como um amante. — Ora, é você, Odetta? É, não é? É *você*, sua negra estudadinha demais, importuna, criadora de caso.

— Não, sou *eu*, seu branquelo de merda, cara de rato! — Detta grasnou e cuspiu na cara de Sayre.

A boca de Sayre se abriu em uma expressão de assombro. Então se fechou de novo e se contorceu em uma careta amarga. O salão ficara de novo em silêncio. Ele tirou o cuspe do rosto — da máscara que usava sobre o rosto — e contemplou-o com ar de incredulidade.

— Mia? — perguntou. — Mia, você a deixou fazer isto *comigo*? Comigo, que se oferece como padrinho de seu bebê?

— Tu não vai ser porra nenhuma! — Detta gritou. — Vai chupar o pau do papai-ka e enfiar o dedo pelo cu dele pra saber se vai ser bom fuder! Tu...

— *LIVRE-SE dela!* — Sayre berrou.

E ante aquela atenta plateia de vampiros e homens nefastos no salão de jantar da frente do Dixie Pig, Mia fez exatamente isso. O resultado foi extraordinário. A voz de Detta começou a *definhar*, como se ela estivesse sendo escoltada para fora do restaurante (pelo leão de chácara, segurada pelo cangote). A certa altura, Detta desistiu de tentar falar e ensaiou um riso rouco, mas logo ele também se foi.

Sayre permanecia com as mãos entrelaçadas na frente do corpo, olhando solenemente para Mia. Os outros também encaravam. Em algum lugar atrás da tapeçaria dos cavaleiros e damas em um banquete, a conversa e o riso baixos de algum outro grupo continuavam.

— Ela se foi — Mia disse por fim. — A má se foi. — Mesmo no silêncio do salão foi difícil ouvi-la, pois o tom foi pouco mais que um sussurro. Seus olhos estavam timidamente voltados para baixo e as faces tinham ficado mortalmente brancas. — Por favor, sr. Sayre... *sai* Sayre... agora que fiz o que pediu, por favor, confirme que me disse a verdade e que vou poder criar meu carinha. Por favor, diga isso! Se o fizer, jamais ouvirá de novo a voz da outra, juro pelo rosto do meu pai e pelo nome da minha mãe, eu juro.

— Você não teve nenhum dos dois — disse Sayre em um distante tom de desprezo. A compaixão, a clemência pela qual ela implorava não ocupavam espaço nos olhos dele. E acima dos olhos, o buraco vermelho no centro da testa se enchia cada vez mais, embora nunca transbordasse.

Outra dor, de longe a maior de todas, fincou os dentes nela. Mia cambaleou e, desta vez, Sayre não se deu ao trabalho de segurá-la. Mia caiu de joelhos diante dele, pôs as mãos na áspera e brilhante superfície de pele de avestruz de suas botas e ergueu os olhos para o rosto pálido. A coisa devolveu o olhar de cima do violento e berrante tom amarelo do paletó esporte.

— Por favor — disse ela. — Por favor, eu lhe peço: *cumpra o que me prometeu*!

— Talvez — disse ele —, ou talvez não. Sabe, eu nunca tive minhas botas lambidas. Pode imaginar? Ter vivido tanto tempo quanto eu e nunca ter tido uma boa, simples e antiquada lambida de bota.

Em algum lugar uma mulher sufocou um riso.

Mia se curvou para a frente.

Não, Mia, não faça isso, Susannah murmurou, mas Mia não deu resposta. Nem a dor paralisante no fundo de suas entranhas conseguiu detê-la. Ela pôs a língua entre os lábios e começou a lamber a áspera superfície das botas de Richard Sayre. Susannah, mesmo a uma grande distância, sentia o gosto. Era um gosto seco, um gosto de couro, de pó, cheio de arrependimento e humilhação.

Sayre deixou-a continuar um pouco com aquilo. Então disse:

— Pare. Já basta.

Ele a colocou de pé sem nenhuma gentileza e ficou com o rosto sério a pouco mais de cinco centímetros do dela. Agora, depois que vira a primeira, era impossível não perceber as máscaras que ele e os outros usavam. As faces esticadas pareciam quase transparentes e redemoinhos de um escuro cabelo escarlate eram ligeiramente visíveis por baixo.

Ou talvez fosse melhor chamar de pelo, já que cobria o rosto inteiro.

— Sua mendicância não lhe leva a nada — disse ele —, embora eu tenha de admitir que a sensação foi extraordinária.

— Você prometeu! — gritou ela, tentando recuar, escapar do aperto dele. Então outra contração a atingiu e ela se dobrou em duas, tentando pelo menos não gritar. Quando a dor abrandou um pouco, ela insistiu: — Você disse cinco anos… ou talvez sete… sim, sete… o melhor de tudo para o meu carinha, você disse…

— Sim — disse Sayre. — Acho que me lembro disso, Mia. — Ele franziu a testa como alguém que enfrentasse algum problema particularmente espinhoso; de repente se alegrou. Quando sorriu, a área da máscara em volta do canto da boca se enrugou e revelou uma ponta amarela, saliente. Era a ponta de um dente que irrompia da dobra onde o lábio inferior encontrava o superior. Ele afastou uma das mãos de Mia para erguer um dedo de maneira professoral. — O melhor de tudo para o carinha, sim. A questão é: você é a melhor pessoa para isso?

Apreciativos murmúrios de riso saudaram esta introdução. Mia se lembrou de como a chamaram de Mãe e a saudaram com *salve*, mas aquilo agora parecia distante, como um insignificante fragmento de sonho.

Mas tu foi bastante boa pra carregar ele, né?, Detta perguntou de algum lugar bem em seu interior — da cela, na verdade. *Poisssé! Tu foi bastante boa pra fazer isso, pode crer!*

— Fui boa o bastante para carregá-lo, não fui? — Mia quase cuspiu nele. — Boa o bastante para colocar a outra no pântano comendo rãs e a deixando pensar que era caviar… Fui boa o bastante para *isso*, não é?

Sayre piscou, obviamente sobressaltado por uma resposta tão ríspida. Mia tornou a abrandar.

— Sai, pense em tudo de que abri mão!

— Xiii, você não tinha *nada*! — Sayre respondeu. — Não passava de um espírito insignificante cuja existência girava em torno de transar com algum vagabundo perdido. Puta dos ventos, não é assim que Roland chama gente da sua espécie?

— Então pense na outra — disse Mia. — Ela, que se chama Susannah. Roubei toda a sua vida, tudo que ela tinha pela frente por causa do meu carinha, e a seu comando.

Sayre fez um gesto de desprezo.

— Sua boca não lhe traz qualquer proveito, Mia. Portanto, feche-a.

Ele fez um sinal com a cabeça para a esquerda. Um homem nefasto com cara larga de buldogue e exuberante cabeça de cabelo crespo e grisalho veio a frente. O buraco vermelho na testa tinha uma estranha aparência de coisa amendoada chinesa. Andando atrás dele vinha outra das coisas-pássaro, esta com uma feroz cabeça de falcão marrom-escura. A cabeça se projetava do colarinho redondo de uma camiseta de time de basquete com DUKE BLUE DEVILS escrito nela. Eles se apoderaram de Mia. O aperto das coisas-pássaro era repulsivo, estranho e vil.

— Você tem sido uma excelente guardiã — disse Sayre —, ao menos nesse ponto estamos certamente de acordo. Mas também devemos lembrar que foi a mulher de Roland de Gilead quem realmente engendrou a criança, devemos ou não?

— *É mentira!* — Mia gritou. — *Ah, isso é uma suja*... *MENTIRA!*

Ele continuou como se não a tivesse ouvido:

— E diferentes tarefas requerem diferentes habilidades. Prazeres diferentes para diferentes pessoas, como se costuma dizer.

— *POR FAVOR!* — gritou Mia.

Agora o homem-falcão pôs as mãos com garras dos lados da cabeça e balançou-a de um lado para o outro, como se afetado pelo barulho. A espirituosa pantomima provocou riso e mesmo algumas palmas.

Susannah sentiu vagamente um jorro quente descendo pelas pernas — pernas de *Mia* — e viu o jeans escurecer no meio das pernas e nas coxas. A bolsa de água finalmente havia se rompido.

— *Vaaaaaamos*... é, vamos ter um *BEBÊ!* — Sayre proclamou vibrante como um animador de programa de auditório. Havia dentes demais naquele sorriso, uma dupla fileira tanto em cima quanto embaixo. — Depois disso, vamos ver. Prometo que seu pedido será levado em consideração. Por enquanto… Salve, Mia! Salve, Mãe!

— *Salve, Mia!, Salve, Mãe!* — os demais gritaram, e Mia se viu de repente levada para os fundos do salão, o homem nefasto com cara de buldogue agarrando seu braço esquerdo e o homem-falcão agarrando o direito. Cada vez que o homem-falcão respirava, sua garganta produzia um zumbido baixo e desagradável. Os pés de Mia mal encostavam no tapete enquanto ela era carregada na direção da coisa-pássaro com penas amarelas; Mia imaginou-a como sendo o homem-canário.

Sayre a fez parar com um simples gesto da mão e falou com o homem-Canário apontando para a porta da rua do Dixie Pig. Mia ouviu o nome de Roland e também o de Jake. O homem-canário assentiu. Sayre apontou de novo enfaticamente para a porta e balançou a cabeça. *Nada entra aqui*, dizia o balanço de cabeça. *Nada!*

O homem-canário assentiu novamente a cabeça e falou entre gorjeios e silvos que deixaram Mia com vontade de gritar. Ela virou a cabeça e, por acaso, seu olhar bateu no mural com os cavaleiros e suas damas. Estavam em uma mesa que ela reconheceu — uma das que havia no salão de banquetes do Castelo da Discórdia. Arthur Eld sentava-se à cabeceira com a coroa na testa e a dama esposa dele à sua mão direita. E os olhos do Eld tinham um azul que Mia conhecia dos sonhos.

O ka escolheu aquele momento em particular para soprar uma sinuosa corrente de vento pelo salão de jantar do Dixie Pig e deslocar para o lado a tapeçaria. Foi apenas por um ou dois segundos, mas o suficiente para Mia ver que havia outro salão de jantar — um salão de jantar *particular* — ali atrás.

Sentados em uma comprida mesa de madeira, sob um chamejante lustre de cristal, havia talvez uma dúzia de homens e mulheres, faces de bonecos, rosadas e retorcidas, contraídas pela idade e pela maldade. Os lábios eram repuxados, se afastando de grandes buquês de dentes amarelados; os dias em que qualquer uma daquelas monstruosidades podia fechar a boca tinham há muito ficado para trás. Os olhos eram pretos e destilavam uma espécie de gosma malcheirosa pelos cantos. A pele era amarela, cheia de dentes, e coberta por manchas de pelos de aparência doentia.

O que são eles?!, Mia gritou. *O que são eles, pelo amor dos deuses?*

Mutantes, disse Susannah. *Ou talvez a palavra melhor seja híbridos. E isso não importa, Mia. Você viu o que importa, não é?*

Ela tinha visto e Susannah também. Embora o tapete de veludo só tivesse sido repuxado brevemente, o tempo fora suficiente para ambas verem o espeto que tinha sido posto no meio daquela mesa e o cadáver sem cabeça girando nele, a pele escurecendo, enrugando, chiando e emanando caldos cheirosos. Não, o cheiro que havia no ar não era de porco. A coisa virando no espeto, escura como um gambá, era um bebê humano. As criaturas ao redor da mesa punham delicadas xícaras de porcelana sob o que pingava dele, brindavam umas com as outras... e bebiam.

A corrente de ar cessou. A tapeçaria voltou ao lugar. E antes que fosse mais uma vez tomada pelos braços e empurrada do salão de jantar para os fundos daquele prédio que cruzava tantos mundos ao longo do Feixe, a mulher em trabalho de parto entendeu a piada presente no quadro. Não era uma coxa de ave que Arthur Eld levava aos lábios como um primeiro olhar distraído poderia ter sugerido; era a perna de um bebê. O copo que a rainha Rowena tinha erguido em um brinde não estava cheio de vinho, mas de sangue.

— Salve, Mia! — Sayre tornou a gritar. Ah, ele estava em seu melhor humor, agora que o pombo-correio finalmente chegava ao destino!

Salve, Mia!, os outros berravam em resposta. Era mais ou menos como um canto ensandecido de futebol. Os que estavam atrás do mural juntaram-se ao coro, embora suas vozes se reduzissem a pouco mais que resmungos. E suas bocas, é claro, estavam repletas de comida.

— Salve, Mãe! — Desta vez Sayre concedeu-lhe uma mesura debochada para combinar com a zombaria da saudação.

Salve, Mãe!, os vampiros e os homens baixos nefastos e, na onda satírica dos aplausos ela foi sendo levada, primeiro para a cozinha, depois para a copa e então pela escada nos fundos.

No final de tudo, é claro, havia uma porta.

18

Susannah soube que era a cozinha do Dixie Pig pelo cheiro do obsceno cardápio: não porco afinal, mas certamente o que os piratas do século XVIII chamariam de porco de colo.

Há quantos anos aquela casamata estaria servindo os vampiros e os homens baixos da cidade de Nova York? Desde os tempos de Callahan, nos anos 1970 e 1980? Desde seu próprio tempo, nos anos 1960? Quase certamente mais tempo. Susannah achou que poderia ter existido uma versão do Dixie Pig naquele lugar desde a época dos holandeses, eles que tinham enganado os nativos-americanos com sacos de contas e plantado suas mortíferas crenças cristãs muito mais profundamente que sua bandeira. Um povo prático, o holandês, com um gosto por costelas e pouca paciência para a magia, branca ou sombria.

Ela viu o suficiente para reconhecer a cozinha como um cômodo gêmeo daquele que visitara nas entranhas do Castelo da Discórdia. Fora lá que Mia matara um rato que estivera tentando abocanhar a última comida que havia no lugar: um porco assado no forno.

Só que não havia forno nem assado, ela pensou. *Diabo, nem cozinha. Havia um leitão atrás do celeiro, um leitão de Tian e Zalia Jaffords. E fui eu quem o matou e bebeu seu sangue quente, não ela. Mas então eu já estava quase que possuída por completo, embora ainda não soubesse disso. Eu me pergunto se Eddie…*

Quando Mia a arrebatou pela última vez, arrancando-a de seus pensamentos e obrigando-a a mergulhar no escuro, Susannah percebeu de que forma completa a terrível e carente filha da puta possuíra sua vida. Sabia por que Mia tinha feito isso — por causa do carinha. A questão era por que ela, Susannah Dean, tinha deixado acontecer. Porque já fora possuída antes? Porque já estava tão viciada no estranho por dentro, como Eddie fora viciado em heroína?

Temia que isso pudesse ser verdade.

Girava no escuro. E quando tornou a abrir os olhos, deu de frente com aquela lua selvagem pendendo sobre o Castelo da Discórdia e o curvo clarão vermelho

(*forja do Rei*)

no horizonte.

— Aqui! — gritou uma mulher, assim como já tinha gritado antes. — Aqui, fora do vento!

Susannah baixou os olhos e viu que não tinha pernas e estava sentada na mesma carreta rude, como em sua anterior visita ao torreão. A mesma mulher, alta e atraente, com o cabelo negro ondeando no vento, acenava para ela. Mia, é claro, e tudo aquilo não era mais real que os vagos devaneios e memórias de Susannah sobre o salão de banquetes.

Ela pensou: *Mas Fedic fora real. O corpo de Mia está lá exatamente como o meu está, neste exato momento, sendo empurrado pela cozinha atrás do Dixie Pig, onde iguarias inconfessáveis são preparadas para fregueses não humanos. O torreão do castelo é o lugar-sonho de Mia, seu refúgio, sua Dogan.*

— A mim, Susannah do Mundo Médio, e para longe do clarão do Rei Rubro! Saia do vento, venha para trás deste merlão!

Susannah balançou a cabeça.

— Diga o que tem a dizer e vamos embora, Mia. Precisamos ter um bebê… sim, de certa forma, entre nós duas… e assim que ele tiver nascido, estamos quites. Porque você envenenou minha vida, foi o que fez.

Mia olhou-a com desesperada intensidade, a barriga despontando sob o poncho, os cabelos jogados para trás pelo sopro do vento.

— Foi você quem pegou o veneno, Susannah! Foi você quem o engoliu! Sim, quando a criança era ainda uma semente não germinada na barriga!

Isso era verdade? E se fosse, qual delas convidara Mia a entrar, como o vampiro que ela realmente era? Fora Susannah ou Detta?

Susannah achava que nem uma nem outra.

Achava que talvez pudesse ter sido Odetta Holmes. Odetta que nunca teria quebrado o detestável prato *especialíssimo* da velha dama azul. Odetta que amava as bonecas, embora a maioria delas fossem brancas como suas calcinhas de algodão.

— O que você quer comigo, Mia, filha de ninguém? Diga e acabe logo com isso!

— Logo estaremos juntas... sim, de verdade mesmo, participando juntas do mesmo parto. E só peço que se eu tiver a menor chance de escapar com meu carinha, você me ajude a levá-lo.

Susannah pensou no assunto. Na solidão das rochas e na boca das grotas, as hienas riam. O vento era entorpecedor, mas a dor que de repente se apoderara de sua barriga, entre os maxilares era pior. Viu a mesma dor no rosto de Mia e pensou de novo como toda a sua existência parecia ter se tornado uma aridez cheia de espelhos. De qualquer modo, que dano uma promessa destas podia provocar? Provavelmente não haveria chance alguma, mas, se houvesse, ela ia deixar a coisa que Mia queria chamar de Mordred cair nas mãos dos homens do Rei?

— Está bem — disse. — Tudo bem. Se puder ajudá-la a escapar com ele, *vou* ajudar.

— Fugir para qualquer lugar! — Mia clamou em um murmúrio áspero. — Mesmo... — Ela se deteve. Engoliu em seco. Forçou-se a continuar. — Mesmo para a escuridão todash! Pois vagar eternamente com meu filho ao lado não seria condenação alguma.

Talvez não para você, *irmã*, Susannah pensou, mas não disse nada. Na verdade já estava de saco cheio dos pedidos de Mia.

— E se não nos sobrar qualquer meio de escape — disse Mia —, acabe conosco!

Embora lá no alto o único ruído fosse o vento e a risada das hienas, Susannah podia sentir seu corpo físico em movimento, sendo agora carregado para baixo por um lance de degraus. A realidade parecia estar atrás da mais fina das membranas. O fato de ter sido transportada para aquele mundo, especialmente já sentindo as dores do parto, sugeria que Mia era um ser de grande poder. Uma pena que esse poder não pudesse ser utilizado de outra forma.

Mia aparentemente encarou como relutância o demorado silêncio, pois avançou pelo piso circular do torreão com suas sandálias robustas, e quase correu até Susannah, que continuava sentada na carreta tosca e bamba. Pegou Susannah pelos ombros, sacudiu-a.

— *Faça isso!* — gritou com veemência. — Acabe conosco! Melhor estarmos juntos na morte que... — Deixou a voz morrer; depois falou em um tom abafado e amargo. — Fui o tempo todo enganada. Não fui?

E agora que o momento tinha chegado, Susannah não sentia nem compreensão, nem simpatia, nem pesar. Ela apenas fez que sim com a cabeça.

— Será que pretendem comê-lo? Alimentar aqueles velhos terríveis com seu cadáver?

— Tenho quase certeza que não — disse Susannah. E, no entanto, continuaria a haver um componente de canibalismo em alguma coisa ali; seu coração pressentia isso.

— Eles não se importam em nada comigo — disse Mia. — Só a baby-sitter, não foi assim que você me chamou? E acho que nem *isso* serei por muito tempo, vou?

— Acho que não — disse Susannah. — Talvez consiga seis meses para amamentá-lo, mas mesmo isso... — Ela balançou a cabeça, depois mordeu os lábios quando uma nova contração ventou para dentro dela, tornando em vidro todos os músculos em sua barriga e coxas. Quando a coisa abrandou um pouco, ela concluiu: — Bem, duvido que aconteça.

— Então nos mate, se a coisa chegar a esse ponto. Faça isso, Susannah, por favor, eu imploro!

— E se eu fizer alguma coisa por você, Mia, o que você fará por mim? Presumindo que eu consiga acreditar em alguma palavra que saia de sua boca mentirosa.

— Eu a liberto, se houver oportunidade.

Susannah refletiu e chegou à conclusão de que um acordo precário era melhor que nenhum acordo. Estendendo os braços, pegou as mãos que agarravam seus ombros.

— Tudo bem. Eu concordo.

Então, como no final da confabulação anterior das duas naquele mesmo lugar, o céu se rasgou, assim como as ameias e o próprio ar que as cercava. Através do rasgão, Susannah viu um corredor oscilar. A imagem era vaga, borrada. Ela compreendia que estava olhando através de seus próprios olhos, mas eles estavam quase fechados. O buldogue e o homem-falcão ainda a seguravam. Eles a levavam para a porta no final do corredor — sempre, desde que Roland entrara na vida dela, havia mais uma porta — e deviam estar pensando que tinha morrido ou desmaiado. Achava que, de certa forma, tinha mesmo.

Então tornou a entrar em seu corpo híbrido, de pernas brancas… quem sabia quanto de sua pele anteriormente escura estava agora branca? Achou que pelo menos aquela situação estava prestes a terminar e isso estava ótimo para ela. Trocaria de bom grado as pernas brancas, por mais fortes que pudessem ser, por um mínimo de paz.

Um mínimo de paz na sua mente.

19

— Está voltando a si — alguém rosnou. O sujeito com cara de buldogue, Susannah pensou. Não que aquilo importasse; no fundo, todos eles lembravam ratos humanoides com pelo brotando dos corpos ossudos e cascudos.

— Ótimo. — Era Sayre, caminhando atrás. Ela olhou em volta e viu que o séquito consistia em seis homens nefastos, mais o homem-falcão e um trio de vampiros. Os homens nefastos carregavam revólveres em coldres debaixo dos braços. Dois dos vampiros tinham bahs, a besta de Calla. O terceiro estava carregando uma espada elétrica que zumbia desagradavelmente, como as espadas que os Lobos brandiam.

Dez contra uma, Susannah pensou friamente. *Nada bom… mas podia ser pior.*

Você consegue?… A voz de Mia, de algum lugar por dentro.

Cale a boca, disse Susannah. *Não é mais hora de conversar*.

À frente, na porta de que estavam se aproximando, ela viu isto:

NORTH CENTRAL POSITRONICS LTD.

Nova York/Fedic

Segurança Máxima

ACESSO SOMENTE COM CÓDIGO VERBAL

Aquilo era familiar e Susannah soube instantaneamente por quê. Vira uma placa semelhante durante sua única e breve visita a Fedic. Fedic, onde a verdadeira Mia (o ser que assumira a mortalidade no que podia ter sido a pior barganha da história) estivera aprisionada.

Quando alcançaram a porta, Sayre foi mais na frente, pelo lado do homem-falcão. Depois se inclinou na direção da porta e falou alguma coisa articulada bem no fundo da garganta, uma palavra estranha que Susannah jamais conseguiria pronunciar. *Não faz diferença*, Mia murmurou. *Posso dizê-la e, se for preciso, posso ensinar outra a você, uma que conseguirá pronunciar. Mas agora... Susannah, me desculpe por tudo. Adeus.*

A porta para a Estação Experimental Arco 16, em Fedic, abriu. Susannah ouvia um rumor entrecortado e sentiu o cheiro de ozônio. Nenhuma magia fornecia energia a esta porta entre os mundos; este era o trabalho do povo antigo, e estava fraca. Os que o fabricaram haviam perdido sua fé na magia, tinham desistido da crença na Torre. No lugar da magia havia esta coisa moribunda, que zumbia. Esta coisa estúpida e mortal. E além dela Susannah viu um grande salão cheio de camas. Centenas de camas.

É onde operam as crianças. Onde extraem delas tudo que os Sapadores possam precisar.

Agora só uma das camas estava ocupada. Parada no pé dessa cama havia uma mulher com uma daquelas terríveis cabeças de rato. Uma enfermeira, talvez. Ao lado dela havia um humano... Susannah não achou que fosse um vampiro, mas não podia ter certeza, pois a visão através da porta era tão trêmula quanto o ar sobre um incinerador. Ele ergueu os olhos e viu as duas.

— Rápido! — o homem gritou. — Tragam aqui essa carga! Temos de conectá-las e completar o trabalho, ou ela morrerá! As duas vão morrer! — O médico (pois certamente só um médico seria capaz de ostentar tamanha arrogância e irritação na presença de Richard P. Sayre) fazia gestos impacientes para que as duas fossem colocadas ao seu alcance. — Ponham a mulher aqui! Estão atrasados, maldição!

Sayre empurrou-a rudemente pela porta. Ela ouviu um rumor no fundo da cabeça e um breve estrépito de sinos todash: baixou os olhos mas era tarde; as pernas emprestadas de Mia já tinham se ido e ela se esborrachava no chão antes que o homem-falcão e o Buldogue pudessem alcançá-la por trás e segurá-la.

Firmou-se nos cotovelos e levantou a cabeça, ciente de que, pela primeira vez em só Deus sabia quanto tempo (provavelmente desde que fora raptada no círculo de pedras), pertencia apenas a si mesma. Mia se fora.

Então, como se para contrariá-la, a importuna hóspede de Susannah, que partira tão recentemente, soltou um grito. Susannah acrescentou seu próprio grito — a dor era agora forte demais para ficar em silêncio — e por um momento as vozes das duas cantaram em perfeita harmonia a iminente chegada do bebê.

— Cristo — disse um dos guardas de Susannah... se vampiro ou homem nefasto ela não sabia. — Minhas orelhas estão sangrando? *Parecem* estar, tenho esta sensação...

— Levante-a, Haber! — Sayre falou com rispidez. — Jey! Agarre-a! Tirem-na do chão, pelo amor de seus pais!

O buldogue e o homem-falcão (ou Haber e Jey, se assim preferir) pegaram-na sob os braços e rapidamente a levaram pelo corredor da enfermaria, por entre as fileiras de camas vazias.

Mia se virou para Susannah e conseguiu dar um sorriso fraco, exausto. Tinha o rosto molhado de suor e o cabelo grudado à pele corada.

— Um encontro fortuito... e mal... — ela conseguiu dizer.

— Empurrem essa cama para cá! — gritou o médico. — Rápido, malditos! Como conseguem ser tão incrivelmente *lentos*?

Dois homens nefastos que tinham acompanhado Susannah desde o Dixie Pig se curvaram sobre a cama vazia mais próxima e a empurraram para junto da cama de Mia, enquanto Haber e Jey continuavam a segurar Susannah. Algo na cabeceira das camas lembrava uma mistura de secador de cabelo e o tipo de capacete espacial dos antigos seriados do *Flash Gordon*. Susannah não gostou da aparência da coisa. Tinha um aspecto de sugador de cérebros.

Enquanto isso, a enfermeira com cabeça de rato se curvava entre as pernas esparramadas de sua paciente e espreitava sob a camisola aberta de hospital que Mia agora usava. Deu palmadinhas no joelho direito de Mia com a mão e deixou escapar uma espécie de miado. Seu efeito deveria ser para tranquilizar, mas Susannah estremeceu.

— Não fiquem aí parados com os polegares no cu, seus idiotas! — gritou o médico. Era um homem corpulento, com olhos castanhos e faces coradas. O cabelo preto puxado para trás e grudado no crânio deixava trilhas vazias da largura de uma calha. Usava um guarda-pó de laboratório de náilon branco sobre um terno de tweed. A gravata escarlate tinha a estampa de um olho. Aquele sigul não surpreendeu em nada Susannah.

— Estamos às suas ordens — disse Jey, o homem-falcão. Falava em um tom estranhamente inumano, monocórdio, tão desagradável quanto o miado da enfermeira cabeça de rato, mas perfeitamente compreensível.

— Não deviam *precisar* das minhas ordens! — rosnou o médico, batendo as mãos em um gesto gaulês de repulsa. — Será que suas mães não tiveram um único filho normal?

— Eu... — Haber começou, mas o médico avançou sobre ele. Parecia fora de si.

— Há quanto tempo estávamos à espera disto, hein? Quantas vezes simulamos o procedimento? Por que vocês têm de ser tão burros pra caralho, tão imbecis? Ponham a mulher na c...

Sayre se moveu com uma velocidade que Susannah achou que nem mesmo Roland conseguiria se igualar. Em um momento estava parado ao lado de Haber, o homem nefasto com a cara de buldogue; no momento seguinte investia contra o médico, enfiando o queixo no ombro do sujeito, agarrando seu braço e torcendo-o bem atrás das costas.

A expressão de fúria arrogante do médico desapareceu como passe de mágica e ele começou a gritar como uma criança, em um tom muito agudo. O cuspe se derramou sobre o lábio inferior e o meio da calça de tweed escureceu quando a urina escapou.

— *Pare!* — uivou ele. — *Não vou servir de nada se quebrar o meu braço! Ah, pare, isso* DÓÓÓÓI*!*

— Se quebrasse seu braço, Scowther, eu simplesmente pegaria na rua algum médico qualquer para acabar logo com isto e o mataria depois. Por que não? É uma mulher tendo um bebê, não uma cirurgia de cérebro, pelo amor de Gan!

Mas ele relaxou um pouco seu aperto. Scowther soluçava, se contorcia e gemia tão sem fôlego quanto alguém fazendo sexo no calor.

— E quando a coisa ficasse concluída sem que você tivesse participado dela — Sayre continuou —, ia entregá-lo para o banquete *deles* — completou fazendo um gesto com o queixo.

Susannah olhou para onde ele indicava. O corredor que vinha da porta para a cama onde estava Mia se encontrava agora coberto pelos insetos vistos de relance no Dixie Pig. Os olhos ávidos, peritos, se fixavam no médico. Suas mandíbulas estalavam.

— O que... sai, o que devo fazer?

— Me pedir desculpas.

— P-Peço desculpas!

— E agora a esses outros, pois também os insultou, com certeza!

— Senhores, eu... eu... p-peço...

— Doutor! — interrompeu a enfermeira com cabeça de rato. A voz era pastosa, mas compreensível. Continuava curvada entre as pernas de Mia. — A cabeça do bebê está apontando!

Sayre soltou o braço de Scowther.

— Vamos, sr. Scowther. Cumpra seu dever. Tire a criança! — Sayre se curvou para a frente e alisou a face de Mia com extraordinária gentileza. — Tenha coragem e não perca a esperança, minha dama-sai — disse ele. — Alguns de seus sonhos ainda podem se tornar realidade.

Mia ergueu os olhos com uma gratidão cansada que contraiu o coração de Susannah. *Não acredite nele, suas mentiras são intermináveis*, foi a mensagem que tentou enviar, mas naquele momento o contato das duas estava rompido.

Susannah foi atirada como um saco de farinha na cama que tinha sido empurrada para perto da cama de Mia. Foi incapaz de esboçar resistência quando encaixaram um dos capacetes em sua cabeça; logo outra contração a agarrava e de novo as duas mulheres gritaram juntas.

Susannah pôde ouvir Sayre e os outros murmurando. Também ouvia o desagradável matraquear dos insetos que começava embaixo e atrás deles. Dentro do capacete, redondas protuberâncias de metal pressionavam suas têmporas, com uma força que chegava perto de machucar.

De repente uma agradável voz feminina:

— Bem-vinda ao mundo da North Central Positronics, parte do Grupo Sombra! "Sombra, onde o progresso nunca para!" Prepare-se para a entrada do link.

Um zumbido alto começou. A princípio só parecia próximo dos seus ouvidos, mas logo Susannah teve a sensação de que alguma coisa a perfurava de ambos os lados. Ela visualizava um par de projéteis brilhantes movendo-se um para o outro.

Vagamente, como se a coisa viesse da outra extremidade da sala e não da sua direita, ouviu Mia gritar: *Ah, não, não, isso dói!*

O zumbido esquerdo e o zumbido direito juntaram-se no centro do cérebro de Susannah, criando um perfurante tom telepático que, se durasse muito tempo, destruiria sua capacidade de pensar. Era terrível, mas ela manteve os lábios rigidamente cerrados. Não ia gritar. Que vissem as lágrimas transbordando por baixo das pálpebras fechadas, mas Susannah era uma pistoleira e não fariam com quc gritasse.

Após o que pareceu uma eternidade, o zumbido cessou.

Susannah teve um momento ou dois para desfrutar o abençoado silêncio em sua cabeça. Então sentiu outra contração, agora muito baixa em sua barriga e com a força de um tufão. Com esta dor ela realmente se *permitiu* gritar. Porque de certa forma era diferente; gritar por causa da vinda do bebê era uma honra.

Virou a cabeça e viu que um idêntico capacete de ferro tinha sido colocado sobre o suado cabelo negro de Mia. Os tubos segmentados que vinham dos dois capacetes se conectavam no meio. Esses eram os equipamentos que usavam nos gêmeos raptados, mas agora estavam sendo destinados a algum outro propósito. Qual?

Sayre se inclinou para Susannah, chegando perto o bastante para ela poder sentir o cheiro de sua colônia. Achou que era a English Leather.

— Para a fase final do trabalho de parto e realmente empurrar o bebê para fora, precisamos deste elo físico — disse ele. — Trazê-la para cá, para Fedic, era absolutamente vital. — Deu palmadinhas em seu ombro. — Boa sorte. Agora já não vai demorar. — Deu-lhe um sorriso simpático. A máscara que usava se enrugava para cima, revelando um pouco do horror vermelho que se escondia embaixo. — Depois podemos matá-la.

O sorriso se ampliou.

— E comê-la, é claro. Nada é desperdiçado no Dixie Pig, nem mesmo uma puta tão arrogante quanto você.

Antes que Susannah pudesse responder, a voz de mulher em sua cabeça tornou a falar.

— Por favor diga seu nome, de forma clara e pausada.

— Vá se foder! — Susannah respondeu com rispidez.

— Va-Si-Fudê não está registrado como nome válido para uma não asiática — disse a agradável voz feminina. — Detectamos hostilidade e nos desculpamos antecipadamente pelo procedimento a seguir.

Por um momento não houve nada. Então a mente de Susannah se incendiou com uma dor além de qualquer coisa que ela jamais tivesse passado. Uma dor maior do que suspeitava que pudesse existir. Seus lábios, contudo, continuaram fechados enquanto a coisa a devastava. Ela pensou na canção e ouviu-a mesmo por entre aquele trovão da dor: *Sou uma moça... de pesar constante... Vi problemas todos os meus dias...*

Finalmente o trovão cessou.

— Por favor diga seu nome de forma clara e pausada — pediu a agradável voz feminina no meio de sua cabeça — ou este procedimento será intensificado por um fator de dez.

Nenhuma necessidade disso, Susannah comunicou à voz feminina. *Fui convencida.*

— Suuuu-zaaaa-nahhh — disse ela. — Suuu-zannn-ahhh...

Estavam todos a encarando, todos com exceção da sra. Cabeça de Rato, que espreitava em êxtase a ponta da cabeça do bebê aparecendo mais uma vez entre os lábios recuados da vagina de Mia.

— Miiii-aaaahhhh...

— Suuuu-zaaa...

— Miiii...

— Annn-ahhh...

Quando começou a contração seguinte, o dr. Scowther já tinha pegado um fórceps. As vozes das mulheres tornaram-se uma só, proferindo uma palavra, um nome, que não era nem *Susannah* nem *Mia*, mas uma combinação de ambos.

— O elo — disse a agradável voz feminina — foi estabelecido. — Um *clique* fraco. — Repito que o elo foi estabelecido. Obrigado por sua cooperação.

— É agora, pessoal — disse Scowther. Sua dor e terror pareciam esquecidos; a voz revelava entusiasmo. Virou-se para a enfermeira. — Ele pode chorar, Alia. Se assim for, não intervenha, pelo amor de seu pai! Se assim não for, limpe a boca de imediato!

— Sim, doutor. — Os lábios da coisa recuaram trêmulos, revelando uma dupla coleção de caninos. Era uma careta ou um sorriso?

Scowther olhou em volta com um traço da arrogância prévia.

— Todos vocês fiquem exatamente onde estão até que eu diga que podem se mexer — falou. — Nenhum de nós sabe exatamente o que temos aqui. Só sabemos que a criança pertence ao próprio Rei Rubro...

Com isso, Mia gritou. De dor e em protesto.

— Ah, seu idiota! — disse Sayre. Ele ergueu a mão e esbofeteou Scowther com força suficiente para fazer seu cabelo voar e o sangue espirrar contra a parede branca em um padrão de gotinhas finas.

— Não! — gritou Mia. Ela tentou se apoiar nos cotovelos, não conseguiu, caiu para trás. — Não, você disse que eu poderia criá-lo! Ah, por favor... nem que apenas por um tempo curto, eu imploro...

Então uma dor ainda pior que as outras envolveu Susannah... envolveu as duas, sepultando-as. Elas gritaram em sucessão, e Susannah não precisou ouvir Scowther, que estava dizendo força, força AGORA!

— Está vindo, doutor! — a enfermeira gritou em um êxtase nervoso.

Susannah fechou os olhos, e fez pressão para baixo e, ao sentir a dor começando a fluir para fora dela como um redemoinho de água que gira e desce por um ralo escuro, teve uma sensação de angústia como jamais havia sentido. Pois era para Mia que o bebê estava desaguando; iam-se as últimas e poucas linhas da mensagem viva que o corpo de Susannah tinha de alguma forma sido forçado a transmitir. Estava acabando. Independentemente do que acontecesse em seguida, esta parte estava acabando e Susannah Dean deixou escapar um grito onde se misturava alívio e pesar; um grito que era em si mesmo como uma canção.

E nas asas dessa canção, Mordred Deschain, filho de Roland (e de alguém mais, Ah, digam Discórdia), veio ao mundo.

LINHA: *Commala-venha-kim!*
A criança chegou enfim!
Cante sua canção,
Ah, saiba bem cantar!
A criança veio para passar.

RESPOSTA: *Commala-venha-kim,*
O pior veio para passar.
A Torre treme em sua base;
A criança chegou enfim.

Coda

PÁGINAS DO DIÁRIO DE UM ESCRITOR

12 DE JULHO DE 1977

Cara, é bom estar de volta a Bridgton. Sempre nos tratam bem no que Joe ainda chama "cidade da Nana" e onde Owen não para um só minuto. Ele está mais calmo desde que voltamos para casa. Só fizemos uma parada, em Waterville, para comer alguma coisa no Silent Woman (aliás, as refeições ali já foram melhores).

Sem dúvida cumpri a promessa que tinha feito a mim mesmo e, assim que voltamos, iniciei uma grande caçada por aquela história da Torre Negra. Tinha quase desistido quando encontrei as folhas no canto mais remoto da garagem, embaixo de uma caixa dos catálogos antigos da Tab. Havia um monte de "salpicos e borrifos" naquelas curiosas páginas azuis com cheiro de mofo, mas o texto está perfeitamente legível. Terminei de revisá-lo, daí sentei e acrescentei um pequeno trecho à parte do Posto de Parada (onde o pistoleiro encontra Jake, o garoto). Achei que seria divertido colocar uma bomba d'água que funciona a partir de uma pepita atômica, o que fiz sem demora. Trabalhar em uma história velha costuma ser tão gostoso quanto comer um sanduíche com pão mofado, mas desta vez a coisa está parecendo perfeitamente natural... como calçar um sapato velho.

Sobre o que, exatamente, devia ser a história?

Não consigo lembrar, só sei que ela me ocorreu há muito, muito tempo. Voltando agora do norte, com toda a família cochilando, comecei a pensar na época em que David e eu fugimos da casa de tia Ethelyn. Estávamos planejando voltar a Connecticut, eu acho. Lógico que os adultos nos pegaram, e nos colocaram para trabalhar no celeiro, cortando madeira. Destacamento do Castigo, como tio Oren nos chamou. Desconfio que alguma coisa assustadora aconteceu comigo, mas, maldição, não consigo me lembrar do que foi, só que era vermelho. E imaginei um herói, um pistoleiro mágico, para me manter a salvo daquilo. Houve também alguma coisa sobre magnetismo ou Feixes de Poder. Tenho certeza absoluta de que foi esta a gênese da história, embora seja estranho como tudo parece borrado. Ah, bem, quem se lembra de todos os pequenos detalhes deprimentes da infância? Quem quer se lembrar?

Não está acontecendo muita coisa mais. Joe e Naomi brincaram no playground e os planos de Tabby para sua viagem à Inglaterra estão quase completos. Cara, essa história sobre o pistoleiro não sai da minha cabeça!

Vou te falar do que Roland precisa: de alguns amigos!

19 DE JULHO DE 1977

Hoje à noite fui de moto ver Star Wars e acho que não volto a sentar na moto enquanto o tempo não esfriar um pouco. Comi uma tonelada de insetos. E não venham me falar sobre proteína!

Na viagem, continuei a pensar em Roland, meu pistoleiro do poema de Robert Browning (com uma menção a Sergio Leone, é claro). O original é um romance, sem dúvida (ou parte de um), mas tenho a impressão de que os capítulos também poderiam ser lidos independentemente. Ou quase. Me pergunto se não conseguiria vendê-los para uma revista de ficção científica. Talvez, quem sabe, Fantasy and Science Fiction, que é, é claro, o Santo Graal do gênero.

Provavelmente uma ideia tola.

Quanto ao mais, hoje não fiz muito a não ser ver a última partida do campeonato nacional (Liga Nacional 7, Liga Americana 5). Já estava bem bêbado quando acabou o jogo. Tabby não gostou...

9 DE AGOSTO DE 1978

Kirby McCauley vendeu o primeiro capítulo daquela minha velha história sobre a Torre Negra para Fantasy and Science Fiction! Cara, mal pude acreditar! Isso é tão maneiro! Kirby acha que Ed Ferman (é o Ed-chefe) provavelmente vai publicar tudo que eu tiver da história da TN. Vai chamar o primeiro pedaço ("O homem de preto fugia pelo deserto e o pistoleiro ia atrás" etc. etc., bla-blá, bangue-bangue) "O Pistoleiro", o que faz sentido.

Nada mau para uma velha história que, ano passado, estava mofando em um canto úmido da garagem. Ferman disse a Kirby que Roland "tem o toque de realidade" que faltava em grande parte da fantasias e quis saber se haveria novas aventuras. Tenho certeza de que há mais aventuras (ou havia, ou haverá... qual o tempo certo do verbo quando estamos falando de histórias não escritas?), mas não faço ideia de como possam ser. Só sei que John "Jake" Chambers teria de voltar a elas.

Um dia chuvoso, abafado na margem do lago. Nada de playground para as crianças. Hoje à noite tivemos Andy Fulcher cuidando das crianças mais velhas enquanto eu & Tab & Owen fomos ao drive-in de Bridgton. Tabby achou o filme (O outro lado da meia-noite... na realidade em cartaz desde o ano passado) uma merda, mas não a escutei implorando para ir para casa. Quanto a mim, quando me dei conta minha mente estava devaneando de novo para aquele maldito Roland. Desta vez, para assuntos relacionados a seu amor perdido.

— Susan, linda moça à janela.
Quem, me diga, seria ela?

9 DE SETEMBRO DE 1978

Recebi meu primeiro exemplar da edição de outubro, a que traz "O Pistoleiro". Cara, parece ótimo!

Burt Hatlen ligou hoje. Está falando de eu passar um ano na Universidade do Maine como escritor residente. Só Burt teria a coragem para pensar em conectar um embuste como eu a um emprego desses. Mas não deixa de ser uma ideia interessante.

29 DE OUTUBRO DE 1979

Bem, merda, bêbado de novo. Mal consigo ver a maldita página, mas acho que é melhor anotar alguma coisa antes de cambalear para a cama. Hoje recebi uma carta de Ed Ferman, da F&SF. Vai chamar o segundo capítulo de A Torre Negra (a parte onde Roland encontra o garoto) de "Posto de parada". Ele realmente quer publicar toda a série de histórias e estou de acordo. Queria que já tivesse mais. Enquanto isso, tenho de pensar em A dança da morte... e, é claro, em A zona morta.

Por enquanto nada disso parece significar grande coisa. Detesto estar aqui em Orrington... Para começar, detesto estar perto de uma estrada tão movimentada. Hoje, Owen chegou terrivelmente perto de ser esmagado por um daqueles caminhões Cianbro. Isso me deixou realmente apavorado.

Também me deu uma ideia para uma história, relacionada com aquele estranho cemiteriozinho de bichos atrás da casa. **SIMETÉRIO DE BICHOS** é o que diz na tabuleta que tem lá, não é esquisito? Engraçado, mas também meio de arrepiar. Quase um tipo de coisa do gibi Vault of Horror.

19 DE JUNHO DE 1980

Acabei de falar no telefone com Kirby McCauley. Ele recebeu um telefonema de Donald Grant, que publica muita coisa fantástica em sua editora (Kirby gosta de brincar dizendo que Don Grant é "o homem que tornou o escritor de fantasia Pulp Robert E. Howard infame". Seja como for, Don gostaria de publicar minhas histórias sobre o pistoleiro e com o título original, A Torre Negra (subtítulo O pistoleiro). Não é interessante? Uma "edição limitada". Ele faria uma tiragem de dez mil exemplares, fora quinhentos autografados assinados e numerados. Disse a Kirby para ir em frente e fechar o acordo.

Seja como for, parece que minha carreira como professor está encerrada e fiquei bem chapado para comemorar. Peguei as laudas de O cemitério e dei uma olhada. Meu Deus, é mórbido! Acho que os leitores me linchariam se eu publicasse. Esse é um livro que jamais verá a luz do dia...

27 DE JULHO DE 1983

Publishers Weekly (nosso filho Owen chama de Publishers Weakness,* o que não deixa de ser verdade) fez uma resenha do último livro de Richard Bachman... e mais uma vez, rapaz, fui destruído. Deram a entender que é chato, e isso, meu amigo, não é. Ah, bem, pensar nisso tornou muito mais fácil ir até North Windham e pegar aqueles dois barris de chope para a festa. Peguei-os no Discount Beverage. Estou fumando de novo, também, fazer o quê. Vou largar no dia em que entrar nos quarenta e isto é uma promessa.

Ah, O cemitério vai ser publicado exatamente daqui a dois meses. Então minha carreira estará realmente encerrada (brincadeira... pelo menos espero que seja brincadeira). Depois de pensar um pouco, acrescentei A Torre Negra à listagem das obras do autor na primeira página do livro. Afinal, pensei, por que não? Sim, sei que está esgotado — a tiragem foi de apenas dez mil exemplares, pelo amor de Deus —, mas foi um livro de verdade e estou orgulhoso dele. Acho que nunca voltarei para Roland, Revólver na Cintura, Cavaleiro Errante, mas sim, estou orgulhoso desse livro.

Que bom ter lembrado dos barris de chope.

* *Fraqueza dos Editores ao invés de Semanário dos Editores* (N. T.)

21 DE FEVEREIRO DE 1984

Cara, hoje à tarde recebi uma chamada maluca de Sam Vaughn da Doubleday (ele editou O cemitério, como você deve lembrar). Sei, porque também recebo cartas, que alguns fãs querem *A Torre Negra* e estão irritados por não conseguirem comprar o livro. Mas Sam diz que já são mais de TRÊS MIL!! Cartas. E por quê, você pergunta? Porque fiz a bobagem de inserir A Torre Negra na listagem das obras do autor em O cemitério. Acho que Sam está um pouco irritado comigo e ele tem certa razão. Diz que relacionar um livro que os fãs querem & não podem conseguir é mais ou menos como mostrar um pedaço de carne a um cachorro faminto e depois puxá-lo de volta, dizendo: "Não, não, não pode pegar, he-he!". Por outro lado, bendito seja Deus & o Homem Jesus, as pessoas estão mimadas pra caralho! Se há um livro em algum lugar do mundo elas simplesmente querem obtê-lo, presumindo que têm um direito ao tal livro. Que diferença ao que acontecia com as pessoas na Idade Média, que podiam ouvir rumores sobre livros sem jamais terem visto um; o papel era valioso (o que seria uma boa coisa para colocar no volume seguinte do "Pistoleiro/A Torre Negra"; se algum dia eu chegar a escrevê-lo) e livros eram tesouros que a pessoa protegia com a própria vida. Adoro ser capaz de ganhar a vida escrevendo histórias, mas quem achar que a coisa não tem o seu lado sombrio não entende porra nenhuma. Um dia ainda vou escrever um romance sobre um negociante de livros raros psicótico! (Brincadeira.)

Mudando de assunto, hoje foi aniversário de Owen. Sete anos! A idade da razão! Mal posso acreditar que meu caçula já tem sete anos e que tenho uma filha de treze anos, uma bela e jovem mulher.

14 DE AGOSTO DE 1984 (NOVA YORK)

Acabei de voltar de um encontro com Elaine Koster da NAL e com meu agente, o grande Kirboo. Ambos quiseram me convencer a lançar uma versão de O Pistoleiro em brochura, mas não aceitei. Talvez um dia, mas não darei a tanta gente a chance de ler algo excessivamente inacabado, a não ser que eu volte a trabalhar na história.

O que provavelmente jamais farei. Enquanto isso, tive outra ideia para um longo romance sobre um palhaço que se revela o pior monstro do mundo. Não é má ideia; palhaços são assustadores. Ao menos para mim. (Palhaços & galinhas, vá entender.)

18 DE NOVEMBRO DE 1984

Tive um sonho ontem à noite que acho que quebra o impasse criativo de It: A Coisa. Vamos supor que haja uma espécie de Feixe de Luz mantendo a Terra (ou múltiplas Terras) no lugar? E que o gerador do Feixe repouse no casco de uma tartaruga. Eu podia fazer disso parte do clímax do livro. Sei que parece maluquice, mas certamente li em algum lugar que, na mitologia hindu, há uma grande tartaruga que nos sustenta a todos em seu casco, uma tartaruga que serve Gan, a superforça criativa. Além disso, lembro de uma história onde uma senhora diz a um famoso cientista: "Esta coisa da evolução é ridícula. Todo mundo sabe que uma tartaruga sustenta o universo". Ao que o cientista (cujo nome eu queria lembrar, mas não lembro) responde: "Pode ser, madame, mas o que sustenta a tartaruga?". Um riso de desdém da senhora, que diz: "Ah, não me faça de tola! São tartarugas até lá embaixo".

Ah! Aguentem essa, homens racionais de ciência!

Seja como for, mantenho um caderninho em branco ao lado da minha cama e anoto um monte de sonhos e elementos deles, sem estar plenamente acordado. Hoje de manhã escrevi: Lembre a Tartaruga! E isto: Veja a TARTARUGA de enorme casco! Seu casco sustenta a Terra. Seu pensamento é lento, mas sempre generoso: sustenta a todos nós em sua mente. Não é um grande poema, admito, mas não de todo mau para um cara que estava três quartos dormindo ao escrever isto!

Tabby está me enchendo por eu estar novamente bebendo demais. Acho que tem razão, mas...

10 DE JUNHO DE 1986 (LOVELL/VIA DO CASCO DA TARTARUGA)

Cara, estou contente por termos comprado esta casa! No início, fiquei com medo da despesa, mas nunca escrevi melhor do que estou escrevendo aqui. E — é assustador, mas é verdade — acho que quero voltar a trabalhar na história de A Torre Negra. No fundo, achei que jamais ia conseguir, mas ontem à noite quando fui pegar umas cervejas no Center General, quase pude ouvir Roland dizendo: "Há muitos mundos e muitas histórias, mas não muito tempo".

Acabei dando meia-volta e retornando à casa. Não me lembro da última vez que passei uma noite inteiramente sóbrio, mas a noite de ontem se enquadraria nessa categoria. Parece fodido não estar fodido. O que é muito triste, eu acho.

13 DE JUNHO DE 1986

Acordei no meio da noite, de ressaca e precisando mijar. Enquanto estava parado na frente do vaso, foi quase como se eu pudesse ver Roland de Gilead. Mandando que eu começasse com as lagostrosidades. Vou fazer isso.

Sei exatamente o que elas são.

15 DE JUNHO DE 1986

Comecei hoje o novo livro. Não posso acreditar que estou realmente escrevendo de novo sobre o velho sujeito alto e feio, mas tudo se encaixou logo na primeira página. Diabo, logo na primeira palavra. Decidi que a coisa terá quase a estrutura clássica dos contos de fadas: Roland caminha ao longo da praia do mar Ocidental, ficando mais & mais doente à medida que avança e há uma série de portas para o nosso mundo. Ele vai escolher um novo personagem de trás de cada uma. O primeiro será um viciado em heroína chamado Eddie Dean...

16 DE JULHO DE 1986

Não posso acreditar nisto. Quer dizer, tenho o original sobre a mesa, bem na minha frente, e de certa forma tenho de acreditar, mas mesmo assim não consigo. Escrevi *!!300!! PÁGINAS* no mês passado e o texto é tão limpo que brilha. Nunca me senti como um daqueles escritores que levam o crédito pelo seu trabalho, que dizem que planejam cada movimento e fato, mas também nunca um livro pareceu fluir tão naturalmente por mim como este fluiu. Sem a menor dúvida se apoderou da minha vida desde o Dia Um. E, entenda, me parece agora que grande parte das outras coisas que escrevi (especialmente It: A coisa) foi uma espécie de "treino" para esta história. Nunca imaginei que ia pegar uma história com tanto empenho depois de deixá-la abandonada por quinze anos! Claro que dei uma pequena revirada nas histórias que Ed Ferman publicou em *F&SF* e revirei um pouco mais quando Don Grant publicou O Pistoleiro, mas nada como o que está acontecendo agora. Chego até a sonhar com a história. Há dias em que eu gostaria de conseguir parar de beber, mas confesso uma coisa: estou quase assustado pela ideia de parar. Sei que a inspiração não flui do gargalo de uma garrafa, mas existe algo que...

Estou assustado, tudo bem? Sinto como se houvesse alguma coisa — Alguma Coisa — que não quer que eu acabe este livro. Que não queria nem que eu nem o tivesse começado. Sei, é claro, que é loucura ("Como algo saído de uma história de Stephen King", ha-ha), mas ao mesmo tempo parece muito real. Provavelmente vai ser muito bom que ninguém jamais venha a ler este diário; muito provavelmente me jogariam em um sanatório, se lessem.

Acho que vou chamar o livro de A escolha dos três.

19 DE SETEMBRO DE 1986

Está pronto. A escolha dos três está pronto. Fiquei de porre para comemorar. Chapado também. E o que vem agora? Bem, *It: A coisa* será publicada em cerca de um mês e, em dois dias, farei trinta e nove anos. Cara, mal posso acreditar! Parece que ainda uma semana atrás estávamos morando em Bridgton e as crianças eram bebês.

Ah, porra. Hora de parar. O escritor está ficando piegas.

19 DE JUNHO DE 1987

Hoje Donald Grant mandou meu primeiro exemplar de A escolha. Vem com um bonito visual. Também decidi deixar a NA ir adiante e preparar ambos os livros da Torre Negra em brochura — dar ao povo o que querem. Por que não?

É claro que eu tomei um porre para comemorar... Mas nestes dias, quem precisa de uma ocasião especial?

É um bom livro mas, sob certos aspectos, é como se eu não estivesse absolutamente escrevendo a porra da coisa, é como se ela simplesmente fluísse de mim, como o cordão umbilical saindo do umbigo de um bebê. O que estou tentando dizer é que o vento sopra, o berço balança e às vezes me parece que nada disto é meu, que não passo da porra de uma secretária de Roland de Gilead. Sei que é burrice, mas acho que uma parte de mim acredita nisso. Só que talvez Roland também tenha seu próprio patrão. O ka?

Tenho uma tendência *real* a ficar deprimido quando olho para minha vida: as bebedeiras, as drogas, os cigarros. Como se eu estivesse tentando me matar. Ou alguma outra coisa estivesse...

19 DE OUTUBRO DE 1987

Hoje à noite estou em Lovell, na casa da Via do Casco da Tartaruga. Vim para cá para refletir na maneira que estou levando minha vida. Alguma coisa precisa mudar, cara, senão posso acabar dando a caçada por encerrada e estourar os miolos.

Alguma coisa precisa mudar.

O artigo que vem a seguir, extraído do Mountain Ear, *de North Conway (New Hampshire), foi colado no diário do escritor com a data de 12 de abril de 1988:*

SOCIÓLOGO LOCAL REJEITA HISTÓRIAS SOBRE "APARECIDOS"
por Logan Merrill

Há dez anos, pelo menos, vêm ecoando nas White Mountains relatos sobre os "aparecidos", criaturas que podem ser alienígenas vindos do espaço, viajantes do tempo ou até mesmo "seres de outra dimensão". Em uma animada palestra na noite de ontem, na Biblioteca Pública de North Conway, o sociólogo local Henry K. Verdon, autor de Grupos de Pares e a Criação de Mitos, usou o fenômeno dos aparecidos para mostrar como os mitos são criados e como se desenvolvem. Disse que, ao que tudo indica, os "aparecidos" foram originalmente criados por adolescentes nas cidades da zona fronteiriça entre o Maine e New Hampshire. Ele também especulou que a aparição de imigrantes ilegais que cruzam a fronteira norte com o Canadá em direção aos estados da Nova Inglaterra podem ter desempenhado um papel na criação deste mito, que se tornou tão difundido.

"Acho que todos nós sabemos", disse o professor Verdon, "que Papai Noel não existe, nem a Fada dos Dentes, nem, na verdade, os seres chamados aparecidos. Essas histórias, no entanto...

(continua na p. 8)

O restante do artigo está faltando. Não há qualquer explicação sobre os motivos que podem ter levado King a incluí-lo em seu diário.

19 DE JUNHO DE 1989

Acabei de voltar de meu "aniversário" de um ano do Alcoólicos Anônimos. Um ano inteiro sem drogas ou bebida! Mal posso acreditar. Nada a lamentar; ficar sóbrio sem a menor dúvida salvou a minha vida (e provavelmente o meu casamento), mas eu gostaria que não tivesse ficado tão difícil escrever histórias depois disso. As pessoas do "Programa" dizem "não force, a coisa virá", mas há outra voz (penso nela como a Voz da Tartaruga) me dizendo para andar depressa, para seguir adiante, o tempo é curto e tenho que afiar as ferramentas. Para o quê? Por causa de A Torre Negra, é claro, e não apenas porque continuam chegando cartas de pessoas que leram A escolha dos três e querem saber o que acontece a seguir. Alguma coisa em *mim* quer voltar a trabalhar na história, mas a merda é que eu não faço a menor ideia de como voltar.

12 DE JULHO DE 1989

Há alguns tesouros impressionantes nas prateleiras aqui em Lovell. Sabe o que achei esta manhã, enquanto procurava algo para ler? Shardik, de Richard Adams. Não a história sobre os coelhos, mas aquela sobre o gigantesco urso mitológico. Acho que vou lê-la novamente.

E ainda não estou escrevendo grande coisa…

21 DE SETEMBRO DE 1989

Tudo bem, isto é relativamente estranho, então se prepare.

Por volta das dez da manhã, enquanto eu estava escrevendo (enquanto estava olhando para o processador de textos e imaginando como seria bom ter pelo menos um barril gelado de Bud), a campainha tocou. Era um sujeito da Casa das Flores de Bangor, com uma dúzia de rosas. Não para Tab, mas para mim. O cartão dizia Feliz Aniversário, dos Mansfield — Dave, Sandy e Megan.

Eu tinha esquecido completamente, mas hoje faço o Grande Quarenta e Dois. Seja como for, peguei uma das rosas e fiquei quase completamente absorto a contemplá-la. Sei como isso parece estranho, acredite, mas foi o que fiz. Parecia estar ouvindo um doce rumor partindo dela e fui simplesmente mergulhando & mergulhando, seguindo as curvas da rosa, como se estivesse penetrando naquelas gotas de orvalho que pareciam grandes como lagos. E, durante todo o tempo, aquele tom murmurante foi ficando mais alto & mais doce, e a rosa foi ficando… bem, mais rosa. E me vi pensando no Jake da primeira história da Torre Negra, em Eddie Dean e uma livraria. Lembro inclusive do nome: Restaurante da Mente de Manhattan.

Então, pam! Senti a mão de alguém no meu ombro, virei-me, era Tabby. Queria saber quem me mandou as rosas. Também queria saber se eu caíra no sono. Eu disse que não, mas acho que caí, bem ali na cozinha.

Sabe o que pareceu? Aquela cena no Posto de Parada, em O Pistoleiro, quando Roland hipnotiza Jake com uma bala. No entanto sou imune à hipnose. Quando eu era menino, um sujeito me fez subir em palco da Feira de Topsham e tentou me hipnotizar, mas não conseguiu. Pelo que me lembro, meu irmão Dave ficou bastante decepcionado. Ele queria me ver cacarejando como uma galinha.

De qualquer modo, acho que quero voltar a trabalhar em A Torre Negra. Não sei se estou pronto para uma coisa tão complexa dessas — após alguns fracassos nos últimos dois anos, digamos que estou em dúvida —, mas ainda assim quero fazer uma tentativa. Ouço aquelas pessoas de faz de conta apelando para mim. E quem sabe? Talvez nesta história tenha até lugar para um urso gigante, como o Shardik, do romance de Richard Adams!

7 DE OUTUBRO DE 1989

Hoje comecei o próximo volume de A Torre Negra e — como aconteceu com A escolha dos três — acabei minha primeira sessão de trabalho me perguntando por quê, em nome de Deus, esperei tanto tempo. Estar com Roland, Eddie e Susannah é como um copo de água fresca. Ou como encontrar velhos amigos após uma longa ausência. E, mais uma vez, há uma sensação de que não estou contando a história, mas apenas fornecendo um canal para que ela flua. E sabem de uma coisa? Para mim está ótimo assim. Hoje de manhã fiquei sentado quatro horas diante do processador de palavras e não pensei uma só vez em bebida ou em qualquer espécie de droga alteradora da mente. Acho que chamarei este volume de As terras devastadas.

9 DE OUTUBRO DE 1989

Não Wastelands, mas Waste Lands, Terras Devastadas, em duas palavras, como no poema de T. S. Eliot (acho que o dele é "The Waste Land").

19 DE JANEIRO DE 1990

Acabei esta noite As terras devastadas, após uma maratona de cinco horas corridas de trabalho. As pessoas vão detestar o modo como ele acaba, sem uma conclusão das adivinhações, e eu mesmo achava que a história devia demorar mais. Não pude, no entanto, fazer nada. Ouvi uma voz falando claramente em minha cabeça (e, como sempre, soava como a voz de Roland): "Encerra isso por agora... fecha teu livro, palavreiro".

Deixando de lado esse suspense no fim, a história me parece boa, mas, como sempre, não tão boa quanto as outras que escrevi. O original é um tijolo com mais de oitocentas páginas, tijolo que consegui criar em pouco mais de três meses.

Completamente inacreditável.

Mais uma vez, quase não tem palavras riscadas ou correções. Há alguns probleminhas de continuidade, mas considerando a extensão do livro, mal posso acreditar que sejam tão poucos. Nem posso acreditar como, quando precisava de algum tipo de inspiração literária, o livro certo sempre parecia voar naturalmente para a minha mão. Como The Quincunx, de Charles Palliser, com todo aquele maravilhoso resmungar da gíria do século XVII. Um jargão que parecia perfeito saindo da boca de Gasher (pelo menos eu achava). E como foi legal ver Jake voltar para a história da maneira como ele voltou!

A única coisa que me preocupa é o que vai acontecer com Susannah Dean (que antes era Detta/Odetta). Está grávida e tenho medo de quem ou o que possa ser o pai. Algum demônio? Acho que talvez não. Talvez eu não tenha de lidar com isso até mais uns dois livros na frente. De qualquer modo, minha experiência é que, em um livro extenso, sempre que uma mulher fica grávida e ninguém sabe quem é o pai, a história corre o risco de entrar pelo cano. Não sei por que, como complicador em uma trama, a gravidez parece naturalmente estragar tudo!

Ah, bem, talvez isso não importe. Por enquanto estou cansado de Roland e seu ka-tet. Talvez possa demorar um pouco para voltar a eles, mesmo achando que os fãs vão reclamar pra caramba por causa do final de suspense no trem saindo de Lud. Pode apostar o que digo.

Mas estou satisfeito de tê-lo escrito e o fim me parece correto. Sob muitos aspectos, Terras devastadas representa o ponto alto da minha "vida ficcional".

Talvez até mais que A dança da morte.

27 DE NOVEMBRO DE 1991

Lembram quando eu disse que ia ouvir muitas reclamações por causa do final de Terras devastadas? Olhem isto!

A carta a seguir vem de John T. Spier, de Lawrence, Kansas:

16 de novembro de 1991

Caro sr. King,

Ou devia ir direto ao ponto e dizer "Caro Babaca"?

Não posso acreditar que eu tenha pago tamanha quantidade de dólares pela edição de Donald Grant do seu livro As terras devastadas, da coleção sobre o pistoleiro, e tenha recebido o que recebi. Pelo menos a coisa tem um título adequado, pois se trata de uma verdadeira "obra DEVASTADA".

Acho até que a história estava indo bem, não me entenda mal, até mesmo muito bem, mas como pôde o senhor "grampear" um fim como aquele? Não foi, aliás, absolutamente um fim, mas um simples caso de você se cansar e dizer "ah, bem, que porra, não preciso forçar meu cérebro para escrever um final, os idiotas que compram meus livros engolem qualquer coisa".

Ia mandá-lo de volta, mas vou ficar com ele porque pelo menos gostei das gravuras (especialmente a do Oi). Mas a história era um vexame.

É capaz de soletrar vexame, sr. King? T-R-A-P-A-Ç-A, isto soletra vexame.

Seu crítico mais sincero,

John T. Spier
Lawrence, Kansas

23 DE MARÇO DE 1992

Em certo sentido, esta faz com que eu me sinta ainda pior.

A carta a seguir vem da sra. Coretta Vele, de Stowe, Vermont:

6 de março de 1992

Caro Stephen King,

Não sei se esta carta vai realmente chegar ao senhor, mas a esperança é a última que morre. Li a maioria de seus livros e gostei de todos eles. Sou uma jovem avó de setenta e seis anos de seu "estado irmão" de Vermont e gosto especialmente de suas histórias sobre a Torre Negra. Bem, vamos ao ponto. No mês passado fui consultar um grupo de oncologistas no hospital Mass General e eles me disseram que o tumor cerebral que eu tenho parece ser mesmo maligno (a princípio tinham dito: "não se preocupe, Coretta, é benigno"). Sei, é claro, que o senhor tem de fazer o que tem de fazer, sr. King, e "seguir sua musa", mas o que estão dizendo é que eu terei sorte se conseguir ver o Quatro de Julho deste ano. Acho então que li minha última "história da Torre Negra". Por isso o que me pergunto é: poderia me dizer como a história da Torre Negra termina, pelo menos se Roland e seu "Ka-tet" conseguem chegar à Torre Negra? E se assim for, o que encontram lá? Prometo não dizer uma palavra a uma alma e o senhor estará tornando uma moribunda muito feliz.

Sinceramente,

Coretta Vele Stowe, Vt.

Eu me sinto um merda quando penso em como fiquei satisfeito com relação ao final de Terras devastadas. Preciso responder à carta de Coretta Vele, mas não sei o que dizer. Poderia fazê-la acreditar que sei tanto quanto ela sobre o final da história de Roland? Duvido muito e, no entanto, "essa é a verdade", como diz Jake em sua Redação Final. Sei tanto o que há dentro daquela abençoada Torre quanto... bem, quanto Oi! Inclusive só fiquei sabendo que ela estava em um campo de rosas quando a coisa saiu da ponta dos meus dedos e apareceu no monitor de meu novo computador Macintosh! Coretta aceitaria isso? Qual seria a reação dela se eu dissesse: "Escute, Cory: o vento sopra e a história vem. De repente ele para de soprar e tudo que posso fazer é esperar, exatamente como você". As pessoas acham que estou no comando, cada uma delas, do crítico mais inteligente ao leitor menos mentalmente equipado. E isso é muito engraçado.

Porque eu não estou.

22 DE SETEMBRO DE 1992

A edição Grant de As terras devastadas está esgotada e a edição em brochura está indo muito bem. Eu devia estar feliz e acho que estou, mas continuo recebendo uma tonelada de cartas sobre o final aberto. Elas se encaixam em três categorias principais: pessoas que estão irritadas, pessoas que querem saber quando vai sair o próximo livro da série e pessoas irritadas que querem saber quando vai sair o próximo livro da série.

Mas estou bloqueado. O vento daqueles lados simplesmente não está soprando. Pelo menos não agora.

Enquanto isso, tive uma ideia para um romance sobre uma senhora que compra um quadro em uma casa de penhores e depois acaba caindo dentro dele. Ei, quem sabe ela não caia no Mundo Médio e encontre Roland!

9 DE JULHO DE 1994

Eu e Tabby quase não brigamos desde que parei de beber, mas ah, cara, hoje de manhã tivemos um bom atrito. Estamos na casa de Lovell, é claro, e quando eu me aprontava para dar minha caminhada matinal, ela me mostrou uma história que saiu hoje no *Sun*, de Lewiston. Parece que um homem de Stoneham, Charles "Chip" McCausland, foi atropelado e morto por um motorista (que fugiu) enquanto caminhava na rota 7. Que é a estrada onde caminho, claro. Tabby tentou me convencer a ficar na Via do Casco da Tartaruga, eu tentei *convencê-la* de que tinha tanto direito a usar a rota 7 quanto qualquer outra pessoa (e falando sério, ando menos de um quilômetro no asfalto) e, a partir daí, as coisas foram piorando. Por fim ela me pediu que, pelo menos, parasse de andar no Slab City Hill, onde há muitas curvas fechadas e não há para onde pular se algum carro sair da estrada e invadir o acostamento. Eu disse a ela que ia pensar no assunto (daria meio-dia antes que eu conseguisse sair de casa, se continuássemos a discutir), mas na verdade não pretendo viver desse jeito com medo. Além disso, me parece que o pobre sujeito de Stoneham levou a chance de *eu* ser atropelado durante a caminhada para uma em um milhão. Disse isto a Tabby e ela respondeu: "As chances de você ser tão bem-sucedido como escritor como tem sido eram ainda menores. Foi você mesmo quem disse".

A isso nada pude acrescentar.

19 DE JUNHO DE 1995 (BANGOR)

Eu e Tabby acabamos de chegar do Bangor Auditorium, onde nosso caçula (e mais uns quatrocentos colegas) finalmente conseguiu um canudo. Agora ele tem oficialmente o diploma de secundarista. A Bangor High e os Bangor Rams já passaram. Vai começar a universidade no outono e então eu e Tab teremos de começar a lidar com a sempre popular Síndrome do Ninho Vazio. Todo mundo diz que tudo passa em um piscar de olhos, você responde claro, claro, claro... e aí a coisa passa mesmo.

Porra, estou triste.

Me sinto perdido. Mas, afinal, qual é o problema? Bem, tudo é uma grande corrida do berço até o túmulo? Até "a clareira no fim do caminho"? Jesus, mas que depressão.

Esta tarde vamos para Lovell e da casa na Via do Casco da Tartaruga... Owen diz que se juntará a nós em um ou dois dias. Tabby sabe que quero escrever perto do lago e, rapaz, ela está tão intuitiva que fico com medo. Quando voltávamos da cerimônia de formatura, ela me perguntou se o vento não estava soprando de novo.

De fato está e, desta vez, é logo um vendaval. Não vejo a hora de começar o próximo volume da série da Torre Negra. Já é tempo de descobrir o que acontece com as adivinhações (que Eddie vai explodir a mente computadorizada de Blaine com "perguntas tolas" — isto é, adivinhações — é algo que já sei há vários meses), mas acho que desta vez esta não é a história principal. Quero escrever sobre Susan, o primeiro amor de Roland, e quero situar o "romance caubói" dos dois em uma região fictícia do Mundo Médio chamada Mejis (isto é, México).

É tempo de selar o cavalo e dar outro passeio com a Turma Braba.

Enquanto isso, minha garotada vai indo bem, embora Naomi tenha tido algum tipo de reação alérgica, talvez a mariscos...

19 DE JULHO DE 1995 (VIA DO CASCO DA TARTARUGA, LOVELL)

Como nas minhas expedições anteriores ao Mundo Médio, me sinto como alguém que acabou de passar um mês em um trenó a jato. Chapado e com visões alucinatórias. Achei que ia ser mais difícil começar este livro, muito mais, só que foi de novo tão fácil quanto calçar um velho e confortável par de sapatos, ou aquelas botas curtas estilo western que achei no Bally's de Nova York três ou quatro anos atrás e que ainda não consegui largar.

Já completei mais de duzentas páginas e adorei ver Roland e seus amigos investigando os restos da supergripe; e encontrando indícios de Randall Flagg e da Mãe Abigail.

Acho que Flagg pode acabar se revelando como Walter, o antigo oponente de Roland. Seu verdadeiro nome é Walter o'Dim e, no início, ele era apenas um peão rural. O que tem perfeita lógica, sob certo ponto de vista. Agora posso ver como, em maior ou menor grau, que cada história que já escrevi é sobre esta história. E acredite, não vejo problema nisso. Escrever esta história me dá sempre aquela sensação de estar chegando em casa.

Mas por que isso também sempre parece *perigoso*? Por que devo estar tão convencido de que se um dia eu cair sobre minha mesa, morto de um infarto (ou se for atropelado em uma caminhada, provavelmente na rota 7), a coisa acontecerá quando eu estiver trabalhando em uma dessas Estranhas Histórias de western? Acho que isso acontece porque sei quanta gente está confiando que vou concluir o ciclo. E *eu* quero concluí-lo! Deus, sim! Nada de *Contos de Canterbury* ou *O mistério de Edwin Drood* no meu currículo, muitíssimo obrigado, a não ser que eu não tenha como evitar. E no entanto tenho sempre a sensação de que alguma força anticriativa está rondado à minha volta e que fico muito mais visível quando estou trabalhando nessas histórias.

Bem, chega de crise de nervos. Vou dar a minha caminhada.

2 DE SETEMBRO DE 1995

Minha expectativa é acabar o livro em cinco semanas. Este tem sido mais desafiador, mas a história me chega em detalhes maravilhosamente ricos. Vi ontem à noite *Os sete samurais*, de Kurosawa, e me perguntei se aquilo não indicaria o rumo mais correto para o volume seis, *Os lobisomens do fim do mundo* (ou algo nesse estilo). Provavelmente eu devia dar uma olhada nas pequenas locadoras de vídeo de beira de estrada que existem por aqui e ver se alguma delas tem *Sete homens e um destino*, que é a versão americanizada do filme de Kurosawa.

Falando de beira de estrada, hoje à tarde quase tive de mergulhar em uma vala para me esquivar de um cara em uma van — guinando de um lado para o outro, muito claramente embriagado — no último trecho da rota 7. Foi antes do acostamento relativamente bom nos arredores da Via do Casco da Tartaruga. Acho que nem vou mencionar isto a Tabby; ela ficaria furiosa. De qualquer modo, já tive meu "susto de pedestre" e fico satisfeito que não tenha acontecido no trecho da Slab City Hill.

19 DE OUTUBRO DE 1995

Demorou um pouco mais do que eu pensava, mas hoje à noite terminei *Mago e vidro*...

19 DE AGOSTO DE 1997

Eu e Tabby acabamos de nos despedir de Joe e sua ótima esposa; eles estão voltando para Nova York. Fiquei satisfeito em poder dar a eles um exemplar de *Mago e Vidro*. Hoje chegou o primeiro pacote de livros em versão final. O que tem melhor aparência & cheiro que um livro novo, principalmente se o seu nome estiver na capa? Meu trabalho é o melhor do mundo; gente de verdade me paga dinheiro de verdade para passar o tempo na minha imaginação. Onde, eu devia acrescentar, as únicas pessoas que me parecem de fato reais são Roland e os membros de seu ka-tet.

Acho que os Leitores Fiéis vão realmente gostar deste livro e não só pelo fato de ele concluir a história de Blaine, o Mono. Eu me pergunto se a Vovó de Vermont, com o tumor no cérebro, ainda está viva? Suponho que não, mas se estivesse, gostaria muito de lhe mandar um exemplar…

6 DE JULHO DE 1998

Hoje à noite, eu, Tabby, Owen e Joe fomos até Oxford para ver o filme Armageddon. Gostei mais do que esperava, em parte porque minha família estava comigo. O filme é pura ficção científica e está todo voltado para essa coisa do fim do mundo. O que me fez pensar na Torre Negra e no Rei Rubro. Provavelmente não é de se espantar.

De manhã trabalhei um pouco em minha história passada no Vietnã, trocando a escrita à mão pelo PowerBook, então acho que estou levando a coisa a sério. Gosto do modo como Sully John reapareceu. Pergunta: Será que Roland Deschain e seus amigos algum dia vão encontrar Ted Brautigan, parceiro de Bobby Garfield? E exatamente quem são os homens nefastos que caçam o velho Tedster? Cada vez mais meu trabalho parece uma tina inclinada através da qual tudo acaba desaguando no Mundo Médio e no Fim do Mundo.

A Torre Negra é minha uberhistória, sobre isso não há dúvida. Quando estiver pronta, pretendo dar uma aliviada. Talvez me aposentar de vez.

7 DE AGOSTO DE 1998

Hoje à tarde dei minha caminhada habitual e à noite levei Fred Hauser comigo para o encontro dos AA em Fryeburg. Na volta, ele me pediu para ser seu padrinho e eu disse que sim; acho que finalmente está falando sério quando diz que quer parar de beber. Que bom para ele. De qualquer modo, a conversa acabou girando em torno dos chamados "aparecidos". Ele diz que nunca houve tantos na região das Sete Cidades como agora, e gente de todo tipo anda comentando sobre eles.

— Então como eu nunca ouvi nada sobre isso? — perguntei. Mas em vez de resposta, só recebi um olhar extremamente esquisito. Continuei atiçando e finalmente Fred explicou:

— As pessoas não gostam de falar perto de você, Steve, porque há informes da aparição de duas dúzias de aparecidos na Via do Casco da Tartaruga nos últimos oito meses e você alega que não viu nenhum.

A resposta me pareceu despropositada e não fiz comentários. Só depois do encontro — e depois de deixar meu novo colega em casa — é que percebi o que ele estava dizendo: as pessoas não falam sobre os "aparecidos" perto de mim porque acham que, de alguma forma maluca, EU SOU RESPONSÁVEL. Achei que já estava realmente me acostumando a ser o "bicho-papão da América", mas isto é realmente um tanto ultrajante...

2 DE JANEIRO DE 1999 (BOSTON)

Esta noite eu e Owen estamos no Hyatt Harborside e amanhã rumamos para a Flórida. (Tabby e eu andamos falando em comprar uma casa por lá, mas não dissemos nada às crianças; quero dizer, eles têm apenas vinte e um, vinte e cinco e vinte e sete anos... talvez, quando estiverem um pouco mais velhos para compreender certas coisas, ha-ha). Um pouco mais cedo encontramos com Joe e vimos com ele um filme chamado Hurlyburly, Tumulto, baseado na peça de David Rabe. Muito estranho. Falando de estranho, tive um tipo de pesadelo de noite de Ano-Novo antes de sair do Maine. Não consigo lembrar exatamente como foi, mas de manhã, quando acordei, vi que tinha escrito duas coisas no meu livrinho de sonhos. Uma era Bebê Mordred, tipo alguma coisa saída de uma charge de Chas Addams. Acho que posso compreender isso; só pode se referir ao bebê de Susannah nas histórias da Torre Negra. É a outra coisa que me deixa perplexo. A inscrição diz 19/6/99, Ó, Discórdia.

Discórdia também soa como alguma coisa saída da série Torre Negra, mas não é nada que eu tenha criado. Quanto a 19/6/99 é uma data, certo? Significando o quê? Dezenove de junho deste ano. Nessa data eu e Tabby já devemos estar de volta à casa da Via do Casco da Tartaruga, mas pelo que posso me lembrar não é aniversário de ninguém.

Talvez seja a data em que vou encontrar meu primeiro aparecido!

12 DE JUNHO DE 1999

É maravilhoso estar de volta ao lago!

Decidi tirar dez dias de folga, depois de finalmente voltar a trabalhar no livro sobre-como-escrever. Estou curioso sobre Corações em Atlântida; será que as pessoas vão querer saber se Ted Brautigan, amigo de Bobby Garfield, desempenha um papel na saga da *Torre*? A verdade é que eu realmente não sei a resposta. De qualquer modo, os leitores da histórias da *Torre* têm caído bastante ultimamente — os números são realmente decepcionantes comparados aos de meus outros livros (com exceção de Rose Madder, que foi um verdadeiro buraco negro, pelo menos no sentido comercial). Mas isso não importa, pelo menos para mim, e se a série ficar realmente completa, as vendas podem aumentar.

Eu e Tabby tivemos outra discussão sobre minha rota de caminhada; ela tornou a me pedir para não pegar a estrada principal. Também me perguntou se "o vento já está soprando". Ou seja, se já estou pensando na próxima história da *Torre Negra*. Disse que não, commala-vem-vem, história é que ainda não tem. Mas terá e nela há uma dança chamada *commala*. É a única coisa que vejo com clareza: Roland dançando. Por que, ou para quem, eu não sei.

De qualquer modo, perguntei a T. por que ela queria saber da Torre Negra e ela respondeu:

— Você está mais seguro quando está com os pistoleiros.

Brincando, eu acho, mas uma brincadeira *estranha* para T. Não muito do jeito dela.

17 DE JUNHO DE 1999

Conversa hoje à noite com Rand Holston e Mark Carliner. Ambos parecem entusiasmados com a ideia de passar da Tempestade do século para A casa adormecida (ou Kingdom Hospital), mas qualquer um deles me daria força de novo.

Ontem à noite sonhei com minha caminhada & acordei chorando. A Torre vai cair, pensei. Ó, Discórdia, o mundo escurece.

????

Manchete do *Press-Herald* de Portland, 18 de junho de 1999:

FENÔMENO DOS "APARECIDOS" NO OESTE DO MAINE CONTINUA A DESAFIAR EXPLICAÇÕES

19 DE JUNHO DE 1999

Isto é como um daqueles momentos em que todos os planetas ficam alinhados, só que neste caso é minha família toda em fila aqui na Via do Casco da Tartaruga. Joe e a família dele chegaram por volta do meio-dia; o garoto deles é realmente uma gracinha. Diga a verdade! Às vezes me olho no espelho e digo: "Você é avô". E o Steve no espelho apenas ri, porque a ideia é tão ridícula. O Steve no espelho sabe que ainda estou no segundo ano da universidade, de dia indo para as aulas e protestando contra a guerra no Vietnã, à noite tomando cerveja no Pat's Pizza com Flip Thompson e George McLeod. E quanto a meu neto, o belo Ethan? Ele só puxa o balão amarrado em seu dedo do pé e ri.

A filha Naomi e o filho Owen chegaram tarde ontem à noite. Tivemos um grande jantar do Dia dos Pais; as pessoas me dizendo coisas tão bonitas que cheguei a ficar com a sensação de já ter morrido! Deus, tenho sorte de ter uma família, sorte de ter mais histórias para contar, sorte de continuar vivo. A pior coisa que pode acontecer esta semana, eu espero, seria a cama da minha esposa desabar com o peso do nosso filho e da nossa nora — os idiotas estavam se engalfinhando nela.

Sabe de uma coisa? Estou mesmo pensando em voltar para a história de Roland. Assim que concluir o livro sobre a escrita (realmente Sobre a escrita não seria um título ruim — é simples e vai direto ao ponto). Mas neste momento o sol está brilhando, o dia é belo e o que vou fazer é dar um passeio.

Quem sabe mais tarde.

Do *Telegram* de Portland, edição de domingo, 20 de junho de 1999:

STEPHEN KING MORRE PERTO DE SUA CASA EM LOVELL
O POPULAR ESCRITOR DO MAINE FOI MORTO À TARDE ENQUANTO FAZIA SUA CAMINHADA
TESTEMUNHA ALEGA QUE O HOMEM QUE DIRIGIA A VAN LETAL "TIROU OS OLHOS DA ESTRADA" AO SE APROXIMAR DE KING NA ROTA 7

por Ray Routhier

LOVELL, ME. (EXCLUSIVO): O mais popular escritor do Maine foi atropelado e morto por uma van enquanto caminhava perto de sua casa de veraneio ontem à tarde. A van era dirigida por Bryan Smith, de Fryeburg. Segundo fontes próximas ao caso, Smith admitiu que "tirou os olhos da estrada" quando um de seus rottweilers saiu dos fundos da van e começou a farejar em um isopor atrás do banco do motorista.

"Nem cheguei a vê-lo", é o que se afirma que Smith teria declarado logo após o atropelamento, que teve lugar em um trecho da estrada chamado pelos habitantes locais de Slab City Hill.

King, autor de livros muito populares como It: a coisa, Salem, O iluminado e A dança da morte, foi levado para o Northern Cumberland Memorial Hospital, em Bridgton, onde foi dado como morto às 18h02 de sábado. Tinha cinquenta e dois anos.

Uma fonte do hospital disse que a morte ocorreu em virtude de profundos ferimentos na cabeça. A família de King, que tinha se reunido para comemorar o Dia dos Pais, está recolhida...

Commala venha venha
A batalha agora começou!
E todos os adversários dos homens e da rosa
Se erguem com o pôr do sol.

NOTA DO PALAVREIRO

Gostaria mais uma vez de reconhecer as inestimáveis contribuições de Robin Furth, que leu os originais deste romance — e daqueles que o precederam — com grande e simpática atenção ao detalhe. Se esta história cada vez mais complexa se mantiver coerente, é Robin quem devia ficar com a maior parte do crédito. E se não acredita nisso, consulte seu índice de termos e significados da Torre Negra, coisa em si mesma fascinante e que deve ser lida.

Devo também agradecimentos a Chuck Verrill, que editou os últimos cinco volumes do ciclo da Torre e aos três outros editores, dois grandes e um pequeno, que colaboraram para transformar este maciço projeto em realidade: Robert Wiener (Donald M.Grant, Publisher), Susan Petersen Kennedy e Pamela Dorman (Viking), Susan Moldow e Nan Graham (Scribner). Um agradecimento especial ao agente Moldow, cuja ironia e coragem nos pouparam momentos muito tristes. Há outros, muitos, mas não vou chateá-lo com a lista inteira. Afinal, isso aqui não é a porra do Oscar, certo?

Certos detalhes geográficos neste livro e no último romance do ciclo da Torre foram ficcionalizados. As pessoas reais mencionadas nestas páginas foram usadas de um modo ficcional. E pelo que sei, nunca houve armários de bagageiro funcionando a fichas no World Trade Center.

Quanto a você, Leitor Fiel...

Mais uma volta do caminho e chegaremos à clareira. Venha comigo, não acha bom?

Stephen King
28 de maio de 2003 (Diga obrigado Senhor).

1ª EDIÇÃO [2007] 11 reimpressões
2ª EDIÇÃO [2025]

ESTA OBRA FOI COMPOSTA PELA ABREU'S SYSTEM EM WHITMAN
E IMPRESSA EM OFSETE PELA GRÁFICA SANTA MARTA SOBRE PAPEL PÓLEN NATURAL
DA SUZANO S.A. PARA A EDITORA SCHWARCZ EM SETEMBRO DE 2025

FSC
www.fsc.org
MISTO
Papel | Apoiando o manejo florestal responsável
FSC® C005648

A marca FSC® é a garantia de que a madeira utilizada na fabricação do papel deste livro provém de florestas que foram gerenciadas de maneira ambientalmente correta, socialmente justa e economicamente viável, além de outras fontes de origem controlada.